Månpocket

KT-547-013

Jens Lapidus

ALDRIG FUCKA UPP

Månpocket

Denna Månpocket är utgiven enligt överenskommelse med
Wahlström & Widstrand, Stockholm

Omslag av Jonas Lindén
Omslagsbild: Magnus Wahman

Tryckt hos ScandBook AB, Falun 2011

ISBN 978-91-7001-683-7

Till Jack

"I'm a copper," he said. "Just a plain ordinary copper. Reasonably honest. As honest as you could expect a man to be in a world where it's out of style."

Raymond Chandler

DEL I

I

Smaken av metall i käften passade inte in. Som när man borstat tänderna och råkar dricka juice. Fullkomlig förvirring. Fast nu – egentligen – passade den in. Blandad med rädsla. Panik. Dödsångest.

En skogsdunge. Mahmud på knä i gräset med händerna på huvudet, som nån jävla Vietconglirare i en krigsfilm. Marken blöt, fukten trängde igenom jeansen. Klockan kanske nio. Himlen var fortfarande ljus.

Runtomkring honom stod fem shunnar uppradade. Alla modell livsfarlig. Killar som inte bangade. Som svurit att alltid backa upp sitt gäng. Som käkade smågangsters som Mahmud till frukost. Varje dag.

Chara.

Kyla i luften mitt i sommaren. Ändå kände han lukten av svett på sin hud. Hur fan hade det här gått till? Han skulle ju leva livet. Äntligen ute från kåken – fri som fågeln. Redo att greppa Sverige i pungkulorna och vrida om. Sen kom det här. Kunde vara game over nu. På riktigt. Allti-fucking-hop.

Revolvern gnisslade mot tänderna. Ekade i huvudet. Blixtar flashade för ögonen. Bilder av hans liv. Minnen av gnälliga sockärringar, låtsasförstående kuratorer, smygrasistiska klassföreståndare. Per-Olov, hans lärare i mellanstadiet: ”Mahmud, så där gör vi inte i Sverige, förstår du det?” Och Mahmuds svar – i en annan situation hade han smajlat åt minnet: ”Ta dig i bajan, så här gör vi i Alby.” Fler filmklipp: betongsnutar som aldrig fattade vad svennesveriges störda statsuppfostran gjorde med killar som honom. Pappas tårade ögon på mammas begravning. Alla surr med shunnarna på gymmet. Första gången han fått stoppa in den. Perfekta träffar med vattenballongerna från balkongen på hundfolk nedanför. Snatterierna inne i stan. Matsalen inne på kåken. Han: en äkta miljonär, från förortens programplanerade höghus, på väg upp, som en gangster deluxe. Nu: handlöst på väg ner. Bort.

Han försökte viska trosbekännelsen trots gannen i munnen. ”Ash-Hadu anla-ilaha illa-Allah.”

Snubben som höll puffran i hans käft kollade ner på honom.

”Sa du något, eller?”

Mahmud vågade inte röra huvudet. Sneglade upp. Kunde ju inte säga något. Fattade snubben långsamt? Deras blickar möttes. Killen verkade fortfarande inte greppa. Mahmud kände till honom. Daniel: på väg att bli någon, men ännu inte en av de stora shunnarna. Fett 18-karats guldkors runt halsen – äkta syrian-style. Just nu var det kanske han som bossade. Men om hans hjärna varit gjord av koks skulle försäljningssumman knappt räckt till att köpa en kexchoklad.

Till slut: Daniel förstod situationen. Drog ut revolvern. Upprepade: ”Ville du något, eller?”

”Nej. Låt mig gå bara. Jag ska fixa det jag är skyldig. Jag lovar. Kom igen nu.”

”Käften. Tror du att du kan finta mig? Du får vänta tills Gürhan vill snacka.”

Puffran åter in i munnen. Mahmud höll tyst. Vågade inte ens tänka på trosbekännelsen. Trots att han inte var religiös visste han att han borde.

Bankande tanke: Var det kört nu?

Skogen runtomkring kändes som den snurrade.

Han försökte att inte hyperventilera.

Fuck.

Fuck, fuck, fuck.

Femton minuter senare. Daniel börjat tröttna. Skruvade på sig, såg okoncentrerad ut. Gannen gnisslade värre än den gamla modellen av tunnelbanevagnarna. Kändes som han hade ett basebollträ i käften.

”Du tror visst du kan göra hur som helst, va?”

Mahmud kunde inte svara.

”Trodde du själv du skulle kunna baxa från oss, eller?”

Mahmud försökte säga nej. Ljudet kom långt bak i halsen. Oklart om Daniel fattade.

Snubben sa: ”Ingen baxar från oss. Det är helt klart.”

Killarna längre bort verkade snappa att det surrades. Kom närmare. Fyra stycken. Gürhan, legendarisk, livsfarlig langarkung. Tatueringar ända upp på nacken: ACAB och ett majalöv. Längs ena underarmen: assyriska örnen med utbredda vingar. Längs andra armen i svarta gotiska bokstäver: Born to be hated. Vicepresident i gänget med samma namn. Södra Stockholms snabbast stigande liga. En av de farligaste personerna Mahmud kände till. Mytomspunnen, explosiv, tokig. I Mahmuds värld: ju mer tokig, desto mer makt.

De tre andra snubbarna hade Mahmud aldrig sett förut, men de hade alla samma tatuering som Gürhan. Born to be hated.

Gürhan gestikulerade till Daniel: ta ut gannen. Vicepresidenten tog den själv, siktade mot Mahmud. En halvmeter ifrån. ”Lyssna. Det är rätt enkelt det här. Du fixar fram cashen till oss och slutar tjafsa. Hade du inte jiddrat hade vi inte behövt köra det här racet. Capish?”

Mahmuds mun var torr. Han försökte svara. Stirrade på Gürhan. ”Jag ska betala. Sorry att jag tjafsade. Det var helt mitt fel.” Hörde darret i sin egen röst.

Gürhans svar: en fet lavett med baksidan av handen. Small till i huvudet som ett skott. Men det var inget skott – tusen gånger bättre än ett skott. Ändå: om Gürhan flippade var det kört på riktigt.

Snubbens nackmuskler spände ut marijuanabladets flikiga struktur över huden. Deras blickar möttes. Fastnade. Låstes. Gürhan: jättestor – större än Mahmud. Och Mahmud långt ifrån en sticka. Gürhan: ökänd aggressivitetsbandit, våldsälskarprofet, gangsteratlet. Gürhan: fler ärr i ögonbrynen än typ Mike Tyson. Mahmud tänkte: Om man kan se själen i någons ögon så har Gürhan ingen. Det var ett misstag att ens ha sagt något. Han skulle vikt ner blicken. Böjt sig för vicepresidenten.

Gürhan vrålade: ”Din jävla fitta. Först fuckar du upp hela grejen och åker in. Sen blir partiet beslagtaget av snuten. Vi har kollat domen, fattar du inte det? Vi vet att i beslaget saknades det över tio tusen ampuller. Det betyder att du baxade från oss. Och nu, ett halvt år senare, börjar du jiddra när vi ska ha tillbaka degen du är skyldig oss. Spelar du liten hårding nu bara för du suttit inne? Det var fan tre tusen paket Winstrol som du tjålade. Man snor inte från oss. Har du inte fattat det?”

Mahmud i panik. Visste inte vad han skulle svara.

Med tyst röst: ”Förlåt mig. Snälla alltså. Förlåt. Jag ska betala.”

Gürhan härmade honom med förställd röst. ”Förlåt mig. Förlåt mig. Sluta vara så gaylish. Tror du det där hjälper? Varför började du jiddra för?”

Gürhan tog revolvern i båda händerna. Fällde fram pipan. Patronerna trillade ner en efter en i hans vänsterhand. Mahmud kände hur han slappnade av. De kunde rappa på honom. Slå honom blodig. Men utan puffra – då tänkte de nog inte ta honom för gott.

En av de andra snubbarna vände sig till Gürhan. Sa något kort på turkiska. Mahmud fattade inte: var det killens sätt att ge en order eller att visa uppskattning?

Gürhan nickade. Riktade gannen mot Mahmud igen. ”Okej, så här är det. Det sitter en kula kvar i trumman. Jag är schysst mot dig. I vanliga fall skulle jag ju klippt dig rakt av. Eller hur? Vi kan inte tolerera massa pajsare som du. Som sätter igång och bråkar så fort det skiter sig. Du är skyldig oss fett mycket. Men jag känner mig på gott humör ikväll. Jag snurrar, och om du har tur är det ödet. Då får du gå härifrån.”

Gürhan höll upp trumman mot den halvljusa himlen. Syntes tydligt: fem tomma hål och ett med en kula i. Han snurrade trumman. Ljudet påminde om ett roulettbords roterande skiva. Han grinade brett. Siktade mot Mahmuds tinning. Ett knäppande ljud när hanen spändes. Mahmud slöt ögonen. Började viska trosbekännelsen igen. Sen tog paniken över. Blixtarna framför ögonen kom tillbaka.

Hjärtat dunkade så att det nästan slog lock för öronen.
”Då ska vi se om du är en turshunne.”
Det klickade till.
Inget hände.
INGET HÄNDE.
Han öppnade ögonen igen. Gürhan flinade. Daniel garvade. De andra killarna flabbade. Mahmud följde deras blickar. Tittade ner.
Hans knän var våta av markens fukt. Och någonting mer: längs hans vänstra jeansben. En lång fläck.
Asgarv. Hånskratt. Skadeglada flin.
Gürhan räckte tillbaka gannen till Daniel.
”Nästa gång kanske jag bownar dig i prutten istället. Din flicka.”
Kaotiska känslor. Hopp kontra trötthet. Glädje versus hat. Lättnad – samtidigt skam. Det värsta var över nu. Han skulle få leva.
Med det här.
Ridå.

***

Misshandel mot kvinnor

Den anmälda misshandeln mot kvinnor har ökat med cirka 30 procent de senaste tio åren till cirka 24 100 anmälningar enligt Brottsförebyggande rådets statistik. Ökningen beror troligen såväl på att man i dag, i högre grad än tidigare, anmäler misshandel som på att det faktiska våldet har ökat. Samtidigt finns ett stort mörkertal. BRÅ har i tidigare studier uppskattat att bara vart femte fall anmäls till polisen.

I cirka 72 procent av anmälningarna är gärningsmannen bekant med kvinnan. Oftast har mannen och kvinnan en pågående eller avslutad nära relation.

21 procent av samtliga misshandelsbrott mot kvinnor klarades upp med så kallad personuppklaring. Det innebär att åklagaren efter utredning har en skäligen misstänkt person och att åklagaren har beslutat om åtal, åtalsunderlåtelse (till exempel om personen är under 18 år eller om brottet är bagatellartat) eller strafföreläggande (böter och/ eller villkorlig dom).

Misshandel mot kvinnor och mot barn är ett samhällsproblem som har uppmärksammats i relativt hög grad under de senaste åren. Detta har skett både genom ny lagstiftning (avseende bland annat besöksförbud och grov kvinnofridskränkning) och genom andra åtgärder, som till exempel inrättandet av Rikskvinnocentrum samt utbildningssatsningar. Även enskilda organisationers uppmärksamhet har varit betydande, till exempel genom bildandet av kvinno- och tjejjourer i cirka hälften av landets kommuner. Trots de betydande insatserna kvarstår problemet - varje år misshandlas och förnedras tusentals kvinnor.

Brottsförebyggande rådet

2

Niklas var tillbaka.

Han bodde hos sin mamma, Marie. Försökte sova någon gång då och då, mellan mardrömmarna – i den världen: jagad, hemsökt, straffad. Men lika ofta höll han själv i vapnet, eller sparkade försvarslösa människor. Precis som det varit där nere. I verkligheten.

Soffan var för kort att sova på så han la ner läderkuddarna på golvet istället. Fötterna stack ut i kylan, men det var okej – bättre än att ligga hopknycklad som en Leatherman i en tresitssoffa – även om han var van vid sånt.

Niklas såg ljuset i dörrglipan. Mamma läste säkert damtidningar där inne – som hon alltid gjort. Biografier, memoarer och skvaller. Ett ständigt intresse för andras misslyckanden. Hon levde genom nyheter om b-kändisars värdelösa skilsmässor, alkoholism och kärleksaffärer. Deras sorgliga liv fick henne kanske att må bättre. Men det var bara lögn. Som hennes eget liv.

På mornarna låg han kvar. Hörde hur hon förberedde sig att gå till jobbet. Funderade över hur hans liv i Sverige skulle bli, livet som civil. Vad skulle han egentligen syssla med här? Han visste vilka arbeten som skulle passa: väktare, livvakt, soldat. Det sistnämnda funkade ju inte. Försvarsmakten skulle inte anställa en man med hans bakgrund. Å andra sidan: det var det han kunde.

Han höll sig hemma. Kollade teve och lagade omelett med potatis och falukorv. Riktig mat – inte torrgrejer, konserver och burkravioli. Käket nere i sandlådan hade nästan pajat hans känsla för riktig falukorv, men nu höll den på att återvända. Några gånger begav han sig utanför lägenheten. För att jogga, handla, göra ärenden. Mitt på dagen, få personer ute – han sprang vettlöst hårt. Fick tankarna att försvinna.

Han bodde på lånad tid. Det funkade inte för mamma att ha honom hos sig. Det funkade inte för honom att bo hos henne. Det funkade inte att båda visste att det inte funkade. Han måste lätta på trycket. Hitta någon annanstans att bo. Make a move. Det måste ordna sig.

Han var ju tillbaka – i lätta, trygga Svedala. Där allt går att ordna med lite vilja, jävlar anamma, pengar eller sossekontakter. Niklas hade inte det sistnämnda. Däremot hade han sin vilja – hårdare än armeringen på en M1A2 Abrams pansarvagn. Mamma kallade honom kaxig. Något låg det kanske i det, där nere hade han i vart fall varit tillräckligt cocky för att klara sig med snubbar som mobbade ut dig för mindre än en lustig felsägning på engelska. Och pengar? Han satt inte på en förmögenhet att leva på resten av livet – men tillräckligt för nu.

Han stod i köket och tänkte. Hemligheten i en god omelett var att steka den under lock. Få äggen att koagulera snabbare på ytan för att slippa slemmig, geléartad äggvita på toppen och bränt ägg i botten. Han öste på tärnad potatis, lök och korvbitar. Toppade med ost. Väntade på att den skulle smälta. Doften var fantastisk. Så mycket bättre än all *chow* han fått där nere, till och med på Thanksgiving.

Tankarna gick i trista banor. Han var tillbaka – kändes skönt. Men tillbaka till vad egentligen? Mamma var närvarande frånvarande. Han visste inte vilka han kände längre i Sverige. Och hur mådde han själv? Om han verkligen kände efter. Förvirring/igenkännelse/skräck. Inget hade förändrats. Förutom han. Och det gjorde honom livrädd.

De första åren han varit borta kom han hem någon gång per år, ofta fick han permis kring jul eller påsk. Men nu var det mer än tre år sen. Irak var för intensivt. Det gick inte att dra hem hur som helst. Under den tiden hade han knappt pratat med mamma. Inte hört av sig till någon annan heller. Han var den han var. Utan att någon kände till det. Men å andra sidan – hade någon någonsin gjort det?

Dagen gick långsamt. Han satt framför teven när hon kom hem. Fortfarande mätt av omeletten. Tittade på en dokumentär om två killar som skulle ta sig över Antarktis på skidor – det mest meningslösa han någonsin sett. Två lallare försökte fejköverleva – det fanns ju ett filmteam med också, det var uppenbart. Hur klarade de sig om det nu var så kallt och jävligt? Patetiskt folk som egentligen visste mindre än ingenting om överlevnad. Och ännu mindre om livet.

Mamma såg mycket äldre ut än när han senast varit hemma. Sliten. Trött. Grånad, kändes det som. Han undrade hur mycket hon drack. Hur mycket hon oroat sig för honom på nätterna efter att ha sett nyhetssändningarna. Hur mycket hon träffat Honom med stort H – mannen som förstört deras liv. Senast han varit hemma påstod hon att de inte sågs längre. Niklas trodde ungefär lika mycket på det som Muqtada al-Sadr trodde att USA ville hans folk väl. Men nu skulle det vara slut på allt det där.

På något sätt var hon stark. Uppfostrade ensam en stökig son. Vägrade ta emot hjälp från samhället. Vägrade ge upp och förtidspensionera sig som alla sina väninnor. Slet genom livet. Å andra sidan hade hon låtit Honom komma in i hennes liv. Ta kontrollen över henne. Förnedra. Sabba henne. Hur kunde de vara så olika?

Hon ställde ner en matkasse på golvet. ”Hallå, hej. Vad har du hittat på idag då?”

Han såg på henne hur ont hon hade. Det hade han förstått redan första dagen i Sverige – hennes rygg var ur spel. Ändå fortsatte hon jobba, visserligen halvtid, men ändå, vad tjänade det till egentligen? Hennes ansikte hade aldrig direkt utstrålat glädje. Rynkorna mellan ögonen var djupa idag men hade alltid funnits där. Skapade ett ständigt uttryck av bekymmer. Hon liksom sänkte ögonbrynen, knep ihop dem, och hennes tydligaste rynkor djupnade med nästan en centimeter.

Han fortsatte betrakta henne. Rosa kofta – hennes favoritfärg. På benen ett par tajta jeans. Runt halsen ett halsband med ett guldhjärta. Håret var slingat blont. Niklas undrade om hon fortfarande gjorde det på Sonja Östergrens damfrisering. Some things just never change, som Collin brukade säga.

Egentligen var hon världens snällaste människa. För snäll. Det var inte rättvist.

Marie. Hans mor.

Som han älskade.

Samtidigt föraktade.

På grund av det där – snällheten.

Hon var för svag.

Det var inte rätt.

Men de skulle aldrig kunna prata om allt.

Niklas ställde in matkassen i köket. Kom ut i vardagsrummet igen.

”Jag kommer flytta snart, mamma. Jag ska köpa ett kontrakt.”

Rynkorna satt där igen. Som sprickor i en väg i öknen.

”Men Niklas, är inte det olagligt?”

”Nej, faktiskt inte. Det är olagligt att sälja hyreskontrakt men inte att köpa dem. Det ska nog gå bra. Jag har pengar och ingen kommer blåsa mig. Jag lovar.”

Marie mumlade något till svar. Gick in i köket. Började göra middag.

Sömnlösheten höll på att paja honom. Inte ens under de värsta nätterna där nere, när granaterna fört mer oväsen än ett nyårsfyrverkeri skulle göra mitt i vardagsrummet, sov han så kasst. Öronskydd brukade vara en välsignelse. Cd-spelaren en räddning. Inget hjälpte nu.

Han tittade på glipan under mammans dörr. Hon släckte klockan halv ett. Av någon anledning visste han redan nu att han inte skulle kunna sova. Vred sig varv på varv. För varje gång gled lakanet mer och mer ner på ena sidan av soffkuddarna. Skrynklade till sig. Förstörde möjligheten att sova.

Han funderade på sina inköp häromdagen. Utan vapen var han otrygg. Nu kändes det lugnare. Han hade ordnat vad han behövde för närvarande. Tankarna flöt vidare. Han övervägde jobbalternativ. Hur mycket av sitt cv skulle han visa upp? Nästan så att han skrattade för sig själv i mörkret: de kanske inte värderade ingående kunskap om över fyrtio vapentyper så värst högt i Sverige.

Han tänkte på Honom. Han måste bort från lägenheten, från hyreshuset. Det gav honom dåliga vibrationer. Jobbiga minnen. Farlig närhet.

Niklas tänkte leva efter sin egen filosofi nu. Ett tanketempel han noggrant byggt de senaste åren. Etiska regler spelade bara roll för dig själv. Om du kunde göra dig av med dem blev du fri. Där nere i sandpiten dog allt sånt. Moralen skrumpnade ihop som ett skrubbsår som försvann av sig självt efter några veckor. Han var fri – fri att ta tag i sitt liv på det sätt som passade honom bäst.

Han tänkte på mannarna. Collin, Alex, de andra. De visste vad han snackade om. I krig blev människan medveten om sig själv. Det fanns bara du. Regler var till för de andra.

Nästa dag approachade han en svartmäklare. Snubbens röst lät skum över linan. Säkert en äcklig typ. Niklas hade fått numret av en gammal skolbekant, Benjamin.

Först fick han spela in ett meddelande på svartmäklarsnubbens telefonsvarare. Fyra timmar senare ringde det tillbaka från ett dolt nummer.

”Hej, jag är mäklare. Jag hörde på ditt meddelande att du är intresserad av att titta på ett objekt. Stämmer det?”

Niklas tänkte: Vissa levde gott på andras krissituationer. Snubben var en orm. Undvek konsekvent ord som lägenhet, kontrakt eller svart – visste att inte nämna sånt som kunde användas emot honom.

Svartmäklaren instruerade honom: jag ringer dig, du ringer aldrig mig.

De skulle ses redan nästa dag.

Han klev in på McDonald's. Äckligt trött, men klar att möta mäklaren. Stället såg ut som han mindes det. Obekväma metallstolar, körsbärsträfärgade paneler, plastgolv. Klassisk McDonald's-lukt: en blandning av sunk och hamburgerkött. Ronald McDonald's-bössor vid kassorna, reklam för Happy Meal på brickornas underlägg, unga fjuniga snubbar och mörka tjejer bakom kassorna.

Skillnaden sen han åt där sist: hälsofascismen. Minimorötter istället för pommes frites, grovt bröd i burgarna istället för traditionellt vitt, Caesarsallad istället för extra cheeseburgare. Vad var folks problem? Om de inte rörde sig tillräckligt för att förbränna vanlig mat borde de tänka en extra gång innan de ens gick in på det här stället. Niklas beställde en mineralvatten.

En man kom emot hans bord. Klädd i långrock som nästan släpade i marken, under det en grå kostym och vit skjorta. Ingen slips. Backslickad frisyr och tomma ögon. Leendet så brett att huvudet höll på att delas i två.

Det måste vara mäklaren.

Mannen sträckte fram handen. ”Hej, fixaren här.”

Niklas nickade åt honom. Markering: du må vara den fixare jag behöver – men jag slickar inte röv för det.

Mäklarsnubben såg förvånad ut. Tvekade en sekund. Sen satte han sig ner.

Niklas gick direkt på saken: ”Vad har du till mig och hur fungerar det?”

Svartmäklaren lutade sig framåt. ”Du verkar vara rakt på liksom. Ska du inte ha något att äta?”

”Nej, inte nu. Berätta istället för mig vad du har och hur det fungerar.”

”Som du vill. Jag har objekt var du än behöver. Jag kan fixa i Söderort, Norrort, Östermalm, Kungsholmen. Jag kan fan fixa på kungliga Drottningholm om du är intresserad. Men du ser inte sån ut.” Mäklaren garvade åt sitt eget skämt.

Niklas sa ingenting.

”Men kom ihåg, kommer du någonsin dragandes med att vi har setts här och diskuterat det vi ska diskutera så har det inte hänt. Just nu är jag på möte med några kollegor, bara så du vet.”

Niklas varken hörde eller fattade vad mäklaren snackade om.

”Jo, jag har täckt upp för folk som strular. Bara så du vet. Dyker otrevligheter upp, har jag vittnen på att jag varit upptagen med annat på en annan plats just nu.”

”Okej. Bra för dig. Men du har inte svarat på min fråga.”

Mäklarsnubben log igen. Gick igång. Pratade snabbt och otydligt. Niklas fick be honom upprepa flera gånger. Killens säkra stil passade inte med hans tal.

Han berättade om objekten i detalj: i innerstans alla stadsdelar. Samarbete med värdar till lyxlägenheter, familjehus, statliga bostadsbolag. Paradvåningar i innerstan, tvåor med kök på Södermalm eller ettor i förorten. Enligt honom: säkra, prisvärda upplägg.

Niklas visste redan vad han ville ha. En tvåa i någon närförort. Helst nära mamma.

Mäklaren förklarade tillvägagångssättet. Förberedelserna. Tidsplanen. Processen. Killen såg ut som han tyckte det hela var en lek.

”Först skriver vi dig i några månader på en lägenhet långt bort som har en kort bostadskö kopplad till sig. Allt ser rätt och riktigt ut i registren. Det blir din folkbokförda adress och eftersom en kortare kö har funnits till lägenheten är det ingen som undrar hur du fått den. Jag sköter kontakterna med värden. Efter några månader byter vi lägenheten mot den du ska köpa. På så sätt blir det ett helt rent byte. Sen måste den som säljer vara skriven minst två månader i samma lägenhet som den bytet skedde med, alltså din fiktiva lägenhet. Trovärdighet är a och o i min bransch, som du säkert förstår."

Problem. Det höll inte – Niklas måste fixa en lya redan den här veckan. Han måste bort från mammas lägenhet. Fort.

Mäklaren flinade. "Okej, jag tror jag förstår ditt problem. Har du blivit utslängd av bruden eller? Sönderrivna kläder? En kraschad stereo? Det brukar bli lite high chaparral när de är arga."

Niklas vek inte undan med blicken. Stirrade två sekunder för länge för att den sociala koden skulle kunna bortförklara det som ett skämt.

Mäklaren fattade till slut – inte läge att försöka vara rolig. Han sa: "Whatever. Jag kan faktiskt hjälpa dig ändå. Vi ordnar ett andrahandskontrakt i de tre månaderna du behöver vänta. Funkar det? Jag kan sätta dig i en schysst tvåa på femtio kvadrat i Aspudden redan nästa vecka om du vill. Men det kostar ju lite extra så klart. Vad tycker du?"

Han behövde få tag på något ännu snabbare. "Om jag betalar ännu lite mer, går den att ordna fortare?"

"Fortare än så? Du är verkligen ute i senaste laget får jag säga. Men visst, du kan få den redan i övermorgon."

Niklas log inombords. Det lät bra. Han måste komma bort.

Bättre än väntat faktiskt.

Att försvinna så fort.

3

Söderort hade kanske inte flest händelserapporter per capita – men alltid störst andel grova incidenter. City hade flest i absoluta tal, det visste alla, men det var för att slöddret från Söder-om-Söder tog sig in till stan och begick massa småskit där. Snattade, snodde mobiltelefoner, hotade, hamnade i krogslagsmål.

Thomas tänkte: Söderort – de tunga ghettona som politikerna sket i. Fittja, Alby, Tumba, Norsborg, Skärholmen. I det norra träsket kunde alla namnen: Rinkeby och Tensta. Mångfaldsstöd och kulturföreningar. Stödinsatserna fokuserades. Projektpengarna regnade. Integrationsinstitutionerna invaderade. Men i Söderort regerade gängen på riktigt. Irakierna, kurderna, chilenarna, albanerna. Bandidos, Fucked For Life, Born to be hated. Gick att hålla på länge och rapa upp problem. Högst i Sverige: antalet skjutvapen, andelen killar som vägrade snacka med poliser, mängden anmälda utpressningsförsök. De kriminella organiserade sig, kopierade MC-klubbarnas hierarkier, styrde upp egna stenhårda gäng. Kickerskillarna följde i de äldre bankrånarnas/knarklangarnas/misshandlarnas upptrampade spår. En snitslad bana. Mot ett skitliv. Det gick att räkna upp hur mycket fakta som helst. I Thomas ögon – skit samma vilken etikett man satte på alla de där svartskallarna och förlorarna – de var drägg allihopa.

Han hade hört alla teorierna som socialtanterna och ungdomspsykologerna pladdrade om. Men vad skulle de med alla kognitiva, dynamiska, behaviouristiska, bla-bla-istiska hypoteser till egentligen? Inga metoder fungerade ju ändå. Ingen kunde styra upp. De spred sig. Förökade sig. Fördelade sig. Tog över. En gång kanske han också trodde att det gick att stoppa. Men det var länge sen nu.

Det var bättre förr. En klyscha. Men som Lloyd Cole sjunger: skälet till att det är en klyscha är att det är sant.

Ännu en natt i radiobilen. Thomas körde lugnt. Lät händerna vila på ratten. Visste att det skulle bli ett jävla tjat hemma för att han tagit nattpass hela veckan. Han behövde egentligen inte ens obtilläggen – fast det sa han till Åsa. En polisinspektörs ordinarie lön var inte ens värd en tiondel av det knark han beslagtog en normal kväll. Det var en skymf. Ett hån. En spottloska i fejan på alla hederliga karlar som visste vad som egentligen behövde göras. Det var inte mer än rätt att man tog tillbaka lite.

De var fem, sex gubbar som turades om att köra de här turerna tillsammans. Cirklade i områdena runt Skärholmen, Sätra, Bredäng. Förbannade utvecklingen åt helvete. Skippade politiskt korrekt bullshit och låtsasförstående kommunisttugg. De visste alla vad som gällde – knäck dem eller lägg dig ner och dö.

Thomas kollega ikväll, Jörgen Ljunggren, satt på passagerarplats. De brukade växla någon gång vid tvåtiden.

Thomas försökte räkna. Hur många gånger han och Ljunggren glidit fram under den långsamt mörknande sommarhimlen så här. Utan att prata mer än nödvändigt. Ljunggren med sin pappmugg med kaffe, alldeles för länge – tills kaffet hann kallna och han stressade på mot närmsta nattöppna ställe för att få mer. Thomas oftast med tankarna på annat håll. För det mesta på bilen hemma: zinkbehandlingen av senaste originaldetaljen, delarna till diffen i bakaxeln, nya varvräknaren. Ett eget projekt att längta till. Eller så längtade han till skjutbanan. Han hade nyss skaffat en ny pistol – en Strayer Voigt Infinity, skräddarsydd efter hans önskemål. Thomas var lycklig på så sätt, han hade fler än ett hem. Först kom radiobilen med gubbarna. Sen egna bilen hemma. Sen skytteklubben. Och sen, kanske, hemma-hemma – villan i Tallkrogen.

Jörgen Ljunggren passade Thomas bra – det var skönt med folk som inte babblade för mycket. Kom mest ut nonsens ändå. Så de satt tysta. Skickade underförstådda blickar ibland, nickade eller utbytte korta meningar. Det räckte för dem. De trivdes så. Delade en förståelse. Ett sätt att se på världen. Inga komplicerade grejer: de var här för att städa upp skiten som höll på att översvämma Stockholms gator.

Ljunggren var en av de bra mannarna. Någon att ha bredvid sig när det hettade till.

Thomas kände sig avslappnad.

Polisradion sprutade ut kommandon. Stockholmspolisen körde med två frekvenser istället för en: 80-systemet för City/Söderort/Västerort och 70-systemet för resten. Det överensstämde med hela organisationen. Ineffektivitet var bara mellannamnet – att ha två system istället för ett. Man vaknade inte upp för att fatta att en ny tid stod för dörren. Det gick inte att köra på i gamla hjulspår längre. Han tänkte samma tankar om och om igen: Packet organiserade sig i helt andra strukturer där ute. Inte längre bara några juggar och trötta finnpajsare som härjade. Dräggen var uppdaterade. Professionella, internationella, multikriminella. Nya medel behövdes. Snabbare. Smartare. Grövre. Och så fort någon ville göra något gnällde media på de nya lagarna som om de var till för att skada folk.

Radion sprakade. Någon behövde hjälp med en snattare på en nattöppen jourbutik i Sätra.

De tittade på varandra. Flinade. Glöm att de tog sådana skitjobb – det fick någon grön polisassistent göra. De struntade i att svara. Körde vidare.

Närmade sig Skärholmen.

Thomas la i tvåans växel, bromsade in. ”Vi funderar på att resa bort till jul igen.”

Ljunggren nickade. ”Det är bra. Var har ni tänkt er?”

”Vet inte. Frugan vill till varmare ställen. Förra året tog vi Sicilien. Taormina. Jävligt trevligt.”

”Jag vet. Du snackade ju inte om annat i tre månader efteråt.”

Garvpaus.

Thomas svängde av mot Storholmsskolan, utanför Skärholmens centrum. Alltid värt att ta en titt på skolgården. Glinen brukade få för sig att sticka dit på kvällarna – sitta på bänkarnas ryggstöd, mecka spliffar som de sa, röka på och njuta av sina korta liv.

Digga ironin: samma ungar som vanligtvis skolkade bort dagarna flockades nu på skolgården – för att röka sönder sina hjärnor. De fick skylla sig själva om de fem år senare satt kvar på samma bänkar utan jobb. Klagade på att det var samhällets fel. De började med tyngre grejer: fulsprit, hasch, tjack. Om otur: horse. Effekterna slog aldrig fel. De blev sjuka, deprimerade, förstörda. Nerdekning till tusen. Bidrag och socialhjälp. Smålangning och inbrott i radhusområdena. Deras föräldrar fick skylla sig själva – de borde ha tagit sitt ansvar för länge sen. Polisen fick skylla sig själv – man borde ta i direkt. Samhället fick skylla sig självt – samlade man så mycket pack på ett och samma ställe blev det problem.

Lyktorna på skolgården syntes på håll. Skolbyggnaden i grå betong låg som en jättelik legokloss i mörkret bakom gården.

De stannade bilen. Klev ur.

Ljunggren tog den vita batongen i handen. Helt onödigt – men rätt. Den klena teleskopbatongen dög inte alltid.

Det var tomt på skolgården.

"Maria ska ju alltid vara så förbannat kulturell. Åka till Florens, Köpenhamn, Paris och fan vet vad. Det finns inte ens något snyggt att kolla på där."

"Du kan väl kolla på Mona Lisa?"

Garv, igen.

"Jo visst, hon är ju lika läcker som en jävla påse med griller."

Thomas tänkte: Ljunggren borde svära mindre och visa sin fru vem som bestämde mer.

Han sa: "Jag tycker hon verkar härlig."

"Vem då, Mona Lisa eller frugan?"

Mer garv.

Det var tomt på skolgården för en gångs skull. Förutom under en av basketkorgarna. En röd Opel stod parkerad.

Thomas tände sin Maglite. Höll den i höjd med sitt huvud. Lyste mot registreringsskylten: OYU 623.

Han sa: "Det där är Kent Magnussons bil, det behöver jag inte ens göra en sökning på. Har vi plockat honom tillsammans någon gång?"

Ljunggren stoppade tillbaka batongen i fästet på bältet. "Skämta inte sådär. Vi har haffat honom minst tio gånger tror jag. Börjar du bli senil eller?"

Thomas svarade inte. De gick upp mot bilen. Ett svagt ljus syntes. Någon rörde sig i framsätet. Thomas böjde sig fram. Knackade på bilfönstret. Det blev mörkt där inne.

En röst hördes. "Stick!"

Thomas harklade sig. "Vi går inte. Är det du där inne, Magnusson? Det här är polisen."

Rösten i bilen hördes. "Fan också. Jag har inget ikväll. Jag är ren som vodka."

"Okej. Kent. Det är okej. Men kom ut ändå så kan vi snacka."

Otydliga svordomar till svar.

Thomas knackade igen, den här gången på taket. Lite hårdare.

Bildörren öppnades – stank från bilen: rök, öl, piss.

Thomas och Ljunggren stod bredbenta. Väntade.

Kent Magnusson kom ut. Orakad, tovigt hår, sunkiga tänder, herpessår runt munnen. Slitna jeans som hängde på halvstång – snubben behövde dra upp dem minst en halvmeter för att inte snubbla fram. En t-shirt med reklam för Stockholms Vattenfestival som måste vara hundra år gammal. En oknäppt rutig skjorta över t-shirten.

En pundare fullt ut. Ännu slitnare än senast Thomas sett honom.

Han lyste honom i ögonen.

”Tjena Kent. Hur hög är du?”

Kent mumlade: ”Nej, nej, inte alls. Jag håller på att tagga ner.”

Hans ögon såg faktiskt klara ut. Pupillerna normalstora – drog ihop sig när ficklampans ljus träffade dem.

”Jättemycket du håller på att lägga av. Vad har du på dig?”

”Ärligt alltså. Jag har inga mängder på mig. Jag försöker sluta. Det är säkert.”

Ljunggren surnade till. ”Snacka inte skit, Kent. Ta fram det du har istället så klarar vi av det här smidigt. Du slipper strul, tjafs och dåliga lögner. Jag är förbannat trött ikväll. Speciellt på kasst ljug. Vi kanske kan vara schyssta mot dig. Fattar du?”

Thomas tänkte: Det var märkligt med Ljunggren, med kriminella snackade han mer än vad han gjorde med honom under en hel kväll i radiobilen.

Kent grimaserade. Verkade överväga.

”Äh men ärligt. Jag har inget.”

Pundaren gjorde det svårt för sig. Thomas sa, ”Kent, vi kommer göra en husis på din bil. Bara så du vet.”

Kent grimaserade ännu mer. ”Vafan, ni får inte göra husrannsakan i bilen utan tillstånd. Ni har inte sett några mängder eller så. Ni har inte rätt att rota i min bil, det vet ni.”

”Det vet vi, och det skiter vi i. Det vet du.”

Thomas tittade på Ljunggren. De nickade mot varandra. Inga problem att skriva i rapporten efteråt att de sett Kenta smussla med något i bilen när dörren öppnats. Eller att de sett att han var hög. Eller vafan som helst – de hade alltid sannolika skäl. Saken var lugn. Att rengöra Stockholm var viktigare än en grinig pundares invändningar.

Ljunggren kröp in i bilen och började söka. Thomas ledde bort pundaren en bit. Höll kollen.

Kent fräste: ”Vad fan håller ni på med? Ni får inte göra så här. Det vet ni ju.”

Thomas höll sig lugn. Det var inget att hetsa upp sig över. ”Lugna dig”, sa han bara.

Pundaren väste något. Kanske: ”Polissvin.”

Thomas orkade inte med såna som han. ”Vad sa du?”

Kenta fortsatte mumla. Det var en sak att snubben gnällde och strulade. Men han sa inte polissvin.

”’Vad sa du?’ frågade jag.”

Kent vände sig mot honom. ”Polissvin.”

Thomas sparkade honom, hårt i knävecket. Han rasade ihop som ett tändstickstorn.

Ljunggren tittade ut från bilen. ”Allt lugnt?”

Thomas vände på Kent. Magen i marken, armarna på ryggen. Häktade på handfängseln. Ställde sig med ena foten på snubbens rygg. Ropade till Ljunggren: ”Javisst, det är cool.”

Sen vände han sig till pundaren.

”Ditt jävla as.”

Kenta låg stilla.

”Snälla, kan du inte lätta på bojorna. Det gör förbannat ont, alltså.”

Nu passade det tydligen att tjura.

Efter fem minuter ropade Ljunggren till. Javisst, han hade hittat två frimärkspåsar med hasch i bilen. Inte oväntat. Ljunggren räckte över påsarna till Thomas. Han kollade – en tia och en med cirka fyrtio gram.

Thomas böjde upp Kentas huvud.

”Och vad säger du nu?”

Pundaren fick ett högre röstläge. Påminde om Vanheden i Jönssonliganfilmerna. ”Kom igen nu inspektörn, någon annan måste ha lagt det där. Jag visste inte att det fanns i bilen. Hallå, var hittade han det egentligen? Kan ni inte vara lite schyssta?”

Inga problem. Femtio gram hasch var lite i sammanhanget. Det fick gå för den här gången. Thomas sa: ”Det är lugnt.”

Han tog frimärkspåsarna. Stoppade dem i sin egen innerficka. ”Men ljug aldrig för mig igen. Är det klart?”

”Nej. Aldrig. Tack så jättemycket. Fan, vad snällt av er. Fan vad schysst. Ni är reko alltså.”

”Du behöver inte hålla på så där. Sluta ljug bara. Bete dig som en man.”

Två minuter senare. Kenta höll på att kravla sig upp.

Thomas och Ljunggren gick tillbaka mot radiobilen.

Ljunggren vände sig mot Thomas. ”Slängde du skiten eller?”

Thomas nickade.

Kenta satte sig i Opeln igen. Startade. Höjde volymen på stereon. Ulf Lundell: ”Oh la la, jag vill ha dej.” Pundaren just sluppit nån månad på kåken – trots haschförlusten var han glad som ett barn på julafton.

Åter i radiobilen. Thomas tog av handskarna. Ljunggren ville till något nattöppet fik och fylla på med kaffe.

Radion anropade: ”Område två, har vi någon som kan ta en medvetslös man i Axelsberg? Allvarligt skadad. Troligen alkoholpåverkad. Han ligger i en källare på Gösta Ekmans väg 10. Kom.”

Ett riktigt smutsjobb. Tystnad. De gled vidare längs vägen.

Ingen annan besvarade anropet. Det var ruggig otur.

Radion igen: ”Vi får inget svar på Gösta Ekmans väg. Någon måste ta det. Kom.”

Två sköna polisinspektörer som Thomas och Ljunggren skulle fan inte behöva ta mer struntsaker ikväll. Räckte med att Ljunggren fått krypa omkring i pundaräcklets skitiga bil. De höll käft. Rullade på.

Radion beordrade: ”Okej. Det är ingen som tar på sig Gösta Ekmans väg. Det blir bil 2930, Andrén och Ljunggren. Uppfattat? Kom.”

Ljunggren tittade på Thomas. ”Typiskt.”

Det var bara att gilla läget. Thomas tryckte in knappen på

micken, "Det är uppfattat. Vi tar det. Har ni mer info? Det var en alkis, va? Finns det någon sprit över till oss tror du? Kom."

Radiorösten tillhörde en av de trista tjejerna. Enligt Thomas en surfitta. Det gick inte att skämta med henne som med de flesta andra brudarna på radion.

"Sluta larva dig Andrén. Åk dit bara. Jag återkommer när vi får reda på mer. Klart slut."

De satt i bilen utanför Gösta Ekmans väg nummer tio några minuter senare. Ljunggren gnällde på att han inte fått sitt kaffe än.

Människor stod uppradade utanför porten som om det var något slags show. Mycket folk – huset hade åtta våningar. Himlen började ljusna.

De klev ut.

Thomas tog täten. In genom porten. Ljunggren skingrade folket. Thomas hann höra hur han sa: "Gott folk. Jag tror inte att det är något speciellt här för er att se."

Där inne: huset kändes väldigt mycket sextiotal. Golvet i ett slags betongplattor. Hissdörr som såg ut att platsa i ett Startrekrymdskepp. Den lilla entrén hade en utgång till gården och en trappa neråt. Räcke i metall längs trappan upp till första våningen. Han såg att det stod några däruppe. En kvinna i morgonrock och tofflor, en man med glasögon och träningsoverall, en yngre kille som måste vara deras son.

Kvinnan pekade neråt.

"Vad bra att du kom. Han ligger därnere."

Thomas svarade: "Det vore fint om ni kunde gå in i er lägenhet igen. Det här ordnar vi. Jag kommer upp och pratar med er senare."

Hon verkade lugnad över att ha gjort sin samhällsplikt. Kanske var det hon som ringt 112 från början.

Thomas började gå ner. Trappan var smal. Ett sopnedkast med klisterlapp på: Snälla – hjälp våra sophämtare – stäng påsen!

Han tänkte på sin bil igen. I helgen kanske han skulle köpa ny motor till de elektriska fönsterhissarna.

Han kollade in låset på källardörren. Assa Abloy från tidigt

90-tal. Han borde ha en dyrknyckel som fungerade, annars fick han fråga familjen uppe i trappan.

Några sekunder: dyrken surrade. Låset klickade till. Det var mörkt där inne. Han tände Magliten. Fingrade med högerhanden efter lampknappen.

Blod på golvet, på gallren kring källarutrymmena, på prylarna i förråden.

Han tog på handskarna.

Spanade in kroppen. En man. Smutsiga kläder, numera även väldigt blodiga kläder. Kortärmad skjorta och manchesterbyxor. Fulla av spya. Oknutna kängor på fötterna. Konstig vinkel på armen. Thomas tänkte: Ännu en liten Kenta.

Överkroppen låg böjd. Ansiktet ner mot golvet.

Thomas sa: ”Hallå, kan du höra mig?”

Ingen reaktion.

Han lyfte på armen. Den kändes tung. Fortfarande noll reaktion.

Tog av sin egen handske. Kände på pulsen – stendöd.

Han lyfte på huvudet. Ansiktet var totalförstört – sönderslaget till oigenkännlighet. Näsan verkade inte existera längre. Ögonen var så svullna att de inte syntes. Läpparna liknade mer spaghetti med köttfärssås än en mun.

Men något var konstigt. Käken verkade insjunken. Han stoppade in två fingrar i munnen, rörde runt där inne. Mjukt som i en babygom – den döde saknade tänder. Det här var uppenbarligen inte en pundare som blivit medvetslös av egen kraft – det här var mord.

Thomas hetsade inte upp sig.

Övervägde framstupa sidoläge men lät honom ligga kvar. Sket i att försöka livrädda. Det var ju meningslöst.

Han följde regelboken. Larmade Länskommunikationscentralen. Lyfte radiomikrofonen till munnen, talade med låg röst för att inte skärra hela huset. ”Jag har ett mord här. Riktigt grisigt. Gösta Ekmans väg 10. Kom.”

”Uppfattat. Behöver du fler bilar? Kom.”

”Ja, skicka minst fem. Kom.”

Han hörde hur allanropen gick ut till alla i Söderort.

Radion kom tillbaka: "Behöver du något yttre befäl? Kom."

"Ja, jag tror det. Vem är det ikväll? Hansson? Kom."

"Stämmer. Vi skickar honom. Ambulans? Kom."

"Ja tack. Och skicka kraftigt med hushållspapper också. Här behöver torkas upp. Klart slut."

Nästa steg enligt rutinen. Han snackade med Ljunggren på radion. Bad honom spärra av, be allmänheten legitimera sig, lämna adressuppgifter och telefonnummer för eventuella vittnesmål. Sen låta dem vänta tills de andra radiobilarna kom med folk som kunde ställa gängse kontrollfrågor. Thomas kollade runt i trapphuset. Hur hade snubben dödats? Han såg inget vapen men det hade säkert gärningsmannen tagit med sig.

Vad skulle han göra nu? Han kollade på liket igen. Lyfte på armen. Orkade inte följa rutinen kände han – borde egentligen invänta teknikerna och ambulansen.

Han kollade händerna. De var konstiga på något sätt – inga fingrar saknades, inte ovanligt rena eller skitiga – nej, det var något annat. Han vände på handen. Nu såg han det – den döde mannens fingerspetsar var trasiga. På varje fingertopp: en blodutgjutelse. Det såg ut som de var snittade, utsmetade, jämnade, raderade.

Han släppte armen. Blodet på golvet hade stelnat. Hur länge kunde döingen ha legat där?

Han undersökte snabbt byxfickorna. Fanns ingen plånbok, ingen mobil. Inga pengar eller identitetshandlingar. I ena bakfickan: en papperslapp med ett suddigt mobiltelefonnummer. Han la tillbaks den. Memorerade upptäckten.

T-shirten klibbade fast. Han kollade närmare. Vred lite på kroppen fast han inte borde. Sånt stred mot regelboken så det bara stänkte om det. Egentligen borde de ta foton och undersöka stället innan någon flyttade på liket – men nu var han intresserad.

Då såg han nästa konstighet, på armen. Stickspår efter en kanyl. Små blåmärken runt varje hål. Helt klart: det var en mördad pundare han hade framför sig på golvet.

Han hörde ljud från andra sidan källardörren.

Förstärkning var på väg.

Ljunggren kom in. Två yngre inspar följde i släptåg. Thomas kände dem, bra killar.

De kollade in liket.

Ljunggren sa: "Fy sjutton vad han måste halkat på det där blodet som någon spillt överallt."

De flinade. Polishumor – svartare än den här källaren varit innan Thomas tänt.

Order började spruta från deras komradiohögtalare – Hansson, det yttre befälet, var på plats, la upp insatsen för att spärra av området. Gjorde som han brukade: domderade, strukturerade, vrålade. Ändå var det en liten övning. Hade det varit någon annan än en pundare i trapphuset skulle de tagit in alla radiobilar de kunnat få. Spärrat av halva stan. Stoppat tåg, bilar, tunnelbanor. Nu var det ingen jättehets.

Ambulansmännen dök upp efter sju minuter.

Lät liket ligga en stund. En tekniker kom ner, tog några kort med en digitalkamera. Blodskvättsanalys. Bevissäkring. Brottsplatsutredning.

Ambulansmännen fällde ut båren. Hivade upp liket. Täckte över det med filtar.

Försvann iväg.

När det är action har man roligt. När man har roligt går kvällar fort. Men de kammade noll. Ljunggren suckade: "Varför brydde vi oss ens om att göra en insats av grejen. Det var ju bara en A-lagare mindre som ändå skulle ha ställt till bråk för att Systembolaget öppnar tre minuter för sent nån lördagsmorgon när man verkligen inte orkade med tjafs." Thomas tänkte: Ibland tuggar Ljunggren på ordentligt.

De ströförhörde grannar. Fotograferade runtomkring i källaren. Spärrade av huset. Skickade ner två snubbar till tunnelbanestationen. Antecknade namn och telefonnummer till andra människor i grannhuset, lovade att återkomma nästa dag. Teknikerna kollade fingeravtryck och topsade dna-spår i källaren. Några radiobilar spärrade av gatan och stickprovsstoppade trafiken nere på Hägerstensvägen. Knappt någon ute så här dags ändå.

På vägen tillbaka till polishuset i Skäris satt de tysta. Trötta. Trots att inget hänt – det var en intensiv upplevelse. Skulle bli skönt att duscha.

Thomas kunde inte släppa liket i källaren. Det pajade ansiktet och fingertopparna. Inte så att han mådde illa eller tyckte det var jobbigt – för mycket äckel hade korsat hans väg för att han skulle beröras. Det var något annat. Det skumma i hela grejen – att pundaren verkade ha mördats på ett lite väl sofistikerat sätt.

Men vad var det som var konstigt egentligen? Någon hade väl lackat på honom av någon anledning. Kanske ett bråk om några milligram, en obetald skuld eller bara en snefylla. Det kunde inte varit svårt att banka skiten ur snubben. Han måste varit påtänd som en majbrasa. Men avsaknaden av tänder? Kanske var det inte heller så märkligt. A-lagares kroppar pajade i tidig ålder – för mycket av livets goda frätte på gaddarna. Löständer på fyrtioåringar var legio.

Ändå: ansiktet som bankats till oigenkännlighet, de snittade fingertopparna, att någon kanske plockat ut en tandprotes. Det kunde bli riktigt tajt att identifiera den här liraren. Någon hade tänkt till lite extra.

Det stavades: jobb utfört av ett semiproffs. Kanske till och med ett helproffs.

Inga A-lagare på tio mils avstånd där inte.

Skumt.

4

Mahmud irriterade sig på Erika Ewaldsson. Störig, tjatig. Gav liksom inte upp. Men egentligen sket han i henne, hon hade inget värde. Och bröt han bara lite mot Frivårdens regler skulle inte mycket hända. Problemet var vad de kunde få för sig. Nerkokat: de trodde det gick att styra honom, bestämma när han skulle in till stan och när han fick softa ute i betongen. Risk att det såg ut som om han gick med på att de där pajsarna försökte trycka till honom. Sätta villkoren. Kontrollera en blatte med tung heder – de kunde bajsa på sig.

Ändå: Röda linjen, på väg in. Från Alby till Frivården vid Hornstull. Från polarna – Babak, Robert, Javier, de andra – till Erika, frivårdsinspektören, fulfettosabotören, fittmarodören. Hon gav honom inget brejk. Vägrade fatta att han tänkte bli hederlig, eller åtminstone verkligen menade det när han sa så till henne. Låg på honom värre än hans kompisstödjare i skolan när han varit tretton år – lassen som ansett att just Mahmud var bråkstaken nummer ett.

Bitch.

T-banan dunkade på. Mahmud nästan ensam i vagnen. Försökte studera mönstret på sätena mittemot. Vad föreställde liksom de där grejerna? Okej, han kände igen den lilla kulan. Globen. Och tornet med tre ploppar på – stadens hus, typ Stadshuset, eller vad det nu hette. Men de andra grejerna. Vem ritade så fult? Och vem försökte Connex lura? T-banan var inte mysig och det skulle den aldrig bli.

Ändå grym feeling att chilla i vagnen. Vara fri. Kunna stiga av och på när han ville. Flörta fritt med de två gussarna längre bort. Livet på kåken var som livet utanför fast i fast forward. Tiden gick snabbare, varje del var liksom kompaktare – så det kändes som hans senaste volta aldrig varit. Det enda som störde: mardrömmarna de senaste två nätterna. Ryska roulettbord som snurrade. Pissfläckar som åt sig uppför hans ben. Gürhans guldtänder som blänkte. Han måste försöka glömma. Born to be hated.

Tåget rullade in på perrongen. Han klev av. Kände sig sugen på något. Gick mot Selectaapparaten. Tio meter ifrån den såg han att den var kraschad. Vilka amatörer. Om de skulle råna något, kunde de väl råna stort. Vad hjälpte ett par femkronor från en godisautomat? Måste vara pundare. Sorgliga losers. Varför jobbade inte Erika på att behandla dem istället? Mahmud störde ju ingen så länge ingen störde honom. Prioriteringarna uppochner.

Han började gå mot rulltrapporna. Stationens vita tegelstensväggar påminde honom om Asptuna. En och en halv månad sen han kommit ut därifrån – ett halvår bakom lås och bom. Och nu var han tvungen att åka till Hornstullshelvetet en gång i veckan och förnedra sig. Sitta och blåljuga – känna sig som han var tillbaka i mellanstadiet igen. Det funkade inte. Vissa snubbar låste in sig i små ettor som socialen fixade när de kom ut. Pallade inte för stora lägenheter, ville ha det så likt anstalten som möjligt. Andra flyttade hem till sina morsor. Klarade inte riktigt livet ute utan någon som fixade käk och städade åt dem. Men aldrig Mahmud – han skulle greja det här. Egen lägenhet, resa, röra på sig. Ligga asmycket, tjäna feta cash. GLASSA. Mitt i tankebanan: Gürhans ansikte sabbade drömmandet som ett slag i fejan.

Han klev över Långholmsgatan. I bakgrunden: trafiken dånade. Himlen var grå. Gatan var grå. Husen gråast av allt.

Frivården delade ingång med Folktandvården och Försäkringskassan. Han tänkte: Fick bara F-institutioner ligga i den här fittkåken? En städare höll på att bona plastgolven. Kunde ha varit hans pappa, Beshar. Men hans abu skulle inte behöva leva så längre. Det skulle han fixa. Promise.

I receptionen sköt de inte ens undan glasluckan för honom. Istället fick han böja sig fram mot mikrofonen.

”Hej, hej. Jag ska träffa Erika Ewaldsson. För tio minuter sen.”

”Jaha, om du sitter ner så kommer hon om en liten stund.”

Han satte sig i väntrummet. Varför skulle de alltid låta honom vänta? De betedde sig som plitarna på kåken. Maktkåta förnedringsexperter: bögar.

Han kollade in de värdelösa tidningarna. Dagens Nyheter, Café och Sköna Hem. Flinade för sig själv: Vilka pajsare kom liksom till Frivården och läste Sköna Hem?

Sen hörde han Erikas röst.

”Hej Mahmud. Vad bra att du är här nu. Nästan i tid faktiskt.”

Mahmud tittade upp. Erika såg ut som vanligt. Gula byxor och en brunaktig poncholiknande sak på överkroppen. Hon var ju inte direkt smal – hennes häck var typ stor som Saudiarabien. Hon hade gröna ögon och runt halsen ett smalt guldkors. Fan, han fick metallsmak i munnen igen.

Mahmud följde med Erika till hennes rum. Där inne: persiennerna gav ett randigt ljus. Affischer på väggarna. Skrivbordet kryllade med papper, pärmar och plastfickor. Hur många lirare skötte hon om egentligen?

Var sin fåtölj. Ett litet runt bord emellan dem. Tyget i fåtöljerna såg noppigt ut. Han lutade sig tillbaka.

”Så Mahmud, hur mår du?”

Mahmud ville bara att allt skulle gå fort. Skärpte till språket.

”Jag mår fint. Allt går bra.”

”Härligt. Hur mår din pappa. Beshar, är det så han heter?”

Mahmud bodde fortfarande hemma. Det var kasst, men rasistvärdarna var klart skeptiska till en fängelseblatte.

”Han mår också bra. Fast det är inte helt perfekt att bo där. Men det ordnar sig.” Mahmud ville tona ner problemet. ”Jag söker jobb och har varit på två intervjuer den här veckan.”

”Nämen vad kul! Har du blivit erbjuden något?”

”Nej, de skulle återkomma. Så säger de ju jämt.”

Mahmud tänkte på den senaste intervjun. Han hade medvetet klivit dit i endast linne på överkroppen. Tatueringarna radade upp sig. Texten: Lita bara på dig själv, på ena armen, och Alby Forever på den andra. Gaddningarna talade sitt eget aggressiva språk: blir det tjafs – du får feta problem. For real.

När skulle hon fatta? Inget jobb skulle komma och sno friheten från honom. Han var inte gjord för nio-till-fem-liv, det hade han vetat sen han kom till Sverige som liten.

Hon kollade på honom. För länge.

”Vad har du gjort på kinden?”

Helt fel fråga. Gürhans örfil skulle inte sabbat kinden i vanliga fall – men snubben hade haft en fet klackring. Rispat upp halva ansiktet. Såret övertäckt med plåstertejp. Vad skulle han säga?

”Ingenting. Sparrades lite med en kompis, du vet.”

Inte världens bästa förklaring, men kanske skulle hon gå på det.

Erika verkade tänka efter. Mahmud försökte kolla ut genom persiennerna. Se oberörd ut.

”Jag hoppas att det inte är någon fara, Mahmud. I så fall är det bara att berätta för mig. Jag kan hjälpa dig, förstår du.”

Mahmud ironisk i sitt eget huvud: Jo, jättemycket du kan hjälpa mig.

Erika släppte ämnet. Malde på. Berättade om ett jobbsökarprojekt som Arbetsmarknadsberedskapsmarknadsarbetslöshetskassan, eller något sånt, bedrev. För killar som han. Mahmud slog av uppmärksamheten. År av träning. Alla samtal med kuratorer, möten med sockärringar och förhör med snutar hade gett resultat. Experternas expert på att stänga öronen när det behövdes – och fortfarande se intresserad ut.

Erika pratade på. Bla, bla, bla. Så seeegt.

”Mahmud, är du inte intresserad av att syssla med något inom kroppsvård då? Du tränar ju väldigt mycket. Det har vi pratat om förut. Hur går det med det förresten?”

”Jo, det går fint. Jag trivs på gymmet.”

”Och du känner aldrig lockelsen att hålla på med det där, du vet vad?”

Mahmud visste vad. Erika drog upp det varje gång. Det var bara att gilla läget.

”Nej, Erika, jag har slutat med *det där.* Vi har ju snackat hundra gånger om det. Funkar lika bra med fettfri kyckling, tonfisk och proteindrinkar. Jag behöver inga olagliga grejer längre.”

Oklart om hon egentligen lyssnade på vad han sa. Hon skrev ner något på ett papper.

”Får jag ställa en annan fråga? Vilka umgås du med på dagarna?”

Mötet började dra ut på tiden. Idén med den här skiten: ett kort samtal för att han skulle kunna lufta problem som det fria livet skapade. Men det verkliga problemet kunde han ju inte knysta om.

”Jag umgås mycket med dem på gymmet. De är schyssta killar.”

”Hur mycket är du där?”

”Jag kör seriöst. Två pass per dag. Ett på förmiddagen, då är det inte särskilt många där. Sen kör jag ett pass senare på kvällen, ungefär vid tio.”

Erika nickade. Snackade på. Skulle det aldrig ta slut?

”Och hur är det med dina systrar?”

Hans systrar var heliga, delar av hans värdighet. Vilket straff än svenska samhället hittade på – inget kunde stoppa honom från att skydda dem. Ifrågasatte Erika något om syrrorna?

”Vad menar du?”

”Ja, träffar du henne, din äldre syster alltså? Hennes man sitter väl inne?”

”Erika, en sak måste vara klar mellan oss. Mina systrar har ingenting att göra med de risiga grejer jag gjort. De är rena som snö, oskyldiga som lamm. Förstår du? Min äldsta syrra ska starta ett nytt liv. Gifta sig och så.”

Tystnad.

Blev Erika grinig nu?

”Men Mahmud, jag menade inget illa. Det måste du förstå. För mig är det viktigt att du träffar henne och din familj. När man kommer ut från anstalt hjälper det ofta att ha kontakt med trygga personer i ens närhet. Jag har uppfattat det som att din relation till dina systrar är mycket god, inget annat.”

Hon gjorde en kort paus, spanade in honom. Kollade hon på märket efter Gürhans slag igen? Han sökte hennes blick. Efter en stund la hon händerna i knäet.

”Okej, då var vi klara för idag tycker jag. Du kan få med dig den här broschyren om Arbetsmarknadsnämndens projekt som jag berättade om förut. Deras lokaler ligger i Hägersten och jag tror verkligen det skulle kunna hjälpa dig. Kurser i hur man klarar av jobbintervjuer och så. Det kan stärka dig.”

Ute på gatan. Fortfarande hungrig. Irriterad. In på Seven Eleven vid tunnelbanenedgången. Köpte en Fanta och två powerbars. De smulade i gomen. Han tänkte på Erikas störiga frågor.

Hans telefon ringde. Privat nummer.

”Ja, hallå.”

Rösten på andra sidan: ”Är det Mahmud al-Askori?”

Mahmud undrade vem det var. Någon som inte sa vad han hette. Skummish.

”Yes. Och vad vill du mig?”

”Mitt namn är Stefanovic. Jag tror vi kan ha setts någon gång. Ibland tränar jag på Fitness Center. Du har samarbetat med oss förut.”

Mahmud la ihop ett och ett: Stefanovic – namnet sa det mesta. Inte vem som helst på tråden: någon som tränade på gymmet, någon som lät kallare än isen i Gürhans blodådror, någon som var serb. Mahmud kände inte igen rösten. Såg inget ansikte. Men ändå, det betydde bara en sak: någon av de tunga killarna ville snacka med honom. Antingen satt han djupare i skiten än han fattat, eller så var något intressant på gång.

Han dröjde med svaret. Skulle inte Stefanovic säga något mer?

Till slut sa han: ”Jag känner igen ditt namn. Jobbar du för du-vet-vem?”

”Så kan man kanske säga. Vi skulle gärna vilja träffa dig. Vi tror att du kan hjälpa oss med en viktig sak. Du har ett bra kontaktnät. Är duktig på det du gjort tidigare.”

Mahmud avbröt honom.

”Jag har inga planer på att åka in igen. Bara så du vet.”

”Lugna dig. Vi vill inte att du ska göra sånt som du behöver åka in för. Inte alls. Det här är en helt annan grej.”

En sak säker: något helt normalt jobb var det ju inte. Å andra sidan: lät som enkla cash.

”Okej. Berätta mer.”

”Inte nu. Inte över linan. Så här gör vi. Vi har lagt en biljett till på söndag i din brevlåda. Kom dit klockan två så förklarar vi där. Vi ses.”

Juggen la på.

Mahmud gick nerför trapporna till tunnelbanestationen. Tog rulltrappan ner till perrongen.

Han tänkte: Fan heller att jag åker in igen. Juggarna skulle lura honom att göra något dumt – lågoddsare. Men det kunde ändå aldrig skada en proffsshunne som Mahmud att träffa dem. Höra vad de ville. Hur mycket de degade.

Och viktigare: att bli juggarnas man kunde bli en väg ut ur skiten han hamnat i med Gürhan. Han kände sig på bättre humör. Det här kunde vara början på något.

5

Det blev inte som Niklas tänkt sig. En dag efter att han flyttade in i den nya lägenheten kom mamma dit. Bad att få sova över.

Det var ju det som var grejen – att de inte skulle gå varandra på nerverna, kliva för djupt in på varandras revir, rubba den andres cirklar. Men han kunde inte säga nej. Hon var rädd, väldigt rädd. Med all rätt. Hon ringde honom på mobilen direkt från jobbet.

”Hej Niklas, är det du?”

”Klart att det är jag mamma, du ringer ju på mitt nummer.”

”Ja, men jag har inte riktigt lärt mig det än. Det är så bra att du är hemma i Sverige igen. Det har hänt en hemsk sak.”

Niklas hörde på rösten att det var något utöver det vanliga.

”Vad då?”

”Polisen har hittat en mördad person i vårt hus. Det är så fruktansvärt. En död människa har legat i källaren hela natten.”

Niklas stelnade. Tankarna skärptes. Samtidigt: tankarna välte omkull. Det här var jobbigt.

”Det låter ju helt sjukt, mamma. Vad säger de?”

”Vilka då? Grannarna, eller?”

”Nej, polisen.”

”De säger ingenting. Jag stod utanför halva natten och frös. Det gjorde vi alla. Berit Vasquéz var helt förstörd.”

”Fy fan. Men har du pratat något mer med polisen?”

”Jag ska på förhör efter jobbet idag. Men jag vågar inte sova hemma själv. Kan jag inte få sova hos dig?”

Inte alls som han tänkt sig. Det här var inte bra.

”Självklart. Jag sover på madrass eller liggunderlag. Varför har du gått till jobbet idag? Du borde sjukskriva dig några dagar.”

”Nej, det går inte. Sen vill jag komma bort från huset också. Det är skönt att vara på jobbet.”

En fråga i Niklas huvud. Han var tvungen att höra med henne.

”Vet de vem den mördade är?”

”Polisen sa inget om det. Jag vet i varje fall inte. De har inte sagt något. Kan jag komma över efter jobbet?”

Han sa att det inte var några problem. Förklarade vägen. Suckade inombords.

Niklas satte på sig shortsen och t-shirten: Dyncorploggan i svart text över bröstet. Han älskade sin utrustning. Löparstrumporna utan sömmar för att undvika skavsår och med resår i sidled för att hålla dem på plats. Skorna: Mizuno Wave Nirvana – nördigt namn men bästa skon Löplabbet sålde.

Det första han gjort sen hemkomsten – och en av de få gångerna han rört sig någon längre bit – var att köpa skorna och de andra löpargrejerna. Testspringa på Löplabbets löpband, diskutera lästens bredd, överpronationens inverkan på steget och fotvalvets uppbyggnad. Många tyckte jogging var en skön sport för den var enkel, billig, inga onödiga prylar. Inte för Niklas: prylarna gjorde det roligare. Strumporna, shortsen med extra slitsar för att inte skava på benet, pulsklockan, och så klart, skorna. Mer än femtonhundra spänn. Värda varenda krona. Han hade redan joggat mer än tio gånger sen han kommit tillbaka. Där nere sprang han också ibland, men begränsat. Råkade du komma några meter in på fel gata kunde det sluta i tragedi. Två brittiska snubbar från hans grupp: hittats med snittade halsar. Skorna stulna. Strumporna fortfarande varma på fötterna.

Han ställde sig framför spegeln för att spänna fast pulsmätaren runt bröstet. Kollade in sig själv. Vältränad. Nyklippt, trimmad frisyr – syntes knappt hur blond han egentligen var. Men hans blåa ögon avslöjade honom. Glimtar av ett annat ansikte i spegeln: svarta streck målade under ögonen, skitigt hår, stålblick. Rustad för strid.

Han tog på sig pulsklockan sist. Nollställde den. Den gav honom känslan av intensitet, rätt tempo. Och det bästa: den gav omedelbar feedback på träningen.

Han klev ut. Småsprang nerför trapporna. Öppnade ytterporten. En schysst dag.

Joggingen: hans kontroll över ensamheten. Hans medicin. Hans avslappning i förvirringen över att vara hemma igen.

Han började långsamt. Kände lätt värk i låren sen senaste rundan, i Örnsberg. Han sprang bort mot Aspuddens skola. Stor, i gult tegel med en flaggstång på skolgården. En lägre träbyggnad stod i närheten, kanske fritids eller lågstadieklassrum. Han sprang förbi. Träden började få spröda löv. Grönskan var vackrare än allt annat. Han var glad att han var hemma.

Backen sluttade brantare. Ner mot något som liknade en dal. På andra sidan: en kulle med skog. I dalbotten öppnade sig ett koloniområde – alla hyreshusmammors stora dröm: att lägga vantarna på en sån lott. Små stugor, vattenslangar och odlingar där det börjat växa ordentligt. Grönskan i Sverige var så grön.

Han kunde inte låta bli att analyserade terrängen. Såg det som en FEBA – Front Edge på en Battle Area. En stridsteater. Perfekt för ett bakhåll, oväntat anfall ner från båda sidor mot framryckande fiende eller en fientlig konvoj i dalens botten. Först ut: AH64 Apachehelikoptrar – 30 millimeters M230 revolverkanoner, eldhastighet på mer än två tusen skott per minut. Mejade ner lastbilarna och jeeparna. Knäckte dem. Fick dem att stanna. Efterföljande bombardemang med helikoptrarnas Hellfiremissiler knäckte de flesta pansarvagnarna. Därefter: granatfolket på sluttningarna fick göra sitt med 20 millimeters pansarbrytande ammunition och automatvapnens granatkastartillsatser. Slog ut tanksen en gång för alla. Sist men inte minst: fotfolket – såg till att jeeparna brann ordentligt, la eldmattor för fiender som fortfarande gjorde motstånd, såg till att inga milismän försvann i onödan. Tog hand om spillrorna. Vraken. Fångarna.

Så skulle en slipsten dras. Läget var klockrent. Mitt ibland kolonilotterna. Han längtade nästan tillbaka.

Han sprang vidare, mot kullen på andra sidan. Fortsatte se krigsscener. Annorlunda bilder. Blodiga människor. Brännskadade ansikten. Bortsprängda kroppsdelar. Män i trasiga, halvmilitära uniformer som skrek på arabiska. Deras ledare med pistoler i händerna och emblem på axelklaffarna som vrålade: ”Imshi” – framåt.

Kravlande soldater. Sårade människor. Rykande kroppar.

Överallt.

I panik.

Förvridna uttryck. Gapande sår. Tomma ögon.

Shit.
Han sprang. Ner mot vattnet.
Grenarna täckte gångvägen som ett tak. Han fortsatte mot ett bostadsområde.
Kände tröttheten komma över honom. Kollade klockan. Han hade sprungit tjugoen minuter. Memorerade halvtiden. Dags att springa tillbaka. Andningen i lunk. Pallade han kolonilottsområdet igen?
Han tänkte: Hur mår jag egentligen? Tiden i Dyncorp påverkade, det visste han. Det fanns gott om stories om snubbar som inte pallat trygga tillvaron i sina hemländer.

Max tvåhundra meter kvar till porten. Han lugnade sig. Gick sista biten. Lät blodsockret lägga sig. Andningen gå ner. Han älskade sina prylar. Material som andades, tröjan var knappt blöt av svetten.
Himlen klarblå. Bladen på gatuplanteringarna klargröna.
Då såg han den. På ett elskåp.
Jävlar.
Han trodde inte de fanns i Sverige.
Där borta fanns de i överflöd. Men det var skillnad – då var han klädd i kevlarförstärkta kammobyxor instoppade i höga, hårda, militärboots. Försedd med vapen – kom de för nära gav han ingen nåd. Lät deras små hjärnors substans svetta ner gruset. Då var de nästan okej.
Men nu.
Råttan stirrade.
Niklas stod stilla.
Inga boots – låga Mizunojoggingskor.
Inga förstärkta byxor instoppade – bara shorts.
Ingen pistol.
Den stod stilla. Stor som en katt, tyckte han.
Paniken smög sig på.
Någon rörde sig innanför porten.
Råttan reagerade. Hoppade ner från skåpet.
Försvann längs huskanten.
Niklas öppnade porten och klev in. Där inne höll en tjej på att

slänga sopor. Kanske tjugofem år gammal, mörkt långt hår, kolsvarta ögonbryn, bruna ögon. Söt. Kanske var hon en haij, som amerikanarna kallade de civila där nere.

Han började gå uppför trapporna. Svettig. Men kändes inte som det berodde på joggingen. Snarare på råttchocken.

Tjejen följde efter. Han fumlade med nycklarna till sin dörr.

Hon stod vid sin dörr, på samma våningsplan. Kollade in honom. Öppnade dörren.

Klädd i mjukisbyxor, stor collegetröja och flip-flops.

Då insåg han – det var ju hans granne. Han borde hälsa, även om han inte visste hur länge han skulle bli kvar här.

”Hej, jag kanske ska presentera mig”, sa han.

Utan att egentligen hinna fatta själv hörde han sen sin egen röst säga, ”Salaam Aleykum. Kef alek?”

Hennes ansikte bröt upp i ett helt annat uttryck – ett brett, förvånat leende. Samtidigt: hon tittade ner i golvet. Han kände igen beteendet. Där borta mötte en kvinna aldrig en mans blick, förutom hororna.

”Talar du arabiska?”

”Ja, lite. Jag kan konversera en granne i alla fall.”

De skrattade.

”Trevligt att träffas. Jag heter Jamila, vi lär ju ses i tvättstugan eller nåt.”

Niklas sa sitt namn.

Jamila började stänga dörren. Sa: ”På återseende.” Sen gick hon in, hem till sig.

Niklas kvar utanför sin dörr.

Glad på något sätt. Trots råttan han just sett därnere.

Fyra timmar senare i köket: han och mamma. Niklas drack Coca-Cola. Hon hade haft med sig en flaska vin. På bordet: en påse med mandelkubb som hon också köpt. Hon visste: Niklas älskade kubb, den torra söta smaken när kakan fastnade i gommen. Gubbkakor tyckte mamma. Han skrattade.

Möbleringen i lägenheten var sparsam. I köket stod ett slitet träbord. Fullt med runda märken efter för varma koppar. Fyra pinnstolar – extremt obekväma. Niklas hade hängt en t-shirt över ryggstödet på mammas stol för att göra det lite mjukare.

”Berätta nu. Vad är det som har hänt egentligen?”

Det var som att trycka på en knapp. Mamma böjde sig fram över bordet som för att han skulle höra bättre. Det rann ur henne. Osammanhängande och känslosamt. Suddigt och förskräckt.

Hon berättade hur en granne väckt henne. Grannen sa att det hänt något i källaren. Sen dök polisen upp. Informerade alla. ”Ni behöver inte vara oroliga.” De ställde konstiga frågor. Grannarna stod utanför, på gatan. Småpratade med låga, skrämda röster. Polisen spärrade av området. Sirener ute på gatan. Beväpnade polismän i rörelse. De fotograferade trapphuset, källaren, utanför. Bad henne visa legitimation. Skriva ner sitt telefonnummer. Senare såg de en insvept människokropp rullas ut på bår från källaren.

Mellan orden sörplade hon vin. Huvudet hängde ner över glaset. Hennes dåliga hållning syntes även när hon satt.

Och så i dag hade de tagit in henne på förhör. De ställde frågor. Om hon hade någon aning om vem den döde kunde vara? Varför en mördad man låg i hennes bostadshus? Om hon hört något, sett något? Om någon granne betett sig märkligt på sistone?

”Var det obehagligt?”

”Väldigt. Tänk dig själv. Bli förhörd av polis som om man var inblandad i ett mord eller så. De frågade om och om igen om jag visste vem det kunde vara. Varför skulle jag veta det?”

”Så de vet inte vem det är?”

”Jag har ingen aning, men jag tror inte det. Då skulle de väl inte frågat så mycket. Det är så hemskt. Hur kan de inte veta sånt? Polisen gör ingen nytta nuförtiden.”

”Såg du den döde?”

”Ja. Eller, nej, förresten. Jag såg något som skulle kunna vara ett ansikte men de hade täckt över så mycket. Jag vet inte. Jag tror det var en man.”

”Mamma, det är en sak jag skulle vilja be dig om. Det kanske låter lite konstigt men jag vill verkligen att du tänker på det här. Du vet, med min bakgrund skulle det vara bäst om ...”

Han avbröt sig själv. Hällde upp mer Cola. Det kluckade ur burken.

"... Jag vill inte att du berättar för polisen om mig. Nämn inte att jag har kommit hem. Nämn inte att jag har bott hos dig. Kan du lova mig det?" Niklas tittade upp på Marie.

Hon satt tyst. Stirrade på honom.

6

De tog en fika – Thomas och Ljunggren, som vanligt. Trots att klockan bara var två låg Ljunggren på sin åttonde kaffekopp den dagen. Thomas undrade: Var Ljunggrens mage gjord av stål?

Fiket: ett taxihak vid Liljeholmen. En teve i ena hörnet som visade en italiensk ligamatch på hög volym. Obekväma metallstolar och bord med rutiga dukar. Utspridda på borden låg Expressen, Aftonbladet och Clas Ohlson-kataloger. Perfekt ställe för polisavslappnande väntan – de avvaktade något uppdrag värt namnet.

Ljunggrens handset för radion låg på bordet. Kommunikationscentralens anrop hördes knappt för fotbollsreportrarnas upphetsade kommentarer. Fiorentina visade att de ville vara med i toppen av italienska ligan, höll på att spöa Cagliari. Danske Martin Jørgensen satte just 2–1-målet. Välplacerat och snyggt.

De läste var sin tidning. Som alltid – inte så mycket snack. De vårdade sin lugna attityd.

Men Thomas kände sig okoncentrerad. Tidningens artiklar bara flöt förbi. Han bläddrade oengagerat. Pallade inte lyssna på Fiorentinasurret heller. Han kunde inte släppa grejen i källaren. I vanliga fall glömde han så fort han kom tillbaka till stationen. Duschade, torkade sig, klädde sig civilt. Misshandel, mord, våldtäkter, vad som helst rann av honom med duschtvålen. Men det här gnagde. Bilden av det pajade ansiktet kom tillbaka. För varje sida han bläddrade såg han slamsorna, den intryckta, trasiga näsan, svullnaderna runt ögonen. Kanylhålen på armen. De blodiga avskalade fingertopparna. Den tomma gomen.

Thomas tyckte det var en märklig rutin för riktiga poliser – så fort det började bli spännande lämnades skiten över till krimråttorna. Skrivbordspoliserna, det vill säga kriminalinspektörerna – snubbarna som krupit in från gatan till pappersskyffling. De var oftast äldre inspektörer med ryggont eller knäproblem – som om man fick bättre rygg av att sitta still vid ett skrivbord hela dagarna. Eller så hade de så kallad utbrändhet i bagaget. Det visste ju alla att det var trams. Men ibland: unga spelevinkar som kom direkt från polishögskolan men var för klena att jobba på riktigt. Trodde de skulle bli Kurt Wallander eller Martin Beck. Thomas visste – nittio procent av utredningarna de skötte var snatterier och cykelstölder. Jättespännande, jovisst.

Radion meddelade: ”Vi har ett rattfyllo som tror han är Ayrton Senna på E4:an, södergående. Någon som är nära Liljeholmen? Kom.”

Det var paus i fotbollsmatchen. Thomas hörde tydligt radion.

Såg på Ljunggrens min att han också hört.

De flinade sina vanliga flin.

Svarade: ”Vi kan inte ta det. Är vid Älvsjö. Kom.”

En liten nödlögn för att slippa. Radiocentralen hade ingen aning om hur nära platsen de faktiskt var.

Thomas tänkte: Kalla det kass jobbmoral. Kalla det lathet. Kalla det bedrägeri. Men det var rätt åt dem – satsade man aldrig på polisen, fick man inget tillbaka. Och något fyllo som trodde det var banracing på motorvägen skulle ändå aldrig få mer än en månad – så vad var grejen liksom?

Ljunggren hällde upp sin nionde kopp. Sörplade.

Ljunggren fick köra sista timmarna på dagens pass ensam. Thomas skulle in på utredningsmöte. Eller som det hette informellt, avrapportering. Berätta om sina vibbar från natten den tredje juni. Ge krimmaren en bredare, bättre, fylligare berättelse. De behövde mer än bara teknikernas foton, skriftliga rapporter och förhörsprotokoll.

Han skulle till högkvarteret, det vill säga Kronoberg. Det vill säga: paradiset för krimråttorna/pappersnissarna/flickorna. Han fick skjuts av en kvinnlig kollega han aldrig träffat förut. Orkade inte snacka. Hälsade artigt – resten av turen höll de käft.

Thomas hade skrivit ett halvt A4, sitt händelserapportblad. Det var bullshit, standardformuleringar, förkortningshantering. *Insp Andrén och insp Ljunggren anropades kl 00.10 aktuell natt. Anlände till Gösta Ekmans väg 10 kl 00.16. Viss allmänhet utanför porten samt ca 8 person i trapphus.* En radda klockslag, namn på inspar som kommit till platsen, yttre befäl, avspärrning, informationsupptagning, och så vidare. Därefter korta beskrivningar: *Underteckn först på brottsplatsen. 1:a hjälp-försök utförda. Br-plats fotograferad. Iakttagelser: Blodspår och vomitering på vägg/golv. Ansiktets placering nedåt, kraftig svullnad och skador. I bakficka: kvitton, oidentifierade papperslappar. Ambulans på plats ca kl 00.26. Tekniker anlände ca kl 00.37.*

Thomas hatade att skriva händelserapporter av två skäl. För det första: han klarade inte av tangentbord. Enkla problem körde till det. Han kom åt caps lock-tangenten i onödan. Tog tre minuter att fatta vad som hänt. Han kom åt insert-tangenten när han skulle backspaca – varenda bokstav han skrev raderade texten han redan skrivit framåt. Han lyckades inte fixa skiten. Fick utbrott. Skrev om halva rapporten från scratch eftersom den raderades i takt med att han ändrade. Irritationen skummade nästan över. Vem hade hittat på de där tangenterna egentligen?

För det andra: det som räknades var inte vad som egentligen hänt. Utan att du visade att du följt regelboken. Han hade egentligen skitit i första hjälpen. Men sånt skulle ju alla skitit i. Du måste skydda dig själv, sånt var polislivet – vad som sen ingick i rapporten var en annan sak.

Huvudentrén på Polhemsgatan var nyrenoverad. Glänsande marmorgolv, putsad metall och vita, designade jättelampor. Thomas kunde inte fatta hur de valde att spendera pengarna. Vissa snubbar i Söderort hade använt samma tjänstevapen i tjugo år men här, hos finpoliserna, la de ner miljoner på att göra om en ingång. På vilket sätt fick svenska medborgare en bättre stad av en lyxrenoverad entré? Felprioriteringarna visste inga gränser.

Han visade polisbrickan i receptionen. Bad dem ringa på förundersökningsledaren han skulle träffa, Martin Hägerström. Rum 547. Femte våningen. Säkert bra utsikt.

Hissen upp var fylld med skrivbordsfolk, mest kvinnor. Han kände inte igen ett enda ansikte. Fyllde de hela poliskåren med flickor nuförtiden? Han fäste ögonen på knapparna, närmare bestämt knappen med en femma på. Iakttog sträng svensk hissetikett – stig in, svep med blicken över dem som står i hissen, fäst sen blicken på en punkt på väggen, knappsatsen eller besiktningsintyget. Sen håller du den där. Rör dig inte. Vrid inte på huvudet. Se dig inte omkring igen. Framförallt: titta inte under några omständigheter någon av dina medpassagerare i ögonen.

Knapparna lyste varenda en. Någon skulle av på varje våning. Det blev en långdragen tur.

Våning fem: han letade sig fram till rummet. Dörren var stängd. Han knackade. Någon ropade: ”Kom in”.

Där inne: kaos – så stökigt att man lätt kunnat gömma en motorcykel i rummet. Längs ena väggen en bokhylla med böcker, tidningar och framför allt pärmar. Aktmappar sprängfyllda med papper i högar på golvet. Händelserapporter, beslagsprotokoll, informationsmaterial, uppgiftslämnares uppgifter, spaningsredogörelser med och utan plastfickor på resten av golvet. Skrivbordet var belamrat med liknande grejer: utskrivna vittnesförhör, förundersökningspromemorior och annan skit. Kaffekoppar, halvt urdruckna Ramlösaflaskor och apelsinskal överallt. Dumlekolor, snusdosor och pennor i en hög mitt framför en dataskärm. Någonstans under alla papper måste ett tangentbord finnas. Någonstans i röran måste en kriminalinspektör finnas.

En tunn kille klev fram. Snubben måste ha stått bakom dörren. Sträckte fram handen.

”Välkommen. Thomas Andrén, va? Martin Hägerström heter jag. Kriminalinspektör.”

”Nybliven eller?” Thomas gillade inte pajasstilen: manchesterbyxorna, den gröna skjortan med översta två knapparna uppknäppta, stöket i rummet, snubbens rufsiga frisyr. Den ouniformerade ledigheten.

”Egentligen inte. Jag har blivit inplockad för sex månader sen från interna. De har sån arbetsanhopning här. Behövde förstärkning du vet. Hur är det hos er? Skärholmen, va?”

Hägerström tog undan några akter som låg på en Myranstol. Gestikulerade åt Thomas att sätta sig ner. I hans huvud ekade ett ord: Interna – Martin Hägerström var en av Dem. Femtekolonnarna, quislingarna, förrädarna – internutredarna. De som sysslade med att sätta dit andra poliser, kollegor, bröder. Avdelningen dit man plockade folk från andra distrikt i landet för att de inte skulle ha några vänner i området där de jobbade. Alla snutars orosmoment nummer ett. Alla normala mäns ärkefiende. Alla hierarkiers nedersta trappsteg.

Thomas mötte hans ögon med en hård blick.

”Okej. Du är sån.”

Hägerström glodde tillbaka, gav honom en ännu hårdare blick.

”Just det. Jag är sån.”

Hägerström tog fram ett rent block och en penna någonstans ifrån.

”Det här kommer inte ta lång tid. Jag vill bara att du berättar kort vad du såg, vilka du talade med, hur du upplevde situationen i trapphuset och källaren i förrgår. Jag har ju fått din rapport och så, men vi har inte gjort klart brottsplatsutredningen och har bara hört ungefär en tredjedel av allmänheten på platsen. Vi vet ju faktiskt inte med säkerhet om källaren var platsen för brottet. Ibland behöver man lite utfyllnad för att skapa sig en bild.”

Thomas satte sig också ner. Tittade ut genom fönstret.

”Vad är det du behöver för utfyllnad? Jag vet inget mer än vad som stod i rapporten.”

Det snabbaste sättet att slippa utdragna avrapporteringar brukade vara att bara hänvisa till rapporten. Thomas ville därifrån, det var slöseri med tid.

”Vi kan väl börja med vad som hände när ni kom dit. Hur du upptäckte liket?”

”Står inte det i rapporten?”

”Det står här att du, och jag citerar, ’fann den döde i källaren, utanför förråd nr 14’. Det är det enda.”

”Men det var så det var. I tamburen, på första våningen, stod en liten familj i morgonrockar och undrade vad som hände. De sa till mig att han låg där nere. Jag klev ner. Dörren var låst och jag dyrkade upp den. Såg först blod och spya på golvet i källaren. Sen såg jag kroppen. Den låg med ansiktet nedåt. Men det har du väl foton på?”

Kriminalaren gav sig inte. Fortsatte ställa detaljfrågor. Hur familjen i trapphuset sett ut. Hur källaren varit byggd. Hur kroppen legat. Thomas insåg att han tillämpat fel taktik – han borde ha varit mer utförlig från början. Det här tog fan hela kvällen. Efter en timmes utfrågning reste Hägerström på sig.

”Ska du ha kaffe?”

Thomas tackade nej. Satt kvar. Hägerström försvann ut ur rummet.

Thomas tankar flöt iväg. Han tänkte på skytteklubben. Sin Infinitypistol, sina andra pistoler. Han längtade bort – den mäktiga avskärmningen/fokuseringen när han med öronskydden på brände av tio raka niomillimeters rätt i pallet på pappfiguren. Han kunde säga det utan att skämmas: han var en av Stockholmspolisens bästa skyttar.

Hägerström kom in igen. Verkade vilja småprata en stund.

”Du vet, ni patrullerande inspar är underskattade. Jag tror ofta era första intryck är viktiga. Vi sätter ju dit de flesta tunga gärningsmän via utredningsvägen. All vår information samlad gör att jag härifrån kammaren kan knyta ihop påsen och få dem åtalade. Från skrivbordet liksom. Men det behövs input från gatan, från verkligheten. Från er.”

Thomas nickade bara.

”Jag har idéer om nya sätt att samarbeta. Skrivbordsfolket tillsammans med dem som är ute på riktigt. Kriminalinspektörer med polisinspektörer. Man skulle sätta upp team med båda delar. Det finns så mycket kunskap som går förlorad idag.”

”Är vi klara nu? Kan jag gå?”

”Nej, inte än. Jag vill diskutera en sista sak med dig.”

Thomas suckade.

Hägerström fortsatte: ”Man brukar ju tala om olika typer av

våldsbrottslingar. Det minns du säkert från polisutbildningen. De yrkeskriminella och de psykiskt störda. Till exempel yrkeskriminella är välplanerade, manipulativa, ibland med psykopatiska drag. I många fall relativt intelligenta, åtminstone så att säga street smarta. De psykiskt störda, å andra sidan, är ofta ensamvargar, de har haft problem eller utsatts för något i uppväxten. De kan leva många år utan att begå brott, men så brister det och de begår något grovt sexual- eller våldsövergrepp. Grejen är att deras gärningar är olika. De rör sig inom olika fält, begår olika sorters skit. Helt olika typer av mord. Yrkeskriminella, ekonomiskt styrda brottslingar, mördar ofta snabbt och rent, lämnar sina offer där de inte kan bindas till brottet och gör inga onödigt blodiga affärer av det hela. Psykiskt sjuka har andra motiv. Det kan vara sexuell inblandning, det kan bli en riktig sörja, de ger sig ofta på människor i sin närhet, eller skadar flera åt gången. De kan lämna offren så att de ska upptäckas, som ett budskap till omgivningen. Eller ett rop på hjälp. Med tanke på det här mordet kan du säkert redan gissa vad min fråga är. Rent spontant, vad är din bild av det här mordet, yrkeskriminell eller psykfall?”

Frågan kom som en överraskning. Thomas kände sig av någon underlig anledning hedrad – den här krimråttan värderade hans utsaga, hans uppfattning och intuition. Sen stötte han bort tanken. Snubben smörade. Han svarade som sig bör – drygt.

”Tja, han såg ju inte glad ut direkt, så det var nog ganska plågsamt.”

Hägerström fattade inte skämtet.

”Vad menar du?”

”Jo, jag menar att han inte såg glad ut, han hade ett så märkligt ansiktsuttryck. Blödig kanske är rätt ord.”

Blickarna låstes igen. Ingen vek undan.

”Andrén, jag uppskattar inte din typ av humor. Svara bara på frågan, tack.”

”Gjorde jag inte just det? Så jävla blodigt som det var i den där källaren måste det varit en riktig Psycholirare som slagit till.”

Trettio sekunders tystnad – en lång tid mellan två män som inte kände varandra.

”Du ska få gå snart, oroa dig inte. Jag har bara en fråga till. Vad är din spontana, preliminära uppfattning om dödsorsaken?”

Det var onödigt att tjafsa. Då kanske krimmaren skulle hålla kvar honom ännu längre bara för att jävlas. Han sa sin uppriktiga mening: ”Jag vet faktiskt inte. Döingen hade ju grova kanylhål i armen så det kan ha varit en överdos som knäckte honom förutom misshandeln.”

Hägerström tappade hakan, såg uppriktigt förvånad ut i en kort sekund. Hämtade sig. Tillbaka till stöddigheten: ”Sa jag inte att jag inte gillar din typ av humor?”

Det var Thomas tur att bli förvånad. Vad menade snubben? Det var ju inget skämt.

”Hägerström, jag ska vara ärlig nu. Jag tycker inte om folk från interna. Enligt mig bör vi hålla ihop och inte syssla med att förstöra livet för duktiga yrkesmän. Men jag ska vara tillmötesgående och svara på dina frågor, enbart för att få komma härifrån. Problemet är att just nu förstår jag inte vad du menar.”

”Inte? Jag menar att jag vill ha svar på min fråga. Vad är din spontana, preliminära uppfattning om dödsorsaken? Inga jävla kanylhål tack.”

”Men jag vet ju inte, säger jag. Det var troligen misshandeln, men kan också ha varit en överdos. Med tanke på *kanylhålen*.”

Hägerström lutade sig framåt. Artikulerade: ”Det fanns inga kanylhål eller stickskador. Liket var helt utan den typen av åverkan.”

Återigen tystnad. Båda utvärderade situationen. Deras ansikten: mindre än en meter ifrån varandra.

Till slut sa Thomas: ”Du har inte läst min rapport hör jag. Liket såg ju ut som ett såll i högerarmen. Om han själv eller någon annan pumpat i honom droger genom alla de hålen kan han lika gärna ha kolat på grund av en överdos. Är du med?”

Hägerström rafsade bland sina papper på bordet. Tog upp ett, det var Thomas rapport. Krimmaren räckte över den. En halv sida. Kortfattade meningar som han kände igen. Men på slutet var det något som inte stämde. Det saknades ord. Hade han glömt spara de där sista raderna? Hade problemet med de förbannade tangentbordskommandona gjort att texten fallit bort, eller hade någon annan raderat bort det?

Han skakade på huvudet. Inte ett ord i rapporten om stickhålen.

Thomas lyfte huvudet från rapporten.

”Det här är en bluff.”

***

Obduktionsprotokoll
Rättsmedicinalverket 4 juni
Rättsmedicinska avdelningen
Retzius väg 5
171 65 SOLNA
E 07 - 073, K 58599-07

A. Inledning

Enligt förordnande från Polismyndigheten i Stockholms län har en utvidgad rättsmedicinsk obduktion utförts på en okänd kropp, upphittad den 3 juni på Gösta Ekmans väg 10 i Stockholm, nedan kallad ”X”.

Undersökningen utfördes av undertecknad på Rättsmedicinska avdelningen i Stockholm i närvaro av obduktionsteknikern Christian Nilsson.

Identiteten har enligt Polismyndigheten i Stockholms län ännu inte gått att fastställa, dock kan följande inledningsvis konstateras:

1. X är en man;
2. X är av kaukasisk ras;
3. X ålder är mellan 45 och 55 år; och
4. X avled mellan kl. 21.00 och 24.00 den 3 juni.

B. Övriga omständigheter

De övriga omständigheterna i ärendet framgår av en primärrapport från Polismyndigheten i Stockholms län, diarienummer K 58599-07, undertecknad av Martin Hägerström, krinsp.

C. Yttre besiktning

1. Den döda kroppen är 185 cm lång samt väger 79 kilo.

2. Allmän likstelhet kvarstår.

3. I ansiktet, i tinningarna och på halsen ses utbredda och djupa hudskador.

4. Håret på huvudet är ca 10 cm långt och blont, något grånad färg kring tinningarna. I håret återfinns intorkat blod.

5. I högra tinningen har huden avskrapats inom ett 10x10 cm stort område.

6. Vänstra örat är kraftigt svullet. En del om ca 1x1 cm av örsnibben saknas. Flikiga sårkanter gränsar till området. På örats övre kant är huden avskrapad inom ett 0,5x0,3 cm stort område. Vidare är huden avskrapad inom ett 1x0,3 cm stort område nedanför höger öra.

7. I pannan med nedre begränsningen vid ögonbrynen ses kraftiga svullningar, blåröda missfärgningar och djupa hudavskrapningar inom ett 16x6 cm stort tvärgående område. Ovanför ögonbrynen är huden helt bortskrapad inom ett 3x1,5 cm stort område, som är skarpt avgränsat.

8. 1 cm ovanför högra ögonbrynet ses inom ett 4x4 cm stort område ett djupt sår samt runtomkring diffus blåaktig missfärgning.

9. Ögonlocken är starkt svullna och blårött missfärgade. På båda övre ögonlocken ses sår med trasiga kanter.

10. Kinderna är kraftigt såriga med sår, djupa hudavskrapningar och svullnader samt missfärgningar vilka fortsätter över underkäkskanten ned på halsen.

11. I ögonens bindehinnor ses massiva sammanflytande svartröda blödningar. Bindehinnorna har avlossats.

12. Näsbenet är brutet på tre ställen och näsroten krossad. På övre delen av näsan, ett område om 4x2 cm, är huden avskrapad. Vidare saknas helt vänster näsvinge, där ett 1 cm djupt sår istället återfinns.

13. Över- och underläppen är kraftigt svullna. I slemhinnorna ses delvis sammanflytande svartröda blödningar. Vidare ses två 1x0,5 cm stora några mm-djupa sår med trasiga kanter i överläppen. I det läppröda och slemhinnorna på underläppen ses ett antal stora sår med trasiga kanter och omgivande blödning.

14. I munnen saknas samtliga tänder förutom tre kindtänder i den vänstra överkäken samt två kindtänder i den vänstra nedre käken. Noteras att tandprotes med största sannolikhet har använts. I munnen ses blodtillblandad fradga samt vomitering.

15. På båda händerna är samtliga fingertoppar skadade. Undre delen av vardera fingerspets har ett cirka 0,7 cm djupt sår vilket smalnar av för att vid

sårets nedersta punkt vara ca 0,2 cm djupt.

Stockholm som ovan

Bengt Gantz, överläkare rättsmedicinska avdelningen

7

Abbou – Mahmud var imponerad. Enligt hans egen syn på saken: Mahmud inte snubben som lät sig överrumplas av feta bilar, tjålat bling-bling eller ovikta flos. Han: killen som rullat fram i en Audi innan det sket sig. Shunnen som becknat preparat för hundra papp i månaden. Muskelberget. Pussypirayan. Miljonärlegenden.

Men här kände han sig som nybörjare. De satt på dyraste platserna vid ringside. För att ens få köpa såna säten måste du vara något i Fightersverige. Och kungen som ordnat det här var definitivt någon – kungarnas kung, Radovan.

Fint skulle det vara när juggebossen himself var på plats. Ikväll skulle några tunga matcher avgöras. Oddsen var höga, med andra ord: feta cash inblandade. Klart bossen ville se på nära håll när killarna där uppe fick pannbenen inslagna och degen rullade in.

Masters Cup, gemensam klass i K1. Namnet K1 för de fyra k:na: karate, kung fu, kickboxing och knockdown karate som möttes under samma regler. Men egentligen tilläts de flesta stilar. Stenhårda djur som brukade äga ringen på sina respektive gym fick halta från mattan slagna i spillror. Fighters i bar överkropp slog på varandra så hårt att det kändes ända upp på övre läktaren. Östeuropeiska jättesnubbar knockade svenska invandrarkillar på löpande band: knäade hakor, vred armar ur led, armbågade näsor. Publiken tjöt. Slagskämparna röt. Domarna försökte avbryta slagserier som skulle däckat en noshörning.

Fighterkillarna kom från Sverige, Rumänien, forna Jugoslavien, Frankrike, Ryssland och Holland. Gjorde upp om titlarna – och vem som skulle gå vidare till de stora K1-tävlingarna i Tokyo.

Åtta platser bort på samma rad, Mahmud kunde skymta Radovan. Uppeldad som alla andra. Samtidigt behöll il padre sitt lugn, sin värdighet – han hetsade inte upp sig så att det syntes. Juggarnas varumärke var lika med värdighet som var lika med respekt. Punkt slut.

Mahmud hade kommit till arenan i god tid, tjugo minuter i sex. Folk köade utanför för återlämnade biljetter. Säkerhetskontrollerna var värre än på flyget. Enda fördelen: här brydde de sig inte om att han var muslim. Han fick passera larmbågar, lägga upp bältet, nycklarna och mobilen på ett rullband, de svepte honom med metalldetektorn. Klämde honom i skrevet som fikusar.

Klockan sex gled han ner på sätet med rätt nummer. Inga andra satt runtomkring än så länge. Alldeles för tidigt. Serberna lät honom vänta. Mahmuds tankar stack iväg dit han inte ville. Snart en vecka sen helvetet i skogsdungen. Sårskorpan på kinden skulle nog läka okej. Men såret i hedern – han visste inte. Fast egentligen visste han, det fanns bara ett sätt. En man som låter någon annan kliva på en är ingen man. Men hur fan skulle en vendetta gå till? Gürhan var vicepresident i Born to be hated. Skulle Mahmud ens andas stöddighet var han lika körd som Luca Brasi.

Dessutom: Daniel, syrianen som tryckt revolvern i hans mun, hade ringt för två dagar sen. Frågat varför Mahmud inte börjat betala av än. Svaret var egentligen självklart: inte en chans att Mahmud kunde samla ihop flos så det räckte någon vart på bara tre dagar. Danielsnubben bad honom knulla sig själv – det var inte Gürhans problem. Mahmud kunde väl låna? Mahmud kunde väl sälja sin morsa, sina syrror? Han fick en vecka på sig. Sen skulle de ha första avbetalningen: hundra tusen cash. Det gick inte att undgå. Han låg på maximal risighetsgrad. Juggarna kanske var hans chans.

Samtidigt: motvilja. Han tänkte på snacket med pappa för några dagar sen. Beshar var förtidspensionär. Innan dess hade han slitit som tunnelbaneingenjör och städare i tio år. Pajat knäna och ryggen. Kämpat för svennarna, för ingenting. Stolt. Så stolt. ”Jag har betalat varenda krona i skatt och det känns bra", brukade han säga.

Mahmuds klassiska svar: "Pappa, du är en loser. Fattar du inte det. Svennarna har inte gett dig ett dugg."

"Du kallar mig inte för sånt. Förstår du. Det handlar inte om svenskar hit eller svenskar dit. Du borde skaffa dig ett jobb. Göra rätt för dig. Du skämmer ut mig. Kan de inte fixa något genom den där Frivården?"

"Nio-till-fem-jobb är inte bra grejer. Kolla in mig, jag kommer bli något utan massa jobb och sån skit."

Beshar skakade bara på huvudet. Han fattade inte.

Mahmud hade vetat det redan när han och Babak snattade sina första kexchoklad. Han kände det i hela sin kropp när de rånade sjuorna i korridoren på deras mobiltelefoner och när han blazade sin första spliff bakom fritidsgården. Han var inte gjord för något annat liv. Aldrig att han stod på knä. Inte för Frivården. Inte för Gürhan. Inte för någon i Svennesverige.

Tjugofem minuter senare, en bit in i första fighten, en juniorupp-visning: Stefanovic gled ner bredvid honom. De skakade inte hand, snubben vände sig inte ens om. Istället sa han: "Trevligt att du kom."

Mahmud fortsatte kolla in matchen. Visste inte om han borde vända sig mot Stefanovic eller om snacket skulle skötas dämpat.

"Självklart. När ni frågar kommer man. Eller hur?"

Stefanovic fortsatte också titta på fighten.

"Så brukar det vara, ja."

De satt tysta i oväsendet.

Då och då vände sig Stefanovic om till en snubbe som satt på andra sidan. Mahmud visste vem det var. Ratko. Han var polare med en annan jättejugge som Mahmud brukat hänga med innan han åkte in, Mrado. Det var skumt, de här killarna hejade alltid på Mahmud när de sågs på gymmet men här rörde de inte en min. I normala fall tog Mahmud inte sån skit. Men idag behövde han juggarna.

Mahmud spanade in stället. Solnahallen: säkert fyra tusen pers trängdes på läktarna. Muskelbyggarsnubbar – en del hälsade han på – unga blattar med för mycket adrenalin i kroppen och gel i håret, kampsportsfreaks som älskade lukten av blod. Billigare versioner av honom själv – han älskade att han inte satt uppe bland dem. Nere vid ringside satt ett annat gäng. Mer kostymer, mer glamour, mer dyra Cartierklockor. Äldre, proprare, lugnare. Uppblandat med tjugofemåriga brudar i tajta urringade toppar och ljusslingat hår. Bistra livvaktssnubbar och underhuggare. Mahmud hoppades slippa stöta på någon från Gürhans gäng.

Strålkastarna lyste på varje ny fighter som kom in. På ena kortsidan: tävlingsländernas flaggor i storformat på väggen. På den andra: K1-loggan och tävlingens hela namn på en banderoll: *Masters Cup – Rumble of the Beasts.* Högtalare ropade ut snubbarnas namn, deras klubb och nationalitet. 50 Cent på högsta volym mellan matcherna. Brudar med sillisar, hot pants och tajta reklamtröjor höll upp skyltar i pauserna med nästa rondnummer. Vickade rumpan när de gled fram i ringen så att publiken tjöt värre än vid knockout.

Uppe i ringen stod kvällens konferencier på topphumör: Jon Fagert – fullkontaktslegend, numera kostymklädd kampsportslobbyist.

”Mina damer och herrar, ikväll är kvällen som vi alla väntat på. Kvällen där sann sportsanda, tuff träning och framför allt benhård fightingspirit avgör matcherna. Vår första riktiga titelmatch ikväll är inom K1 Max. Som ni alla säkert vet, får de tävlande inte väga mer än sjuttio kilo inom den här underklassen till K1. Jag välkomnar upp i ringen två fighters med gedigna framgångar bakom sig. Den ena, vinnare av holländska Thaiboxningssällskapets riksturnering tre år i rad, ruskigt snabb med fruktade bakåtsparkar och välkända högerjabbar. Den andra, legendarisk Vale Tudo-fighter med mer än tjugo knockouter bakom sig. Ernesto Fuentes från Club Muay One i Amsterdam mot Mark Mikhaleusco från NHB Fighters Gym i Bukarest – välkomna dem upp!”

Mitt i appläderna sa Stefanovic rakt ut i luften, som om han talade med sig själv: ”Den där lallaren däruppe, Jon Fagert. Han är en clown. Visste du det?”

Mahmud körde samma race – det var klart, Stefanovic ville inte att det skulle synas för hela arenan att de surrade med varandra. Han kollade in hur Ernesto Fuentes och Mark Mikhaleusco stretchade sista gångerna före matchen. Sen sa han rakt ut: ”Varför?”

”Han har inte fattat vem som bekostar hela det här spektaklet. Han tror det är någon sorts välgörenhet. Men det förstår ju till och med en lirare som han, att har man stoppat in deg, vill man ju ha något tillbaka. Eller hur?”

Mahmud lyssnade egentligen inte, bara nickade med.

Stefanovic fortsatte. ”Vi har byggt upp den här verksamheten. Är du med? Gymmet där du tränar, Pancrease, HBS Haninge Fighting School och de andra ställena. Vi rekryterar bra folk därifrån. Ser till att han där uppe och alla andra entusiaster kan ha sitt lilla roliga. Har du betat förresten?”

Diskussionen var skum. De kunde ha surrat om vad som helst. Stefanovic rörde inte en min. Hela tiden: iskall.

Mahmud svarade: ”Nej, vem är hetast?”

”Holländaren, jag har lagt fyrtio papp på holländaren. Han har dynamit i händerna.”

Publiken satt på helspänn. Matchen började.

Mahmud var inte helt ovan. Ibland kollade han matcher på Eurosport. Vanlig sport intresserade honom inte, det fanns inget där för honom att vinna. Men att spana in fighterna på teve gav adrenalin.

Rumänen körde bländande teknik, speed, tajming och fotarbete. Feta rundsparkar och hoppkickar à la Bruce Lee. Slagserier snabba som Keanu Reeves i *Matrix*. Pareringar i världsklass. Det var inget snack – Stefanovic skulle losa sin deg.

Överläget höll i sig tills första ronden tog slut.

Musiken drog igång: gangstarap på högsta volym. Coacherna baddade slagskämparnas ansikten. Smorde in med vaselin så att slagen skulle glida av bättre. En brud gled fram diagonalt över ringgolvet. Höll upp en skylt med en tvåa på.

Gonggongen slog. Slagskämparna klev in i ringen. Avvaktade i några sekunder. Sen brakade det loss. Rumänen fortsatte imponera. Satte en perfekt roundkick i Fuentes huvud. Killen gick ner på knä. Domaren räknade.

Ett, två.

Publiken vrålade.

Holländarens saliv: som en spindeltråd från munnen ner till golvet.

Tre, fyra.

Mahmud sett många bråk i sitt liv. Men det här – perfektion.

Fem, sex.

Fuentes reste på sig. Långsamt.

Publiken tjöt.

Några sekunder kvar på andra ronden. Smällarna ekade. Rumänen försökte måtta tre slag. Holländaren sänkte hakan, satte upp båda handskarna framför ansiktet. Klarade sig.

Mahmud sneglade mot Stefanovic. Juggen körde stenansikte. Inte en antydan till panik över hans fyrtio kakor som just höll på att spolas ner i toaletten.

Tredje ronden satte igång.

Något hade hänt. Rumänen sparkade som i slowmotion. Såg trött ut. Men Mahmud såg på närmre håll än de flesta andra – snubben inte ens andfådd. Det här måste vara bluff. Kunde det verkligen stämma? Värsta övertaget för två minuter sen och nu såg det ut som om det var han som nästan blivit uträknad. Någon borde reagera.

Fuentes tog sakta men säkert över matchen. Tunga slag, feta lowkicks och snabba huvudsparkar. Rumänen fightades som en tjej. Drog sig tillbaka mot ringside för varje offensiv. Viftade med armarna framför ansiktet utan att ens nudda näsan på holländaren.

Det var töntigt. Kändes som en amerikansk wrestlingmatch. På låtsas.

Ronderna löpte på. Snubbarna i ringen blev tröttare.

Mahmud garvade nästan. Även om det var en läggmatch så skulle Stefanovic bli rik – och troligen skulle hans chef, R, bli ännu rikare.

Det ringde i gongongen. Matchen var slut. Rumänen stod nätt och jämt på benen. Domaren tog tag i deras handskar.

Höjde Ernesto Fuentes arm.

För första gången vände sig Stefanovic om mot Mahmud. Hans leende syntes knappt på läpparna – men hans ögon glödde.

”Okej, snart ska vi prata business. Nästa match är en riktig superfight. Jag lovar, de är giganter, supermän. Det är den alla kommit hit för att se. Publiken kommer vara i extas. Öronbedövande stöd för den svenske killen. Då pratar vi. När allas uppmärksamhet riktas dit och ingen hör oss. Fattar du?”

Mahmud fattade. Snart dags för hans chans. Gürhanbögen skulle bara veta. Mahmud höll på att fixa en deal med juggarna.

En halvtimme senare: dags igen. Mahmud satt på sin plats och väntade. I pausen hade han gått omkring. Hälsat på bekanta, surrat med killar från gymmet. Folk var glada att se honom ute. ”Välkommen tillbaka, stickan. Nu är det dags att sätta igång och bli stor igen.” De hade rätt – kåken var inte en bra plats att träna på. Den borde vara perfekt: mycket tid, inget kröka, ingen onyttig mat. Fast det gick inte att köra kurer där inne, inte ens kosttillskott fick man köpa i fängelsets kiosk. Plus: gymmet på Asptuna sög. Men största skillnaden var att det inte var samma grej där inne. Kåken tog lusten ur en. Mahmud hade tappat tjugo pannor.

Juggarna var rätt move för honom. Han ville upp – han *skulle* upp. Ett halvår på kåken kunde inte stoppa honom. Inte en chans att han satte sig på avbytarbänken. Och alla som ville upp visste en sak: förr eller senare måste man ha med R att göra – då var det lika bra att göra det på fina villkor. Spela i samma lag som juggebossen. Mahmud: araben de inte kunde lura, mannen som gick sin egen väg. Det här var sååå rätt. Han undrade bara vad de ville att han skulle göra.

Radovan kom ner längs en trappa. Ett följe efter sig. Mahmud kände igen några: Stefanovic så klart. Goran: känd som sprit- och ciggsmugglarkungen i stan. Ratkosnubben. Några andra bitiga killar som han kände igen från gymmet. En svans med brudar.

Stefanovic satte sig bredvid Mahmud igen.

Jon Fagert klev upp i ringen. Blickade ut över folkhavet. Det tystnade.

”Ärade publik. Idag är en stor dag. En av de två som snart ska mötas i ringen kommer gå vidare. Inte till vad som helst. Inte till ännu en turneringsfinal i sin respektive gren. Nej, till något mycket större. Till alla sporters ultimata final. Där bara en kan segra. Där bara en kan stå som vinnare. Jag talar så klart om K1-finalen i Tokyo Dome i december där det kommer vara mer än hundra tusen åskådare. Prissumman för guld ligger på över fem hundra tusen dollar. En man går vidare här ikväll. En man är stark nog. En man har den bästa fighting spiriten. Snart får vi se vem.”

Rök pyste upp vid två ingångar till ringen.

Två silhuetter syntes i vardera ändan.

Musiken spelade soundtracket till filmen *2001*.

Fagert höjde volymen: ”Mina damer och herrar, jag har äran att presentera två giganter. Från Ryssland har vi direkt från Moskvas Rude Academy den forne Spetsnazsoldaten med mer än tjugo segrar i K1 i bagaget. Mannen med järnhänderna, besten, dödsmaskinen, kort och gott Vitali Akhramenko.”

Publiken vrålade.

En av silhuetterna rörde sig framåt. Kom ut ur rökdimman. Strålkastarna följde hans tunga steg. Känslan av en gud som gjorde entré i mörkrets rike.

Det var den största människa Mahmud någonsin sett och Mahmud tränade ändå på Fitness Center. Minst två och tio lång. Muskler i relief som på en seriefigur. Bröstomfång som en sumobrottare. Biceps bredare än Mahmuds lår.

Jon Fagert fortsatte, överröstade musiken: ”Och i andra hörnan har vi vår egen svenske superfighter, direkt från HBS Haninge Figthing School med över tio knockouter bakom sig. Kraftpaketet, pansarmaskinen, fighterguden, allas vår Jörgen Ståhl.”

Stämningen som på värsta hårdrockskonserten. Musiken dundrade. Strålkastarna spelade. Jon Fagerts ögon blixtrade. Småkillarna på läktarna var i extas.

Jörgen Ståhl rörde sig långsamt framåt. Tillät hurraropen att öka successivt. Klädd i mantel med HBS emblem på ryggen. De svarta tribaltatueringarna täckte nästan hela överkroppen. På ena underarmen i svarta ingaddade bokstäver: *Ståhl is King*. Mahmud tänkte på Gürhans tatuering.

Stefanovic öppnade munnen, fortfarande med blicken mot ringen.

”Folk är som galna. Lite smällar och en droppe med blod och de här ungarna uppe på läktarna tror att det är världskrig. De vet ingenting. Har du betat förresten?”

”Inte betat förra gången, inte betat den här gången. Men det verkade ju som du cashade in.”

”Precis. Nu har jag pitchat in hundra lakan. På ryssen. Han är ett djur, jag lovar. Det kan bli legendariskt. Vad tror du om det?”

Mahmud tänkte: Försöker Stefanovic göra mig osäker? Han avslutar varje mening med en dum fråga.

”Jag tror ingenting om det. Du verkar veta vad du gör. Överlägset.”

”Lyssna, ryssen är en hundrafyrtiokilosgubbe men med teknik som en nittiokiloskille. Och det är inte bara snabbhet som avgör det här – tajming är ännu viktigare. Du kommer få se. Han kommer släppa helvetet löst på svensken. Sen har vi ju lite känningar också.”

Mahmud undrade när Stefanovic skulle komma till saken.

Matchen började uppe i ringen. Akhramenko försökte träffa Ståhl med en vänster uppercut. Svensken blockade snyggt. Det här var som tungviktsboxning fast med low kicks mot benen.

”Mahmud, vi litar på dig. Förstår du vad det innebär?”

Ännu en fråga. Kunde vara inledning på det egentliga surret de skulle ha.

”Ni kan lita på mig. Även om jag hängde en del med Mrado, jag vet att han blev problem för er. Och även om jag inte är serb. Ni använder ju araber. Våra folk har inget emot varandra här.”

”Just så. Du kanske redan känner en av dem, Abdulkarim. Han är ute ur spelet just nu, men en bättre kille får du leta efter. Är du som han?”

”Som jag sa, ni kan lita på mig.”

”Det räcker inte. Vi behöver män som är hundrafemtio procent lojala. Det händer att vi satsar på fel fighters, så att säga.”

Mahmud visste vad han surrade om – det visste alla. Senaste tiden hade det varit massa knas i Stockholms undre delar. Sånt hände: nån fick för sig att försöka bli ny herre på täppan, nån ville utmana killarna på toppen, nåns heder blev trampad på. Det fanns gott om exempel. Kriget mellan albanerna och Original Gangsters, skottlossningen ute i Västberga kylförvaringshallar mellan olika falanger inom juggemaffian, avrättningarna i Vällingby förra månaden.

Uppe i ringen körde Ståhl serier av sparkar mot ryssens smalben och snabba slagväxlingar mot huvudet. Kanske kunde svennen plocka hem det här trots allt.

Stefanovic fortsatte. ”Du kan bli vår man. För att se om du platsar skulle jag vilja be dig om en liten tjänst. Lyssna noga.”

Mahmud vände sig inte om. Fortsatte spana in matchen. Första ronden tog slut. Svensken blödde vid ögonbrynet.

”Har du hört talas om stöten mot Arlanda? Den gick grymt men samtidigt åt helvete. Vi hade allt lika välplanerat som vi alltid har. Jag tror du vet vad jag menar. Koll på väktarna. Koll på rutinerna, övervakningskamerorna, när lasten med sedlar skulle komma in, branddörrarna, flyktvägarna, de utbytbara bilarna, fotanglar, allt. Det var fyra killar i teamet, två var våra och två kom från din sida av stan, Norra Botkyrka. Tre klev in på Arlandas område, in i lagret där grejerna fanns. En stannade utanför. Allt gick helt enligt plan. När de kört ut säckarna på pirran till den väntande bilen möttes de av killen som väntat utanför, snubbe nummer fyra. Med pistolen i handen. Riktad mot dem. Fattar du?”

”Ni blev körda.”

”Vi blev körda rätt upp i bajan, stenhårt. Det var sedlar för mer än fyrtiofem miljoner. Och den där snubben, tog rubbet. Lät de tre andra vältra upp skiten i bilen. Sen stack han därifrån.”

”Du skojar? Vem är han?”

Det tog en stund innan Stefanovic svarade. Ståhl och ryssen dansade långsamt omkring varandra. Ryssen såg trött ut. Ståhl studsade undan som om han visste hur Akhramenko skulle slå. Parerade. Duckade. De gick i klinch. Ståhl fick nästan in ett knä. Domaren bröt. Skickade tillbaka dem i position.

”Killen heter Wisam Jibril. Libanes. Tung på värdetransporter. Minns du honom? Lite av en guru i dina kretsar tror jag. Sen Arlandastöten är han försvunnen. Dödförklarad i tsunamikatastrofen, som så många andra sett till att bli. Med fyrtiofem av Radovans miljoner.”

Plötsligt så uppenbart varför de valt honom. Wisam Jibril: en av Mahmuds gudar under uppväxten. Tre år äldre. I samma skola. Från samma hood. Samma gäng. Dessutom hade hans pappa känt Wisams mamma. Det var som om de bad honom gola ner en familjemedlem. Kuk.

Ändå hörde han sig själv säga: ”Vad får dig att tro att jag kan hitta honom?”

”Vi tror att han är i Sverige igen. Folk har spanat honom på stan. Men han vet att vi inte är glada. Ingen verkar veta var han bor. Han är försiktig. Aldrig ute ensam. Inte haft kontakt med sin familj, åtminstone inte som vi känner till.”

Stefanovic lät orden hänga kvar en stund. Sen nästan viskade han: ”Hitta honom.”

Uppe i ringen slogs jättarna. Ståhl matade uppercuts växlat med jabbar. Ryssens gard sjönk gradvis. Hängde med huvudet, verkade ofokuserad. Efter två minuter: pang på. Svensken fick in värsta raka. Ryssen studsade mot ringlinorna. Ståhl gick in nära. Tog tag om Akhramenkos nacke. Tryckte ner jättesnubben. Knäade med full kraft. Det knakade i ryssens käke. Munskyddet flög. En kort sekund: tystnad i hallen. Sen segnade ryssen ner på mattan.

Mahmuds tankar i dubbelt tumult. Först och främst: erbjudandet från juggarna var på många sätt en lätt match. Att hitta en snubbe som Wisam kunde inte vara omöjligt givet att han var i Stockholm. Samtidigt: killen var en familjevän. Killen var från hooden, en arab. Vad sa det om Mahmuds heder? Samtidigt: Han behövde det här mer än någonsin. Med skulden till Gürhan. Och sin egen heder att ta igen.

Stefanovic reste på sig. Snubben hade just förlorat hundra tusen. Det fanns kanske ren sport kvar – juggarna verkade trots allt inte styra allt i den här stan. Mahmud spanade in hans feja. Helt uttryckslös.

Stefanovic vände sig mot honom.

”Ring mig när du funderat klart. Före måndag.”

Sen gick han.

8

Niklas hade duschat i fyrtio minuter. Morsan var på jobbet så det spelade ingen roll: han uppehöll badrummet så länge han ville.

Hur länge till skulle hon bo hos honom? Okej, klart det var obehagligt för henne med en död människa i källaren. Men det var bra också. Fick henne kanske att tänka till, förändra sig.

Tyvärr hade Niklas själv blivit indragen. Senare idag skulle han på förhör till polisen. Frågor snurrade i ångan under duschmunstycket. Han undrade vad de trodde att de skulle få ut av honom. Hur skulle han hantera alltför närgångna frågor? Det var konstigt – hur visste de ens att han bott hos sin mamma? Kanske hade någon granne tjallat eller så var det morsan som försagt sig.

Fan – det betydde strul. Han hade faktiskt trott att han skulle slippa. Det måste vara någon av mammas grannar. Rädda, chockade, nervösa. Spottade ur sig även sånt som inte borde ha med saken att göra. Berättade säkert för snutarna att en ung man bott hos henne, kanske hennes son. Han kunde bara inte komma på vem som ens sett honom i huset.

Duschen var risig. Rostbrun smuts mellan kakelpattorna. Vita avlagringar på duschslangen som såg ut som gammal tandkräm. Avrinningen fungerade knappt. Svartmäklaraset lät väl inte rensa avloppen alltför ofta. En tanke genom Niklas huvud: Utan håligheter klarade sig inte den civiliserade människan länge. Håligheter var basen för att allt var så rent. Ett pajat duschavlopp och tillvaron blev jobbig. För mycket toapapper i toaletten eller hår i handfatet – ett badrum kunde balla ur hur lätt som helst. Och köket – saker rann ut genom små hål i vasken, försvann för evigt ur bekvämlighetsfolkets värld. Utan att de behövde fundera på vart de tog vägen, ingen brydde sig om vad som egentligen hände med allt som inte hörde hemma i det ordnade hemmet: hår, tandkrämssaliv, matrester, gammal mjölk, avföring. Hålen var komfortens viktigaste ingrediens. De bar den västerländska medborgarens pinsamma okunskap om riktig smuts. Egentligen var det märkligt att aldrig något kom upp genom hålen. Trängde sig på låtsasrenheten. Invaderade hemmens privata ytor. Men Niklas visste – han litade inte på hålen. Behövde dem inte. Hade klarat sig utan dem under betydligt tuffare förhållanden än någon svensson ens kunde fantisera om.

Han rös vid tanken på vad som kunde komma upp ur hål. Skräckhistorier från barndomen. Verkliga upplevelser från Basra, Falluja, öknen, bergen. Alla snubbar som bott för länge i en barack visste vad han tänkte på. Skiten där nere flöt omkring i de översvämmade avloppsrören så fort du satte foten utanför zonen.

Nyduschad och ren, framför teven. Nyinköpt dvd-spelare i blänkande plast. Trötthet och dåsighet omlott. Sömnen var fortfarande som skit på nätterna. Åtta år i tält, kaserner, förläggningar, trånga enrummare med andra män satte sina spår. Ensamheten slog honom varje kväll som rekylen från ett höghastighetsvapen hållet på fel sätt. Inte så att han freakade ut totalt – bara som ett bultande i själen som störde balansen.

Han lät bli att knapra av de piller som mamma tagit med sig igår: Nitrazepam. Bra grejer för lugnare nerver, skönare tankar, bättre sömn. Men idag behövde han vara skarp. De han skulle träffa såg direkt på pupillerna om man gick på något.

Han kollade på Taxi Driver. Verkligen inte rätt grej för honom nu. Robert de Niro i psykotiska skjutövningar framför spegeln. de Niro på fiket med horan – en råung Jodie Foster. Psykot i shootouten i trapphuset. Blod överallt. Det såg inte ut som på riktigt. Konstig röd färg, för lättflytande på något sätt.

Ensamheten tickade på. Han tänkte: Egentligen är en människa alltid ensam. Man kommer inte närmre sin medmänniska, hur god vän det än må vara, än man kommer sin granne i tältet. Fysiskt kan det vara så nära att hans taskiga andedräkt sabbar hela nattens sömn. Men i sinnet blir det aldrig närmare än att man kan resa sig upp, dra på sig byxorna och skjortan och försvinna för alltid. Och tältgrannen skulle inte bry sig jack shit.

Niklas var ensam. Bara han.

Mot resten.

Han slöt ögonen en stund. Lyssnade till replikerna på filmen.

Tiden gick långsamt som under ett bevakningspass där nere. Det var SSDD – Same Shit, Different Day. Samma ångesttankar fast i ett vardagsrum istället.

Snart skulle han åka in till förhöret.

På tuben in till stan. Sverige var ett annat land än när han lämnat – anonymare, samtidigt hetsigare. Han kände sig ofta som att han var på besök då. Nu var han verkligen på besök. Hela tiden.

Han tänkte på sina övningar. Knivarna. Putsning av vapen. Välkända situationer. Avslappnande sysselsättningar. Förhöret oroade honom egentligen inte. Snutar var för det mesta lika med lallare.

Han steg in i polishuset tio minuter senare. Väktarkvinnan i receptionen hade grått hår och mittbena. Betedde sig som en stel militär. Inte ett leende, korta, koncisa frågor. Vem ska du träffa? När? Har du telefonnummer?

Efter fem minuter kom polismannen och hämtade honom.

Förhörsrummet: kalt förutom en affisch. Föreställde några människor kring ett bord som skålade glatt. Kanske drack de nubbe. Kanske var det midsommar. Det var hundra år sen Niklas firade midsommar. Snuten hade uppenbarligen försökt muntra upp stämningen. Två trästolar med plyschdynor, ett bord fastskruvat i golvet, en dator med en liten kortdosa till, en sladd som hängde ner från taket med en myggmikrofon längst ner. Försöket till mysighet halvlyckat.

Polisen presenterade sig: ”Hej, Martin Hägerström heter jag. Och det är du som är Niklas Brogren?”

”Det stämmer.”

”Jaha. Välkommen då. Varsågod och sitt. Vill du ha kaffe?”

”Nej, det är bra, tack.”

Martin Hägerström satte sig mittemot honom. Loggade in sig

på datorn. Niklas spanade in snubben. Manchesterbyxor, stickad tröja. Skjortkragen stack upp. För långt hår för att vara en riktig snut. Flackande blick. Slutsats: det här var en kille som inte skulle överlevt mer än tre timmar i öknen.

”Först lite formalia. Du ska alltså höras upplysningsvis. Det innebär att du inte är misstänkt för något. Vi spelar ändå in allt som sägs här. Sen skriver jag ut det och du får godkänna. På så sätt behöver ingen bli missförstådd. Om du behöver ta en paus är det bara att säga till. Det finns kaffeautomater och toaletter ute i korridoren. Hur som helst, jag antar att du vet varför du är här. Den tredje juni hittades en död man på Gösta Ekmans väg. Vi samlar nu in så mycket information vi kan om den här händelsen. Mannen är inte identifierad och han var ganska illa däran. Du har ju bott hos din mor några veckor i det huset så jag tänkte bara höra om det är något speciellt du har tänkt på.”

Polismannen skrev något på datorn samtidigt som han pratade.

Situationen påminde Niklas om hans jobbsökeri häromdagen. Han hade skickat sitt cv till lite olika ställen. Kom på intervju till Securicor. Men egentligen borde han kunna få jobb på betydligt intressantare ställen. Huvudkvarteret låg i Västberga. Tre meter höga stängsel. Tre bevakade entréer att ta sig igenom innan han fick träffa personalansvarig nörd. Men med sex kulor i en halvautomatisk Heckler & Koch Mark 23 skulle han tagit sig igenom deras spärrar hur lätt som helst.

Ibland blev han skraj över sina egna tankar – kunde aldrig släppa säkerhetsfokus. Men det var ju också därför han var värd något mer än ett vanligt väktarjobb.

Jobbintervjun sövde honom. Den feta intervjusnubben hade crewcut men visste nog inte hur det kändes att ha så mycket löss i sängarna i kasernen att det inte spelade någon roll hur många tenutexkurer man tog. Det enda som hjälpte var att raka av rubbet. Han snackade på om personell och teknisk bevakning på uppdrag av näringsliv och offentlig sektor i hela Sverige. Bla, bla, bla. Bevaka industrier, kontor, butiker, sjukhus och andra lokaler för att skapa en trygg arbetsmiljö och minska riskerna för obehörigt intrång. Whatever.

Det var inte Niklas grej. Han ställde inte en enda följdfråga. Tonade ner sig själv. Spelade överblyg. Fick inte jobbet.

Tillbaka från tankarna. Han tittade upp. Martin Hägerströms genomgång var klar. Det var dags för Niklas att prata. Han andades in, försökte slappna av.

"Egentligen har jag inget speciellt att säga om huset. Jag har jobbat utomlands några år och behövde någonstans att bo innan jag fixade eget. Jag höll mig mest hemma hos mamma, joggade ibland och gick på en och annan jobbintervju, så jag har i princip inte träffat några andra i huset. Efter vad jag vet var alla normala."

"Hur var det att bo hos sin mamma i din ålder då?"

"Rätt jobbigt faktiskt, men det behöver du ju inte säga till henne. Jag har inget emot min mamma och så, men du vet hur det är."

"Ja, själv skulle jag aldrig palla mer än fyra timmar, sen skulle jag låtsas att jag hade något viktigt förhör eller så."

De flinade.

Snuten fortsatte: "Vad jobbade du med utomlands?"

"Jag studerade några år. Sen var jag i bevakningsbranschen, i USA främst."

Niklas kollade in snutens reaktion. Vissa poliser kunde nästan lukta sig till lögn.

"Intressant. Vet du om det fanns någon dålig stämning i huset? Att några hade något gammalt groll eller så?"

"Nej, jag bodde där för kort och mamma har aldrig sagt något om det."

"Kan du beskriva grannarna i huset."

"Jag känner inte till dem. Det var så länge sen jag bodde där. Jag var ju rätt ung då. Mamma har aldrig sagt något konstigt om dem. Inga kriminella eller så. Längre."

"Längre?"

"Tja, när jag var liten bodde vi ju också där. Då var det inte lugnaste huset i stan precis."

"Var det stökigt? På vilket sätt?"

"Axelsberg på tidigt åttiotal, innan massa unga hippa människor flyttat dit. Då fanns det fortfarande riktig arbetarklass där, om du förstår. En hel del alkoholister och så."

"Okej, så det var inga specifika personer du tänkte på?"

"I och för sig bor några av dem kvar i huset. Engström till exempel. Och det fanns en del märkliga typer. Som Lisbet, Lisbet Johansson. Hon var jävligt konstig."

"Varför?"

"Hon höll på och skrek i trapphuset och så. Jag minns en gång att hon började bråka med min mamma i tvättstugan. Försökte slå henne med en tvättkorg. De fick tillkalla polis faktiskt."

Niklas tystnade. Kände att han berättat för mycket. Men det kunde också vara rätt. Någon munsbit måste han ge den här Hägerström.

"Jaha, det låter inte kul. Vad hände sen då?"

"Ingenting hände. Mamma försökte bara undvika henne. Och jag kan inte komma ihåg vad jag gjorde. Jag var liten då."

"Det låter som en märklig historia. Men bor hon kvar i huset?"

"Det tror jag inte. Jag vet inte var hon bor."

"Vi får kolla upp det."

Hägerström skrev frenetiskt på datorn.

"Då har jag egentligen bara en fråga kvar till dig."

"Okej."

"Var var du mellan klockan åtta och elva den tredje juni?"

Niklas förberedd. Tänkt att frågan måste komma någon gång under förhöret. Han försökte le.

"Jag har kollat upp det. Jag var hos en gammal vän och tog några öl."

"Hela kvällen?"

"Ja, vi såg en film tror jag."

"Jaha. Vad heter han då."

"Benjamin. Benjamin Berg."

På perrongen för att åka tillbaka till svartlyan. Connex ropade ut: "Tunnelbanan går enligt tidtabell." Niklas tänkte: Sverige är skumt. När han lämnat för åtta år sen förutsatte man att tunnelbanan gick på tid. Nu, efter utförsäljningar, privatiseringar, påstådd professionalism – skiten funkade väl aldrig – var det tydligen värt att uppmärksamma att tågen gick i tid för en gångs skull.

Han visste mer än någon: privata alternativ såg blänkande, effektiva, rationella, ut på pappret. PMCs – Private Military Companies, också kända som security contractors. Privata lösningar. Kostnadseffektiva. Perfekta för lågintensiva härdar. Högriskdefinierade utomstatliga operationer. I den irakiska sanden och smutsen kunde de bli katastrofala. Våldsamma bortom all fantasi. Han försökte slå bort tankarna. Hur han, Collin och de andra firat ner sig från helikoptern. Skrikit ut sina varningar och sen rusat igenom de trånga gränderna. Det hade regnat – den röda leran skvätte ända upp på hans flakjacket. Hur de krossat trädörren till huset.

Polisförhöret hade gått bra. De skulle nog inte ställa till trubbel för varken honom eller mamma. Han hoppades mamma skulle komma över grejen snart. Flytta tillbaka hem till sig. Lämna honom ifred.

Benjamin lovat honom en megatjänst: skulle någon fråga hur länge Niklas varit där den tredje juni, skulle han svara hela kvällen.

Aspudden, han klev av.

Långa, raka steg längs perrongen. Inte mycket folk runtomkring. Klockan var fyra på eftermiddagen.

Då, en rörelse. Neråt till vänster.

På spåret.

Han kollade ner. Stannade till.

Fel val.

Det han inte ville se: ett stort djur bakom elslingan. Små svarta knappögon utan hänsyn.

Syntes inte tydligt. Kanske syntes den inte alls längre. Men han visste att den var där. Nedanför. Från tunneln.

Väntade på honom.

Fem minuter senare: han var hemma. Mamma var fortfarande på jobbet.

Lägenhetens sovrum knappt möblerat. En 120-säng i ena hörnet. En kudde och ett täcke. En plansch på väggen från Moderna Museet – någon utställning för femton år sen – konstigt målade kvinnogestalter. Stod ordet nonfigurativ längst ner på affischen. Marie tog med sig den när hon kommit dit efter konstigheterna i huset. Vita IKEA-garderober som var onödigt stora. På en av dem hängde garderobsdörren snett.

Han la sig på sängen. Pillerburken på golvet.

Tänkte: Råttjävlar i området. Råttkukar längs joggingrundan. Och nu: Råtthelveten i tunnelbanan.

Han tog upp två femmilligramstabletter. Knäckte en i handen. La helan och en halva på tungan. Gick ut i köket. Drack en klunk vatten. Sköljde ner.

La sig på soffan i vardagsrummet.

Knäppte på teven. Försökte slappna av.

Vaknade till efter bara några minuter.

Han hörde människoröster. Ett ljud från teven? Nej.

Högljudda röster igen, nära inpå.

De kom från *andra sidan* väggen. Någon som skrek.

Han kände igen något. Arabiska diftonger.

Han lyssnade. Sänkte ljudet på teven.

Efter en stund förstod han. Bråk i lägenheten bredvid. Det måste vara tjejen han träffat i trappen. Ja, han hörde en kvinnoröst. Och någon mer. Kanske hennes kille, farsa, älskare. De gapade. Vrålade. Störde.

Han försökte höra vad de tjafsade om. Niklas arabiska: basicnivå men tillräckligt för att snappa smutsiga ord.

”Sharmuta”, skrek mansrösten där inne. Det var grovt – hora.

”Kh'at um'n!” Grövre – knulla din mamma.

Hon skrek mer. Högre. Aggressivare. Samtidigt med panik i rösten.

Niklas satte sig upp i soffan. Tryckte huvudet närmare väggen.

Kände stressen krypa på – obehaget i att objuden ta del av andras privatliv. Och ännu värre: obehaget i tjejens röst där inne.

Hon vrålade. Sen kom ett skarpare ljud. Tjejen tystnade. Mannen skrek: ”Jag ska döda dig.”

Fler dunsande ljud. Tjejen som bönade. Bad. Kved att han skulle sluta.

Sen en annan ton, utan aggressivitet.

Bara skräck. Ett tonläge Niklas hört så många gånger förut.

Ljuden kändes mer nära än något han hört på arabiska.

Mer bekanta.

Mer som hans egen historia i upprepning.

Bruden i lägenheten intill åkte på smäll.

9

Middag: fläskfilé med bakad potatis. Vitlökig gräddsås och sallad. Thomas lät salladen ligga. Ärligt talat: grönsaker passade kvinnor och kaniner. Real men don't eat sallad, som Ljunggren sa.

Åsa, hans fru, satt mitt emot – pratade på som vanligt. Idag handlade det om trädgården. Han uppfattade fläckvisa ord. Eterneller, direktsådd i maj, svagt doftande blommor i blandade färger under sommaren av sorten Iberis.

Den enda doften han kände: lukten av smuts, våld och död. Den som alltid följde med en patrullerande polis. Oavsett hur mycket man försökte tänka på annat – stadens stank hängde sig fast. De enda färger han såg: betonggrått, polisblått och blodrött efter dåligt siktade kanyler och misshandelsoffensiver. Oavsett hur många blommor Åsa planterade var våldets toner alltid de primära färgskalorna i hans huvud.

För vissa var Stockholm en trevlig, mysig, genuin stad. Pittoresk med artiga och tillmötesgående människor, städade gator och spännande shoppingstråk. För snutar var det en stad fylld av sprit, spya och piss. För många var det jämställda offentlighetsanläggningar, intressanta kulturprojekt, trendiga fik och vackra fasader. För andra – just fasader. Bakom dem: ölhak, kvartar, bordeller. Misshandlade kvinnor vars vänskapskretsar ignorerade deras blåslagna ansikten, heroinpundare som snattade sig till en halvtimmes rus i den lokala Konsumbutiken, förortskickers som härjade fritt – sparkade ner pensionärer på väg till banken för att betala hyran. Stockholm: tjuvarnas, knarklangarnas, gängens Mekka. Horbockarnas mötesplats. Hycklarnas marknad. Folkhemmet hade dragit sina sista rossliga andetag någon gång på åttiotalet, och ingen jävel brydde sig. Enda platserna där båda världarna möttes verkade vara på Systembolaget. Den ena sidan ville ha en lite finare bag-in-box till någon middagsgäst, den andra letade efter en kvarting starksprit till kvällens krökarfest. Men snart fanns det väl två olika bolag också – ett dit bara välartade medborgare var välkomna och ett för resten. Två tredjedelssamhället i alkoholkonsumtionens köer.

Thomas tänkte på sin pappa, Gunnar. Farsgubben hade gått bort i prostatacancer för tre år sen, bara sextiosju år gammal. På sätt och vis var Thomas glad att farsan inte fick uppleva skiten. Han hade varit en riktig arbetarhjälte, en man som trott på Sverige.

Men någon måste städa upp. Frågan var om det var hans uppdrag. Han tvivlade för mycket på systemet. Gjorde för många övertramp. Skit, han kände sig som en bitter kriminalare i någon sömnig svensk deckarserie. Gnälla på samhället och lösa brott. Det var väl ändå inte hans grej?

”Borde vi inte skaffa ett litet växthus egentligen? Eller hur, Thomas?”

Han nickade. Vaknade upp ur sina tankar. Hörde smärtan i hennes röst. Hur hon längtade efter att han skulle mjukna. Hur deras problem skulle lösas genom honom. Han älskade henne. Men problemet innefattade ju dem båda. De kunde inte få barn. Ångest i kvadrat. Nej, fan, i kubik.

De hade prövat allt. Thomas hade slutat dricka i flera månader, de försökte ha sex så ofta de pallade, Åsa käkade hormoner. För två år sen kom de nära. Huddinge sjukhus gjorde underverk. Åsa fick hans grejer direktinsprutade genom en kateter – konstgjord insemination. Veckorna gick. Graviditeten löpte på enligt plan. Passerade tolvveckorsgränsen, då de flesta börjar berätta. När det borde vara säkert. Men något gick snett – Åsa fick missfall i femte månaden. De var tvungna att snitta henne för att få ut barnet. I sina fantasier såg han framför sig hur de plockade ut det döda fostret – hans barn. Såg armar, ben, en liten kropp. Han såg ett huvud, en näsa, en mun. Allt.

Han ville så gärna. En förutsättning, något givet. Ett villkor för det goda livet. Möjligheten fanns alltid att adoptera. De skulle få tillstånd. Barnlös medelklass, stabila, ordningsamma – åtminstone på pappret. Beredda att älska en liten en över allt annat. Men tanken funkade inte – Thomas gillade inte idén. Hela hans kropp kliade av motstånd. Ibland skämdes han över anledningen. Ibland stod han rakryggad för den. Det var inte rätt. Ingenstans. Men skälet till att han inte ville adoptera var ju att han ville ha ett barn som såg ut som han och Åsa. Ingen kines, afrikan eller rumän. Han ville ha ett barn som skulle passa in i det familjeliv han tänkte bygga. De kunde kalla honom rasist. Fördomsfullt as. Medeltidsmänniska. Han sket i vilket, även om han så klart inte ställde sig på jobbet och basunerade ut sina känslor i den här frågan – han adopterade aldrig något annat än ett nordiskt barn.

Åsa förlät honom inte.

Villan var för liten för en familj i vilket fall. Tallkrogen. Hundratio kvadrat. Kåken var i vitmålat trä. Etage. Hallen, köket, en gästtoalett och vardagsrummet på bottenvåningen. På övervåningen: två små sovrum, ett litet teverum och badrummet. Teverummet använde de som kontor/träningslokal. En träningscykel och en vadderad bänk på golvet. Några hantlar och en skivstång i ett skåp tillsammans med pärmar, en symaskin, tyger och träningskläder. Ett skrivbord med en dator och några mönster till klänningar som låg i en hög. En kontorsstol som Thomas fått ta med hem när distriktet omorganiserade. I övrigt tomt. Thomas gillade inte att samla på sig skit.

Han kallade det dockhuskänsla. Huset hade inte ens en gillestuga eller ordentlig källare. Det skulle inte funka, speciellt inte om de fick adoptera fler barn. Var fan skulle spjälsäng, skötbord, pingisbord få plats?

Efter middagen gick han in till datorn. Stängde dörren bakom sig. Slog på burken. Windowsloggan hoppade runt på skärmen som en osalig ande.

Klickade på Explorers ikon. Påmindes om sin stora skräck – att Åsa en dag skulle bli så pass datakunnig att hon förstod att hans porrsurfningar syntes i Explorers historik. Han borde fråga någon på jobbet om den gick att radera.

Men det var inte det han satt här nu för att göra. Han plockade i byxfickan. Tog fram ett usb-minne. Thomas: så långt ifrån datanörd man kunde komma, men det kändes skönare att bära med sig vad han behövde i fysisk form än att mejla det. Med jämna mellanrum hade han nervöst känt efter att minnet låg kvar. Skulle han råka tappa det, någon hitta det, kolla vad som fanns på och inse att det var hans – frågor skulle radas upp värre än vid värsta korsförhöret i domstol.

Han stoppade in det i datorn. Ett ploppande ljud. En ruta kom upp på skärmen. En fil på minnessticken, döpt: Obd.rapport.

Datorn rasslade. Adobe öppnades. Obduktionsrapporten var knappt tre sidor lång. Först skrollade han ner till slutet – korrekt underskrivet av en Bengt Gantz, rättsläkare. Han började läsa från början. Det gick långsamt. Han läste det igen.

Och igen.

Något var skumt. Äckligt skumt – inget nämndes i obduktionsprotokollet om hålen i armen eller om de testat liket på förhöjda värden av narkotika eller annan skit.

Det kunde inte vara en slump. När Thomas sett sin rapport hos Hägerström, och förstått att de sista raderna om den potentiella dödsorsaken fallit bort hade han undrat. Tyckt det var märkligt men inte tänkt på det mer. Men nu – rättsläkare bommade inte sånt. Stickhålen var uppenbara. Antingen ville inte läkaren skriva om dem av något skäl, eller – tanken slog ner i honom och fäste sig direkt – så hade någon annan redigerat bort det. Och denna någon måste ha redigerat bort samma grej ur hans egen rapport.

Han måste lugna ner sig. Känna efter vad han borde göra. Hur han borde agera. Aldrig under sina år som polis hade han varit med om något liknande.

Åsa städade i köket. Tittade inte ens upp när han öppnade ytterdörren och klev ut till garaget. Det var rutin. Thomas jobbade med sin Cadillac så ofta det fanns tid. Dessutom var det en investering. Lite av de extrapengar han drog in ute på fältet kunde han stoppa in i bilen utan att någon frågade. Men viktigare: kärran var hans meditation i tillvaron. Platsen där han, vid sidan om skjutbanan, slappnade av. Kände sig hemma. Det var hans lilla Nirvana.

Det fanns en annan grej i garaget också: det stora, låsta, gråa, metallskåpet. Han och Åsa kallade det för verktygsskåpet, men det var bara hon som trodde det innehöll verktyg. Visserligen förvarade han lite verktyg och prylar för bilen där men åttio procent av skåpet var fyllt med viktigare grejer: marijuana beslagtaget från ett gäng araber i Fittja, cannabisharts plockat från turkiska knarkare i Örnsberg, amfetamin förverkat från svenssonpundare i tunnelbanan, några paket med ryska tillväxthormoner hittade i ett garage i Älvsjö, kontanter från otaliga tillslag längs hela röda linjen. Med mera. Hans lilla guldgruva. Ett slags pensionsförsäkring.

Bilen glänste. Cadillac Eldorado Biarritz från 1959. En skönhet som han hittat på nätet för sex år sen. Den fanns i Los Angeles men han tvekade inte. Varenda ett av alla beslag han gjort från packet hade den här bilen som mål. Utan besparingarna han gjort vid sidan om sin sketna polislön skulle den aldrig blivit hans. Men det blev den. Han hämtade den tillsammans med farsan, som fortfarande var i god form då. De körde den från Los Angeles till Virginia i ett sträck. Fyrahundraåttio svenska mil. Femtiofem timmars bilfärd. Åsa undrade hur han haft råd och då visste hon inte ens att den kostat dubbelt så mycket som han sa till henne.

Den var underbar. Cadillacs egen V8 motor, mer känd bland bilälskarna som Q – 345 hästkrafter – bara kolvspelet hade tagit honom ett halvår att fixa till så att den matchade nyklass. Den slukade bensin som en lastbil.

Den bil som stod framför Thomas nu var från en annan planet i jämförelse med dagens skräp. Han var snart färdig. Hade fixat till kromen, köpt ny inredning, installerat elhissar och elsäte i lila metallic, monterat bakskärmarna, importerat en ny grill från Staterna, mekat med den synkroniserade växellådan. Fixat rätt däck med vita däcksidor, dimljus, luftkonditionering, tonat glas i sidorutorna. Mekat med bakaxeln, förgasaren, bromsarna. Syrabadat och zinkat varenda metalldel.

Eldorado Biarritz: bilen som introducerade bakfenorna och tvillingbaklamporna. En stilikon utan motstycke, ett underverk, en legend bland bilar. Mer rock'n'roll gick inte att köpa för pengar. De flesta såna här bilar var inte ens körbara. Men Thomas bil rullade hur fint som helst. Den var unik. Och den var hans.

Det enda stora som var kvar att fixa var den hydrauliska fjädringen. Thomas visste vad han ville – originalfjädringen skulle tillbaka, så var det bara. Han hade sparat den till sist. I övrigt var bilen perfekt.

Thomas satte på sig bläställlet, tog på sig pannlampan. Rullade in under bilen. Hans favoritposition. Det blev mörkare runt honom. I pannlampans ljussfär framstod bilens underrede som en egen värld, med egna kontinenter och geologiska formationer. En karta han kände bättre än någon annan plats. Han väntade med att ta upp skruvnyckeln. Studerade bilens delar. Bara låg ett tag.

Någon hade raderat både hans och obduktionsläkarens beskrivning av kanylhålen och en möjlig dödsorsak. Obduktionsläkaren själv? Någon inom polisen? Han måste göra något. Samtidigt – det var ju inte hans grej. Varför skulle han bry sig? Om läkaren inte ville att det skulle stå något om hålen kanske han hade sina skäl. Jobbigt att skriva massa extra skit om det i obduktionsrapporten. Eller så var det någon kollega till Thomas som inte ville att det skulle synas att en okänd snubbe just injicerats till döds. Då fick det kanske vara så. Han var inte den som tjallade, sabbade, snokade när det gällde andra polismän. Han var inte som den där Martin Hägerström.

Å andra sidan – han själv kunde kanske råka illa ut. Om obduktionsrapportens misstag utreddes kunde det ifrågasättas varför han utelämnat relevanta fakta. Det var en risk han inte ville ta. Och den som raderat hans text var ju okänd. Det var inte så att han förstörde för någon kollega han kände till. Ville man dölja något fick man åtminstone spela öppet inför medarbetarna.

Det var inte okej. Han borde snacka med någon. Men vem? Jörgen Ljunggren var ju utesluten. Snubben var nästan blåstare än en dokusåpabimbo. Hannu Lindberg, en av mannarna Thomas brukade köra pass med, han kanske skulle förstå, men frågan var om han skulle hålla med. För Hannu var allt som inte rörde pengar eller polisvärdigheten inget att bry sig om. De andra gubbarna på turen kändes inte tillräckligt nära eller pålitliga. De var bra mannar, det var inte det, men de var inte den sortens snubbar som orkade fundera för mycket. Han tänkte på Hägerströms kommentar: "Skrivbordsfolket tillsammans med dem som är ute på riktigt. Det finns så mycket kunskap som går förlorad idag."

Thomas orkade inte tänka mer på det där. Han släckte pannlampan. Låg kvar tre minuter innan han rullade ut sig.

Ställde sig upp. Sköljde händerna under en slang i garaget.

Tog upp mobiltelefonen. Han hade sparat Hägerströms nummer.

"Hägerström", svarade Martin Hägerström.

"Hej, det här är Andrén. Sitter du ostört?"

Thomas hörde intresset i Hägerströms röst.

"Absolut, du patrullerar inte?"

"Nej, jag är ledig. Ringer hemifrån. Det är en grej jag måste ta med dig."

"Kör på."

Thomas malde på i monotont tonläge. Ville inte att Hägerström skulle tro att han blivit vänligt inställd.

"Jag tog med mig obduktionsrapporten hem. Jag vet att det är material under utredning som man inte ska föra ut ur huset men jag skiter i sånt. Jag ville ju inte printa och läsa den på stationen. Och du hade rätt, den nämner inte kanylhålen. Du blir väl inte förvånad för du säger ju att det inte stod något om märkena i min händelserapport heller men jag vet att jag skrev om dem. Det är inte troligt att den här rättsläkaren, Gantz, som ju brukar karva i lik, skulle ha missat dem. För att vara helt ärlig, ingen, inte ens du, kunde ha missat dem. Har du ens sett liket?"

Tystnad på andra sidan luren.

"Hägerström?"

"Jag är här. Och jag tänker. Det du berättar låter ju väldigt märkligt. Det finns, som jag ser det, bara två möjliga förklaringar.

Antingen driver du med mig. Du har inte skrivit ett skit om några hål eller dödsorsak över huvud taget och vill bara sabba min utredning. Det är den troligaste lösningen på ditt lilla mysterium. Eller så är det något som är jäkligt fel. Något som jag kommer att gå till botten med. Och jag har inte sett liket. Men nu tänker jag göra det. Bara så du vet."

Thomas visste inte vad han skulle svara. Hägerström tillhörde andra sidan. Men snubben skötte sig egentligen felfritt. Egentligen borde han bara lägga på. Aldrig ta att en femtekolonnare som Hägerström talade så till honom. Dessutom skulle ordningspoliser som Thomas inte lägga sig i krimmarnas utredningar. Ändå kläckte han utan att veta varför: "Jag tror det är bäst att jag följer med dig. Så att någon kan visa var de där stickhålen satt."

10

Vårtecken: små vita blommor i de bruna gräsmattorna, uteserveringsbyggen, upptinad hundskit. Trettonåriga tjejer i för korta minikjolar trots att det bara var fjorton grader. Snart var den här: den svenska sommaren. Varm. Ljus. Brudfylld. Mahmud längtade. Nu gällde det bara att hinna bygga kroppen till dess och lösa skiten han hamnat i.

Han hängde utanför det lilla hålet i väggen. Blöt i håret efter träningen. Värkande muskler. Skön utmattning.

Väntade på sin homie, Babak. Klockan var sex och de borde stänga där inne nu. Störigt att han inte kom ut. Mahmud försökte ringa. Inget svar. Drog iväg ett sms, körde ett standardskämt: "Minns du när vi åkte tåg och jag stack ut huvudet och du röven. Alla trodde vi var tvillingar. Ring mig!"

Irriterad. Inte på Babak egentligen, polarn var jämt sen, utan på hela situationen. Allt höll på att skita sig. Mindre än fem dagar kvar. Mahmud inte skrapat ihop mer än femton tusen cash än. Det räckte inte ens till en femtedel av vad Gürhan ville ha. Vad fan skulle han göra? Samma tanke upprepade sig som en samplad loop: Juggarna är min enda chans.

Han spanade in elskåpet som han lutade sig mot. Klotterfyllt: Ernesto Guerra-klistermärken, Giantansiktet sprejat, reklamklisterlappar för fyrtio tusen olika skivaffärer. Han tänkte: Svennarna höll på med så mycket skit. Det var deras lyx – de kunde syssla med onödiga, oförståeliga, omanliga nöjen: demonstrera för att få trasha småföretagarnas butiker i Reclaim-the-streets kravaller, ordna skumma gothfester i Gamla stan där alla såg ut som lik, sitta på fik och plugga en hel dag. Men lassarna visste inget om livet med stort L. Hur det kändes när du fick översätta hos socialen för att dina föräldrar skulle kunna förklara att de inte hade råd med vinterjackor. Hur det var att växa upp i miljonbetongen utan framtid. Se värdigheten hos din pappa knäckas varje gång myndighetspersonerna misstrodde honom – en högt aktad man där han kom ifrån som drogs i den svenska smutsen som en hora släpades över torget i hemlandet. De ifrågasatte varför han inte fick något bättre jobb trots att han var utbildad ingenjör, varför han inte talade bättre svenska – gav honom blanketter att fylla i fast de visste att han inte ens kunde läsa det svenska alfabetet. Knulla deras mammor.

Mahmud älskade sin farsa och sina systrar. Han diggade sina homies, Babak, Robert, Javier och de andra. Resten kunde sticka.

Han skulle vinna över dem alla. Born to be hated-lirarna. Fittlassarna. Stockholmskidsen. Ernesto Guerra-pajsarna. Komma tillbaka. Visa vem som bestämde. Casha in. Blatten från miljonhooden skulle bli kung. Knäcka dem. Plocka dem. Bara juggarna hjälpte honom.

Fyra timmar tidigare hade han ringt och tackat ja till Stefanovic – han tänkte hitta Wisam Jibril åt dem. Mahmud Bernadotte – när det var klart skulle Gürhan få smaka feta ballen.

Mahmud tänkte på uppdraget. Att räknas bland juggarna var att räknas bland alla. Lyckades han med det här, att plocka libanesen, uppfylla Radovans vilja, skulle hans namn läsas: Mahmud the Man. Inte som idag: Mahmud the snubbe-som-vill-upp-men-inte-kommit-någonvart-än.

Direkt efter samtalet med Stefanovic ringde Mahmud till Tom Lehtimäki – en polare från förr. Tom höll på med ekonomi och sånt. Jobbade typ för ett inkassobolag. En guldkontakt som agerade direkt. Två timmar efter samtalet bad Tom en domstol att faxa alla papper i målet som rörde Arlandarånet. De vägrade faxa så mycket papper. Skickade skiten med post istället. Tydligen var målet slut – åklagaren gett upp att få tag på rånarna. Men det var fortfarande bråk mellan banken och transportören. Mahmud kunde knappt tro det själv – domstolen gav honom värsta servicen. Ibland älskade han Svenneland.

Han vaknade till från tankarna. Kollade klockan på mobilen. Varför kom inte Babak ut?

De skulle ut ikväll. Göra stan. Köra racet – gussarna var deras att ta. Wham-bam. Han nynnade för sig själv på arabiska: Ana bedi kess. Jag älskar fitta.

Han pallade inte vänta längre, gick uppför halvtrappan och in i butiken.

Där inne: packat med folk.

Butiken var liten som en korvkiosk. Svettlukt och massa surr. Bakom glasdisken stod Babak. Skäggstubbsskugga över kinderna, prydlig vaxad snebena, uppknäppt skjorta. Mahmud skulle aldrig säga det högt men Babak såg grym ut. Bredvid Babak: hans pappa och några andra släktingar. Farsan klädd i falsk Armani-t-shirt. Farbror och kusinerna i skjortor. De trängdes, sålde och snackade. Babak höll på med en kund. Mahmud älskade stället. Atmosfären grymt osuedi: en annan värld, ett annat land. Folk prutade som galningar, skrek för att göra sina röster hörda. Tre unga svarta killar bönade för bästa pris på en låda med stulna nallar. Babaks farsa slog ut med armarna, såg ut som om de frågat om de fick dejta hans dotter. ”Tror ni jag gjord av pengar? Jag max ger hundra för varje.” Mahmud log för sig själv – gubben var så mycket hemlandet som det bara gick. En ö i lassesverige.

På hyllorna låg begagnade mobiler, mp3-spelare, laddare, trådlösa telefoner, telefonkort, väckarklockor. Under disken fanns mobiltelefonskal i olika färger, armbandsur och upplåsta iPhones. På disken: tallrikar med Babaks och hans farsas middag. Tomater, rå lök, fetaost och pitabröd. Äkta.

Minst femton personer i kö. Folk som sålde sina gamla stulna mobiler, ville ha hjälp att låsa upp abonnemangsspärrarna, lämnade in klockor för lagning. Mest av allt: de köpte telefonkort för att ringa überbilligt till hela världen. På väggarna hängde reklam för olika mobiltelefontillverkare, allt ifrån gamla Ericssonlegender, svarta tegelstenstelefoner – nu med dualband – till iPhones. Men framförallt: prislistor för telefonkorten. Jedda, Jericho, Jordanien. You name it.

Babak var färdig med kunden. Vände sig till Mahmud. ”Habibi, ge mig fem minuter. Vi ska bara stänga butiken.”

En halvtimme senare: de stod på gatan tillsammans. Gick mot Skärholmens tubstation.

Mahmud garvade. ”Jag älskar din farsas butik. Äkta känsla liksom.”

Babak slog ut med händerna, härmade sin pappa. ”Såg du hur han dealade med brorsorna, de hade inte den blekaste chans.”

De hoppade över spärrarna. Hörde spärrvakten ropa något efter dem. Tönt – han kunde sitta där inne i sitt bås och skrika tills han tappade rösten.

De gick längs perrongen. Gamla tuggummin bildade ett mönster i golvet. Mahmud kände sig på bättre humör.

Tricken rullade in. Hem till Babak. De skulle ladda inför kvällen.

Senare hos Babak: Mahmud, Babak och Robert, i lägenheten i Alby. En tvåa på fyrtioåtta kvadrat. Bilder på familjen och olika egyptiska bilder på väggarna. Babak hade inte ett skit med Egypten att göra men han diggade av någon anledning sfinxer, hieroglyfer och pyramider. Babak brukade säga: ”Du vet egyptierna värsta tyngsta imperiet någonsin. De uppfann allt det som ni tror Europa har kommit på. Skriftspråk, papper typ, krigsföring. Allt. Hänger ni med?”

I vardagsrummet: två lädersoffor i ljust skinn med tillhörande soffbord i glas – fullt med tomma Colaburkar, fjärrkontroller till stereon, teven, dvd:n, digitalboxen och projektorn. Fodral till X-box 360 spel: Halo 3, Infernal, Medal of Honour. Rizzlapapper, vapentidningar, porrblaskor, en frimärkspåse med några gram gräs.

Babak hämtade en flaska Cola i kylen. Satte sig i ena soffan. Mahmud bläddrade i en vapentidning, Soldier of Fortune. Spanade in läckra arméknivar som gurkhakrigarna använde. Hårdare snubbar fick man leta efter. Robert meckade en spliff. Slickade långsamt på Rizzlapappret. Proppade med tobak och maja. Lät bli att vira den i änden, gräset putade som på en riktig zut. Eldade utanpå jointen.

Han tände på. Drog djupa bloss. I bakgrunden The Latin Kings. Dogges gälla röst förklarade situationen: ”Knätcha knätchen för det finns inga cash lenn.”

Robban räckte över jointen till Mahmud. Mellan tummen och pekfingret. Sög in ordentligt. Smakade. Smoggade. Svävade. Såå softat.

Han blåste långsamt ut rök genom näsan.

”Kommer ni ihåg när vi gick i skolan? Det fanns en kille som hette Wisam. Wisam Jibril tror jag. Han var typ några år äldre än oss. Jag har hört tjocka grejer om honom.”

Robert verkade helt borta. Nickade som i sömnen.

Mahmud puttade till honom.

”Skärp dig. Det är fan inte hasch du har rökt.”

Han vände sig till Babak istället.

”Minns du honom? Wisam Jibril?”

Babak tittade upp.

”Jag kommer inte ihåg någon Wisam. Vad spelar det för roll?”

”Jomen, kom igen nu. Han var ganska kort. Några år äldre än oss. Hängde med Kulan och Ali Kamal och de där snubbarna. Kommer du ihåg?”

”Jo visst. Den där shunnen. Han blev tung på cash tror jag. Du vet, hans morsa och farsa stack tillbaka till Libanon.”

”Vadårå?”

”Ingen aning.”

”Men har du stött på honom på senaste tiden?”

Mahmud tänkte på vad Babak sagt: Wisams familj lämnat landet – störigt. Det kanske gjorde det svårare att hitta honom.

"Det var länge sen. Han hängde runt nere på stan. Det var precis efter att jag gjorde den där stöten mot Coop, minns du den? Jag stötte på honom ute ett gäng gånger."

En chans. "Var stötte du på honom?"

"Ute sa jag ju."

"Men var då ute?"

Babak såg ut att tänka efter på riktigt.

"Grejen är att jag tror det var på Blue Moon Bar alla gångerna."

"Oåckej." Mahmud härmade Tony Montanas uttal i *Scarface*.

"Om du hör om honom, sprid ut att jag vill träffa honom."

Han knuffade till Robban.

"Hör du det, du också. Jag vill träffa Wisam Jibril."

Det kändes bra. Mahmud fått en ledtråd. Spritt budskapet. Närmat sig. Men nu var det dags att lägga ner frågorna en stund.

De tände en ny jointish efter en timme. Diskuterade, fabulerade, planerade. De kunde prata i timmar. Om gamla lirare från betongen, träningsmetoder, Babaks farsas butik, de coola vapnen i tidningen, svennesveriges patetiska försök att integrera dem. Mahmud berättade om galan i Solnahallen: Vitali Akhramenkos grymma jabbar, tandskyddet som flög. Men han höll käft om juggarnas uppdrag – Babak och Robban var bra shunnar, men sånt knep man bara tyst om.

Mest av allt: de surrade vägar till framgång. Robert berättade om fyra polers till honom som kom från norra Stockholm. Riktigt smarta snubbar som kokat ihop värsta upplägget. Han hetsade upp sig av sin egen story: "Du vet, snubbarna gjorde en inbetalning till det där färjeföretaget, Silja Line tror jag, på trettiofem tusen cash. Samma dag ringde de Silja och berättade att de hade betalat av misstag, att det var fel – att Silja inte skulle ha någon deg. Siljalirarna betalade så klart tillbaka med ett utbetalningskort. En av shunnarnas brorsa hade jobbat på postgirot eller så och visste att det tog några dagar för ställen som Silja att få sina utbetalningar registrerade. Om man tog ut något på en torsdag eller fredag fanns det ingen chans i världen att de skulle upptäcka något förrän på måndagen. Därför kunde de arbeta utan problem i två dagar. De förfalskade utbetalningskortet, vilket är enkelt, bara att köra genom en färgkopiator, och stack ut på turné. De delade upp postkontoren mellan sig och prickade ut på en karta alla ställen dit de skulle ta sig. Meningen var att det skulle gå snabbare om de delade upp sig i två team. Men de fuckade upp det."

Mahmud avbröt.

"Hur fan kunde de torska? Det där låter ju som värsta vassa snubbarna."

"Jo men det kommer nu. Lyssna. Ett av kontoren var stängt för ombyggnad men det stod att man kunde ta ut på ett annat kontor. Grejen var att det andra kontoret låg i den delen som det andra teamet skulle beta av. De kom alltså till samma kontor två gånger. Det kunde ju ändå ha funkat, men de råkade gå till samma kassörska också. Fattar ni? Hon började undra. Utbetalningskort på så stora belopp är inte vanliga på små postkontor. Och båda från Silja också."

Mahmud garvade. "Habibi, vet du vad det där bevisar?"

Robert skakade på huvudet. Tog en klunk Cola.

"Det visar att hur smart du än är kan det alltid skita sig. Det enda som säkrar grejen är våld. Eller hur, om de haft ett vapen med sig hade de kunnat tvinga den där bitchen att hålla käft."

Robert tog sista blosset på zutten. "Du har rätt. Vapen och sprängämnen. När ska vi göra något stort då?"

Mahmud blinkade med ena ögat. "Snart." Han ville verkligen göra något snart.

De beställde bulle. Mahmud klädd i sedvanliga gå-ut dressen: vit skjorta med översta knapparna uppknäppta, lite för tajta jeans – snyggt när lårmusklerna framhävdes – och svarta läderskor.

Mahmud kände efter flosbunten i jackinnerfickan – trettio femhundringar han inte kunde blåsa ikväll. Gürhans pengar. Men Babak lovat att bjuda. Ikväll skulle de slå på stort.

E4:n norrut. Mest taxibilar och bussar. Klockan var halv tolv.

De bad taxichaffisen sätta på the Voice. Mahmud och Robert gungade i takt i passagerarsätet. Babak sjöng med: "She break it down, she take it low, she fine as hell, she about the dough." Justin, 50 Cent och gott om brudar.

Mahmud älskade feelingen. Uppladdningen. Kompisandan. Svenska samhället hade försökt trampa på dem varenda dag i hela deras liv. Ändå fanns så mycket glädje kvar till helgen.

Efter tjugo minuter var de framme vid Stureplan. De dricksade chaffisen tvåhundra. Som kungar.

Kön utanför Hell's Kitchen såg mest ut som fansen längst framme vid stängslet på en fet konsert. Folk tryckte sig framåt, vinkade med armarna, höll hårt i handväskorna, hoppade upp för att synas bättre, skrek på vakterna, pressade på. Pressade framåt. Pressade inåt mot glamouren. På ett elskåp stod chefsdörrvakten – pekade ut folk som fick bli insläppta. De andra vakterna patrullerade fram och tillbaka, de små hörsnäckorna i öronen som värsta secret service agenterna. De riktiga bratsen gled förbi människoklumpen. Brun-utan-sol-brudar med platinablonderat hår i släptåg. Resten fick sticka fram ihopknycklade femhundringar, lova att köpa drinkar för tusen spänn, bedyra att de var kända, rika, några att räkna med. Invandrarkillar hotade med stryk – de visste att de ändå inte hade en chans. Brudar tryckte fram brösten och plutade med munnen, lockade med blåsjobb, ligg, gruppsex. Vad som helst för att få komma in.

Mahmud såg samma sak i nittio procent av köarnas ögon: desperation. Med andra ord – allt var som vanligt nere på stan.

Mahmud, Babak och Robert – de var ju inga stentunga snubbar än. I vanliga fall var de körda på lyxlasseställen som Sturecompagniet och Hell's Kitchen. Men ikväll hade Babak gett sig fan. Mahmud ville egentligen hellre till Blue Moon Bar på Kungsgatan, söka efter Wisam. Ställa några frågor till barfolket där. Dessutom: han fattade inte hur Babak trodde de skulle komma in.

Men Babak tänkte inte spara några medel. Ögonkontakt med dörrvaktschefen på sin upphöjning: han spretade med fingrarna. Dörrvaktssnubben höjde på ögonbrynen, fattade inte budskapet.

Babak tog ett kliv fram, tryckte sig mot avspärrningen. Böjde överkroppen fram mot vakten. ”Jag fixar tio gram.” Dörrvakten blinkade med ena ögat. Lyfte på sidenbandet.

De fick komma fram till kassan. Tvåhundrafemtio kronor var. Shit, det kostade att ligga på topp. Men det var skit samma nu – de hade blivit insläppta.

Vilket jävla mirakel. Mahmud och Robert kollade på Babak. Han flinade. ”Visste du inte? Jag har börjat klänga fingrejer.”

Där inne: taitishkillarna dominerade. Magnumflaskor och vanliga champagneflaskor i ishinkar överallt. Snubbarna med sidennäsdukar i bröstfickor, backslickfrisyrer och på de allra hetaste: fluffigare bakåtstruket hår. Uppknäppta randiga skjortor med manschettknappar som blänkte, kavajer som såg dyra ut, smala slitna jeans i designermärken, läderbälten med monogramformade spännen: Hermès, Gucci, Louis Vuitton. Vissa med slips men de flesta körde slipslöst, det gav större möjligheter att visa bröstet. Dessutom: en del slitna rocksnubbar med polisonger och truckerkepor. Mahmud fattade inte varför de blivit insläppta.

De fina flickorna satt i bås och sörplade vodkatonic eller lät snubbarna bjuda på bubbel. Rikemansbarn, den unga societeten, bonnläppar som låtsades.

Men också en grogg av annat folk: halvkändisarna. Dokusåpaskådisarna, programledarna, artistsnubbarna. Omgärdade av brudar med märkeshandväskor över axlarna och Playboysmycken runt halsen som dansade ut mot alla på stället.

Sist men inte minst: Jet-set Carl, toppshunnen på alla Sureplantjejers lista över snubbar de aldrig skulle banga att suga av. Till och med Mahmud och hans homies kände till honom. Snubben ägde tre ställen på stan, han hette egentligen Carl någonting, Mahmud visste inte vad. Det enda han visste: stekaren var fett jet-set. Namnet därefter.

Inte många riktiga blattar där inne. Kanske några adopterade och välanpassade. Typ såna som jobbade med musik, media eller annan skit. Ärligt talat: Mahmud kände sig så ohemma som man kan – fast gussarna var grymma. Han knäppte upp en knapp till i skjortan. Babak beställde en flaska Dompa i baren.

Mahmud speglade sig själv i ishinken som kom med Babaks champagne.

Gillade sitt eget utseende. Breda ögonbryn, bakåtstruket svart hår med så mycket gel i att han hade kunnat ha samma frisyr i tre veckor utan att ett strå skulle rubbas. Fylliga läppar, kraftiga käkar, perfekt jämn stubb över kinderna.

Han såg spegelbilden av Babak och Robert komma mot honom bakom ryggen. Vände sig om innan de nått fram.

Babak förvånad: ”Hur såg du oss?”

Mahmud sa: ”Ey, kompis, är man med så här många katter på ett ställe måste man ha ögon i nacken för att inte missa nån.”

Ett leende på läpparna.

De garvade. Klunkade champagne. Gjorde sitt bästa för att få ögonkontakt med tjejerna runtomkring. Utan framgång – det var som om de var de osynliga ungarna i antimobbningsreklamen. Till slut gick Robban fram till några. Sa något. Erbjöd skumpa.

De nobbade fett.

Kh'tas – fittor. Det var orättvist.

”Vi drar.”

Mahmud ville gå till Blue Moon Bar. Fråga runt efter libanesen.

Babak flabbade. ”Nej, vi *drar* var sin lina istället.” Ha ha ha.

En timme senare. K-ruschen lagt sig. Men fortfarande: Mahmud kände sig som glassigaste miljonblatten i stan, världens smartaste betongdeckare, nummer ett – Sherlock fucking Holmes. Han skulle hitta Wisam-snubben. Få honom att erkänna var han stoppat undan Radovans Arlandacash. Tvinga honom att leverera. Ge Mahmud chansen att imponera. Få juggarnas protektia.

Robert gled ner på dansgolvet med en guss som såg minderårig ut. Mahmud och Babak kvar i baren som vanligt.

Sen såg han något han inte ville se. Ljuden runtomkring dog ut. Brände i huvudet. En egen liten ö runt honom av panik – fem meter längre bort i baren: Daniel plus två killar till från den där natten.

Mahmud stelnade. Stirrade mot flaskorna på andra sidan bardisken. Försökte fästa blicken. Kuk. Vad skulle han göra? Paniken i vågor mot insidan av pannbenet. Minnena tillbaka: gnisslet i munnen. Roulettljudet från den snurrande trumman. Daniels flin.

Han försökte att inte snegla. Måste behålla lugnet. Såg de honom? Om de kom fram till honom visste han inte hur han skulle reagera. Babak verkade inte fatta. Människorna kändes dimmiga i bakgrunden.

I efterhand när Mahmud tänkte på situationen kunde han inte minnas hur länge han stod sådär. Illamående. Stel. Hur många rädda tankar som hann flyga genom pallet.

Men efter en bra stund tittade han upp. De var borta.

Han sket i Babak och Robert. Såg att Babak försökte snärja en puma. Kolaringar runt näsan på snärtan. Läppstiftsmärken på Babaks kinder. Kul för honom.

Mahmud ville bort. Och han måste till Blue Moon Bar. Nu. Gled ut från Sturecompagniet. Kön utanför tre gånger längre än när de kommit. Ångesten i folks ögon – trettio gånger så tung. Dörrvaktsbossen kvar på sin post, avgjorde in eller ut, vinnare eller förlorare, liv eller död.

Kungsgatan upp. Kallare i luften. Vart hade sommaren tagit vägen?

Han funderade på att sänka en burgare, men sket i det. Behövde göra sin grej på Blue Moon. Längre fram såg han stället.

Blue Moon Bar: skröt också med ordentlig kö.

Korta överbreda dörrvakter i överflöd. Mahmud tänkte: Måste man vara dvärg för att få jobb här?

Mahmud gled direkt fram till vip-ingången. Förbi. Fram till en råbred vakt. Mötte Mahmuds blick. Visst samförstånd stora grabbar emellan.

Han körde en klassiker, det här stället var inte lika svårt som Sturecompagniet – räckte fram en femhundring, utan att säga något.

Dörrvaktsfyrkanten sa: ”Är du ensam?”

Mahmud nickade.

Dörrvakten sköt tillbaka femhundringen. ”Det är okej.”

Han gick in. Betalade en hundring i inträde, betydligt normalare pris än på förra stället. Förvånad över dörrvaktens klass. Mahmud hade faktiskt blivit schysst behandlad.

Han spanade in stället. Nedersta planet: överskott på snubbar – syrianer med trendig hockeyfrilla och uppknäppta skjortor som visade rakade bröst, svennar med välansat skägg i Pontus Gårdinger-stil, brorsor med kepsar på sned och låtsasbling-bling i öronen.

Blått sken som blinkade i takt till technon: ”This is the rhythm of the night”.

Han gick vidare. Nästa våningsplan: jämnare könsfördelning – lika med köttmarknad. Folk som slingrade sig på dansgolvet, snubbar som klämde bröst i soffornas hörn, brudar som slickade samma snubbars örsnibbar och masserade deras kukar utanpå byxorna. Wunderbaum – Mahmud hade älskat att ragga upp någon liten snärta.

Men inte nu.

Han klev fram till baren. Beställde en mojito. Vanligen: inte hans stil att kröka, annat än möjligen skumpa för brudarnas skull. Gärna röka på och vara glad – men inte bli packad och losa kontrollen. Bara lassar söp bort sin värdighet så. Och råkade du i fight hade du inte en chans. Plus: det var för mycket kalorier.

Lutad mot baren. Mojiton med drinkpinne i handen. Rörde runt. Isbitarna ilade mot tänderna. Räknade hånglande par.

Böjde sig fram mot bartendern som servat honom. Killen i tjugofemårsåldern med asiatiskt utseende.

”Vet du vem Wisam är? Wisam Jibril, skön kille från Botkyrka. Mycket deg. Brukade gå hit. Minns du honom?”

Bartendern ryckte på axlarna.

”Jag har ingen aning. Går han hit ofta?”

”Vet inte. Men han hängde här jämt för några år sen. Jobbade du här då?”

Bartenderkillen torkade av ett glas. Såg ut att tänka efter. ”Nej, men kolla med Anton. Han har varit här varenda jävla helg i fem år. Helt otroligt alltså.” Han pekade mot en annan snubbe i baren.

Mahmud försökte få Anton-snubbens uppmärksamhet i typ fem

minuter. Utan framgång. Hann kolla in honom ordentligt. Tajt t-shirt där överarmarnas svarta tribaltatueringar syntes, låtsasrufsig frisyr, breda läderarmband på båda handlederna, metallringar på fingrarna. Snubben var inte bitig men okej vältränad.

Till slut: Mahmud körde ett annat knep. Viftade med femhundringen igen. Anton reagerade. En klassiker.

Han försökte överrösta musiken. Pekade bort mot den första bartendern. ”Han sa att du jobbat här länge. Minns du Wisam Jibril? Han brukade hänga här jämt.”

Anton smajlade. ”Klart jag minns Wisam. En legend på sin tid.”

Mahmud la femhundringen på disken.

”Det går inte att snacka här. Har du lust att gå någonstans tystare i fem minuter? Jag bjussar på den här.”

Anton verkade inte fatta. Fortsatte att servera en drink till en brud som såg stenad ut. Hängde han inte med på vanligaste minnesförhöjaren av alla?

Men efter några sekunder klev Anton ut ur baren. Ledde Mahmud framför sig. Mot herrtoaletterna.

Snubben ställde sig vid en pissoar. Drog fram draggen.

Mahmud bredvid: gjorde samma sak. Bad move – han fick pissoarrampfeber, inte en droppe kom ut. Det hade aldrig hänt förut. Han brukade ju vara värsta pisskungen. Men han visste varför – minnet från pissfläcken i skogen kom tillbaka.

Han tittade ner: överfullt med prillor och tuggummin i rännan.

”Berätta för mig. Har du sett honom här på sistone?”

Anton drog upp gylfen.

”Jajamensan. Wisam hängde jämt här förr. Fick hem damer som han vore värsta basketproffset, typ Dennis Rodman. Du vet, han har haft sex med fler än två och ett halvt tusen tjejer. Kan du fatta? Två och ett halvt tusen, liksom.”

”Vem då? Dennis Rodman eller Wisam.”

”Rodman så klart. Men Wisam var grym. Han har det där lilla extra du vet. Lägger i femmans växel och inte en dam kan stå emot.”

Mahmud tänkte: ”Jajamensan” och ”damer” – snubben till och

med mer svennebanan-pajsare än han såg ut.

”Okej. Men har du sett honom på sistone?”

”Faktiskt. För första gången på tre år, tror jag. Det gick ju så många rykten. Att han tjänat miljoner på börsen. Att han sålde grejer. Att det var han som hade manualen för hur man poffar värdetransporter. Du vet, allt möjligt. Men folk snackar så mycket.”

Bingo – Anton hört grejer om Jibril.

”Det enda jag vet är att han spenderade deg med klass. Jag har ju sett vissa grejer.”

Tjockt med bingo.

Mahmud måste trampa försiktigt nu, ville undvika att bartenderkillen tyckte hans intresse i Wisam Jibril var lite väl stort.

Mahmud tittade sig omkring. ”Å fan”, var det enda han kunde klämma fram.

Anton såg frågande ut. Var det något mer? Mahmud tog tag i hans arm.

Barkillen kollade upp. Mahmud glodde tillbaka. Höll hårt om underarmen. Kände snubbens muskler spännas i sitt grepp. Sände tydliga signaler: går du ut nu blir det problem.

Mahmud väntade inte. Drog in Anton i ett toalettbås.

”Du, berätta mer. Vad vet du?”

Barkillen vred på sig. Ögonen vidöppna. Gjorde ändå inte motstånd. Mahmud plockade med sedelbunten i fickan. Drog upp en tusing.

Anton stilla. Såg ut att tänka. Sen spillde han.

”Han var här kanske två timmar, raggade upp två brudar. Det var för några helger sen. Nästan säker på att det var Valborg. Jag vet inte så mycket mer. Allvarligt talat så har jag ingen aning.”

Mahmud plockade upp på näst sista meningen: ”*så* mycket mer”. Vad menade snubben? Uppenbarligen visste han mer.

”Anton, berätta allt. Du vet något.” Han flexade underarmens muskler. Svarta bokstäver mot olivfärgad hud. Alby Forever. Gav effekt.

”Okej, okej. Tjejerna var här förra helgen. De snackade några minuter med mig och de var imponerade som bara fan. Wisam hade tydligen slösat pengar på dem som om han var en oljeshejk.

Han tog brudarna till sin lägenhet som jag inte vet var den ligger. Och säkert inte brudarna heller, för de sa till mig att de var svinpackade. Han körde runt dem i sin nya bil. En Bentley.”

Mahmud såg frågande ut.

Anton bokstaverade: ”En be, e, en, te, el, e, y. Sjukt alltså. Och mer än så vet jag inte. Jag lovar.”

Någon bankade på dörren: ”Grabbar, det här är inte Patricia. Kom ut nu.”

Mahmud hade fått tillräckligt med info för ikväll. Han hade några spår att följa upp.

Öppnade dörren. Klev ut från toan. Knuffade till snubben som tjatat utanför.

Lämnade Anton kvar med garven.

***

Settergrens Advokatbyrå

Till Sollentuna tingsrätt

ANSÖKAN OM STÄMNING

KÄRANDE Barclays Bank Plc, George St. 34, London, England

OMBUD advokaterna Roger Holmgren och Nathalie Rosenskiöld, Settergrens Advokatbyrå AB, Strandvägen 12

SVARANDE Airline Cargo Logistics AB

SAKEN Skadeståndsfordran

RÄTTENS BEHÖRIGHET 9 kap. 28 § 1 st. 3 p luftfartslagen (1957:297)

Barclays Bank Plc (”Barclays”) ansöker härmed om

stämning å Airline Cargo Logistics AB ("Cargo Logistics") enligt följande.

YRKANDEN

Barclays yrkar att tingsrätten förpliktar Cargo Logistics att till Barclays utge U.S. Dollar 5 569 588 jämte ränta enligt 6 § räntelagen med början 30 dagar efter delgivning av stämningsansökan till dess betalning sker.

Barclays yrkar ersättning för rättegångskostnader med ett belopp som senare kommer att anges.

GRUNDER

Barclays och Cargo Logistics har ingått avtal om lufttransport av ett antal postsäckar med olika valutor till ett sammanlagt värde om U.S. Dollar 5 569 588. Dessa postsäckar har, medan de varit i Cargo Logistics vård på Arlanda flygplats, blivit föremål för väpnat rån. Postsäckar innehållande valutor motsvarande omstämt belopp har därvid förlorats.

Enligt 9 kap. 18 § luftfartslagen ansvarar fraktföraren för skador genom att inskrivet resgods, i det här fallet postsäckarna, kommer bort, minskas eller skadas medan godset är i fraktförarens vård på en flygplats.

Barclays gör gällande att Cargo Logistics genom grovt åsidosättande av den aktsamhet och hänsyn som kan krävas svarar fullt ut för den uppkomna skadan.

OMSTÄNDIGHETER I SAK

Barclays avtal med de svenska bankerna och Cargo Logistics

Barclays köper regelbundet försändelser med olika valutor från de tre svenska bankerna SEB, Svenska Handelsbanken och FöreningsSparbanken (Swedbank).

Enligt ett avtal från 2001 hade Cargo Logistics på regelbunden basis åtagit sig att på begäran av Barclays Bank, ombesörja hämtning och transport av postsäckar med valuta från banker i Stockholm och arrangera flygfrakt till London.

Den i målet aktuella transporten följde den procedur som regelmässigt tillämpas med Cargo Logistics. Barclays skickade telefaxmeddelande till Cargo Logistics med begäran om att Cargo Logistics skulle hämta ett antal postsäckar med valuta från de tre svenska bankerna och arrangera flygfrakt från Stockholm till London samt faxa kopia på flygfraktsedeln så snart som möjligt, se Bilaga 1-5. Enligt instruktionerna skulle försändelserna förberedas för flygfrakt och genomsnittligt värde för varje postsäck fick inte överskrida U.S. Dollar 500 000. Dollarkursen var vid tillfället 7,32 kr.

Cargo Logistics upphämtning av godset till Arlanda flygplats

Cargo Logistics hämtade på förmiddagen den 5 april 2005 upp sammanlagt 19 postsäckar hos de tre svenska bankerna i Stockholms city enligt den uppdelning som framgår av Bilaga 6. Uppdraget slutfördes av två man från Cargo Logistics, Göran Olofsson och Roger Boring, med ett fordon anpassat för värdetransporter. Olofsson hade arbetat hos Cargo Logistics i 20 år och Strömberg i 5 år. I enlighet med gällande rutiner visste varken Olofsson eller Strömberg något om värdet på de postsäckar som skulle hämtas.

Olofsson och Boring var vid ca kl 14.15 samma eftermiddag framme vid Wilson & Co:s, dvs. fraktagentens, kontor på Arlanda flygplats och hämtade där ut flygfraktsedeln tillsammans med godsmärkningshandlingar. Olofsson och Boring körde därefter ca 50 meter till Cargo Logistics lagerlokal inne på flygplatsområdet där de levererade de 19 postsäckarna.

Cargo Logistics överlämnande

Cargo Logistics lagerlokal kvitterade ca kl 15.00 på eftermiddagen samma dag de 19 poststäckarna genom utfärdad *"Handling Report - Cargo Logistics - Valuable Cargo"*, se Bilaga 7. Postsäckarna placerades av Cargo Logistics personal i låsta säkerhetsboxar och fördes till det rum i lagerlokalen som kallas för *"strong room"* (i fortsättningen benämnt "valvet"), där värdegods förvaras inlåst.

Väpnat rån

Flighten med vilken säkerhetsboxarna skulle fraktas skulle avgå på kvällen den 5 april kl 18.25. Omkring kl 18.00 arbetade Fredrik Öberg, anställd av Cargo Logisticsgruppen, inne i lagerlokalen med att flytta säkerhetsboxarna från valvet till Cargo Logistics lastbil. Lastbilen, en Nissan King Cab, skulle transportera postsäckarna till flygplanet. Vid arbetet med att flytta godset var dörren till valvet öppen, likaså lagerbyggnadens garageinfart mot flygplatsområdet. Även lagerbyggnadens branddörr ut mot gatan utanför flygplansområdet stod öppen i samband med att ett bud från budfirman Box Delivery just anlänt. Branddörren är placerad alldeles i närheten av valvet.

Vid denna tid, ca kl 18.10, steg tre män, varav två

beväpnade med handeldvapen, in i lagerbyggnaden genom den öppna branddörren. Rånarna hotade både budet från Box Delivery och Öberg, som tvingades att ligga på golvet medan rånarna tillgrep nio säkerhetsboxar inne i valvet. Medan Öberg låg på golvet, använde han sin mobiltelefon och ringde Falck Security, säkerhetsbolaget på Arlanda, och meddelade att ett rån just pågick. Märkligt nog svarade den Falckanställde som mottog samtalet att Öberg skulle kontakta polisen istället.

Efter rånet försvann förövarna från platsen i dels en icke återfunnen BMW 528, dels i en stulen Jeep Cherokee, som efteråt hittades övergiven ca 2-3 km från brottsplatsen med en säkerhetsbox kvarlämnad. Rånet blev omedelbart anmält till Arlandapolisen.

Ingen kameraövervakning
Cargo Logistics lagerlokal är övervakad av sammanlagt 75 CCTV (video) övervakningskameror som är i drift 24 timmar om dygnet. Det framkom efter rånet att videobandet i den kamera som var placerad i den del av lagerlokalen som rånet ägde rum inte hade blivit utbytt enligt gällande instruktioner (videobandens längd är 27 timmar). Videobandet i nu aktuell kamera hade därför stannat ca kl 13.00 den 5 april, och rånet blev därför inte inspelat.

Öppen branddörr
Valvet i Cargo Logistics lagerlokal är beläget alldeles i närheten av den branddörr som leder ut till gatan utanför flygplatsområdet. Branddörren kan inte öppnas från utsidan och enligt gällande instruktioner hos Cargo Logistics skall den hållas stängd. Vid tidpunkten för rånet hade branddörren trots detta stått öppen, vilket möjliggjorde för

rånarna att ta sig in i lagerlokalen från gatan utanför flygplatsen. Anledningen till att branddörren inte stängdes efter Box Delivery har inte kunnat klarläggas.

Öppet valv

Enligt gällande instruktioner hos Cargo Logistics skall dörren till valvet kunna öppnas endast av två personer tillsammans, varav den ena (med chefsbefattning) med hjälp av elektronisk nyckel. I nu aktuell situation stod dörren till valvet öppen, varför rånarna, när de kom in i lagerlokalen genom den öppna branddörren, bereddes direkt tillträde till det öppna valvet. Anledningen till att valvdörren stod öppen har inte kunnat klarläggas.

Förundersökningen nedlagd

Inga gärningsmän har ännu gripits. Åklagaren har beslutat lägga ner förundersökningen.

Cargo Logistics vållande

Barclays gör gällande att Cargo Logistics i förevarande sammanhang antingen uppsåtligen förorsakat skadan eller gjort sig skyldig till sådan kvalificerad vårdslöshet som omtalas i 9 kap. 24 § luftfartslagen och som i huvudsak motsvarar begreppet grov vårdslöshet i kommersiella avtalsförhållanden. Av betydelse är bland annat följande omständigheter:

(i) Rånarna bereddes tillträde till lagerlokalen från gatan utanför flygplansområdet genom att branddörren stod öppen i strid med gällande regler hos Cargo Logistics.

(ii) Dörren till valvet var öppen i strid med gällande regler hos Cargo Logistics, vilket gav rånarna omedelbart tillträde till det öppna valvet när de kom in i lagerlokalen genom den öppna branddörren.

(iii) Cargo Logistics har underlåtit att följa gällande säkerhetsregler och byta videoband i övervakningskameran just i den delen av lagerlokalen som rånet ägde rum, varför rånet inte blev inspelat.

(iv) Det rör sig om ett kommersiellt förhållande och kraven på Cargo Logistics organisation, säkerhet och professionalitet kan därmed ställas högt.

(v) Betydande skada har uppstått.

Stockholm som ovan

Roger Holmgren

11

Niklas tränade i lägenheten efter sin joggingtur. Rutin var hans motor. Hans filosofi: all träning bygger på vana, upprepning, repetition. Fyra gånger femtio push-ups växlat med några benövningar. Fyra set med hantlarna för biceps varvat med fyra gånger sextio sit-ups. Han svettades som en gris i ett militärtält. Stretchade ordentligt. Ville behålla rörligheten i musklerna. Vilade på soffan i femton minuter.

Ställde sig upp. Dags för höjdpunkten – kator i Tanto Dori, strid med kniv. Joggningen var för att mäta sig själv, få kondition och bränna fett. Armhävningarna och muskelträningen var nödvändiga för att behålla styrkan och se någorlunda okej ut. Han erkände direkt: fåfänga var hans grej. Men Tanto Dori gällde något annat: avslappning och makt. Han kunde hålla på i timmar. Som meditation. Glömde allt annat. Gick in i sig själv. Gick in i rörelserna. Gick in i kniven. Svepen, stegen. Huggen.

Han lärde sig teknikerna för sex år sen av några elitofficerare i ett förband han jobbade med i Afghanistan. Sen dess tränade han så ofta han kunde. Behövdes plats för rörelsemönstrena, det var som att dansa. De funkade inte alltid i fält. Men här, i den tomma lägenheten, var det som gjort för närstridstekniker.

Först stilla. Hälarna ihop. Fötterna snett utåt, nittio graders vinkel emellan. Armarna neråt, framför bålen. Kniven i höger hand med tummen vilandes mot bladets flata sida. Vänster hand i ett lätt grepp över högerhanden. Huvudet neråt, hakan in mot halsen. Djupa andetag genom näsan. Sen utfall. Alla muskler i explosion. Ett steg framåt med höger ben. Tyngdpunkten långt ner. Utandning genom munnen. Luft och muskler fyllde magen. Viktigt: inte för stora rörelser – då såg din motståndare direkt vad du tänkte göra. Kniven högg med en snärt. Han vred den i tillbakadragningen.

Han genomförde katan i koncentration.

Den här tog fyra och en halv minut. Varje rörelse hade övats var för sig minst femhundra gånger. Bukhugg. Sprätteknik. Chop-chop-metodik.

Från början var det något japanskt. Men soldaterna som lärt honom i Afghanistan blandade och gav. De olika katornas tekniker täckte allt. Trånga utrymmen som hissar, fängelseceller och toaletter. Tekniker för strid i bilar, båtar, flygplan. Instabila miljöer, strid i kraftig vegetation, på hala ytor, under tystnad. Vattentekniker där rörelsernas långsamhet gav nya möjligheter att förutse motståndarens nästa move, närstrid i trappor – speciella pareringar för slag eller hugg snett uppifrån. Så länge Niklas bar en kniv behövde han aldrig vara orolig på nära håll.

Samtidigt: oro var ett sundhetstecken nere i sandlådan. De mannar som slutade känna åtminstonde ett litet styng av rädsla i strid tappade ofta greppet. Legosoldatbranschen tolererade inga riktiga knäppgökar. De fick åka hem. Eller strök med.

Han var glad att han fått chansen. Inte många svenskar i världen fick slåss i verklig strid. FN-mesarna vaktade mest flyktingläger. Han visste, han hade försökt vara en av dem.

Efter att ha duschat tog han två Nitrazepam. Ensamheten tärde. Han behövde vänner. Benjamin, snubben som fixat svartmäklarkontakten, var den enda kamrat han kunde minnas att han haft under gymnasietiden, innan tiden som fjälljägare i Arvidsjaur. Kanske var han den enda polaren han någonsin haft. Niklas hade träffat honom förra veckan för första gången på en evighet. De skulle ses idag igen.

Han stoppade i sig en till tablett lugnande. Klev ut. Gick ner mot tunnelbanan. Kollade efter råttor.

Tunnelbanetåget hade utsatts för en klotterattack. Niklas slöt ögonen. Försökte sova. Han tänkte igen på skriken han hört från grannen. Tjejen med den irakiska accenten där inne måste ha råkat illa ut. Han hade inte sett snubben än som utsatte henne. Men när han såg honom betvivlade Niklas att han skulle kunna hålla sig.

Han funderade. Människan levde i Hobbes värld. Niklas visste det bäst av alla. Det gick inte att peka ut goda och onda. Gick inte att försöka måla över livet med något slags moralfärg. Låtsas som om det fanns rätt och fel, gott och ont. Det var skitsnack. Det var allas krig mot alla. Någon måste styra upp. Någon måste se till att folk inte slog, sköt, sprängde ihjäl varandra. Någon måste ta till makt. Ingen hade rätt att gnälla på systemet utan att försöka göra något själv först, med all kraft. Därför borde Mujaheddin respekteras. Det var ett krig. De var inte sämre människor än soldaterna i hans förband. Enda skillnaden var att hans män hade bättre vapen. Så de tog kontrollen.

På sätt och vis var det samma sak med bruden i lägenheten bredvid. Hennes snubbe gjorde sin grej. Hon borde göra sin – klubba ihjäl honom. Direkt.

Han klev av tuben. De skulle ses vid Mariatorget. Krogen Tivoli. Ta en öl. Niklas satte sig vid ett bord.

Efter ett tag kom han. Benjamin: rakat huvud men skäggig som värsta ZZ Top-gubben. Tjurnacke. Trubbig näsa som förmodligen fått ett gäng smällar under åren. Solglasögonen fortfarande på sig. Niklas tänkte på vad jänkarna brukat kalla sina fula gratisbrillor: BCD – Birth Control Device – med såna på kom du inte ens i närheten av en brud. Benjamins vaggande gångstil var densamma som alltid. Kaxig till max: händerna i den öppna jackans fickor, svängande för varje steg han tog.

Niklas första tanke när han träffat Benjamin senast hade varit att han verkligen förändrats från när de var barn. Då: han var den där killen som aldrig riktigt läste spelet. Som berättade om ointressanta grejer – som att hans mamma råkat färga vittvätten blå – lite för länge. Som inte bytte t-shirt efter gympan. Som tjejerna aldrig frågade chans på men som ändå skickade egna små brev till tuffaste bruden där han berättade hur mycket han gillade henne och undrade om hon ville hångla någon gång. Han blev aldrig mobbad, det fanns skäl till det. Men han var inte med i gänget heller. Då och då fick han värsta spelet. Om någon provocerade honom, trackade honom för hans handsvett, retade honom för hans namn, eller bara hittade på nån skit om hans morsa. Det var läskigt. Han blev som ett djur i pressat läge. Kunde spöa på snubbar som var två år äldre. Dunka deras huvud i gruset på fotbollsplanen, banka ner dem med stenar. Och det hade lockat Niklas. I högstadiet blev det bättre. Benjamin slutade ragga på brudar som ändå inte ville ha honom. Började med taekwondo istället. Fyra år senare tog han brons i junior-sm. Någon att räkna med.

De skakade hand. Benjamins handslag: som en överspänd muskelbyggares grepp. Försökte han bevisa något?

”Tjena Benjamin. Allt väl?”

”Absolut.”

”Några frågor om mig på sistone?”

”Faktiskt. De ringde från snuten imorse och frågade hur länge du hängde hos mig en kväll i förra veckan.”

”Och?”

”Jag sa att vi hängt hela kvällen, kollat Gudfadernfilmerna och så.”

”Ärligt, jag måste verkligen tacka dig. I owe you one.”

De gick till baren och beställde. Benjamin försökte häckla Niklas för att han använde så många svengelska ord. Niklas garvade inte.

Han tog en Guinness. Benjamin beställde en Loka. Niklas betalade för båda.

”Ska du inte ha något annat?” frågade Niklas.

Benjamin skakade på huvudet. ”Nej. Jag deffar.”

Niklas fattade inte grejen. Åtta år i bushen, ofta utan varken öl, sprit eller schysst käk, gav mersmak efter ordentliga grejer.

De satte sig.

Snackade på. Niklas greppade inte riktigt vad Benjamin egentligen sysslade med nuförtiden. Tydligen hade han arbetat som väktare. Sen målare. Sen arbetslös. Nu något obskyrt.

Niklas tänkte på sin egen levnadsteckning. Sitt livs-cv: ett fåtal ljuspunkter – största delen av uppväxten fylld av tristess, utanförskap och rädsla. Tråkigheten i att vara ensam i lägenheten hela lördagarna i väntan på att morsan skulle komma hem från jobbet. Utanförskapet i skolan. Hur alla måste ha fattat att något inte stod rätt till hemma hos Niklas Brogren men aldrig sa ett ord. Skräcken att gubbjäveln skulle slå ihjäl mamma. Rädslan för att somna på kvällarna, för alla mardrömmar, för mammas bönande, skrik, gråt. För råttorna. Och så ljuspunkterna. Mönstringen. Året med fjälljägarna. Kickarna inför strid. Första gångerna han varit i riktig eldstrid i Afghanistan. Festerna med mannarna i Irak efter väl genomförda uppdrag.

Benjamin tittade upp från sitt snackande.

”Hallå. Fuglesang anropar. Är du med eller?”

”Inga problem, jag bara flöt iväg lite”, garvade Niklas.

”Jaha, var då?”

”Du vet, morsan och så.”

”Jaha. Då kan jag berätta nåt som kommer göra dig på bättre humör. Jag har börjat på en skytteklubb. Sa jag det förut? Det är askul. Snart får jag licens och får köpa en egen tjugotvåa. Revolver får man däremot vänta med. Men det är kanske inte så speciellt för dig. Du har väl skjutit hur mycket som helst?”

”Det kan man kanske säga. Men där nere tränade vi pistol mest för skojs skull.”

”Coolt. Man kan bli lurad av det där, eller hur? Man ser massa amerikanska filmer där de kör värsta konstiga fattningen. Pistolen snett i en hand som om den inte vägde någonting.”

”Jo, jag vet, det blir inte bra.”

”Det blir skit.”

”Yes. Det där är lite av en bluff. Du får värdelös träffsäkerhet med sån fattning. Hela handen skakar för varje skott, som på en pensionär. Ungefär som att springa. Det ser man också på alla de där rullarna, de kutar och skjuter. Men det vet alla som varit med att det funkar inte.”

”Man måste öva. Vilken puffra hade ni?”

Sånt skulle Niklas egentligen inte prata om. Han försökte avstyra: ”Jag minns inte riktigt. Men du, har du någon brud nuförtiden då?”

”Hur kan du inte minnas vilken pistol du hade? Kom igen.”

Det var en slags hedersgrej. Vissa grejer babblade man bara inte om med utomstående: arsenalen, var man utfört uppdrag, vilka de andra mannarna i förbandet var – och hur många man dödat. Även efter att man slutat i en privat armé måste man hålla på reglerna. Tystnadsplikten gällde så länge du levde. Niklas läckte aldrig. Han var inte sån. Varför kunde inte Benjamin bara gilla läget?

Benjamin kollade in honom.

Niklas sa kort: ”Man snackar inte om sånt bara.”

Benjamins ögon smalnade. Pannan rynkades. Blev han sur?

”Okej. Jag förstår. Nemas problemas.”

Läget lugnt. De snackade vidare en stund. Vädret var skönt. Benjamin berättade om att han köpt en kamphund. Han var stolt över namnet: Arnold. Lät den träna på fendrar som han hängde upp i mattstället på innegården. Käkarna låste sig, ibland hängde den kvar i över tjugo minuter. Kunde inte släppa taget. Hjälplöst förnedrad av sin egen envishet.

Mitt i snacket ringde det på Niklas mobil. Han levde i jänkarnas musiksmak – signalen var Taylor Hicks-låten.

”Hej mamma.”

”Hej hej. Vad gör du?”

”Jag sitter och fikar med en gammal polare, Benjamin. Minns

du honom? Kan vi höras sen, kanske?"

Han gjorde inget för att dölja irritationen i rösten.

"Nej, jag måste få berätta en sak."

"Kan vi inte ta det om tjugo minuter?"

"Snälla. Lyssna. Jag har kommit på vem det kan vara som de hittade i källaren hos mig."

Niklas fick ståpäls. Kände sig kall. Hoppades Benjamin varken hörde eller fattade vad de pratade om. Tryckte luren hårdare mot örat.

"Jag tror Claes försökte höra av sig till mig den dagen. Vi hade inte setts på över ett år. Jag struntade i det då, han är ju sån. Jag vet att du aldrig gillat Classe, men han har betytt mycket för mig, det vet du. Hur som helst så har han inte hört av sig sen dess. Är inte det märkligt? Jag kom på det här igår och då försökte jag ringa honom. Inget svar. Men han har ju så många olika nummer så jag vet inte riktigt vilket han använder. Jag försökte ringa några gamla kompisar till Claes. Men de var inte alls oroade, sa att Claes alltid är svår att få tag på. Jag sms:ade honom till och med. Men han har inte hört av sig tillbaka. Det är ju hemskt, Niklas. Fruktansvärt."

"Mamma, det kanske inte betyder något. Han är kanske utomlands?"

"Nej, det skulle väl någon ha vetat. Och Claes brukar ringa tillbaka. Det måste ha varit han. Jag är säker. Han är borta. Mördad. Vem kan ha gjort något sånt?"

"Mamma, jag ringer dig om tre minuter."

Niklas la på. Kände sig spyfärdig. Reste på sig. Benjamin gav honom sina smala ögon igen.

"Jag måste gå. Sorry. Men det var trevligt. Vi kan väl höras framöver?"

Benjamin såg förvånad ut.

På väg ner i tunnelbanan. Tankarna snurrade ännu värre nu: sinnessjukt, bisarrt. Niklas ringde tillbaka till mamma. Sa åt henne att ta det lugnt. Att Claes säkert mådde bra. Att Claes faktiskt var ett as så hon borde inte bry sig.

Hon grät ändå.

Han tänkte: Claes förtjänar det som hänt. Till sist hade rättvisa skipats. Gud hört bön.

Han sa: ”Mamma, du måste lova mig en sak. Berätta inte det här för någon. Det är inte bra. Kan du lova mig det?”

12

Som en tatuering på Thomas näthinna: källarsnubbens totalkvaddade ansikte, upprivet som en trisslott skrapad med köttyxa. Det var grovt och grisigt. Samtidigt genialt utfört. Om han inte blivit så nyfiken, brutit mot reglerna, och kollat in snubbens arm skulle allt varit så enkelt. Nu: något var fel. Okej, att av misstag råka radera några rader i sin rapport – sånt kunde hända. Men rättsläkaren? Det var inte troligt. Han undrade om Hägerström trodde på honom eller rapporterna. Antagligen det senare.

I vanliga fall tvärtom. Någon kanske bankade ner en pundare, men när alla såg stickhålen i armarna, och prover gjordes på mängden narkotikapreparat i blodet, antog man att det var överdos och la ner utredningen inom några veckor. Här: misshandeln överuppenbar. Stickhålen det dolda.

Han mötte Hägerström vid ingången till Danderyds sjukhus. Ljunggren satt kvar i radiobilen. Tjurig – han hade gnällt hela vägen från Skäris på att de skulle dit. ”Kom igen, du kan inte vara tvungen att kolla in den där A-lagaren igen.” Thomas svarade att en kriminalare bett honom, att han måste. Ljunggren la inte av: ”Vad är det han är ute efter den där Hägerström? Du vet var han har jobbat tidigare va?” Thomas mumlade bara: ”Jag vet, en femtekolonnare.”

Hägerström kom emot honom vid entrén till sjukhuset. Han var kortare än Thomas mindes honom. Liksom rullade fram på fötterna, reste sig på tårna i slutet av varje steg. Thomas tänkte att det var en gångstil som måste ha utvecklats av en tonårig Hägerström för att vinna några centimeter på höjden och som sen permanentats. Han var civilklädd, tygjacka, jeans och axelremsväska. Thomas tänkte: typiskt kriminalinspektörer, de förstod inte vikten av att närma sig människor med den kraft som uniformen ingav. Om de alls hade någon uniform.

Danderyds bårhus låg en bra bit från det ordinarie sjukhusområdet. Först gick de igenom sjukhusets kulvertar. Kom ut på baksidan. Mellan mindre hus, specialkliniker, gamla sköterskebostäder, rehabiliteringsgym. Ett slags park. Gångtunnel under en väg. Vidare på en grusväg i närheten av vattnet.

De gick under tystnad tills Thomas sa: ”Du kunde kanske sagt att det var en halv dagsmarsch att gå. Det här är väl lite slöseri med skattebetalarnas tid.”

Hägerström vände sig mot honom. Stannade.

”Jag hade tänkt att vi kunde utnyttja tiden till att prata.”

”Jaha.”

”Du vet, jag kommer ju från interna. Jag känner till såna som du. Ni finns överallt i Polissverige. Såna som sysslar med vad som helst.”

Det var ett påhopp. Alla poliser visste vad som menades med en snut som sysslar med ”vad som helst”. Vissa poliser ute på fältet tog i lite för hårt ibland. Många riktade in sig på demonstrationer – spöade djurrättsaktivister och antifascister blodiga. Andra såg till att heroinister, alkoholister och hemlösa fick sig den omgång de förtjänade. En del snutar såg mellan fingrarna på lättare typer av brottslighet om de fick ta del av vissa erbjudanden – svartkontrakt på lägenheter, stöldgods, gratisbiljetter till derbyn på Råsunda. Andra skippade att anmäla koppleribrotten mot ett ligg själva då och då. Sen fanns det några, inte många, som sysslade med ”vad som helst” – inte bara tog i för hårt ibland eller såg mellan fingrarna med andras brott mot vissa gentjänster – de höll själva på med skiten. Smutsiga businessmän. Ruttna äpplen. Fallna snutar.

Grejen var att det faktiskt inte var sant. ”Det där var inte snällt sagt”, svarade Thomas kallt.

Hägerström struntade i kommentaren. Fortsatte bara: ”Men du

är samtidigt en smidig spelare. Street smart kanske man kan kalla dig. Jag kan ert släkte, ni utsätter er inte för onödiga risker. Och det är därför jag inte kan släppa tanken på att du kanske just den här gången har varit ärlig. Din reaktion när du var uppe hos mig på Kronoberg verkade spontan. Ditt samtal häromkvällen var opåkallat om det inte varit så att du verkligen ville något. Och det är därför vi är på väg hit, till bårhuset, tillsammans. Jag håller det inte för omöjligt att du har sett något som inte kommit fram i rapporten."

Thomas var mer imponerad än han ville erkänna. Hägerström var i och för sig fel ute – han sysslade ju inte med *vad som helst.* Ändå mitt i prick: han gillade inte risker.

Hägerström sa: "Brottsutredningen består till nittiofem procent av kriminalarbete vid skrivbordet och till fem procent av fältresearch. Men blir det fel i de där fem procenten, som till exempel i rättsläkarintyget, då kan hela utredningen vara körd. Det är värt att dubbelkolla varenda fakta."

Thomas nickade bara.

"Det här mordet är inte som vilket som helst. Spaningsmord är ju kluriga i sig, när vi inte vet vem som misstänks för gärningen. Men här vet vi ju fan inte ens vem den döde är. Det hör till ovanligheterna. Ansiktet var misshandlat till oigenkännlighet, så sedvanlig typ av identifiering går inte att genomföra. Fingertopparna var snittade så sökning i daktningsregistret är omöjlig. Vilket också tyder på att den som gjorde det vet att vårt gamla program för avtryck inte läser handflatans avtryck, till skillnad från många andra europeiska länder. Satan vad vi ligger efter i Sverige."

"Oväntat."

"Skippa ironin nu. Det är ett problem faktiskt."

"Jo, jag förstår det. Och tänderna är körda antar jag."

"Tyvärr. Gubben hade knappt några tänder kvar i munnen så någon dental registerkörning blir det inte tal om. Han hade antagligen tandprotes och den plockade mördaren med sig. Vi har kollat blodtyp men snubben är A+, vanligast i Sverige. Det leder ingen vart."

Thomas tänkte på gubbens tandlösa mun. Det lät ju helt kört, något borde finnas att gå på. Han sa: ”Kan man inte kolla dna då? Vi tar ju saliv på varenda jävel som vi tar in nuförtiden.”

”Jo visst. Man kan kolla dna men det förutsätter ju att han sen tidigare finns med i registret. Sen kan man kolla levern, ärr, leverfläckar, vad som helst. Men att söka på skrumplever och ärr är svårt, för allmänt liksom. Det behövs något mer. Om den här döingen förekommer i dna-registret är det lugnt, men det registret är så pass nytt, från 2003. Och som du säger, nuförtiden topsar vi alla. Men det började vi inte med förrän för några år sen.”

”Jovisst. Det har väl med nån terrorlag att göra eller så.

”Det stämmer nog. Men för att han ska finnas med i registret från 2003 måste han ha begått rätt grova grejer. Jag ska vara helt ärlig – min magkänsla är rätt stark här – jag tror inte vi kommer hitta honom i dna-registret.”

”Men eftersom någon har bemödat sig om att ta bort döingens fingeravtryck borde han finnas med i daktningsregistret. Eller hur?”

”Exakt min tanke också. Annars verkar det onödigt. Och vad tyder det på?”

”Massa otydliga saker. Den eller de som tog livet av gubben visste att han finns med i fingeravtryckregistret. Men mördaren visste också att döingen inte hade gripits för något grovt brott de senaste åren, för då skulle han finnas med i dna-registret.”

”Ungefär så, fast det är inte säkert att gärningsmannen eller gärningsmännen kände honom personligen. Kan vara hyrda mördare. Det gör inte det hela lättare.”

”Så vad gör ni?”

”Tja, de sedvanliga grejerna. Till att börja med har teknikerna så klart topsat hela källarvåningen och halva trapphuset. Men sånt ger inte alltid så mycket som man tror.”

”Varför inte?”

”Det finns alltid massa klantarslen. Någon öppnar ett fönster så att eventuella fiberspår blåser bort i korsdraget, trampar runt innanför avspärrningarna så att dna-material blandas ihop. Men vi gör annat också. Knackar dörr i området, kollar registren på försvunna personer för att försöka lista ut om någon matchar. Inväntar ytterligare svar från SKL. Vi har hört de personer som var först på platsen, grannen som ringde in mordet, dig, de andra insparna. De vanliga grejerna, du vet. Det gäller att ställa de rätta frågorna. Öppna frågor, inte förutsätta svaren, få folk att verkligen minnas och inte fabulera. Det är A och O."

Thomas hade hört krimmarnas snack förr. Martin Hägerström lät som dem – försökte verka som han hade kontroll på läget.

"Just nu är det hetaste spåret ett ofullständigt telefonnummer. I offrets bakficka låg en gammal vikt papperslapp med ett mobilnummer på. Tyvärr är det lite utkladdat, lappen måste legat där länge och svettats. En siffra går inte att utläsa. Det ger oss statistiskt tio olika möjliga nummer som vi håller på att kolla upp. Förhoppningsvis vet personen med numret vem mannen är."

Hägerström slutade prata. Framför dem: ett avlångt, lågt hus i tegel. Vitt plåttak. Små fyrkantiga fönster och en bred ingång. Ovanför ingången stora svarta bokstäver mot grå bakgrund: Danderyds bårhus – Kylförvaringen.

De klev in.

Ett litet väntrum. En tom reception. Hägerström plockade med mobilen. Ringde någon.

Det dröjde. Thomas och Hägerström stod med armarna i kors. Tysta. Efter tio minuter kom en man i blå landstingskläder ut i väntrummet. Han sträckte fram handen.

"Hej, Christian Nilsson, obduktionstekniker här. Ledsen att ni fick vänta. Vi är lite underbemannande idag. Ni ville titta på han som kom in från Söderortspolisen va?"

I obduktionssalen var det svalt, som i ett kylskåp. Nilsson förklarade: i de egentliga kylrummen var det riktigt kallt, minusgrader. Thomas tänkte: Är det därför snubben ser ut att ha passerat genom en snöstorm? Det låg mjäll i tjocka lager på killens axlar.

Första gången för Thomas på ett bårhus. Obehagskänslan låg tydlig i maggropen – något rörde sig där inne. Han såg sig omkring. Vita kakelväggar. Mitt på golvet stod två obduktionsbord i rostfritt stål. Över dem: var sin stark lampa, tandläkarstuk, fast större. Gigantiska golvbrunnar. Thomas tänkte på vad de troligen spolade ner i de där brunnarna efter en lyckad obduktion. På hyllorna: skålar, instrument, verktyg, vågar. Allt i rostfritt stål.

Precis innan de skulle kliva in ringde det på Nilssons telefon. Han svarade. Gick iväg en bit. Talade lågt i luren i någon minut. Thomas och Hägerström stod tysta.

Nilsson ledde dem vidare mot kylrummet. På metalldörren satt ett klistermärke: På den här arbetsplatsen är stämningen god, gemytlig och avslappnad – men lite stel. Thomas tänkte: Fyndigt – som polishumor.

Kylrummet var iskallt. Samma vita kakel på väggarna som innan. De kom in från kortsidan av rummet – de två långsidorna bestod alla av utdragbara bårhusfack. Airfresheners satt uppsatta. De hjälpte inte. Lukten av lik var inte stark men den låg tydligt i rummet som en stickande känsla i näsan – han andades genom munnen.

Nilsson drog ut ett fack. Rostfritt stål. Liket låg insvept i en vit duk med landstingets märke på. Två fötter stack ut. En identitetslapp hängde fast runt stortån enligt klassiskt manér. Nilsson höll upp den, visade för Thomas och Hägerström: *Nr. E 07 – 073. Identitet okänd. Inkommen datum som ovan. Söderortspolisens dossiernr K 58599-07. Drd bårhus anteckningar: obduktion utförd. Ansv. obduktionstekniker: CNI.* Hägerström nickade och ställde ner sin axelremsväska på golvet.

Hägerström lyfte undan duken från ansiktet.

Thomas frös. Andningen ångade som utomhus en vinterdag från alla utom liket.

Det var inte mycket att se. Hela fejan – en enda stor slamsa. Thomas hade sett många döda. Undersökt döda. Klämt på döda. Försökt köra mun mot mun på döda. Han hade sett ännu fler bilder på döda. Sönderslagna, misshandlade, våldtagna, sårade. Köttsår, kulhål, knivhugg. Han ansåg sig van. Ändå – känslan på bårhuset äcklade honom. Illamåendet överraskade honom. Han vände bort ansiktet. Hulkade.

Hans komradio satte igång. Först fattade han inte, den var inställd på att bara ta emot egna radiobilen. Hägerström sa: ”Det är din.”

Thomas svarade: ”Andrén här, kom.”

”Tja, Ljunggren här. Du måste komma ut nu. Det är svinbråttom. En snattare på gång i Mörby centrum. Vi är tydligen närmast.”

”Jag kommer om fem minuter. Måste avsluta det här bara.”

”Nej, kom ut nu. Högsta alerten.”

”Det här går fort. Det är ju bara en snattare.”

”Skärp dig. Var är du någonstans?”

”Jag är fortfarande med Martin Hägerström. Vi kollar in liket.”

Det blev tyst en kort stund.

”Skippa den där Hägerström. Han kan kolla själv. Jag väntar inte. Kom ut nu.”

Hägerström kollade på Thomas.

”Ljunggren, vi hörs sen. Klart slut.” Thomas knäppte av radion.

Hägerström sa inget. Obduktionsteknikern fortsatte långsamt ta undan duken. Den satt ihop med små klämmor. Tog tid. Thomas undrade om de verkligen skulle vara underbemannade på det här stället om bara den här killen lärde sig jobba lite snabbare.

Thomas kände spänningen öka i magen, tryckte undan illamåendet.

På den utdragbara britsen såg de nu hela den vita kroppen. Såren på kroppen syntes bara om man tittade noggrant. Obduktionsteknikerna hade gjort ett bra jobb.

Hägerström frågade: ”Vilken arm såg du kanylmärkerna på?”

Thomas gick fram till högerarmen. Pekade.

Hägerström lyfte upp armen. Några märken syntes inte. Han strök med sin hand över den dödes arm. Thomas undrade hur det kändes. Då såg han där Hägerström dragit sin hand: hålen.

Hägerström sa: ”Ibland måste man dra isär huden lite för att se. Slapptaskar.”

Thomas kände sig som värsta CSI-agenten.

Hägerström tog upp sin väska från golvet. Fingrade i den. Plockade upp en digitalkamera.

”Dags att dokumentera det rättsläkaren uppenbarligen inte såg.”

Det hördes ljud från obduktionssalen. Dörren öppnades med en smäll. En kostymklädd man kom in. Det var Stig Adamsson, polismästare, chef över ordningsenheten i Söderort. Chef över Thomas.

Stig Adamsson sa med auktoritär röst: ”Hägerström, du har ingen befogenhet att vara här. Det gäller dig också, Andrén. Stoppa tillbaka den där frysta döingen.”

Hägerström tog det lugnt. Stoppade långsamt tillbaka kameran i fodralet.

”Vad är det här, Adamsson? Jag leder den här utredningen. Jag undersöker vad jag vill och var jag vill.”

”Nej, såna här grejer behöver du åklagarens tillstånd för. Fan, Hägerström, det kan bli tjänstefel för det här. Döingen är redan obducerad och rättsläkaren har gjort sitt. Då kan man inte bara klampa in och dra ut lik hur som helst.”

”Jag är ledsen, men jag håller inte med.”

”På vilket sätt då om jag får fråga.”

Hägerström höjde för första gången rösten en aning.

”Jag vet inte vad du tror att du håller på med. Men det är jag som är utredningsman, det betyder att jag äger den här utredningen. Oavsett om jag inte skulle få vara här så är det inte din sak att lägga dig i. Förstått?”

Adamsson tittade upp. Inte van att bli tilltalad så.

Tystare än döden i bårhuset.

Nilsson sköt in liket i väggen igen. Ekade i kylrummet.

Det rykte ur Adamssons näsborrar.

”Jag är din överordnade, Hägerström. Glöm inte det.”

Sen klev han ut. Långa, markerade, upprörda steg.

De var tysta tills de kom tillbaka ut på gångvägen. Thomas utgick från att Ljunggren dragit med radiobilen så han skulle få åka med Hägerström istället.

”Var vi just med i en film, eller?” frågade Hägerström. Flinade.

Thomas kunde inte låta bli att flina tillbaka.

”Inte fan vet jag.”

”Om de gjorde en film om ditt liv, vem skulle få spela dig då?”

”Varför skulle någon göra en rulle om mig?”

”Tja, det som just hände till exempel. Rena thrillerspänningen.”

Thomas höll nästan på att garva. Höll tillbaka. För distansens skull.

”Han är en riktig gammal hårding, Adamsson. Men jag fattar inte vad han gjorde här.”

”Exakt. Det stämmer inte någonstans.”

”Nej, men vad är det som inte stämmer?”

”Det har jag ingen aning om”, sa Hägerström. ”Än.”

13

Gymmet: biffmarinerat, gorillaockuperat, muskelfixerat. Fitness Center, stället där Stockholms biggaste snubbar hängde dygnet runt. Stället där du inte dök upp om överarmens diameter understeg fyrtio centimeter i opumpat tillstånd. Men också – stället där sammanhållningen inte bara byggde på intresset för bodybuilding och ryssfemmor. Gymmet hade öppet tjugofyrasju, året runt. Kanske var det därför som det var samlingsplats för många av Radovans pojkar. Gunstlingar med rätt inställning: proteindrinkar kom högt, feta biccar kom högre, juggebossen kom högst.

Alltid gymtechno ur högtalarna. Tjatigt, hetsigt, monotont tyckte vissa. Enligt Mahmud: det enda tempo som satte igång viljan att pressa vikter. Plastväxter ur vita krukor på golvet. Gamla affischer på Arnold Schwarzenegger och Christel Hansson på väggarna. Saggiga maskiner där färgen flagnade på ställningarna. Insvettade handtag, fixade med svart isoleringstejp. Skit samma – alla seriösa snubbar använder handskar. Dessutom: maskiner var för tunnisar. Grova shunnar kör med fria vikter.

Mahmud hade börjat träna där några år innan han åkte in. Nu var han tillbaka. Älskade stället. Älskade att det gett honom chansen att arbeta för juggarna. Det var en samlingsplats för bra kontakter. Folk berättade stories från R:s legendariska liv. Bossen som börjat från scratch, kommit med två tomma händer till Scania i Södertälje någon gång innan Mahmud ens var född. Två år senare hade han dragit in sin första miljon. Gubben var en myt, som en gud. Men Mahmud visste mer: det hade funnits folk på gymmet som inte fungerat med Rado. Några var gamla polare till honom. De levde inga toppliv nuförtiden. Om de ens levde.

Idag: Mahmud körde bröst. Hundra kilo på skivstången i bänkpressen. Långsamma, kontrollerade lyft. Muskelträning var en ren tekniksport. Lätt att skilja nybörjarna från de rutinerade – tunnisar lyfte för snabbt, lät armens vinkel ändras på fel sätt.

Han försökte tänka på kuren han snart skulle sätta in, lite genvägar kunde aldrig skada.

Omöjligt att koncentrera sig. Två dagar kvar till Gürhans deadline och Mahmud hade inte fixat fram en enda pesetas till. Hans pappa kunde inte låna ut. Plus, Mahmud ville inte dra in abu i det här. Syrran redan lånat honom fem papp. Kanske kunde hennes snubbe fixa mer men han var inte hemma. Han försökte surra med Babak och Robert under utekvällen häromdagen. Hans homies, killar han kunde lita på – men de saknade tunga flos. Babak lovade att fixa fram trettio papp till torsdag. Robert kunde låna ut tio, men Mahmud kunde inte få dem förrän senare idag. Det fanns andra polare också: Javier, Tom Lehtimäki, killar från förr som han verkligen diggade. Men att låna pengar? Nej, det gjorde inte en man med heder av vem som helst.

Sammantaget: han låg fortfarande tjugofem tuss back. Vad fan skulle han göra? Råna en Pressbyrå? Sälja bakpulver på plattan? Be om anstånd med betalningen? Fet chans. Han behövde hitta den där killen han behövde hitta. Få juggarnas protektia.

Mahmud lät skivstången ligga kvar på stället. Tanken höll sig kvar: VAD FAN SKULLE HAN GÖRA? Samma panikkänsla drabbade honom som när han sett Daniel och de andra Born to be hated-shunnarna på Hell's Kitchen. Kändes som det snurrade. Huvudet dunkade.

Han tittade upp i taket. Slöt ögonen. Gjorde allt för att inte tänka på vad som skulle hända om Gürhan inte fick sina cash på utsatt tid.

Senare lugnade han sig. Körde triceps. En arm i taget över huvudet. Trettiokiloshantel i handen. Ner sakta bakom ryggen. Armbågen kvar i upprätt läge. Ännu långsammare upp i uppsträckt position. Smootha rörelser. Värk i musklerna. Helt rätt.

Han tänkte närmare på uppdraget. Inte fattat allt i stämningsansökan som Tom hade hjälpt honom att få ut. Men en sak uppenbar: någon i det vaktbolag som ansvarade för Arlandavalvet var så smutsig att han måste bajsa mutpengar. Tom hjälpt honom fixa kontaktuppgifter till några väktare som var kända för att köra lite specialare ibland.

Mahmud hade redan ringt en av väktarsnubbarna, försökte vara så artig han kunde. Det funkade inte. Väktarsvennen spelade allan. Störig, motvillig, kaxig. Påstod att han aldrig hört talas om någon Wisam Jibril – eller ens rånet på Arlanda. Det gick inte bättre med de andra killarna han fått numret till av Tom – ingen ville erkänna att de kände till Jibril. Kanske talade de sanning. Men att de inte skulle känna till rånet på Arlanda. Jättetroligt. *Not.*

Wisam Jibril: ghetto-superstar, betonghjälte. Höll sig undan. Försökte att inte synas. Upptäckas. Avslöjas. Men inte som ett proffs – till att börja med hade han återvänt till Sverige. Dessutom: shunnen levde la dolce vita, spenderade. Lyxade järnet. Lät uppenbarligen kronorna rulla värre än Trustorligan på Rivieran. Mahmud tänkte följa Wisams cashspår.

Under den senaste veckan: Mahmud frågat runt efter Wisamsnubben på så många ställen han kunde komma på. Klubbarna kring Stureplan, pizzeriorna i Tumba, Alby och Fittja, gymmen i stan. Hört efter med gamla polare till snubbens familj, förortskillar som aldrig blivit riktigt farliga och brudar som brukat hänga med Wisam när de var små. Han hade till och med frågat i några moskéer och gudstjänstlokaler. Noll framgång. Men han visste om Bentleyn.

Babak parkerade bilen vid Jungfrugatan. BMW M5: fem hundra tjocka hästkrafter under den blå lacken. Sportsäten, körsbärsträpaneler, gps. Extra allt. Babak hade visserligen lånat den av sin brorsa men ändå – fett sweet. Det sköna i hela grejen: Babaks brorsa bodde i en hyresetta på trettiotvå kvadrat. Till och med Babak själv garvade. Men alla visste: vi är inte som lassarna som drömmer om en grå villa i fyrkanternas bajsförorter. Vi bryr oss inte om hur vi bor på det sättet. Vi bryr oss om klass. Och en man utan en manlig bil är inte en man med värdighet.

”Jalla, nu är det dags.” Mahmud flinade.

De klev ut.

Östermalm i sommarsol. Nedanför dem låg Strandvägen. På andra sidan promenerade folk ut mot Djurgården. Massa båtar och måsar på vattnet nedanför. Vad gjorde alla människor här? Arbetade inte svennarna mitt på dagen?

Han vände sig till Babak. ”Kan du fatta? De gnäller på att vi inte jobbar och kolla på dem nu.”

”Mahmud, man kan inte fatta sueditänk. De säger att vi inte jobbar. Bara lever på socialbidrag. Men samma svennar påstår sen att vi tar deras jobb. Hur fungerar det liksom?”

Han såg Bentleybutiken trettio meter längre fram. Texten: Bentley Showroom, med svarta bokstäver på husfasaden ovanför rutorna som gick ända ner till trottoaren. Entrédörren var uppställd.

Inga människor där inne. Han kände med handen i fickan: knogjärnet låg fint. Tittade på Babak. Nickade. Babak klappade med handen över sin bröstficka. Mahmud visste vad som fanns under jackans högra del: ett förkortat basebollträ.

Mahmud klev in. Babak stannade på gatan, väl synlig inifrån Bentleystället.

Vitmålade väggar och golv. Strålkastare i taket. Fyra stora bilar på golvet: två Continental GT, en Arnage och en Continental Flying Spur. I vanliga fall: Mahmud skulle kunna glo ner de där läckerbitarna hur länge som helst. Idag struntade han i att kolla.

Fortfarande tomt på folk där inne. Jobbade ingen på det här stället? Han ropade: ”Hallå?” En snubbe dök upp från en dörr bakom en vit barliknande kassadisk. Röda tygbyxor med pressveck, ljus kavaj med näsduk i bröstfickan. Under kavajen, en skjorta med breda ränder, översta knapparna uppknäppta. Manschettknappar formade som B:et i Bentleyloggan. Loafers på fötterna med tunna lädersulor och förgyllda spännen. Stekare gånger tusen. Det verkade inte seriöst. Mahmud tänkte: Vem kan tänka sig att köpa en bil av den här liraren?

”Tjena. Hur kan jag hjälpa dig?”

Höjda ögonbryn. Var det en diss eller var det en glimt av rädsla? Mahmud passade inte in i showroomet.

”Jag tänkte bara kolla lite på era Bentleys. Har ni fler inne än de här?”

”De vi har inne är de här.”

Stekarn ville spela fåordig. Signalerade: du ser inte ut som en köpare. Mahmud sket i vilket, han var inte här för att shoppa.

”Men ni har väl ett lager någonstans?”

”Javisst, vi har ett lager i Danmark och vi tillverkar efterhand. Går på två till åtta veckor att få hit en bil därifrån.”

”Kan man få en Continental GT med 19 tums alloyfälgar?”

”Absolut.”

”Har ni sålt någon av den modellen senaste månaderna?”

Mahmud sneglade ut. Såg Babak utanför. Ögonkontakt. Stekarn följde Mahmuds blick. Såg också Babak. Tittade tillbaka på Mahmud. Var det oro i hans ögon?

”Jag tror det”, sa killen.

Mahmud slutade spela intresserad kund.

”Jag frågar för jag vill veta om du sålt en sån bil till en snubbe som heter Wisam Jibril.”

Tystnad i showroomet.

”Du, jag ställde en fråga.”

”Jo, jag hörde det. Men jag vet inte om vi sålt till någon med det namnet. Vi frågar inte vad våra kunder heter.”

”Det skiter jag i. Har du sålt en sån modell till en arab på sistone då?”

”Får jag lov att svara med en fråga? Varför frågar du?”

”Lägg av.”

”Men jag kan ju inte veta vem som är arab eller inte. Dessutom har jag ingen anledning att redogöra för våra kunder. Många vill inte skrika ut den här typen av köp, om du förstår.”

Mahmud kollade ut igen. Babak på plats. Mahmud gick fram till entrédörren. Stängde den. ”Okej stekarn, så här är det.” Han gick tillbaka till butikskillen, eller vad han nu var för något. ”Jag behöver veta om Wisam Jibril köpt en bil här, antingen direkt eller genom någon annan, så är det bara. Fattar du?"

Mahmud var en grov kille. Hans breda testosteronkäkar formade ett fyrkantigt ansikte. Idag körde han tajt kortärmad v-ringad t-shirt på överkroppen. Träningsoverallbyxor på underkroppen. Nypumpade arm-, axel- och bröstmuskler syntes tydligt genom det tunna tyget. Tatueringarna gjorde sitt vanliga jobb. Uppenbart för vem som helst: den här snubben är det onödigt att jiddra med.

Ändå sa snubben: "Du, jag svarar inte på det. Jag vet inte vad du vill här, men får jag be dig lämna butiken nu."

Killen gick för att öppna entrédörren. Mahmud klev ifatt honom. Tre stora steg. Tog tag i snubbens arm. Hårt. Knogjärnet runt näven, handen i fickan.

"Kom med här, kompis."

Stekarn verkade först knappt fatta vad som hände. Babak kom in genom entrédörren. Stekarn frågade: "Vad fan håller ni på med?" De sket i hans gnäll. Mahmud höll handen med knogjärnet längs benet. Behövde inte synas utifrån.

"Ey, du följ med in nu. Vi ska inte göra något dumt."

Stekarn – ingen fighter. De drog med honom till rummet innanför bilarna. Stängde dörren. Ett kontor: glassigt ekskrivbord, dator och pennor som såg flashiga ut. Flaskor med typ bläck. Det var väl här de signade köpavtal för över millen per bil. Mahmud sa till butikssnubben att sätta sig ned. Killen: skrajare outlook än en sjuåring tagen på bar gärning för snatteri.

"Det är enkelt. Vi ska inte jävlas med dig mer. Jag säger det igen, vill bara veta om du sålt en Continental GT till en arab som heter Jibril. Det kan också vara så att han var med när någon annan köpte den, på pappret liksom. Men du vet. Ni är de enda i stan som säljer såna här bilar och så jävla många kan det inte bli per månad. Eller hur?"

"Alltså, vad vill ni egentligen? Ni kan inte göra så här."

"Käften nu. Svara bara."

Mahmud tog ett steg närmare. Spärrade upp ögonen. Klockrent hur han uppfattades av den här fördomsfulle stekarn: asbiffig, livsfarlig blatte från någonstans där de krigade och mördade varandra till frukost. En blodtörstig jävel.

Till slut pep han ur sig: ”Vi sålde en sån bil för två månader sen. Men det var inte till någon arab.”

”Skärp dig.”

”Nämen, det var inte någon arab. Det var ett företag.”

Mahmud reagerade direkt. Snubben höll tillbaka något.

”Sluta spela nu stekarn, du vet mer. Kan araber inte ha företag eller?”

Mahmud öppnade dörren. Kollade ut. Ingen i showroomet. Han örfilade butikskillen. Körde sin galnaste blick.

”Rasist.”

Snubben satt kvar i skrivbordsfåtöljen. Kinden röd som ett stoppljus. Såg rätt upp mot Mahmud. Babak med baseballträet i handen.

Mahmud drog till honom igen. Vilken grej alltså – rena amerikanska förhörsmetoden.

Stekarns ögon fylldes med tårar. Bloddroppar ur näsan. Men han höll åtminstone tillbaka gråten.

”Jag vet inte. Ärligt.”

Mahmud exploderade. Sparkade snubben i bröstet. Inspirerad av Vitali Akhramenkos fetingkickar i Solnahallen. Skrivbordsstolen åkte i väggen. Killen trillade i golvet. Skrek. Det ryckte i hans ögon. Kanske en tår.

”Fan, du är ju helt galen.”

Mahmud svarade inte. Slog till snubben rätt i fejan. Fullträff. Kändes som något gick sönder där.

Killen skyddade ansiktet. Hopkrupen. Mahmud böjde sig ner.

”Berätta nu. För det blir bara värre för dig.”

Stekarn snyftade: ”Okej, okej.”

Mahmud väntade.

Killen pressade fram: ”Så här var det. Vi sålde en Continental för två månader sen. Det var två killar i butiken som jag minns. Köparen på pappret var formellt ett bolag men en av dem var han som skulle ha bilen. Helt klart.”

Mahmud sa med lugn röst: ”Kan vi se det där pappret.”

***

Ytterdörren slogs igen hårt. Det lät som om något rasade ner på golvet ute i hallen – kanske var det mammas paraply, kanske var det cykelpumpen som alltid stod lutad mot hallbyrån.

Det måste vara han som kommit dit.

Ingen annan kom hem till dem mitt i veckan, utan att plinga först, och ingen annan stängde dörrar med ett så bestämt ljud.

Det måste vara Claes.

Niklas höjde volymen på teven. Det var tredje gången den här veckan han kollade på samma film: Dödligt vapen. *Egentligen gillade inte mamma att han kollade på som hon sa "otäcka och våldsamma" videofilmer, men hon orkade inte stå emot hans tjat. Det hade han lärt sig för länge sen – mamma gav alltid efter om han frågade tillräckligt många gånger.*

Men Claes, han gav inte efter. Niklas visste att det var meningslöst att ens fråga mamma när Claes var där. Inte för att mamma blev mindre övertalbar, utan för att Claes la sig i och förstörde allt. Han förbjöd Niklas att göra som han själv ville – se på videofilmer, vara ute på kvällen, få godisbilar i Konsum. Claes sabbade allt. Och gubben var inte ens hans riktiga pappa.

Fast ibland var han snäll. Niklas visste när, det var när Claes fått pengar från sitt jobb. Han höll inte reda på exakt när det hände, men det hände för sällan. Såna dagar kom Claes hem med grillchips och Coca-Cola, några videofilmer och hallonsnören. Alltid hallonsnören av någon anledning, fast det fanns mycket godare godis. Till sig själv och mamma tog han med sig påsar som vägde tungt. Niklas kände igen de där vita påsarna med texten Återbäring på Systemet. Han visste vad ljudet av flaskor som stötte emot varandra betydde. Ibland korkade de upp samma kväll. Ibland väntade de till helgen. Resultatet skiftade med Claes humör.

Claes kom in i vardagsrummet och ställde sig framför teven, just när Mel Gibson höll på att slå sin egen axel ur led. Han tittade på Niklas som låg nerhasad i soffan. Ena soffkudden höll nästan på att tippa över kanten och ramla ner på golvet.

”Niklas, stäng av filmen”, sa han.

Niklas satte sig upp i soffan och sträckte sig efter fjärrkontrollen. Siffrorna ovanpå de hårda knapparna var avskavda. Teven var gammal och såg ut som den stod i en trälåda. Men det fanns i alla fall fjärrkontroll.

Han stängde av teven. Videon fortsatte att rulla i tysthet.

”Stäng av videon också. Det är onödigt att den står på. Bryr du dig inte om att din mamma inte gillar att du kollar på sån där skit?”

Niklas öppnade munnen för att säga något men inget ljud kom ut.

Mamma kom in och ställde sig i dörröppningen.

”Hej Classe. Hur har du haft det idag? Kan han inte få se lite på filmen? Så kan du och jag göra mat.”

Claes vände sig mot henne.

”Jag är jävligt trött ska du veta.”

Sen satte han sig i soffan bredvid Niklas och knäppte på teven igen. Det var nyheter.

Niklas reste sig och gick ut i köket. Till mamma.

Hon höll på att skala potatis, men avbröt sig när han kom in. Hon tog ut en öl ur kylen.

”Niklas, kan inte du gå in med den här till Classe. Han blir på bättre humör då.”

Niklas tittade på den kalla ölen. Små droppar syntes utanpå burken ungefär som om den svettades. Han tyckte det såg kul ut och tänkte för sig själv: Det var ju kallt i kylen – varför svettades den då? Sen sa han: ”Jag vill inte. Claes behöver ingen öl, mamma.”

”Varför kan du inte kalla honom för Classe? Det gör ju jag.”

”Men han heter ju Claes.”

”Jo, det är sant, men Classe är finare.”

Niklas tyckte Classe var ett fulare ord än manchesterbyxa.

Mamma tog själv ölen och gick ut till Claes.

Niklas la sig på sängen i sitt rum. Den var för kort, hans tår stack ut. Ibland kändes det lite pinsamt att han som snart skulle fylla nio fortfarande sov i en barnsäng. Samma säng som han haft hela livet, sa mamma. De hade inte råd med en ny större. Men å andra sidan, han hade nästan aldrig några kompisar där ändå.

Han plockade upp ett gammalt nummer av Spindelmannen från golvet och började läsa. Magen kurrade. Det hade han lärt sig på fritids – det betydde att man var hungrig.

Ja, han var jättehungrig.

Det blev ingen ordentlig mat, fast timmarna gick. Istället åt han rostbröd med marmelad och drack O'boy. Potatisarna som mamma skalat låg okokta kvar i kastrullen. Ute i vardagsrummet låg två tomma pizzakartonger, många tomma ölburkar och hans mamma och Claes i soffan. De tittade på någon annan film. Hans Dödligt vapen-kassett, som en klasskamrats pappa kopierat åt honom, låg kvar på golvet framför videoapparaten.

Men det var inte orättvisan i att han inte fick se klart filmen som gjorde ont. Det var volymen på Claes röst. Niklas visste vad den betydde.

Ibland när han var sådär full var han snäll. Men oftast var han läskig.

Klockan var bara åtta.

Han gick in på sitt rum igen. Försökte koncentrera sig på Spindelmannen. Det var en jättefight med Juggernaut. Spindelmannen spände sitt nät över hela gatan och hoppades på att det skulle stoppa pansarmannen.

Claes skratt och mammas fnitter hördes genom läsningen.

Juggernaut struntade i Spindelns nät. Han gick på med tunga steg som gjorde avtryck i New York-asfalten. Näten spändes ut mer och mer.

Plötsligt öppnades dörren till hans rum.

Niklas tittade inte upp. Försökte verka oberörd.

Läste några rutor till: Spindelmannens nät brast inte. Husen skakade.

Det var Claes.

"Niklas, skulle inte du kunna gå ner i källaren en stund? Du kan ju spela på hockeyspelet eller något. Jag och mamma behöver lite tid för oss själva."

Det var ingen fråga fast det lät så. Det visste Niklas.

Ändå fortsatte han läsa. Juggernaut klev på. Nätet höll. Men betongen i husen där Spindelmannen fäst det höll inte.

”Hörde du inte vad jag sa? Kan du gå ner en stund.”

Han hatade när det hände. Han undrade vad de gjorde när han gick ner till källaren så här. Claes frågade då och då. Det värsta var att mamma alltid stod på gubbens sida. Eftersom hon verkade glad ikväll gick Niklas med på förslaget.

Han reste på sig. Rullade ihop serietidningen i handen, tog hemnycklarna i andra handen och gick ut. Trapphuset var mörkt så han fick tända.

Han tryckte upp hissen.

Det brukade inte vara mer än någon halvtimme. Sen skulle mamma komma ner och hämta honom.

14

Inatt: Niklas i en tunnel. Ljussprickar i taket. Flåsningar ekade. Han vände sig om. Han var inte jagad. Det var han som jagade. Tanton i ena handen. Tunneln ljusnade. Vem var framför honom? En man. Kanske det var någon skäggkrigare därnerifrån. Kanske var det svartmäklaren. Sen såg han: Claes vände på huvudet. Spärrade upp ögonen. Saliv runt munnen. Niklas tog långa kliv. Mizunoskorna höll måttet. Gubben stirrade. Vitt sken fyllde tunneln. Det gick inte att se något.

Taxi Driver för andra gången samma dag. Knivkator i två timmar. Niklas i bar överkropp. Som Travis. Svetten torkade in. Katornas koncentration kostade på. Han gick in i köket och drack några klunkar vatten. En lyx: att kunna dricka direkt ur kranen. I Irak kom avloppsvatten ur kranarna, om det kom något alls.

Han kände sig äckligt trött. Mardrömmarna förstörde mycket.

Han satte sig ner. Kollade runt. Uppgivet.

Hans mamma hade flyttat hem till sig. Det förstärkte ensamheten.

Åtta år med kamrater. Nu: sex veckor av ensamhet. Höll på att knäcka honom. Han behövde jobb. Behövde något att göra. En målsättning med livet. Mycket snart. Sen var det den andra grejen också: mammas misstankar. Hon hade berättat för honom att hon var helt säker på att döingen var Claes. Niklas tänkte på sin mardröm igen.

Det regnade ute. Vad var det för sommar egentligen? Thank God for the rain to wash the trash off the sidewalk.

Han åt ur en chipspåse. Såg Claes ansikte framför sig. Knäckte de räfflade friterade potatisbitarna mellan framtänderna. De knastrade. Claes var borta nu. Historien hade fått ett lyckligt slut. Niklas kände lättnad.

Han slog på dvd:n igen. Spolade fram till en av favoritscenerna. Travis försökte söka jobb som taxichaufför. Anställningsgubben frågade: "How's your driving record? Clean?" Travis klockrena svar: "It's clean, real clean. Like my conscience."

Niklas instämde. Vad han än gjort. Hans samvete var rent. Det var ett krig där ute. Påhittade moraldefinitioner brakade ihop under extrema förhållanden lika lätt som irakiska betonghus under granatattack. Bara armeringsjärnen blev kvar, stack upp som sorgsna armar ur ruinerna.

Han stängde av filmen. Hämtade sina riktiga knivar, inte träningsvapnet. La upp dem på soffbordet. En MercWork Equatorian, tung kniv med kraftig parerplatta. Underbar att hugga med, kraften kom av sig själv. Bredvid den, en CBK, eller som det egentligen hette, Concealed Backup Knife. En liten rackare. Handtaget format som en halvcirkel vertikalt i förhållande till eggen för att vila i handflatan och göra kniven kortare, lättare att dölja. Slidan var specialdesignad med en låsmekanism för att kunna spänna fast den var som helst: bakom ryggen, under armen, runt vaden. Sist men inte minst hans baby – en Cold Steel Recon Tanto. Tillverkad enligt japansk tradition med ett enkeleggat blad i Damaskusstål i lager på lager – knivmetallernas Rolls Royce. Läskigt balanserad, blodskåran i perfekt mjukhet längs eggen, handtaget i ebenholts med passform som om den var gjuten efter hans hand. Han speglade sig i bladet. Skönhet definierad. Så vacker. Så ren.

Att använda kniv i krig var ovanligt. Men egentligen var det den ultimata striden. Man mot man. Inga värmesökande high-tech-vapen med mörkerseende. Bara du mot motståndaren. Bara du och det kalla stålet.

Niklas lutade sig tillbaka i soffan. Claes var död. Världen var ett litet snäpp bättre. Mamma en miljon gånger friare.

Han slog på rullen igen.

"It's clean, real clean. Like my conscience."

Niklas funderade på att ringa henne, höra hur hon mådde. Men orkade inte nu.

Något störde. Högljutt. Från grannen igen. Han sänkte ljudet. Reste på sig. Lyssnade. Samma arabiska som förra gången han hade hört skrik. Han stängde av teven helt. La örat mot väggen. Slutade nästan andas. Hörde allt.

En killes röst: "Du måste fatta att du sårar mig."

Tjejen, Niklas granne, Jamila: "Jamen jag har ju inte gjort något mot dig."

"Du vet vad du har gjort. Jag blir sårad. Förstår du? Det funkar inte, jag kan inte leva mitt liv så."

De höll på. Skrek. Ältade. Gav inte upp. Verkade inte leda till våld den här gången i alla fall.

Niklas satte sig i soffan igen men lät bli att slå på teven. Hörde lösryckta fraser av grälet.

Fingrade på sin überkniv igen. Tog fram knivslidan. Sköt långsamt in den.

Ljuden på andra sidan väggen fortsatte.

Det gick en kvart.

Han slog på rullen. Hörde dem knappt. Travis lärde känna Iris, Jodie Foster: de tog en fika.

Det gick en halvtimme.

Bråket i lägenheten bredvid blev högljuddare. Niklas höjde volymen på filmen.

Iris till sin hallick: "I don't like what I'm doing, Sport."

Hallicken sket i vilket. "Ah, baby, I don't want you to like what you're doing. If you like what you're doing, then you won't be my woman."

Niklas stirrade på skärmen. Försökte stänga ute ljuden från grannarna. Men de hördes genom filmen.

Han höjde. Iris skrek. Travis skrek. Hallicken skrek värst. Volymen outhärdlig. Men den stängde ute ljudet av bråket i lägenheten bredvid. Niklas försökte koncentrera sig. Tankarna rasade: Claes mördad, hans mor olycklig. Grannarna i Niklas barndom måste också ha höjt volymen på sina teveapparater. Försökt sudda ut ljuden från mamma. Från honom. Från Claes.

Men på något sätt hördes de igenom. Han visste att det inte stod rätt till, där inne på andra sidan.

Filmen på väg mot sin upplösning. Crescendot. Sanningens minut. Rättvisans seger. Travis tog saken i egna händer. Han går förbi hallicken på gatan. ”Don't I know you? You know Iris?” Och hallicken bara ljuger honom rakt upp i fejan. ”I don't know Iris.”

Det funkade inte. Volymen. Grannarna. Claes. Travis.

Det hördes dunsar mot väggen igen. Han var tvungen att stänga av teven. Kunde inte låta det som hände där inne hända.

Kvinnan på andra sidan väggen grät. Skrek. Niklas visste vad som pågick. Alla visste. Men ingen gjorde något.

Han klämde fast Cold Steel-kniven där bak, under jeansen. Klev ut i trapphuset.

Lyssnade. Det fortsatte där inne. Mannens vrålande. Kvinnans kvidande.

Han ringde på.

Tystnad.

Han ringde igen.

De sa något till varandra för lågt för att han skulle höra.

Titthålet blev mörkt, någon kollade in honom från andra sidan.

Dörren öppnades.

En man. Kanske trettio år. Skäggstubb. Svart skjorta. Breda jeans.

”Hej, vad vill du?” Killen såg helt lugn ut.

Niklas knuffade honom hårt i bröstet. In i hallen. Stängde dörren bakom sig. Snubben såg chockad ut. Men hämtade sig snabbare än väntat.

”Va fan sysslar du med? Din dumma jävel.”

Niklas struntade i provokationen. Han var ett proffs. En stridsmaskin.

Han sa med lugn röst: ”Skada aldrig en kvinna igen.”

Samtidigt tog han tag i snubbens bakhuvud. Slet ner det. Mot sitt knä. Kraft från två håll. Knäets styrka uppåt, hans båda armar som drog snubbens huvud neråt. Tills de möttes.

Killen dråsade in i väggen. Spottade blod. Tänder. Vrålade. Grät.

Niklas körde tre snabba med full kraft mot snubbens revben. En höger, en höger och så slutligen en vänster.

Grannkillen trillade ihop.

Niklas sparkade honom i ryggen. Han skyddade huvudet med armarna. Skrek. Bad, bönade.

Niklas böjde sig ner. Drog fram kniven. Spetsen mot snubbens pulserande hals. Den blänkte vackrare än någonsin.

”Gör aldrig om det där.”

Killen snörvlade. Sa inget.

”Var är din kvinna?”

Killen fortsatte snörvla.

”Var är Jamila?”

Han behövde egentligen inte fråga.

Granntjejen stod i dörröppningen till vardagsrummet. Svullen läpp och en blecka över ögat.

Niklas sa på arabiska: ”Låt honom aldrig skada dig igen. Jag kommer tillbaka.”

15

Trovärdigheten hos folk som påstod sig ha iakttagit händelser graderades. Rikspolisstyrelsen hade egna interna riktlinjer: rating för utsagorna, bedömningskriterier för vederhäftigheten. Egentligen var det självklarheter som bara inte erkändes formellt: vad en svensk skötsam egenföretagare uppgav funkade bättre i domstolen än vad en marijuanapåverkad artonårig svartskalle skulle försöka förklara. Det en enkel medelinkomsttagare vittnade om hade alltid högre bevisvärde än någon heroinsliten sjukpensionärs utsaga. Utredningsarbetet måste fokuseras, det vill säga reduceras – det var bara stats- och utrikesministermord som fick obegränsade resurser. Kulsprutemetoden funkade inte, att skjuta mot varenda ledtråd och hoppas på att träffa nåt. Samhället kunde inte slösa hur mycket stålar som helst. Så man visste vem man skulle lyssna på. Vems uppgifter som gav utslag. Som utgjorde bra bevisning. För åtal och fällande dom.

En polismans utsaga alltid högst i trovärdighetsratingen. Såna satsade man resurser på att följa upp, såna stod sig i rätten.

Situationen nu: två polismän hade sett kanylhålen på den oidentifierades arm. Två polismän kunde intyga att dödsorsaken inte utretts tillräckligt av rättsläkaren. Att ytterligare en obduktion behövdes. Att Adamsson stoppat dem från att fotografera liket, armen, hålen. Att något var fel. Två polismän ljög inte enligt domstolarnas uppfattning av verkligheten.

Ändå: inget hände.

Thomas kunde inte fatta grejen. Det var uppenbart: Stig Adamsson hade velat stoppa dem av någon anledning. Men Adamsson var inte vem som helst. Thomas gillade egentligen gubben. Alla kände till honom: han tillhörde gamla skolan. En man som Thomas i normala fall lierade sig med, en som vågade säga som det var, som inte la fingrarna emellan när något måste göras. På ett sätt påminde han om Thomas egen farsa – rättskaffens på det hårda sättet – fast Adamsson stod på högerkanten. Adamsson var reservare och skyttefantast. Varm förespråkare för grövre kaliber, hårdare tag, färre mjäkiga tunnisar i kåren. Känd motståndare mot ökat inflöde av kvinnor och svartskallar. Det gick andra rykten också om Adamsson på sjuttio- och åttiotalet i Norrmalmspolisens fruktade piketstyrka. A-lagare som drogs in i piketen och dumpades halvdöda på ödetomter i förorten, knarkare som togs in för ingenting och bearbetades med blöta telefonkataloger – för att undvika synliga frakturer och sår – fackanslutna poliser som mobbades ut, kvinnor som sextrakasserades tills de bytte station. Ofta imponerade det på Thomas. Många som Adamsson hade säkert rensats ut genom åren, men inte han – gubben var för duktig.

Hägerström verkade nästan ta det med ro. Han fnittrade till när Thomas med dubbla känslor ringde honom dagen efter bårhusbesöket: ”Den där gubbstrutten Adamsson kommer ligga risigt till för det där. Promise.”

Thomas ville veta mer. I ärlighetens namn: trots Martin Hägerströms bakgrund ville han helst att Hägerström kopplade in honom i utredningen officiellt.

De pratade en stund om olika scenarion. Hägerström hade teorier: ”Jag tycker det är sannolikt att döingen var missbrukare. Kanske hade han tänkt göra inbrott eller bara sova nere i källaren. Någon följde honom dit ner, eller kanske bara träffade på honom av en slump, och misshandlade honom till döds. Efteråt blev gärningsmannen rädd och snittade fingrarna för att försvåra för oss.”

Thomas trodde inte en sekund på Hägerströms version.

”Det kan inte stämma. Det kan inte vara en slump. Varför skulle det vara sånt hysh-hysh med kanylhålen då? Och varför skulle någon anstränga sig så med en vanlig knarkare?”

”Du kan ha rätt.”

”Och varför har någon snittat fingrarna och tagit löständerna?”

”Okej, okej. Du har rätt. Det troligaste är kanske att någon både skjutit honom full med något, droger, gift eller liknande, och dessutom misshandlat honom till döds. Det verkar ligga i linje med resten av utförandet. Inget har lämnats åt slumpen.”

”Nej, och oavsett så kvarstår samma fråga. Varför skrivs inget om stickhålen? Varför är min rapport redigerad?”

För första gången sen Thomas lärt känna Martin Hägerström var denne svarslös.

Det fanns inget att säga. Thomas ville ändå prata vidare. Frågade: ”Och telefonnumren. Den där papperslappen som låg i bakfickan. Har ni kommit vidare med dem?”

Hägerström försökte förklara: ”Den sista siffran i telefonnumret kan vi fortfarande inte tyda. Vi har kollat upp alla kombinationer som går till registrerade mobilabonnemang, det är alla förutom två stycken. Vi har kollat upp personerna med de här abonnemangen.

Och av de åtta har vi hittills hört fem stycken upplysningsvis, och vi kommer ingen vart där. Du vet, de har helt enkelt inget med det här att göra. De har ingen aning om vem den döde kan vara, två stycken var under tolv år gamla, och så vidare."

Thomas lyssnade spänt. Han kunde ju för fan inte släppa tankarna på det där mordet ens när han mekade med sin Cadillac. Han ställde den givna frågan: "Och de två kontantabonnemangen? Har ni beställt ut listor från operatörerna?"

Hägerström skrattade till: "Andrén, du kanske ska bli krimmare?"

Thomas struntade i kommentaren. Hägerström ville nog inte jävlas.

Hägerström fortsatte: "Vi har beställt och fått listor. Vi kan alltså fortfarande inte se vem som har tecknat kontantkortsabonnemangen, det kan man inte med sådana abonnemang. Men vi kan se till vilka andra nummer de två kontantkorten har ringt. Utifrån det räknar jag med att inom några dagar få reda på vem respektive kontantkortsinnehavare är. Sen kan vi gå vidare och förhöra dem. Men det krävs ju en del samtal."

Thomas tänkte: Sånt skitgöra var typiskt kriminalpolisarbete. Hägerström fick skylla sig själv, kontorsråtta. Samtidigt: Thomas kunde tänka sig att hjälpa till.

Senare på kvällen: dags för lite verklighet – ingripande verksamhet, på vanlig svenska: patrullering. Thomas stod vid sitt skåp i omklädningsrummet. Förberedde sig för en nattur i radiobilen med Ljunggren. Trots rutinen, händelselösheten, segheten – det var på patrullering det hände. Thomas såg alltid fram emot de där turerna. Kommunikationsradions brus, flinen när de bommade ett jobb och tog det lugnt i bilen istället. Och sen ibland, när det small till, så small det till ordentligt.

Ljunggren hade inte dykt upp ännu. De hade inte pratat om bårhusincidenten häromdagen. Thomas såg fram emot att diskutera fallet. Höra Ljunggrens funderingar. Han undrade var han höll hus, Ljunggren brukade inte vara sen.

Thomas klädde sig långsamt. Som en ritual. M04-jackan och

byxorna för yttre bruk: mörkblått tjockt tyg i aramidfibrer. Fuktavstötande, eldbeständigt, pundarkärring-med-smutsiga-naglar-tåligt. Fast Thomas gillade den inte – reflexerna över bröstet var töntiga, avsaknaden av dragsnöre nertill på jackan kändes pösigt, det frasiga ljudet när man gick lät som skidkläder. Den gamla uniformen var bättre.

Bältet skramlade som en verktygslåda: teleskopbatongen i ett fäste, handfängsel, radio, pepparsprej, hjälmfästet, gamla batongens fäste, nyckelknippa, en Leatherman, hölster. Minst tio kilo grejer.

Han såg kroppen framför sig. Kanylhålen. De rentvagade såren i ansiktet som inte var något ansikte längre. Namnlappen kring stortån. Den bleka blåaktiga huden som nästan såg vaxartad ut. Han fattade egentligen inte varför han inte kunde släppa ämnet.

Det stod klart: han borde göra något. Med Hägerström eller utan. Å andra sidan – varför skulle han bry sig? Det var inte hans kall att rädda världen. Inte hans pryl att gå utanför ramarna och vara överseriös. Inte hans grej att sätta dit andra snutar. Han borde lägga ner. Sluta fundera. Köra vidare med sina egna smådealar. Fortsätta inkassera några kronor här och några kronor där.

Han plockade ut pistolen ur vapenskåpet. Sig-Sauer P229, halvautomatisk, 9 millimeters. Åtta patroner. Hela pistolen i mattsvart metall med räfflor i handtaget. Liten – men i alla fall bättre än den gamla pistolen, Waltern. Alla i Söderort visste var Thomas stod i de här frågorna. För några år sen skickades ett upprop runt bland insparna: alla polisinspektörer med erforderlig licens bör tillåtas att bära egna personvapen. Riktiga grejor som Colt .45. Thomas namn hade stått högst upp på listan. Självklart. Med Waltern blev du tvungen att skjuta verkanseld som stoppade en framrusande påtänd dåre med yxa lika lite som ett ärtrör. Hur slutade det då? Med ett, två, tre skott mot bröstet. Sen fick polismannen skulden för att aset råkat avlida. Ge polisen riktiga vapen så att man kunde sänka en hotfull gärningsman direkt, med skott mot benen. Så många färre skulle trilla av pinn. Men nuvarande Sig-Sauern var ett framsteg. Kulan som expanderade i vävnaden – svampade ut sig vid träff. Perfa.

Var i helvete var Ljunggren? Thomas var färdigklädd, laddad. Redo för en tur ut i verkligheten. Han lyfte på interntelefonen som hängde på väggen bredvid skåpen.

Katarina, kvällens samordningsansvariga, svarade.

"Tjena, Andrén här. Vet du var Jörgen Ljunggren är?"

"Ljunggren har fått hoppa in för Fransson. Så vi får låta Cecilia Lindqvist köra med dig. Hon är på väg. Borde vara där om några minuter."

"Ursäkta franskan, men vem fan är Cecilia Lindqvist?"

"En ganska ny pa, har du inte träffat henne? Hon började för fyra månader sen."

"Skojar du? Ska jag patrullera med en nyexad pa? Då kör jag hellre ensam."

"Skärp dig, Andrén. Det är emot reglementet. Hon är där vilken minut som helst. Börja lasta istället för att gnälla."

Thomas suckade. Katarina var en tuffing. Han gillade henne.

"Du, du får se över dina jourrutiner. Sånt här funkar inte."

"Jomen tjena. Tror du att det är jag som styr över det här?"

"Nä, jag vet. Jag får ta upp det med ledningen. Jag måste sticka nu. Vi hörs."

Han började packa. Tog fram bagen, stor som en hockeytrunk. Lastade på med de grövre prylarna först: benskydden, hjälmen och gasmasken längst ned. Sen avspärrningsband, varningsbloss, en extra komradio, första hjälpen-lådan, den gamla gummibatongen och en reflexväst. I sidofacket: blanketter, gummihandskar och alkometern.

Han släpade ut bagen och tunga skyddsvästen till garaget. Givna platser i bakluckan.

Och när tänkte den här Cecilia komma in? Trodde hon att det var någon liten övning hon skulle ut på? Packet sket ju i om hon var ny. Packet väntade inte på sen ankomst. Han kunde inte vänta längre.

Han satte sig i bilen. Ringde Katarina igen.

"Jag åker nu. Cecilia Lindqvist har inte kommit än. När hon behagar dyka upp, kan jag svänga förbi och plocka upp henne."

"Okej, du gör som du vill. Men du vet vad jag tycker. Jag säger till henne."

Han startade bilen. Det kändes ganska passande att patrullera en stund själv ikväll. Han behövde tänka.

Just när han började backa ut från parkeringsplatsen, öppnades dörren till garaget. En tjej kom småspringande mot honom. Trunken över axeln. Han stannade. Vevade ner rutan. Tittade på henne.

Hon sa: ”Hej, jag tror vi ska patrullera tillsammans i natt.”

Thomas kollade in henne: Cecilia såg okej ut. Mellanblont, kort hår. Tydliga kindknotor. Blågröna ögon. Smal. Hon verkade stressad. Pannan: svettig.

Thomas pekade på trunken.

”Lägg den där bak. Har du med dig den tunga västen också?”

”Nej, jag tänkte gå in och hämta den. Väntar du?”

Thomas kollade på henne. Han fattade inte hur de kunde anställa personer som inte klarade av att bära trunken och tunga västen på samma gång.

En timmes tristess senare. Cecilia försökte prata. Thomas tyckte att hon verkade näst intill hysteriskt rädd för tystnad i radiobilen. Diskuterade skillnader i polishögskolans nuvarande utbildning med hur den måste ha varit på hans tid. Thomas undrade varför hon trodde att hon hade en aning. Hon ställde frågor om cheferna i Söderort. Kommenterade justitieministerns senaste utspel om att fler poliser skulle vara synliga på gatorna. Thomas var inte intresserad. Fattade hon inte – ibland kunde man bara lyssna på polisradion utan att prata.

Efter tjugo minuter hade hon förstått. Började lugna sig men frågade ändå massa saker: ”Har du hört om de nya bilstölderna de utreder?” Och så vidare.

Polisradion frågade om någon var i närheten av Skärholmen. Tydligen någon form av lägenhetsbråk där.

Thomas behövde inte ens ljuga. De körde just förbi Shell på Hägerstensvägen, mer än en halvmil därifrån.

”Skönt att vi inte är i Skäris.”

Cecilia satt tyst.

De cruisade Thomas vanliga rutt i lugn takt längs Hägerstensvägen. Förbi Aspuddens centrum. Förbi Örnsbergs tunnelbanestation.

Klockan var åtta. Fortfarande klarljust ute. En skön sommarkväll.

Polisradion skvalade. Ett rattfyllo körde slalom på Södertäljevägen norrgående. Inbrottsförsök i en lägenhet på Skansbergsvägen i Smista. Ungdomsbråk nere vid vattnet utanför Vårbackaskolan, Vårby Gård. Kanske borde de försöka plocka fyllot på Södertäljevägen. Det var ändå i deras riktning.

Thomas ökade farten.

Polisradion sprakade igen. ”Jourlivsen i Aspudden. Där har vi en berusad man som uppträder mycket aggressivt. Kan någon åka dit omgående? Kom.”

Cecilia tittade på Thomas.

”Det måste vi ta. Vi är bara någon minut därifrån.”

Thomas suckade. Gjorde en u-sväng. Satte på saftblandaren. Ökade farten.

Femtio sekunder senare körde de upp bredvid butiken. Han såg direkt genom fönstren att något var snett: istället för att stå i kassan och betala för cigg, porrtidningar eller godis stod några personer grupperade men ändå inte. Kollade in samma sak men agerade inte gemensamt. Typisk svensk brottsplats på öppen gata. Allmänheten var där men ingen var ändå där det behövdes.

Längst framme vid kassan: en stor man med smutsiga kläder hade gripit tag i armen på expediten, en ung kille som såg helt knäckt ut. På gränsen till gråt, flackade med blicken, försökte få stöd från någon där inne. Den andre expeditkillen försökte ta isär mannens grepp. Slet i hans stora händer.

Gubben vrålade: ”Era förbannade as. Hela skiten kommer gå under. Hör ni det? Hela skiten.”

Thomas klev in först. Körde starka myndiga rösten. ”Nu är det dags att lägga av. Nu är polisen här. Släpp honom är du snäll.”

Fyllot tittade upp. Väste. ”Polisgrisar.” Thomas kände igen honom. Gubben var stor i växten. Fullkomligt livsfarligt utseende: isblåa ögon, boxarnäsa, två ärr över ena ögonbrynet, taskiga tänder. Men gubben inte bara såg livsfarlig ut. Han var gammal boxare, brukade hänga med parkbänksalkisarna i Axelsberg – en vandrande krutdurk. Typ sjukpensionerad men troligen med tillräcklig styrka i nyporna för att göra den här expeditpojken riktigt illa. Det här kunde bli jobbigt på riktigt.

Thomas gick fram till disken. La en hand ovanpå alkisens händer. Den andra expediten släppte sitt grepp. Thomas sa med lugn röst: ”Släpp taget nu.”

Cecilia bakom. Fipplade med komradion. Kanske tänkte hon begära förstärkning.

Då, något oväntat: Gubben släppte taget om expediten. Rusade mot Cecilia. Thomas hann inte reagera. Vände sig om.

Gubben gav Cecilia en smäll mot bröstet. Hon var oförberedd. Dråsade in i en hylla med plockgodis. Skrek: ”Vad fan sysslar du med?” Bra – äntligen lite stake i henne.

Thomas försökte koppla ett grepp om gubben. Jävlar, han var starkare än man trodde. Vände sig om mot Thomas. Dansk skalle. Träffade nästan över Thomas näsben. En millimeter mer mot mitten och näsan hade knäckts. Gjorde ont som fan. Han såg stjärnor. En kort sekund svartnade det. Han vrålade.

Fyllot slängde sig mot Cecilia som stod upp igen. Gubben var för farlig. Det här var kaos. Det här var inte okej. Det gick inte att vänta på förstärkning.

Hon försökte stöta bort honom. Gubben måttade tre slag. Träffade hennes axel. Cecilia backade. Kunde däcka direkt om gubben fick in en ordentlig träff.

Thomas snabbanalyserade. Inte läge att använda tjänstevapnet. För mycket folk i butiken och snubben var inte tillräckligt farlig än. Men Cecilia var klen. De skulle aldrig klara den här jätten själva. Kanske med batongerna.

Han gjorde ett till försök. Näsan bultade som fan. Försökte få tag på gubbens arm, koppla ett grepp upp bakom hans rygg. Det var kört. Exboxaren vild som ett djur. Hög av sprit och sin lilla maktuppvisning. Slog undan Thomas. Knuffade honom. Han tappade balansen. Snubblade på staplade läskflaskor. De flög över hela golvet.

Thomas på knä, skrek.

”Använd batongen för fan.”

Cecilia försökte värja sig. Slet upp teleskopbatongen. Sköt ut den. Gubben slog mot hennes mage. Hon rappade honom på låret.

Men det verkade kört. Gubben för galen för att bry sig om slaget. Tryckte upp henne mot fönstret. Thomas plockade upp sin batong. Rappade gubben över ryggen. Ordentligt hårt. Han reagerade. Vände sig om igen. Cecilia höll på att ramla ihop. Gubben slog mot Thomas. Han vek undan. Slog igen med batongen. Och igen.

Cecilia på fötter bakifrån. Slog gubben. Han vrålade. Jabbade mot Thomas igen.

Thomas tog i ordentligt. Måste få ett stopp nu. Snärtade alkisgubben en gång mot nacken. En gång till mot låret. Gubben fortsatte vråla. Thomas slog igen mot benen. Gubben segnade ner. Skrek. Sparkade från golvnivå mot Cecilia. Hon måttade ytterligare slag. Alkisen skyddade huvudet med armarna. Cecilia gav igen. Slog gubben över huvudet, bröstet, ryggen.

Hon var panikslagen. Thomas förstod henne.

Det här hade urartat.

16

En av de första sakerna du lär dig på kåken: gå inte fram och tillbaka i cellen. Det leder ingen vart. Istället: stanna i ditt huvud och du kan ta dig långt bortom murarna. Som Mahmud brukat göra: fantisera om en BMW Z4 Coupé i en soft cruise nedför Kungsgatan en tjusig vårdag, fickan full med para, grymma planer för kvällen, chillade polare, villiga gussar. Livet i friheten i sin bästa glans.

Men nu, i sitt rum hemma hos pappa klev han fram och tillbaka som en apa i bur. Illamående. Yrselkänslor. Dunkande skalle. Snart bara ett dygn kvar.

Lyckats skrapa ihop åttio tuss totalt. Fattades tjugo. Dagen innan försökte han få tag på Daniel – förhandla med dem. Men snubben vägrade fatta: Mahmud betalade gärna ränta bara de nöjde sig med åttio papp i första delbetalningen.

”Glöm det. Hundra var det vi sa. Hundra är det Gürhan ska få. I övermorgon.”

Klick.

Mahmud sov extra taskigt den natten. Tiden med sömn: kortare än en myggas balle. Huvudvärken explosiv. Ångesttankarna löpte fritt.

Han pallade inte ens att träna. Det enda han kunde tänka på: var Wisam var. När han fixat det kunde inget skada honom. Han tänkte inte ta betalt av Stefanovic. Bara begära en gentjänst – att de visade Gürhan vem som bestämde.

Han pratade med sin polare, Tom Lehtimäki: värsta CSI-snubben – finnen hjälpte honom bearbeta infon han ändå hade. Ordna fakta. Rensa möjligheter. Analysera spår.

Företaget som köpt bilen av Bentleystekarn nere på Strandvägen hette Dolphin Leasing AB. Papperet han tagit från stekarn sa inte mycket: Dolphin Leasing AB hade en boxadress i Stockholm. Ett registreringsnummer. Dokumentet undertecknat av en John Ballénius, vilket kefft namn. Tom förklarade: registreringsnumret var bolagets organisationsnummer – alla bolag i Sverige måste ha sånt. Mahmud ringde Bolagsverket. Fick information om vilka som satt i styrelsen. Två lirare med svenska namn. Den första var John Ballénius. Den andra Claes Rantzell. Båda med boxadresser: typiskt skumt. Mahmud besökte postboxleverantören. En fetknopp i ett litet kontor i Hallunda. Mahmud körde samma stil som mot killen i Bentleybutiken. Varför ändra ett vinnande koncept? Efter tio minuter hade han de två männens bostadsadresser. Tegnérgatan i stan och Elsa Brändströms gata i Fruängen.

Mahmud kollade upp dem med hjälp av Tom. De ringde Passmyndigheten, drog till Kungsholmen – fick kopior på gubbarnas pass. De körde inga flashiga bilar enligt bilregistret. Däremot tunga skatteskulder enligt Skatteverket. Mahmud stack till John Ballénius adress, Tegnérgatan. Väntade utanför. Efter fyra timmar kom gubben raglande med två systemkassar. Såg halvalkoholiserad ut. Ändå bra – nu fick han koll på snubben. Mahmud drog till den andres adress. Väntade hela kvällen. Inget hände. Antingen höll Rantzell sig hemma tjugofyra timmar om dygnet, var utomlands eller så bodde han inte på adressen. Knulla också.

Det troligaste: snubbarna var målvakter för leasingbolaget. Fula fiskar kunde ju inte köpa feta bilar, i alla fall inte om de ville registrera och försäkra dem. Lösningen i branschen stavades lyxhyrbilar.

Väktarspåret från rånet hade tyvärr inte gett någonting. Några lirare han pratat med hade hört talas om att libanesen var i stan, kanske till och med sett honom, men ingen visste var Wisam Jibril höll till. Mahmud och Toms slutsats: det enda spåret Mahmud kunde gå på var bilen, Bentleyn.

Han måste få någon av gubbarna att snacka.

Men hur? Tiden gick.

Han ringde Babak och Robert. Ringde till och med Javier och Tom. Behövde mer hjälp än någonsin. Pallade inte att försöka förhandla med Daniel eller Gürhan. Mer förnedring. Om tolv timmar måste han ha cashen. Tjugo kakor till. Det kunde inte vara omöjligt.

De träffades hemma hos Robert.

Mahmud bjöd på en blunt – gräs i cigarrblad istället för ciggpapper. Försökte verka tusen gånger softare än han kände sig. De surrade cashfixaridéer. Han behövde hetsa sina homies. Hoppades de inte såg paniken i hans ögon.

Robert spelade rap och arabiska hits om vartannat. Hans lägenhet var så inrökt av weed att man blev lite skön bara av att kliva in.

Babak snackade på som vanligt.

”Vi borde göra som de tunga snubbarna, FFL och de. Åka till Thailand och bara planera.”

”*Bara* planera?” Robert kollade på Babak. ”Ludren då?”

Babak garvade.

”Okej, fixa lite thailändskor också. Men mest planera.”

Mahmud diggade tugget.

Babak sa: ”Vilka är vi egentligen? Vad borde vi göra? Samhället har redan fuckat oss. Vi visste ju tidigt, eller hur? Skolan och gymnasiet var inte vår grej. Universitetet fanns inte på kartan. Inte heller att slava på McDonald's eller som städare i hundra år. Ingen sån skit. Och nu finns inga bra jobb för oss att få. Och ärligt, vi vill ju inte ha vanliga jobb ändå. Kolla bara på din pappa, Mahmud. Sve-

rige är inte till för blattar som oss, inte ens de som är seriösa."
Mahmud lyssnade.
"Tänk er en våg, ni vet vad jag menar. På ena sidan lägger du svenssonlivet, nio till fem, kanske en okej bil, och med hårt jobb, en villa någonstans. På andra sidan lägger du spänningen, friheten, brudarna och cashen. Och känslan. Känslan att vara grym. Vad väger tyngst? Det är ju för fan inte ens ett val. Vem vill inte leva fett flotta livet, gå från en nobody till värsta kungen? Ge samhället fingret, liksom. Det har ändå alltid pissat på oss så varför inte pissa tillbaka. Fatta känslan att vara juggeboss, Gürhan Ilnaz eller någon av de där snubbarna.
Robert tog djupa bloss på blunten. "Du har rätt mannen. Ingen vettig skulle välja nio till fem. Men vet du vad grejen är?"
Babak skakade på huvudet.
"Grejen är hur man kommer dit. Eller hur? Man kan hålla på och deala hur många år som helst, det är ändå alltid någon annan som skimmar vinsten på toppen. Eller så kan man hålla på med såna där bedrägerigrejer, som de där killarna som försökte blåsa Silja Line som jag berättade om. Men det verkar så jobbigt."
"Det stämmer. Det är därför vi borde åka till Thailand. Vi borde sluta kränga skit och göra små stötar. Allt handlar om sprängmedel, som jag alltid sagt."
Mahmud och Robert samtidigt: "Du menar värdetransportrån?"
"Äh, gör jag. Bara vi lär oss spränga kan vi göra vad som helst. Vet ni vad det heter? De tunga grabbarna kallar det tekniska brott. Det är sånt där det behövs riktig planering, där det behövs teknik. Sprängdeg, tändhattar, stubiner – jag har ingen aning, men de som kan sprängmedel kan göra allt. Tänk er själva, att komma över tio miljoner på en stöt i stället för att dra in några tusen här och där."
Mahmud tänkte på Arlandastöten och Jibril.
Robert sa: "Det finns recept att köpa i Södertälje på värdetransportrån. Jag känner folk."
"Ja, men då ska de skimma på vinsten igen. Vi måste fan klara oss själva. Mahmud, har inte du koll på någon av juggarna som kan lära oss?"
Mahmud blev nästan sur.

”Skämtar du eller? De är inte mina polare.”

”Men de har kanske koll på sånt där. De är krigare. De flesta av dem verkar ju ha varit nere i Jugoslavien för tio år sen.”

Robert fortsatte blossa. ”Jag ska säga en sak – lita aldrig på juggarna. De har ingen ordentlig gruppering, inte som Hells Angels, OG eller Brödraskapet. De har inga regler. De jobbar inte för nästa generation. Varje jugge tänker bara på sig själv och bygger inte upp något för de andra. Vet ni varför de har lyckats så bra i Sverige? För att de kom hit först och för att de fått massa support av sitt land där nere. De har fan ägt den här stan i tjugo år nu, kunnat fylla på med serbiska puffror från sitt krig, nya soldater som varit villiga att komma upp hit och jobba. Men vet ni vad jag tror – de kommer att försvinna. De är en klan, ingen organisation. Och nu för tiden vinner organisationer. De har ingen chans mot HA och de andra. Juggarnas tid är förbi. Sen är det en grej till. De börjar bli svenniga, liksom. Fattar ni vad jag menar?”

Mahmud kände sig tagen – juggarnas tid förbi? Hade han satsat på fel häst? Han orkade inte tänka på vad Robban just sagt. Han måste fixa pengar.

De snackade vidare.

Efter en stund kläckte de bästa idén – de borde ruscha en fest i närheten som Babak kände till. Babak brukade sälja E till snubben, Simon, som hade kalaset. Så det var hans tur ikväll att inkassera lite skulder som Simon låg efter med: snälla svennekillen med stygga smileyvanor. Killen fyllde år. Och Babak var inte bjuden. Bara det en anledning att säga ifrån.

Stämningen blev bättre. Efter några minuter blev den ännu bättre – Robert överraskade med kvällens bonus: Rohypnol.

Tre piller och två öl. Oslagbar kombination: fludderrus. Aggroenergi.

Mahmud kände tydligt: Hans blod pumpade bättre än andras – han kunde göra vad han ville.

De drog till Simons födelsedagsparty.

Kyligt ute. Roberts bil parkerad. Mahmud, Babak och Robert väntade utanför killens port. Babak hade ringt. Bett att få komma upp och säga grattis. Simon motsträvig. Worlds colliding – ville inte blanda sitt fula liv med sitt fina liv. Det hela var enkelt: Babak inte en av de inbjudna. Babak lack. Simon visste att Babak inte var bjuden. Alltså: Simon visste att Babak var lack.

Simon lyckats få honom att gå med på att möta Babak utanför. Vädjade: ”Jag fyller faktiskt år, ni kan väl vara lite schyssta i dag.”

Snubben kom ut ur porten. Ställde sig ute vid vägen och väntade. En blek tunnis med svartfärgat hår. En annan kille, kanske polare till Simon, stod kvar i portuppgången. Svår att se, gatlyktan reflekterades i portens glasdel.

Babak: hög som skyskraporna i Dubai. Tittade på Simon.

”Grattis på födelsedagen. Har du fått fram cash eller?”

Mahmud höll sig i bakgrunden. Kollade in Babaks panna, han började få några finnar. Pannan blänkte i ljuset från gatlyktan. Typisk bieffekt av muskelpiller.

”Babak, jag är inte skyldig att betala dig förrän på söndag nästa vecka. Och det finns inte en chans i världen att jag kan fixa tills idag ändå. Glöm det. Du har redan tagit mer än hälften av vad jag drog in förra månaden.”

Simon kände till reglerna. Han måste bli straffad nu. Fast grejen ikväll: han skulle ha blivit straffad oavsett.

Knuff. Simon snubblade två steg tillbaka. Babak lack. Robert lack. Mahmud kände sig så happy – tillbaka på gatan, en chans till något. Ville vara med. Ville känna kicken. Klev fram.

”Din jävla fitta, har du svårt att fatta? Fram med cashen.”

Kompisen stack ut huvudet genom porten. Såg trött ut på avstånd, mörka gropar under ögonen. Skrek: ”Vad fan håller ni på med?”

Babak tog ett fast tag om Simons arm.

”Säg till din äckliga polare där borta att hålla käft. Du har inga pengar säger du, men någon måste ju betala, eller hur. Du köpte fyra burkar av mig men har bara betalat för två. Vem ska stå för de andra två tycker du? Du har lovat mig att fixa det. Ska jag ta av mina egna cash, eller?”

”Men jag har ju lovat att fixa det.”

”Glöm det. Nu går vi upp till din bögfest och så fixar du fram flos nu.”

Fjorton personer i lägenheten, en stor etta med rymligt kök. Killarna lirade FIFA på en PS3. Sjukt snygg grafik.

Babak gick direkt till köket. Drog med sig Simon. Mahmud satte sig vid en dator, kollade in mp3:orna. Vilken jävla skit. Hade de ingen svart musik alls?

Robert lutade sig mot väggen. Armarna i kors. Hiphopattityd. Både han och Mahmud visste att något skulle hända. Visste att de uppfattades som gorillor. Väntade på Babaks signal.

Syntes: Robert på helspänn. Mahmud kände knogjärnet i fickan. Babak ute i köket med Simon, kände vibbarna, säkert fett på helspänn.

Festen verkade mer som en halvtrist hemmakväll än ett födelsedagskalas.

I köket förutom Simon och Babak stod några brudar. När Babak kom in gick gussarna in till vardagsrummet.

Ena bruden ställde sig med händerna i sidorna.

”Nu får ni sluta spela. Det är astrist när ni bara sitter där.”

Ingen nämnvärd respons. Fotbollslirandet fortsatte.

Uppenbar spänning i rummet.

Babak kom ut i vardagsrummet. The number one svartskalle. Simon syntes inte till. Mahmud diggade situationen. Babak nickade. Äntligen dags att rumla lite. Babak klev fram. Mahmud ställde sig bredbent framför soffan. Tevespelarna tittade upp.

Babak med grövre brytning än vanligt: ”Stäng av det där jävla playstationet. Det här är ett rån.”

Äkta roppeaggressivitet, inga gränser. Mahmud satte knogjärnet på näven. ”Och börja inte gnälla, då blir det knas.” Han snittade med handen över halsen. Robert bredvid: backade upp med en butterfly.

”Ta fram alla er saker. Stash, mobiler, busskort, vapen, vad ni än har. Ni vet vad vi vill ha. Lägg skiten på bordet.”

Killarna såg vettskrämda ut. Mahmud tyckte tjejernas ansikten blev vita som kokain trots lager med brun-utan-sol. De langade motvilligt upp sina mobiler. Några la fram busskort och plånböcker.

Mahmud samlade in. Tömde plånböckerna på kontanter. Lät

plastkort ligga kvar. Plockade upp busskorten och mobiltelefonerna. Hivade över grejer till Babak och Robert. De la rubbet i sina jackfickor.

Så lätt. Svennarna bara lämnade ifrån sig.

En av tjejerna såg helt borta ut. Typ som hon fått Valium i ölen. Mahmud puttade till henne.

"Ey, hallå. Kan vi få dina grejer?"

Hon reagerade knappt. La upp sitt busskort. Ingenting mer.

Dags att sticka nu.

Robert i gasen. Ville mucka. Började vråla. Viftade med kniven. Måttade en spark mot en av killarna vid teven. Mahmud drog med honom ut. Babak slängde igen ytterdörren.

De sprang nerför trapporna.

Ruset fortfarande tungt. Han kände sig så lack.

Kunde lätt banka skiten ur vem som helst.

Skrek i trapphuset.

Glömde nästan stressen och ångesten över alla problem: Gürhanjäveln, Erika på Frivården, pappas gnäll.

Kom ner på gatan.

In i Roberts bil.

Försökte softa ner.

Ett sista skrik. Vevade ner rutan, vrålade: "Alby äger!"

Roppeeffekten på väg ner. Snart var verkligheten tillbaka igen.

De räknade flosen i bilen: fyra tusen åtta hundra kronor. Tolv busskort. Borde kunna krängas för två hundra kronor kortet. Mobilerna schyssta. Tjugo dvd-filmer från Simons bokhylla. Och faktiskt: hela PS3-spelet. Snyggt kap. Mahmud försökte huvudräkna. Hoppades att polarna skulle kunna låna mer till honom. Kanske skulle det räcka.

Babak och Robert: änglahomies – lät Mahmud krita rubbet.

Nu hade han en dag på sig att kränga busskorten, mobilerna, filmerna och tevespelet.

Han hoppades det skulle räcka.

17

Niklas och Benjamin beställde sin andra öl. Norrlands på flaska. Shit, vad skönt det var med rökförbudet i Sverige. Fast Benjamin gnällde. ”Ärligt alltså, förut kunde man bjuda brudarna på en cigg, få en gratis anledning att börja snacka lite.”

Hans t-shirt idag var svart med texten Outlaws i vita bokstäver plus bilden på en motorcykel. Niklas tänkte: Antingen spelade hans gamla polare bad guy eller så var han faktiskt en sån.

Krogen låg vid Fridhemsplan. Enligt Benjamin: Fridhemsplan var de sköna sunkställenas paradis. Och den här krogen, Friden, var tydligen the mother of all sunkhak. De garvade.

Niklas gillade stället. Inte första gången han var där. Men första gången på åtta år. Exemplarisk prisnivå: biran kostade knappt mer än när han lämnat Sverige. Söta servitriser. Sköna soffor, högt sorl, billigt käk. Träpanel längs väggarna. Olika fotbollshalsdukar upphängda ovanför panelen. Ölreklam och glitter som såg ut som julgranspynt. Bärsen kom i varma glas direkt från diskmaskinerna. Jordnötterna låg i skålar som såg ut som askfat. Blandad look på gästerna: mest Gnagetfans och alkisar men också en hel del yngre. Han diggade stämningen.

Benjamin gick på toaletten. Niklas studerade sin högerhand. En rodnad syntes på långfingrets knoge. Han mindes: Tre snabba med högern. Rätt slagteknik: åttio procent av slaget hade tagits emot av pekfingrets och långfingrets knogar. Knäckt minst ett revben på aset. Helt riktigt.

Benjamin kom tillbaka. Försökte nypa en av servitriserna i rumpan innan han satte sig i båset med Niklas. Hon reagerade inte ens. Skönt. Niklas ville inte vara med om något strul.

Benjamin log. ”Det är fan märkligt. Lukten på det här ställets toa överensstämmer exakt med lukten på toaletterna på Mariapols akutintag.”

”När var du på akutintaget senast? Det måste ju vara tio år sen.”

”Jovisst, men jag lovar dig, den lukten sitter kvar i näsborrarna som en jävla piercing.”

”Tur att vi sitter nära utgången då så du kan få några andetag frisk luft.”

De skrattade. Benjamin var ändå rätt okej. Niklas kanske skulle trivas i Sverige.

Ytterligare två öl senare. Niklas började känna av dem. Benjamin påstod att han behövde minst åtta bärs för att ens ge utslag i alkoblåset i en snutkontroll. Niklas sa till honom att han snackade mer skit än en försäljare på souken. De flabbade igen. Kändes bra att skratta tillsammans.

Och hela tiden i Niklas bakhuvud: han hade gjort världen till ett bättre ställe i förrgår. En säkrare plats för oskyldiga kvinnor.

De snackade på. Benjamin om skytteklubben, om en brud han skulle dejta senare ikväll, om lite affärer han hade på g. Ibland frågade han ut Niklas. Hur ofta han varit med om skottlossning i Irak, hur man laddar om i mörker, om man kan smörja vapen med olivolja, när man använde dum-dum-ammunition. Krigets teater, en skådeplats. Men på det stora hela var Benjamin en besserwisser – trodde han kunde allt om vapen han inte ens kunde stava till. Niklas berättade storys från Irak. Han utelämnade detaljer om namn och sånt men kände hur han älskade att beskriva livet i sandlådan. Fast egentligen: ingen som inte hade operationell erfarenhet av konflikt i krig kunde förstå vad det handlade om. Sånt gick inte att läsa sig till eller förstå genom att se på film och spela dataspel.

Vid ingången pågick något. De kollade dit. En femtioårig snubbe i högljudd diskussion med en garderobsvakt.

Gubben höll en systemkasse i vardera handen. Ville uppenbarligen få ställa in dem i garderoben och dessutom ges tillåtelse att ta med sig en egen flaska in. Niklas och Benjamin tittade på varandra igen. Garvade. Men det var fejk. Gubben påminde Niklas om mörkare tider.

Bredvid dem satte sig två storvuxna män ned. Beställde var sin öl. Benjamin tittade på den ene. Böjde sig fram. Med låg röst till Niklas: ”Kolla på hans jackbröst. Han är tydligen med i samma skytteklubb som jag. Coolt.” Niklas var inte lika imponerad.

Benjamin började fråga ut honom igen. Niklas tyckte att han höjde rösten. Var det för att männen vid bordet bredvid skulle höra? Han sket i vilket. Började berätta.

”Du vet, vi bar så mycket utrustning att vi lät som en vandrande soptipp när vi gick ut från baslägret, battle rattle som vi brukade säga. Komradio, flakjackets, mörkerutrustning, minst tjugo magasin var, granater, medkits, hjälmar, sovsäckar och tält i fall vi inte skulle komma tillbaka samma kväll, matlådor, radarutrustning, kartor, allt. Vi trodde det skulle ta tre timmar dit och tre timmar hem samma väg. Det enda bra med hela släptåget var att ölen skulle vara sex timmar kallare när vi kom tillbaka.”

Benjamin garvade ljudligt.

Niklas fortsatte. ”In och ut, ingen skulle bli skadad av våra pojkar. Det är rytmen på såna uppdrag. Röda halvmånen eller Amnesty International får räkna poängen när vi är klara. Ärligt, det är ju inte vi som gör såna byar till måltavlor. De gör sig själva till måltavlor. Ger mat och tak till självmordsbombare och självmordsbombarnas hjärnor. Då får de skylla sig själva. Vad som än händer, kunde vi inte döda fler än de dödade med sina bilbomber över hela Bagdad.”

Trots högljuddheten lyssnade Benjamin dåligt. Ögonen flackade. Hela tiden mot mannen vid bordet bredvid med skytteklubbens märke. Till slut avbröt sig Niklas.

”Är det något du vill säga till den där snubben så kan jag fortsätta sen.”

Benjamin nickade. Vände sig mot mannen vid bordet bredvid.

”Du, jag måste bara fråga dig. Är du aktiv inom Järfälla Pistolklubb?”

Mannen vände långsamt på huvudet. Ungefär som: är du dum i huvudet eller? Hur kan du störa mig mitt i en konversation? Kollade in Benjamin.

Men det var inget aggressivt som kom ut.

”Yes, jag har varit med i över tolv år. Vill du bli medlem eller?”

”Jag är redan medlem. Men bara sen några månader. Men jag måste verkligen säga att det är svinkul. Hur ofta skjuter du?”

Niklas kollade in mannen. Han såg faktiskt ut att vara road av samtalet. Snubben hade ljust kortklippt hår. Närmare fyrtio än trettio. En randig skjorta uppknäppt i halsen och blåjeans. Kanske var det uppmärksamheten i hans ögon, kanske var det att han såg så välordnad ut men ändå hängde på Friden. Mannen bara måste vara snut.

De tuggade på. Snubben berättade om skytteklubben. Om antalet medlemmar. Om vilka pistoler han själv ägde. Benjamin sög i sig som en Wettextrasa. Kollegan till pistolklubbsmannen flikade in. Berättade lite om sitt vapen. Det visade sig att de båda var poliser. Mycket riktigt – Niklas blick för folk svek honom inte.

En timme senare. Längre vapensnack än till och med bland killarna i kasernen därnere. De två poliserna vid bordet bredvid var trevliga. Krogen var trevlig. Samtalsämnet var underbart.

Benjamin reste på sig. Han skulle iväg på sin dejt. Var tydligen redan sen. Skakade hand med polismännen. Han och Niklas bestämde att de skulle höras senare i veckan. Var Niklas på väg att få en vän?

En av polismännen, han som inte var med i skytteklubben, reste också på sig. Skulle tydligen hem till sin familj. Niklas och snuten som satt kvar kollade på varandra. Egentligen skumt att stanna kvar med någon man inte kände – men va fan, varför inte?

De beställde in var sin öl till. Fortsatte snacka vapen. Niklas började bli packad.

Snuten beställde in en pannbiff med pepparsås. ”En klassiker”, som han sa. ”Det här stället har riktigt fin husmanskost faktiskt. Det kanske man inte tror.”

Niklas beställde in mer jordnötter.

När vapensurret rann ut i sanden efter femton minuter frågade polismannen: ”Så vad gör du själv?”

”Jag är jobbsökande.”

Niklas hade lärt sig att det hette så. Inte arbetslös – det var inget dynamiskt tillstånd. Istället skulle man vara på väg, i rörelse, på jakt – efter jobb. Struntprat. Han var ju arbetslös. Och trivdes än så länge med det. Men någon gång skulle ju pengarna sina.

”Okej. Vad vill du ha för jobb då?”

”Skulle kunna tänka mig någon form av väktarjobb. Typ i tunnelbanan. Men inte bara sitta still och vakta någon byggnad. Det är för trist.”

”Det är bra. Vi behöver fler sunda väktare. Och folk som vågar ta i. Fattar du vad jag menar?”

Niklas var inte helt säker på att han fattade. Polissnubben lät bitter på något sätt.

”Jorå. Jag vågar ta i. Har jobbat hårt i mina dar.”

De tittade på varandra.

Polisen sa, ”Vad är det du har gjort?”

”Jag har varit yrkesmilitär. Får egentligen inte prata om det.”

”Det är förståeligt. Det behövs såna som du. Förstår du vad jag menar? Någon måste rensa upp bland buset. Det satsas inte på polisen nuförtiden. Ingen vågar ta tag i smutsen. Väktarna är ofta för mjäkiga. För att inte tala om oss poliser. De har börjat plocka in såna grinfittor att man undrar om vanliga män ska vara i minoritet.”

”Du har rätt. Polisen måste få mer befogenheter.”

”Det är knarkare, pedofiler, män som spöar sina kvinnor. Folk bryr sig inte så länge det inte drabbar dem. Men vi får inte ta i med hårdhandskarna, för då blir det en jävla massa gnäll. Jag ska berätta en sak för dig. Orkar du lyssna på en bitter gammal snut?”

”Absolut.” Det var intressant. Ingen kunde hålla med mer än han om att snuten borde ta i mer mot kvinnomisshandlare.

Polismannen gick igång.

”Jag tar mitt jobb på allvar. Jag försöker verkligen sätta stopp för slöddret som håller på att ta över den här stan. Så häromdan satte de mig på en körning med en flicka. Just nybakad från polishögskolan utan någon som helst rutin. Tunn, späd tjej. Jag fattar inte hur de gör rekryteringar nuförtiden. Hur som helst, vi blev kommenderade till en nattöppen butik där en alkis hade löpt amok och börjat tjafsa med personalen. Kruxet var bara att jag kände igen gubben. Han är gammal boxare, skitstark. Aggressiv som en tonåring. Men min medarbetare, hon greppade ju inte riktigt läget. Det blev strul. Boxaralkisen gav sig på henne. Hon klarade inte att stå emot. Det blev ännu mer strul. Han gav sig på mig också. Och när vi skulle få ner honom, det var inte lätt kan jag säga, blev det ännu mer strul.

Gubben var riktigt upphetsad, stark som ett djur, svingade jabbar som en jävla Muhammed Ali. Kolla min näsa.”

Polisen gjorde en paus. Niklas var inne i berättelsen.

”Vad hände?”

”Han nitade mig. Hade jag varit ute med en manlig kollega, till exempel någon i mitt vanliga gäng, hade det aldrig behövt inträffa. Men nu, nu var det ju den här tjejen med och vi klarade inte av att lägga ner gubbjäveln på vanligt vis. Han var för tuff helt enkelt. Så vi använde batongerna. Ordentligt. Tills vi fick ner honom och kunde sätta på handfängseln.”

En paus till. Polisen svalde. Allvaret i ögonen blänkte till igen.

”Och nu snackas det om övervåld. Förstår du?”

Niklas blev förvånad över vändningen. Det här kändes privat.

”Visst. Det låter helt förjävligt. Ni gjorde bara ert jobb.”

”Det här handlar om samhällets undergång. Om polisen tillåter massa våldsamma gubbar gå omkring och göra som de vill utan att sätta p för dem, vem ska då stoppa dem? Om polisen tillåter massa knarkare att langa narkotika, vem ska då stoppa att ungdomar dör i förtid? Om polisen inte får göra något åt hustrumisshandlare, vem ska då se till att oskyldiga kvinnor inte blir förnedrade?”

Niklas nickade i takt med utläggningen. Det sista polismannen sa högg i honom. Det var större än han förstått – Sverige var i sämre skick än han väntat sig. Om polisen inte gjorde jobbet. Vem skulle då göra det?

Han kände sig packad. Polisen fortsatte prata om samhällets förfall. Niklas tankar galopperade iväg. Igen och igen: om inte snuten skötte det. Då måste någon annan sköta det.

***

Aftonbladet

Pensionär misshandlad med batong – blir polisanmäld.
Två poliser slog en pensionär nästintill medvetslös med batong. Sen anmäler de honom. Men en övervakningskamera avslöjar hur poliserna misshandlar den 63-årige mannen.

Aftonbladet har fått videobandet från butikens övervakningskamera som visar hur poliserna minst tio gånger slår pensionären Torsten Göransson med sina batonger. Bandet har också lämnats in till åklagaren.

Bilderna togs av en övervakningskamera på en jouröppen butik i Aspudden i södra Stockholm.

– Jag hoppas att det här leder till åtal. Poliser får inte göra så här, säger Torsten Göransson.

Försvarade sig

Han hade tagit bilen från sin lägenhet i Axelsberg och åkt till butiken för att köpa cigaretter. Men han förvägrades att köpa cigaretter av butiksbiträdet eftersom han inte hade tillräckligt små valörer på sina sedlar.

– Bankomaten i Aspudden hade bara femhundralappar, berättar Torsten Göransson.

– Sen dök poliserna upp. De började slå mig med batongerna. Över hela kroppen. Jag slog tillbaks så gott jag kunde i självförsvar.

Den 63-årige Göransson greps och fördes till Skärholmens polisstation och släpptes först mitt i natten.

Beslagtagna filmer

Nästa dag åkte han till Huddinge sjukhus för att få sina skador dokumenterade. Han anmälde sedan poliserna.

Samtidigt hade poliserna anmält Göransson.

Filmerna som begärdes ut av Aftonbladet från polisen visar att Göranssons version av allt att döma är den sanna.

På de rörliga bilderna syns tydligt hur de två poliserna slår Göransson flera gånger över hela kroppen med sina batonger.

Bert Cantwell
bert.cantwell@aftonbladet.se

18

Journalister är mänsklighetens råttor, låtsaskorrekta flatkommunistiska politiker är jordens kackerlackor och internpolisutredare är världens blodsugare. De lever på andras undergång. De frossar i att förråda: spottar på lojalitet, värdighet och respekt. Sviker Sverige. Sviker alla de som jobbar för ett bättre land.

Thomas visste att de flesta snutar som älskade polisarbetets mer konfrontativa sida, som inte bara gnetade på bakom ett skrivbord eller fegade ur så fort det blev hett, någon gång under sina karriärer utsattes för internutredningar. Det hörde till, polismyndigheten var tvungen att iscensätta lite självrannsakan då och då för att politikerna och opinionen skulle vara nöjda. Men ibland blev det allvar – när media la sig i. När journalisterna som fattade noll av livet på gatan, började granska, kritisera, jaga. Drevet var konsekvensneutralt – de sket i hur det gick för de enskilda polismän vars huvud de ville ha på fat. Media borde förbjudas.

Därför blev han egentligen inte förvånad när han tre dagar efter artiklarna i Aftonbladet, Expressen, Metro, City och säkert massa andra tidningar såg kuvertet i sitt postfack. Enheten för internutredning, Stockholms län. Meddelandet var kort. *Ai 1187-07. Chefsåklagare Carl Holm har beslutat at inleda förundersökning mot dig och Cecilia Lindqvist angående grovt tjänstefel, mm, den 11 juni i år på Hägerstensvägen. Chefsåklagaren har därefter givit undertecknad kommissarie vid polisens enhet för internutredningar (Centrala Utredningsenheten, CU) rätt att delge dig misstanke om grovt tjänstefel alternativt grov misshandel. Enligt PARIS tjänstgör du dagtid den 25 juni varför du kallas till CU denna dag, kl. 13.00. Du underrättas samtidigt om din rätt att ha försvarare närvarande vid förhöret.*

Hans näsa bultade efter den där alkisjävelns danska skalle. Han mådde illa.

De skulle inleda utredning av honom – och det kunde leda till suspendering och omplacering, eller värre: avsked. Det kunde leda till åtal för tjänstefel. Han stod kvar med brevet i handen mitt framför postfacken. Visste inte vad han skulle göra.

Läste beslutet igen. Såg diarienumret. Ai 1187-07. Tänkte på alla dem som gått igenom detta.

Hans telefon ringde.

”Goddag, Andrén. Det är Stig Adamsson här. Är du inne?”

Efter händelsen på bårhuset litade Thomas inte på Adamsson en millimeter. Vad ville han nu? Kunde det ha med mordet att göra? Troligare att det gällde internutredningen som han just fått reda på. Han svarade: ”Jag kom just in.”

”Fint. Tror du att du skulle kunna komma förbi mitt rum? Ganska omgående.”

I korridoren stod sex kollegor vid kaffeautomaten. De hejade. Alla visste. Det syntes. Han såg direkt vilka som var på hans sida. En diskret nick, en blinkning, en vink med handen. Men två av dem: stirrade rakt igenom honom – det fanns quislingar bland ordningspoliserna också. Thomas hejade tydligt tillbaka på de fyra som var hans vänner.

Dörren till Adamssons rum var stängd. Enligt polisetikett betydde det att man förväntades stänga den efter sig när man klivit in.

Thomas knackade på. Hörde ett tyst ”kom in” inifrån.

Adamsson satt vid datorn med ryggen mot dörren. En gammal trött hårding. Polischefen vände sig om.

”Tjena Andrén. Du kan väl sätta dig ner?”

Thomas drog fram besöksstolen och satte sig. Han höll fortfarande brevet från CU i handen. Stig Adamsson kollade på det.

”Det var ju jävligt tråkigt det här.”

Thomas nickade. Kunde han lita på Adamsson?

”Så alla vet det redan förstår jag?”

”Tja, du vet ju hur det är. Snacket går fort. Men jag fick höra det via formella kanaler, de gjorde ju en BRÅDIS av det, skickade ärendet direkt till åklagaren. De drar in flickan också, Lindqvist.”

”Så vad tror du? Kommer media att lugna sig?”

”De lugnar sig alltid. Men har vi otur börjar någon jävla politiker uttala sig också. Det brukar tyvärr sätta fart på interna ännu värre. Och sen måste polismästaren bestämma om din placering också.”

”När sker det då?”

Adamsson la båda händerna på bordet. Det var grova händer. Händer som tagit en del stryk i sina dar: säkert stuckit sig på kanyler, grävt i spyor men också utdelat fler smällar än de flesta. Han suckade.

”Jag talade just med honom. Han kommer invänta CU:s besked. Blir det åtal och fällande dom finns det risk att du måste sluta helt. Lägger de ner förundersökningen är läget mer hoppfullt men även då finns risk att vi måste förflytta dig.”

Thomas visste inte vad han skulle säga.

”Andrén, jag tänkte bara säga att jag helt förstår dig. Jag har läst er händelserapport och anmälan om misshandel. Jag känner ju till Torsten Göransson sen länge. För en sådär tjugofem år sen var han duktig boxare. Tränade på Linnéa. Känner du till den klubben?”

”Självklart.”

”En riktig best. Sen gick det snett. Eller så hade det gått snett redan före boxningen. Jag vet inte. Hur som helst, han har varit dömd för misshandel minst fem gånger tidigare. Summa summarum, ni gjorde helt rätt som använde batongerna. Sen är det ju inte ert fel att de nya teleskopbatongerna är för klena. Och det är inte *ditt* fel att Cecilia Lindqvist är för klen.”

Thomas nickade i takt med Adamssons utläggning. Han tänkte: Borde inte gubben nämna åtminstone något om incidenten på bårhuset? Men han sa inget. Istället svarade han: ”Exakt. Hade vi varit två vanliga mannar hade vi klarat honom utan att använda batongerna så extensivt. Jag uppskattar ditt stöd, Adamsson. Det värmer. Men, kan du bara svara mig på en sak?”

”Jag gör mitt bästa.”

”Vem bestämde att jag skulle ta passet med den där Cecilia Lindqvist? Alla som känner mig vet ju att jag inte är särskilt samspelt med flickor.”

”Jag vet ärligt talat inte vem som bestämde det. Men Ljunggren var tvungen att hoppa in för Fransson som var sjuk. Då blev vi ju tvungna att ta någon. Såna är rutinerna, det vet du. Men jag ska kolla upp det.”

Thomas nickade. Adamssons sa inget. Hans uttryck i ansiktet sa däremot: vårt samtal är över.

Thomas ville säga något om bårhuset. Få en vettig förklaring. Men inget kom. Han reste på sig.

”En sak till, Andrén. Ta några veckor ledigt. Sjukskriv dig månaden ut eller så. Det tycker jag verkligen att du ska. Det blir bara jobbigt att vara här.”

Det var en order.

Thomas körde omvägen över Norrmalm på vägen hem. Struntade i Essingeleden. Behövde tid att tänka. Fleminggatans nedre del: Irländska pubar och små restauranger. Han tänkte på sin och Ljunggrens kväll på Friden. Ställena han körde förbi nu såg inte direkt glamourösa ut. Men Friden tog ändå priset i sunkighet.

Då slog det honom: han kunde inte sätta fingret på exakt vad det var men Ljunggren hade varit skum. Först propsat på att de skulle ta en öl efter jobbet. Sen när de väl satt där på Friden var det som om han inte haft något att säga. Ljunggren inte var världens pratgladaste – ändå brukade de konversera i deras takt, växla ett och annat ord. Analysera dagen. Klaga på cheferna, värdelösa kollegor. Bedöma kvinnorna på stället. Men igår verkade Ljunggren tankspridd. Hoppade mellan ämnena och påbörjade en grej flera gånger: hanteringen av boxaralkisen. Och allt det där kunde varit normalt, om det inte varit för hans kommentar efter en stund, några minuter innan de blivit tilltalade av de där grabbarna vid bordet bredvid. Som om Ljunggren pressat fram sin fråga. ”Du Thomas, du är väl inte förbannad på mig? Jag menar, jag blev ju inkallad på en annan grej, det var därför de skickade den där bruden.” Inte ens det var märkligt, klart han kände ångest över att det blivit som det blivit. Men grejen han kläckte sen – efter att Thomas skakat på huvudet och sagt att det inte var hans ansvar – var åt helvete fel.

”Andrén, nu när de satt igång hela den här internutredningen, då lägger du väl ner allt rotande i den där Hägerströmskiten?”

Först fattade inte Thomas vad han menade. Sen gick det upp för honom vad han syftade på. Hans enda svar var: ”Jag är fortfarande snut. Så jag kommer fortsätta arbeta med sånt snutar gör.”

Thomas körde Centralbron mot Slussen. Till vänster låg Riddarholmen med alla domstolarna. Där de påstod att det skipades rättvisa i Sverige. Fru Justitia skulle vara blind sa de. Det stämde, hon var blind.

Han adderade fakta. Någon raderade i hans rapport. Någon raderade i rättsläkarens obduktionsrapport. Adamsson ville stoppa att han och Hägerström fotograferade liket. Sen slog en till grej ner: Ljunggren hade kallat på honom där inne på bårhuset – försökt få honom med på utryckning, påstått något om en snattare i Mörby centrum. Inte nog med att han bad honom sluta med mordutredningen, kanske hade han försökt lura honom också.

Den samlade analysen: konstigheterna uppradade i skallen gav bara en förklaring. Någon ville stoppa honom från att fortsätta söka. Någon var kanske Ljunggren. Men hur mycket makt hade Jörgen Ljunggren att få sånt gjort? Nej, det var inte Ljunggren. Och Adamsson? Kanske. Thomas måste ta reda på mer.

Men just nu sket han i den frågan. Han måste göra något själv. Vid Slussen gjorde han en u-sväng. Körde i motsatt riktning.

Tjugo minuter senare klev han ur bilen utanför Danderyds bårhus. Himlen var klarblå. Näsan gjorde fortfarande svinont. Han tänkte på lukten i kylrummet. Han tänkte på Hägerström. Plötsligt ångrade han sig. Satte sig i bilen igen. Ringde Hägerström.

Han svarade inte. Thomas spelade in ett meddelande: ”Tjena det är Andrén. Det har hänt en massa skit idag. Du kanske redan vet om det men jag berättar sen. Hur som helst så tänker jag gå in till rättsläkaren nu. Bara så att du vet.”

När han lagt på kom han på att Hägerström egentligen var fienden. Illojalitet mot poliskollegor var Hägerströms förra liv. De interna asen.

Han klev in. Väntrummet och receptionen var tomma precis som förra gången.

Han ringde på knappen i receptionen. Christian Nilsson, obduktionsteknikern, kom ut. Han såg förvånad ut.

”Hej, kan jag hjälpa dig?”

”Ja, jag var här för några dar sen. Andrén, Söderortspolisen.”

”Just det, nu känner jag igen dig.”

Inte en helt ovanlig reaktion från folk som bara tidigare sett honom i uniform. Som om han vore en helt annan människa i civila kläder. Men med tanke på Adamssonincidenten borde den här lilla obduktionsteknikern ha bättre minne.

”Du heter Christian Nilsson?”

”Ja, det är jag.”

Thomas sänkte rösten. Onödigt att tala för högt. Nilsson kunde bli stressad av tanken på att någon kunde komma in i väntrummet och höra.

”Du var närvarande vid obduktionen av liket som jag och min kollega kollade in senast vi var här?”

”Jag minns faktiskt inte riktigt, det har varit mycket på sistone.”

”Okej. Då kan jag berätta att du var närvarande och det anges också i obduktionsrapporten. Den dödes ansikte var i princip bortslaget och snubben hade inga tänder så vi behöver mer input för identifieringen. Kan du säga mig en sak? Var det något speciellt med offrets högerarm?”

”Såvitt jag minns blev det lite tumultartat senast du var här. Och jag kan säga direkt att jag minns inte alla detaljer från den obduktionen, tyvärr. Men om du vill kan jag hämta min journal så kan du få se vad som står i den.”

Thomas övervägde alternativet. Obduktionsteknikern verkade kaxig, men det var inte säkert att han undanhöll något. Det hade ju faktiskt blivit rätt konstigt när Adamsson stormat in. Thomas bad honom hämta rapporten. Chansen fanns alltid att stickhålen var nämnda i den versionen. Efter tre minuter kom han tillbaka. Utan rapport.

”Tyvärr kan jag inte lämna ut rapporten. Du ingår inte längre i utredningen, såvitt jag förstår.”

Thomas tänkte: Om snubben säger ”såvitt” en gång till slår jag in pannbenet på honom. Sen sa han kort: ”Hämta din chef, Bengt Gantz. Nu tack.”

Obduktionsteknikern tittade honom i ögonen. Vände på klacken och försvann in genom dörren.

Tio minuter senare kom en lång, smal man ut i väntrummet. Samma landstingsrock som Nilsson. Thomas undrade varför det tagit så lång tid. Antingen hade läkaren varit mitt uppe i att gräva i någon, eller så gruvade han sig över sin feta miss i obduktionsprotokollet.

Tre långsamma steg. Nästan som om han försökte spela värdig.

”Hej, Bengt Gantz heter jag.”

Sävlig röst.

”Jag vill inte vara otrevlig på något sätt, men vi har fått information att du inte ingår i utredningsteamet i den här förundersökningen. I den uppkomna situationen tillåter sålunda inte våra sekretessbestämmelser att vi ger dig tillgång till journalmaterial, rapporter eller dylikt.”

Thomas tänkte: Läkargubbens språk är töntigare än en pompös försvarsadvokats. Han försökte lugna sig själv.

”Jag förstår. Men jag har bara en mycket enkel fråga. Ni tycks ha glömt viss information i obduktionsrapporten. Det gäller iakttagelser på offrets högra arm. Minns du något särskilt om den?”

Läkaren tycktes faktiskt tänka efter. Han slöt ögonen. Men det som kom ut var helt fel.

”Som jag sa kan vi tyvärr inte kommentera det här ärendet över huvud taget. Jag är ledsen.”

Thomas tyckte Gantz försök till överslätande leende var det mest oäkta han sett.

”Okej. Då försöker jag en annan taktik. Jag vet att offret hade stickhål i höger underarm. Minst tre stycken, på den ickebehårade delen av armen, cirka en och en halv decimeter från handleden. Min kollega, Hägerström, kan också intyga att hålen fanns där. Jag ger dig nu en mycket enkel chans att ändra din obduktionsrapport så att du slipper åka dit för tjänstefel. Grovt sådant dessutom. Vad sägs? Mitt förslag är helt gratis.”

Det funkade i viss mån. Fast inte på tänkt sätt.

Läkaren andades in häftigt. Tappade sitt formella språk.

”Nej. Har du svårt att förstå, eller? Min rapport är helt korrekt. Det fanns inga hål. Inga tecken på narkotikapåverkan. Ingenting sånt. Och jag betackar mig för insinuationer om att jag skulle ha begått tjänstefel.”

Thomas sa ingenting.

”Jag får nog be dig gå nu. Det här börjar bli högst otrevligt.”

Alla varningsklockor tjöt. Alla vibbar antydde samma sak. Över tio år på gatan gav vana att se signalerna när något inte riktigt stod rätt till. Att känna atmosfären när någon försökte dra en story. De små tecknen på att någon ljög. Ögonens rörelser, svettbrytningar i pannan, överdrivna känsloutbrott.

Gantz hade inte visat några som helst kroppsliga tecken på äkta upprördhet.

Det var helt klart: läkargubben ljög om något.

Så fort Thomas kom hem gick han in till sin Cadillac. Rullade in sig i sin egen värld. Försökte stänga av tankarna. Det var för mycket skit.

Fast det kanske var så det alltid varit – fullt med skit alltså. Bara det att ibland råkade skiten klumpa ihop sig på en och samma månad.

Tankarna gick till utredningen. Hägerström hade bett SKL försöka tyda den sista siffran i telefonnumret. Under tiden hade han kollat upp numren på de listor han fått ut från Telenor och Telia för de två kontantkortsabonnemangen. Thomas inte kunnat hålla sig – trots att Hägerström var fienden – han hade ringt honom. Hägerström hade klurat ut vem Telenorkortet tillhört – en Hanna Barani, nitton år gammal från Huddinge. Tjejen sa att hon varit på studentskiva den tredje juni, och det stämde med koordinaterna. Hon hade rört sig mellan en mast i Huddinge och en på Södermalm. Hägerström hörde ändå tjejen, fast det inte fanns någonting som tydde på att hon hade med det här att göra.

Men Teliaabonnemanget kvarstod. Endast tre samtal ringda vilket var märkligt lite. Hägerström kollat upp de tre numren. De tillhörde en Frida Olsson, Ricardos bilmek och en Claes Rantzell.

Han ringde dem. Fick tag på Frida Olsson och bilmeken. Ingen av dem hade någon aning om vem kontantkortsnumret kunde tillhöra. Claes Rantzell fick Hägerström inte tag på. De stod och stampade på noll.

Thomas försökte fokusera på bilen. Mekade med fjädringen.

Den skulle ge superkomfort, mjukare körning än alla Citroëner i världen. Men samtidigt måste den ha spänst – fick inte se ut som någon jävla krypande racerbil.

Det funkade. Tankarna på skiten släppte. Bilen tog hans energi.

Två timmar senare kom Åsa hem. Ställde sig i köket direkt. Satte igång med matlagningen. Thomas visste: snart måste han berätta det för henne. De åt medan hon pratade om deras trädgård till våren och arbetskamrater som inte behandlade varandra med respekt. Sen kom hon in på deras stora projekt också: adoptionen. De hade tagit kontakt med en förmedlare. Snart skulle de komma på hembesök. Kanske, kanske, kunde deras lycka vara gjord om några månader. Thomas kunde inte koncentrera sig. Han borde – adoptionen var viktig. Åsa var egentligen också viktig, fast han glömde bort det. Men det enda han tänkte på: Varför inte Hägerström ringde tillbaka.

Efter middagen såg de en film tillsammans. Livvakterna. Åsa såg flera filmer i veckan så hon fick kompromissa för att locka honom till tv-soffan. Polisscenerna var värdelösa. Fast trovärdigheten på scenerna med vapen var okej. De verkade fatta för en gångs skull att en ruttad snut aldrig skjuter med rak arm. Rekylen tar fel – man får tennisarmbåge.

De la sig tidigt. Klockan var bara elva. Hon rullade sig nära. Åsa: som en gång väckt sådana lustkänslor i honom. Nu kunde de knappt föra ett samtal, de skrattade inte på samma sätt tillsammans, de hade inte ett normalt sexliv – han tände inte längre.

”Jag är trött ikväll. Förlåt.”

Hennes suck var djup. Hon visste att han visste hur besviken hon var. Det blev ännu värre då.

De släckte.

Han kunde inte sova. Tänkte på allt igen. Det var för sent att gå ut till bilen, det blev aldrig bra mek när han var för trött.

Rummet var inte helt mörkt. Ljus silade in under rullgardinen. Han öppnade ögonen. Kunde urskilja stolen där han alltid la massa kläder. Åsas ansikte. Han tittade upp i taket. Försökte lugna sig.

Det ringde på telefonen. En snabb titt på klockradion: halv tre. Vem fan ringde så dags? Thomas fumlade efter luren.

En lugn mansröst sa: ”Är det Thomas Andrén?”

Thomas kände inte igen rösten. Åsa rörde på sig bredvid.

”Ja”, svarade han tyst.

”Gå fram till fönstret.”

Thomas reste på sig. Klädd i bara kalsonger. Gläntade på rullgardinen. Det började ljusna ute.

”Jag står vid lyktstolpen mitt emot ert hus. Jag vill bara att du ska veta att vi finns här hela tiden. Även när bara Åsa är hemma.”

”Vad fan vill du?”

Thomas såg en man i mörka kläder på andra sidan gatan, ungefär tjugo meter bort. Det måste vara han.

”Sluta rota i saker du inte har med att göra.”

”Vadå? Vem är du?”

”Sluta rota i det där du hittade i Axelsberg.”

”Vem är du?”

Telefonens tystnad skar honom i örat.

Thomas tittade mot klädhögen på fåtöljen igen. Låg tjänstevapnet där?

Sen tittade han ut igen. Mannen vid lyktstolpen var borta.

Han visste att det inte var någon idé att gå ut och leta.

Visste att han inte ville lämna Åsa ensam just nu.

19

Efteråt kände sig Mahmud naivare än en tvååring.

De hade setts på McDonald's i Sergelgången. Mahmud diggade i normala fall kvarteren nere på stan. Mindes åren i högstadiet när han och polarna hängt där mer än hemma. Raiderna mellan Åhléns, Intersport och Pub. Mellanlandning på Macken för energipåfyllning innan de tog sig vidare till Kungsgatan. Ner mot Stureplan. Skrämde bratkidsen – snodde deras gåsjackor, tog deras mobiler, baxade snabba cash. Sorglösa ögonblick. Då de var kungarna. Då taitishlirarna fruktade. På den tiden då kåken kändes mer avlägsen än typ, Sundsvall.

Fast nu, på väg att träffa Gürhans Born to be hated-pojkar, mådde han illa. Som en äcklig boxning hela tiden inne i magen. Kanske ett omen.

Mobilerna, tevespelet, busskorten och dvd-filmerna sålda till fetingrabatterade priser. Inshallah – han tackade den gud han inte trodde på för tevespelsbörser och Babaks farsas hål i väggen. Trots det – grejerna räckte inte långt. Blev nio tuss. Kuk också. Kunde verkligen inte fråga abu om det här. Om han bara haft något att kränga skulle han gjort det: ryssfemmor, hasch, vad som helst – till och med horse. Men han hade inget kvar: krängt sitt gymkort, nio månader kvar, för en tusing. Tog med sig sin teve och dvd-spelare till Babaks farsas butik. Drog in ytterligare fyra tusen. Slutligen, bröt mot sin egen heder: lämnade in sitt halsband till pantbanken – det hade tillhört hans mamma. Fick in två papp. Om han inte kunde lösa tillbaka det var hans liv inte värt ett piss.

Ändå fattades fyra papp. Han sket i vilket. Kunde inte få fram mer flos nu och tiden rann iväg som vatten. De bara måste acceptera.

Klev in. Hamburgerlukt. Barnfamiljer. Blattar bakom disken – hälften säkert ingenjörer och resten läkare. Svennesverige ville hellre att de skulle steka burgare än använda sina kunskaper.

Daniel satt längst in på stället. Slafsade med maten som ett svin. Bredvid honom: de två andra shunnarna Mahmud sett på Hell's Kitchen.

Daniel såg på honom: ”Hey, habibi, du behöver inte se ut som jag tagit din syrras oskuld.”

Mahmud satte sig.

”Kul.”

Daniel tog för stora tuggor på en McFeast.

Mahmuds vänsterben började darra okontrollerat under bordet. Han hoppades de inte såg. Fokuserade – behöll värdigheten. Aldrig förnedras inför dem igen.

Daniel glodde.

”Kul? Varför skrattar du inte om det är så roligt?”

Mahmud utan svar.

De ignorerade honom. Daniel surrade på med de två andra snubbarna. Mitt i pratet räckte han över en tom McDonald's-påse till Mahmud. Nickade. Gestikulerade med handen: stoppa ner den under bordet.

Mahmud plockade med handen i innerfickan. Förde snabbt ner sedlarna under bordet, stoppade in dem i påsen.

Daniel tog emot påsen med ett flin bredare än Jokerns i Batmanfilmerna. Fortsatte surra med gorillorna. Ner med handen under bordet. En snabb blick för att kolla valören på sedlarna. Sen – klassikern: titta inte ner igen, räkna under bordet samtidigt som du konverserar. Cleant.

Det tog en stund. Daniel såg frågande ut.

Mahmud böjde sig fram.

”Det är bara nittiosex. Kunde inte få ihop mer.”

Daniel väste: ”Din fitta. Gürhan sa hundra. Ta tillbaka dina äckliga cash. Nästa vecka vill vi ha tvåhundra. Jag skämtar inte.”

Påsen åkte upp på bordet igen.

Daniel och de andra två reste sig. Klev ut.

Pappan i barnfamiljen bredvid stirrade.

Mahmud ensam kvar. Kollade tillbaka.

”Va fan glor du på, gubbjävel?”

På kvällen: nersjunken i lädersoffan hemma hos Babak. Försökte tona ner hela grejen. Babak undrade: ”Är de sjuka eller? Du ger dem nittiosex inom två veckor, och de är inte nöjda. Vad har de för hake på dig, man?”

Mahmud spelade oberörd. Nästan flinade.

”Äh, du vet. Jag ville inte hamna i problem. Har du gräs eller?”

Inom sig: han visste mycket väl deras hake på honom. De var beredda att knäppa honom vilken dag som helst. Och de hade sett honom pissa på sig. Nu ville han bara glömma ämnet.

De kollade en rulle: *Scarface*, för säkert tjugonde gången. Mahmud önskedrömde: ville vara lika galen som Tony Montana. ”You wanna play rough? Oookey.” Bam, bam, bam.

Babak surrade på om hur sköna de varit häromkvällen.

”Bara baxa de där bögarnas prylar liksom rätt ut. De bara satt där. Såg du hon tjejen som nästan var i trans. Och Simon, han kommer aldrig jiddra med mig mer.”

Mahmud ville hem.

På väg. Tog tuben en station till Fittja. Hans pappa ringde på mobilen. Mahmud tryckte bort honom. Orkade inte prata just nu. Pappan ringde igen. Mahmud tryckte på ljudlös. Lät honom ringa klart utan att svara. De skulle ju ändå träffas om femton.

Mitt emot honom: en blonderad tjej med rålånga naglar. Mahmud diggade grejen: porrigt på något sätt. Han tänkte på sin syrra. Lånat honom fem tusen. Deras häng kokade mest ner till fredagsmiddag hemma hos pappa och med lillasyrran Jivan någon gång var tredje månad. Efter att Beshar varit i moskén.

Jamilas snubbe hade också suttit inne. På Österåker, för knark. Mahmud aldrig gillat honom. Han var inte schysst mot Jamila. En del tjejer verkade alltid dras till svin, och Jamila var en sån. En skum grej hänt för några dagar sen: en granne till Jamila hade tydligen stormat in mitt i ett tjafs. Bankat på hennes snubbe som om han var värsta skolpojken. Och Jamilas kille brukade inte ta skit. Mahmud försökte förstå vad som hänt, frågade Jamila om detaljer. Hon skakade bara på huvudet, ville inte prata mer om grejen. ”Han kan arabiska”, sa hon. Kanske fanns det svenskar med heder ändå?

Mahmud stod utanför dörren hemma. Pappa öppnade innan han ens ringt på. Stod han och kollade i titthålet, eller?

Mahmud såg direkt: något var fett fel. Pappa tårögd. Nervös. Rädd. När han såg Mahmud omfamnade han honom. Grät. Vrålade.

”De får aldrig ta dig ifrån mig.”

Mahmud ledde honom in till vardagsrummet. Satte honom i soffan. Hämtade en kopp te med myntablad. Strök hans kind. Höll honom hårt. Som han gjort på Mahmud så många gånger förr. Lugnade. Kramade.

Pappa berättade. Med pauser. Osammanhängande. Trasigt.

Till slut förstod Mahmud vad som hänt.

De hade varit där.

Tre snubbar. Pappan öppnat dörren. De räckte över en plastkasse. Samtidigt sa till honom ungefär: ”Din son har hamnat i skiten. Om han strular, knäcker vi er.”

I påsen: ett grishuvud.

Till hans pappa. En from man.

Omöjligt att duna in. Mahmud vred sig sex miljoner gånger. En enda tanke i huvudet: Han måste hitta Wisam Jibril.

Han öppnade ögonen. Ställde sig vid fönstret. Kollade genom gardinerna ut på gatan. Mindes sina första uppgörelser med ärtrör i sjuårsåldern. Han, Babak och de andra shunnarna fattade snabbt att ärtor var för mesar. Gick över till slangbellor, blåsrör och kaststjärnor. En gång råkade Babak skjuta en märla i ansiktet på en tjej i parallellklassen. Bruden förlorade synen på vänstra ögat. Rasistlärarna satte Babak i specialklass.

Klockan var två. Snart skulle det börja ljusna.

Det funkade inte. Han måste göra något.

En timme senare var han på Tegnérgatan. Utan att ha fått låna bil. Suttit stissig som en speedpundare på nattbussen in till stan. Tänkte väcka den där John Ballénius – piska på den jäveln tills han berättade var han kunde hitta Jibril.

Porten där nere var låst. Så klart. Trots att inget farligt hände i stan, skulle alla svennar ha portkod. Varför var de så skraja för allt?

Han gick omkring på gatan en stund. Två personer virrade hemåt. Han lät dem passera. Plockade upp en lös trottoarsten. Som att träna på Fitness Center. Släpade den fram till porten. Slängde in den genom glaset. Shit, vad det kraschade. Hoppas han bara väckt halva huset. Han stack in handen, öppnade porten.

Klev upp till Ballénius dörr. Ringde på. Inget hände. Gubben låg så klart och sov.

Ringde på igen. Tystnad. Inget rasslande ljud med dörrkedjor. Ingen som hasade omkring där inne.

Ringde på tredje gången. Länge.

Dött.

Fitta också – Ballénius verkade inte vara hemma.

Mahmud övervägde: fördelar kontra nackdelar. Han kunde försöka bryta sig in. Se om han hittade något som kunde leda honom till Jibril. Å andra sidan: om Balléniusgubben var ute på krogen och snart tänkte komma hem, kunde han se sin dörr uppbruten. Ringa farbror blå som skulle vara på plats inom två minuter.

Funkade inte. Risken att torska för stor.

Men nästa idé bättre: den andra målvakten verkade ju aldrig vara hemma. Mahmud hade bevakat huset i en och en halv dag. Till och med pröjsat några smågrabbar för att ringa på gubbens dörr en gång i timmen. Nada svar.

Grymt. Han kunde greja det. Ta sig in hos Rantzell. Plocka fett med ledtrådar.

För första gången sen de ruschat festen kände han sig okej. Bernadottemannen på gång igen. Juggarnas nya älskling skulle göra entré. Han ringde en bulle – värt att spenta en del av sina svårt ihopsamlade flos. Lät den köra honom tillbaka till Fittja. Ner i källaren. Plockade upp sin kofot. Tillbaka till Elsa Brändströms gata i samma cab. Chick-chack.

Klockan: halv fem. Ljust ute. Ödsligt. Han kände på ytterporten. Den var öppen. Vilket flyt. Borde de inte vara skrajare för inbrottstjuvar här i förorten än inne på Tegnérgatan?

Stod Rantzell på en papperslapp på en dörr. Mahmud kollade in genom brevlådan. Såg en hall. Skulle han ringa på dörrklockan? Nej, det kunde höras i resten av huset. Göra grannarna misstänksamma. Han tog upp kofoten. Kände med handen efter ett passande ställe att köra in den. Dörren rörde sig. Den var öppen. Skummish.

Var Claes Rantzell hemma? Låste han inte om sig? Mahmud gled in i lägenheten.

Stängde dörren snabbt bakom sig. Där inne: stanken dishade emot honom. Ruttet kött. Skit. Knarkarkvartsångor. Han höll på att kräkas. Drog upp tröjan över näsan. Försökte andas med munnen. Vem bodde i det här?

Tillräckligt ljust i lägenheten för att han skulle slippa tända. Han ropade hallå. Hörde inget ljud till svar.

I hallen: några slitna svarta skor och två jackor. Reklam och post på golvet. Mahmud tänkte på att inte röra vid något med fingrarna. Till höger låg ett kök, rakt fram ett vardagsrum, till vänster ett sovrum.

Först köket: odiskade tallrikar och bestick, diskhon brun av smuts. Ett paket Jozosalt bredvid ett tomt mjölkpaket. Köksbordet fyllt med påsar, ravioliburkar, ölflaskor och glas. På golvet: gamla ciggpaket, papper, en trasmatta som var så skitig att han inte såg vilken färg den egentligen hade. Vad var det här för svinstia egentligen? Digga ironin: gubbens bolag stod som ägare till värsta Bentleyn. Mahmud öppnade skåpen. Nästan tomma så när som på några glas och två kastruller.

Sen vardagsrummet. En lädersoffa och en läderfåtölj. Påminde om Babaks. På väggen två tavlor. Den ena föreställde en korthårig pojke med en tår i ögat. Den andra såg mer ut som ett foto: typ en general. Några hyllor med ett gammalt uppslagsverk, ett tiotal pocketböcker och sammetsplattor med massa medaljer uppsatta. Fult. Teve, video, en intorkad kaktus i fönstret. Vardagsrumsbordet avslöjade Claes Rantzell: fyra, fem ölflaskor, två vinare, en halvfull flaska whisky, en flarra vodka. Snubben lika med värsta A-lagaren.

Mahmud rörde inte skiten. Fanns inte tid nu. Han ville ut därifrån snart. Drog ner collegetröjans ärmar över händerna. Slet ut böckerna i bokhyllan bara för att ta en snabbtitt. Inget dolde sig där.

Sist sovrummet. En och tjugo-säng. Pundarn verkade bo ensam – bara en kudde. Smutsig. Täcket fläckigt. Lakanen gulaktiga. En orientalisk matta som måste vara oäkta på golvet. En spegel i taket. Uppvikta porrtidningar på nattduksbordet: brud suger av snubbe, runkar av en annan och blir pissad på av en tredje. Mahmud klev fram till garderoberna. Någonstans måste det ju dölja sig något intressant. Där inne: jeans, skjortor, utdragslådor med kallingar och strumpor. En trälåda. Han öppnade den.

Freakshow. Vem hade han kommit hem till, Sodomitiska vänföreningens ordförande? Proppad med sexleksaker. Penisattrapper

– ådriga superkukar – Anal Intruder, en strap-on, läderkoppel, ridspö, några tunna kedjor, lädermask med blixtlås för munnen, nithalsband. En latexbrynja, handklovar, ögonbindel, analkulor, glidmedel, poppersflaskor, alla möjliga slags oljor.

Mahmud: porrfilmsfluktaren, pliktmuslimen, pornografen. Pappas pojke.

Tänkte: Det här är sjukt.

Sen flinade han. Lassemän är töntar.

Han fortsatte riva i garderoben. Slängde ut gamla skor, t-shirts, väskor, lp-skivor. Till slut: äntligen – kanske något av värde. Längst in, fastsatt i väggen: ett litet låst nyckelskåp. Han satte dit kofoten. Drog till. Skåpet öppnade sig. Där inne smånycklar som såg ut som cykelnycklar. Dessutom: två större nycklar. Såg ut att gå till hänglås.

Han kände sig stressad. Även om han inte sett till Rantzell under två dagar och gubben inte svarade på samtal kunde han ju komma hem när som helst. Han slet med sig de större nycklarna.

Stannade till en sekund i hallen. Vad skulle han göra nu? Kanske gick nycklarna någonstans. Men var? Han tittade på dem igen. Assa Abloy. Tri Circle. Kändes igen. Som till hans hänglås på gymskåpet. Som till källarförrådet hemma hos pappa. En liten idé som kunde vara värd att testa. Han klev ut ur lägenheten.

Trapporna upp. Fanns ingen vind. Trapporna ner. Källarförråden var i taskigt skick. Bakom träplankorna och gallren: massa suediprylar. Vinterjackor, skidor, väskor, böcker och lådor. Varför slängde de inte skiten? Hoppades de tjäna storkovan på Skärholmens loppmarknad eller?

Han testade nycklarna i varenda lås. Tankar på Wisam Jibril blandades med pappa. Bilder av Gürhans monsterflin mixades med grishuvuden. Han kände sig manisk. Nycklarna bara måste passa någonstans.

Han prövade lås efter lås. Efter säkert tio misslyckanden: den ena passade i ett förråd. Halvtomt där inne. En hoprullad matta, några lådor. Tallrikar i den ena och porrtidningar i den andra.

Testade vidare med den andra nyckeln. Den andra passade i låset på förrådet bredvid. Han tänkte: Rantzell körde ett gammalt trick – sno någon annans tomma förråd. Mahmud klev in. Massa påsar på golvet. Fan också. Han kollade ner i en av dem: papper. Typ siffror, namn på företag, brev från Skatteverket. Han pallade inte rota mer. Kunde det vara värdefullt? Han orkade inte tänka. Plockade med sig två påsar. Klev upp. Ut.

Morgonsolen lyste fint på gatan.

Mahmud tänkte: Kanske är jag på banan igen.

Söndagmorgon. Mobilens klocka visade på ett. Soft, han hade sovit i sex timmar. Sen kom han på hur de behandlat hans far. Och att pappa inte väckt honom på hela förmiddagen. En ängel som vanligt.

Han tänkte på natten, den kändes luddig i minnet. Vad hade han uppnått? Några kassar med massa papper. Grattis Stickan. Vilken skit.

Beshar satt i köket. Sitt vanliga Mellanösternkaffe med fem sockerbitar i. Grumligt som en lerpöl. Stora mörka ögon. På arabiska: ”Hur har du sovit?”

Mahmud kramade honom.

”Abu, hur har *du* sovit? Det ordnar sig. Ingen kommer skada oss. Jag lovar. Var är Jivan?”

Beshar knackade i bordet. ”Hon är i skolan. Inshallah.”

Mahmud tog fram en juice ur kylen. Färdiglagad kycklingfilé.

Pappa log: ”Jag vet att du tränar men är det där verkligen en bra frukost?”

Mahmud flinade tillbaka. Hans pappa skulle aldrig förstå vad det innebar att bygga på riktigt. Proteinrik mat utan en gnutta fett ingick inte i hans värld.

De satt tysta.

Solstrålar lyste upp köksbordet.

Mahmud funderade på vad hans pappa skulle kunna ha varit för människa om de bott kvar i Irak. En stor man.

Då: det ringde på dörren.

Mahmud såg paniken i pappas ögon.

Hela kroppen i ångest. Mahmud gick in i sovrummet. Plockade upp ett gammalt brännbollsträ. Knogjärnet i fickan.

Kollade genom titthålet. En mörk snubbe han inte kände igen.

Det plingade igen.

Pappa ställde sig bakom Mahmud. Innan han öppnade sa han till Beshar: ”Abu, kan du vara snäll och gå in i köket.”

Tokberedd. Minsta grej från snubben utanför och han tänkte smasha pannbenet på honom som ett ägg.

Han öppnade dörren.

Snubben utanför sträckte fram handen. ”Salam Aleykum.”

Mahmud oförstående.

”Känner du inte igen mig? Vi gick i samma skola. Wisam Jibril. Jag har hört att du letar efter mig.”

Beshar skrattade i bakgrunden.

”Wisam, det var längesen. Välkommen!”

20

Idag kände Niklas sig säkrare på joggingrundan. Han hade köpt två par smalbensskydd, egentligen för fotbollslirare. Spänt fast dem runt smalbenet. Minskat risken för råttbett.

Han tänkte på sina mardrömmar. Tänkte på Claes som var död. På sin mamma.

Han tänkte på sitt besök på vuxenpsykiatriska öppenvården i Skärholmen. Mamma hade tvingat honom.

”Du klagar jämnt på hur dåligt du sover, och att du har massa mardrömmar”, sa hon med anklagande röst. ”Borde du inte söka hjälp?”

Hon fortsatte tjata, trots att Niklas inte ens berättat vad drömmarna egentligen handlade om. Han behövde ingen sån hjälp, det var inte hans grej – men däremot behövde han sömnpiller. Nätterna var skit. Så kanske borde han följa mammas råd.

Han gick till jourmottagningen mitt på dagen. Tänkte att det var minst folk då, minst kö. Det var fel – i väntrummet var det fullt. Ännu ett tecken på att något inte stod rätt till i det här landet. Niklas kände för att vända direkt i dörren. Han var ingen svag människa som behövde andra. Han: en krigsmaskin, såna gick bara inte till psykolog. Ändå stannade han. Mest för att han ville få pillren utskrivna så fort som möjligt. Men också: för att slippa mammas gnäll.

Fåtöljen som Niklas fick sätta sig i var ganska skön. Han hade väntat sig en trist pinnstol, men det här kändes trevligt. Psykologen, psykiatrikern, läkaren – eller vad hennes formella titel nu var – sköt sin fåtölj närmare och tog av sig glasögonen.

”Jaha, välkommen. Jag heter Helena Hallström och jag är psykiater här på jourmottagningen. Och du är Niklas Brogren förstår jag. Har du sökt hos oss förut?”

”Nej, aldrig.”

Han spanade in henne. Kanske tio år äldre än han. Mörkt hår i en tofs. En forskande blick. Händerna i knäet. Han undrade hur hon hade det hemma. Hon styrde här, det var klart. Men hemma?

”Då kan jag berätta lite kort. Jag vet ju inte alls varför du kommit hit men vår målsättning här är att utifrån en gemensam bedömning av dina behov arbeta med att hjälpa dig. Allt för att du ska uppnå en ökad livskvalitet. Vi har ett brett och varierat behandlingsutbud, och vi får se vad som passar bäst. Kanske farmakologiska eller socialpsykiatriska insatser. Eller både och. Och i många fall behövs ingenting.”

Niklas orkade inte ens försöka lyssna på vad hon sa.

”Så Niklas, varför har du kommit hit?”

”Jag sover dåligt. Så jag tänkte att du kanske kunde hjälpa mig med sömntabletter.”

Helena satte på sig sina glasögon igen. Körde den forskande blicken.

”På vilket sätt sover du dåligt?”

”Jag har svårt att somna och jag vaknar flera gånger under natten.”

”Jaha, och varför tror du att det är så?”

”Jag vet inte. Jag ligger och tänker på massa saker och sen drömmer jag konstigt också.”

”Och vad är det du tänker på?”

Niklas hade inte kommit hit för att prata om sina tankar eller mardrömmar. Kanske var han naiv, insåg han nu. Samtidigt ville han verkligen ha tabletterna utskrivna.

”Jag tänker på allt möjligt.”

”Vad då, exempelvis?” Helena log. Niklas tyckte om henne. Hon verkade bry sig. Inte en soldat som han, men ändå kanske en människa som också förstått samhällets fel.

”Jag tänker mycket på kriget. Och kriget som ingen gör något åt här hemma.”

”Nu förstår jag inte riktigt. Kan du kanske förklara närmare?”

”Jag har varit i det militära i många år. I stridande förband, om jag säger som så. Och jag har många minnen därifrån. De stör mig ibland. Jag vet att man måste släppa sån skit och gå vidare och det är det jag håller på med, så det är lugnt. Men sen jag kom hem har jag förstått att det pågår ett krig i Sverige också.”

Hon antecknade något.

”Har du varit med om våldsamma saker i det militära?”

”Det kan man lugnt säga.”

”Sånt kanske tränger sig på?”

”Jo, men det är kriget som stör mig mest, kriget mot er.”

”Mot oss? Hur menar du?”

”Mot er kvinnor. Ni attackeras dagligen. Ni utsätts för attentat, anfall. Jag har sett det. Det händer hela tiden, på gatorna, på arbetsplatserna, i lägenheterna. Och ni gör inget åt det, men ni är ju den svagare parten så det kanske inte är så konstigt. Men samhället gör inte heller ett skit. Jag ser ofta framför mig vad jag skulle kunna göra.”

”Vad är det du ser då?”

”Jag både tänker och drömmer. Det finns många metoder och jag använde några häromkvällen. Jag hörde ljud från grannen. Glöm inte att jag är expert på sånt här.”

Hon nickade lite.

”Niklas, det finns olika begrepp inom psykiatrin.”

”Vad pratar du om?”

”Jo, det finns olika namn på olika typer av tankar. Ibland talar vi om *vanföreställningar.* Vanföreställningar kan vara positiva symtom vid till exempel psykoser. Det finns olika typer av sådana tankar men alla är mer eller mindre obegripliga för den närmaste omgivningen. Verklighetsuppfattningen blir förändrad. Det kan ge upphov till sömnproblem men även ångestkänslor. Ibland kan människor som varit med om traumatiska upplevelser eller där andra faktorer ligger bakom uppleva såna symtom.”

”Vadå?”

”Jag tror det kunde vara bra för dig att komma tillbaka hit på en vanlig tid, inte jourmottagningen. Prata lite mer om dina tankar.”

Det började gå för långt. Han ville bara ha pillren. Helena kunde prata om vilka föreställningar hon ville. Niklas såg råttorna. Han såg kvinnorna. Han hade hört den där polisen berätta om att samhället inte brydde sig. Det var inte lögn – polismannen hade ju sagt det själv. Det var ingen orealistisk verklighetsuppfattning, inget symtom på något annat än Sveriges förruttnelse.

”Ja kanske, men kan du skriva ut sömntabletter tror du?”

”Jag kan tyvärr inte det i nuläget. Men jag skulle verkligen rekommendera att du bokade en tid hos oss. Vi kan säkert hjälpa dig då.”

”Det känns inte som du har förstått mig. Men det är ingen fara. Jag klarar mig själv och jag ska nog gå nu, jag kan jobba på min sömn på egen hand.”

Han reste på sig. Sträckte fram handen.

Helena reste också på sig. ”Det låter bra, tycker jag.”

De skakade hand. Hon sa: ”Men du ska veta att vi alltid finns här om du behöver diskutera dina tankar igen. Ska vi boka en tid för återbesök?”

”Nej, det är okej. Tack för att du tog dig tid.”

Han gick ut. Tänkte inte komma tillbaka.

Sen tänkte han på killen som tackat honom i förrgår: Mahmud. Stor snubbe. Bred som en Hummer. Huvud som liksom fortsatte i en nacke som var lika bred – ådrorna som maskar längs halsen. Ansiktet var fyrkantigt, håret var så svart att det såg mörkblått ut. Troligen för mycket ryssfemmor och proteindrinkar. Men killen var genuint tacksam. Tydligen var det hans syrra som bodde i lägenheten bredvid Niklas. Snubben ringde på klockan halv tolv på natten. Niklas brydde sig inte om tiden men blev ändå misstänksam. Kollade titthålet. Beredde sig på det värsta – att grannens pojkvän tagit med sig polarna för att ge igen. Varenda muskel på helspänn när han låste upp. Kniven i ena handen.

Men när han öppnade möttes han av en framsträckt chokladask. Mahmuds ord på arabiska: ”Jag vill tacka dig. Du har gett min syster hoppet tillbaka. Fler borde göra som du.”

Niklas tog emot gåvan.

”Ring mig om du behöver något någon gång. Jag heter Mahmud. Min syster har mitt nummer. Jag fixar det mesta.”

Det var allt. Niklas hann knappt reagera. Mahmud gick ner för trapporna igen. Porten slog igen där nere.

Niklas tänkte på vad han skulle göra senare idag. Ta sig till en kvinnojour – Alla Kvinnors Hus. Han hade läst en artikel i Metro igår. *För ett tag sedan uppmärksammade en vänsterpartimotion det stora trycket på kvinnojourerna i Stockholms stad genom att upplysa att de tvingas slussa kvinnor till sina kollegor i angränsande kommuner för hjälp. Fenomenet är dock varken nytt eller ovanligt. Med jämna mellanrum blir de skyddade boendena så fullbelagda att jourerna får skicka hjälpsökande kvinnor till andra orter.*

Det var chockerande. Alla svek kvinnorna. Skickade runt dem som boskap. Det kunde inte tolereras.

Kanske var det hans grej: han tänkte söka upp dem för att erbjuda sina tjänster. De borde vara intresserade med tanke på situationen. Beskydd. Ingripanden. Säkerhet. Precis som det där väktarföretaget han sökt jobb hos.

På tunnelbanan på väg in. Han var nyduschad. Kände sig fräsch.

Mamma hade ringt honom tidigare idag. Men det var sjukt – hon var helt knäckt över Claes. Tjatade om att hon skulle berätta för snuten. Men Niklas visste bättre. Tjallade de till snuten kunde det vara slut.

Hon frågade honom rakt på sak: ”Niklas, varför är det så viktigt att vi inte berättar?”

Han försökte förklara. Ville samtidigt inte göra henne upprörd. Svarade med lugn röst: ”Mamma, du måste förstå. Jag vill inte att polisen blir misstänksam och börjar rota i mitt förflutna. Jag har en hel del inkomster därifrån som Skatteverket säkert skulle vara intresserade av också. Det är så onödigt. Eller hur?”

Han hoppades hon förstod.

Niklas slöt ögonen. Försökte glömma bilderna i mardrömmarna. Blodet på sina händer. Claes såsom han sett ut när Niklas var liten. Världen var sjuk. Det tjänade inget till att spela med. Någon måste bryta tystnaden. Som snutsnubben han träffat på Friden sagt: ”Det handlar om samhällets undergång.” Trots det: logiken stördes av att hans mamma blev förstörd. Att Claes försvunnit var något fint. Ett hjältedåd som borde hyllas. Och så fattade hon inte det. Hon, som var den för vilken dådet utförts. Hon, som tjänade mest på det av alla. Hon borde tacka som den där Mahmud.

Tåget dunkade ett slags takt i hans huvud. Han försökte glömma morsan. Tvinga sig att tänka på något annat. Sina egna problem. Jobbsökeriet som inte funkade. Hans tillgångar skulle inte räcka för evigt. Helvete att han trott att han skulle kunna fördubbla sin lilla förmögenhet på spel – precis innan han kommit hem till Sverige hade han kört en vända i Macao. Naiv, dumdristig, riskbenägen. Men med tanke på alla framgångshistorier han hört Collin och de andra berätta, var det kanske inte så konsigt. Alla verkade ju kunna göra pengar på spel. Utom han, visade det sig. Hälften av hans tillgångar hade försvunnit innan han kunde sätta stopp för sig själv.

Niklas öppnade ögonen. Snart dags att kliva av. Mariatorgets perrong rullade bort utanför fönstren. Han kollade in Åhléns skivreklam i vagnen. Tänkte: Vissa saker är eviga här i livet. Stjärnhimlens klarhet i öknen, amerikaners svårigheter att lära sig främmande språk, och: Åhléns skivreklam i Stockholms tunnelbanor. Han flinade. Skönt med sånt som aldrig förändras. Fast det fanns en sak till: vissa mäns inställning till kvinnor. Han kunde inte släppa skiten. Sådana män var råttor.

Han klev av vid Slussen. Kollade adressen en gång till på papperslappen i bakfickan – Svartensgatan 5. Götgatan fram. Den var omgjord till gågata. Befolkningen: blandning av unga lirare i smala jeans, Converseskor, collegetröjor och palestinasjalar och hippa barnfamiljer med trehjuliga vagnar där papporna hade glasögon med tjocka skalmar och skäggstubb. Niklas hade slagits av fenomenet förr: i Sverige bar unga trendnissar palestinasjalen som om den var något coolt, vilket plagg som helst. För Niklas var det lika bisarrt som om folk skulle springa omkring med *jellabi* och helskägg.

Sommaren hade lagt i femmans växel. Niklas kände sig hemma. Satte på solglasögonen. Tänkte på alla komaliknande timmar av bevakning. I hettan. Alltid en lätt sandvind som slog som en pust mot kinderna och pannan.

Han tog av till höger. En backe upp. Svartensgatan. Kullersten. Gammaldags. Nummer fem: såg ut som en gammal kyrka utifrån. Inga fönster ovanför porten, men högre upp – stora välvda fönster som måste lysa upp ett jätterum där inne. En liten plakett bredvid porten: Alla Kvinnors Hus. Ett hjärta, en kvinnosymbol, ett hus. Fint. En liten kameralins bakom en plexiglasbubbla ovanför porttelefonen.

Han ringde på.

En kvinnoröst. ”Hej, kan jag hjälpa dig med något?”

Niklas harklade sig.

”Ja, jag heter Niklas Brogren och jag skulle vilja diskutera hur jag skulle kunna vara till hjälp för Alla Kvinnors Hus.”

Kvinnorösten var tyst en kort sekund. Niklas väntade sig att det skulle klicka till i dörrens lås.

”Tyvärr, vi släpper inte in män här. Men vi tar tacksamt emot all hjälp vi kan få på annat sätt. Du kan sätta in pengar till oss. Eller ringa oss på noll åtta sexhundrafyrtiofyra nollnio tjugofem. Vi har öppet alla vardagar mellan nio och fem.”

Det blev tyst. Hade hon stängt av honom? Han testade ändå. Så ödmjukt han kunde.

”Jag förstår. Men jag tror att ni behöver träffa mig för att förstå. Jag kan bidra med en hel del.” Niklas tog ett djupt andetag. Kunde han blotta sig? Ja, han ville. Han sa: ”Jag växte själv upp med en mor som blev misshandlad.”

Kvinnan på andra sidan kameran var kvar. Han hörde hennes andning. Till slut sa hon: ”Åh, jag förstår. Din mor kan också ringa oss. På samma nummer. Vi har en hemsida också. Men tyvärr kan jag inte låsa upp för dig. Våra regler är ganska strikta av hänsyn till de kvinnor vi hjälper.”

Niklas tittade in i kameran. Det här var inte som han tänkt sig. Alla nätter han somnat till sin mammas snyftande. Det han gjort på sistone för misshandlade kvinnors skull. Och nu – de vägrade släppa in honom. Vad var det för skit?

”Jomen vänta nu. Släpp in mig nu. Snälla.” Han tog tag i portens handtag. Drog. Det var en kraftig port.

”Jag är ledsen. Jag kommer stänga av den här högtalaren snart. De kvinnor vi hjälper har i många fall varit med om så traumatiska händelser att de inte ens vill se män i sin omgivning. Det måste vi respektera och det gäller dig med. Nu stänger jag av här. Hej, hej.”

Det sprakade till lite i högtalaren. Niklas tryckte ner porttelefonsknappen igen fast han visste att det inte var någon idé. Piss också.

Vad skulle han göra nu?

Han tog några steg ut på Svartensgatan. Tittade upp mot de stora fönstren. Kanske kunde porttelefonskvinnan se honom. Förstå att han bara ville gott. Han tänkte på samtalet med polisen härom kvällen. Snuten gjorde inte ett skit. Alla Kvinnors Hus gjorde uppenbarligen inte heller ett skit. Ingen brydde sig. Ingen gjorde ett skit. Alla bara kapitulerade inför våldsmakten.

21

Hela förmiddagen gick Thomas hemma, gjorde ingenting. Sen försökte han träna lite. Trist. Grå känsla i huset. Duschade i kallvatten. Inte ens det gav honom en kick, som det brukade. Han kände sig själv över näsan. Den hade läkt okej.

Han gick ner till Ica. Köpte två motortidningar. Också trista. Tog mod till sig. Ringde Åsa. Berättade för henne om förundersökningen som inletts mot honom och vad den kunde få för konsekvenser för hans jobb.

Hon blev orolig. Mycket, mycket orolig.

”Men Thomas, om du blir friad kan väl inget hända?”

”Tyvärr kan det bli så ändå, de kan tycka att jag måste byta avdelning.”

”Ja, men det låter inte så farligt.”

”Jag kan förlora jobbet också.”

”Men du har väl betalat A-kassa det senaste året?”

Klart han inte hade. A-kassa var för parasiter. Han försökte lugna henne så gott han kunde.

Det hela var vidrigt trist.

Klockan ett kom en hantverkare som skulle installera larm i huset. Åsa hade undrat över det också, men han förklarade att inbrotten i området hade ökat.

En timme senare: äntligen – han rullade in sig i mörkret under Cadillacen. Pannlampans ljuskägla spelade över underredet. Det var renare än snö. Han väntade med att ta upp verktygen. Låg stilla en stund. Samlade ångesttankarna på rad.

Mannen som stått utanför fönstret, Ljunggrens skumma beteende, risken för avsked. Rättsläkaren som intygade att en felknullad rapport var korrekt. Bullshit alltihop.

Han tänkte på utredningen om mordet. De få mobilnumren som ringts från kontantkortet ledde ingen vart. Thomas samtal med rättsläkaren gav noll. Men hade ändå gett en reaktion – mannen utanför villan. Hägerström verkade fortfarande tycka att de hade något att gå på men Thomas fattade inte vad. Kanske skulle SKL:s vidareanalys ge något – tygfibrer, hårstrån, hudceller – fast chanserna var små. Men kontantkortsnumret borde leda någon vart. Alkisarna och knarkarna körde alltid med kontantkort. Kontantkort var gatans motsvarighet till pinkoder. Ville du lira säkert skaffade du aldrig ett registrerat abonnemang.

Då kom han att tänka på en grej. Sjukt att Hägerström och han inte kommit på det förut. Gatans regler: byt kontantkort så ofta du kan och byt telefon så ofta du kan. Det sistnämnda: varför skulle man byta telefon om man ändå körde med kontantkort? Svaret fyllde hans skalle direkt – för att alla visste att telefonens serienummer kunde spåras även till kontantkort. Alltså: varje telefons individuella så kallade IMEI-nummer gav avtryck i abonnemanget. IMEI-numret skickades alltid till den operatör man ringt genom vid varje uppkopplat samtal. Han visste inte vad förkortningen IMEI stod för, men en sak var klar – jakten var inte över än.

Han rullade ut sig från bilen. Ställde sig upp i garaget. Tog av pannlampan. Sträckte på sig. Kändes som om han stigit upp efter en hel förmiddag av slöande i bingen. En ny chans. En ny dag.

Tanken kändes så klar. Livet kokar ner till ett antal ögonblick och det här var ett av dem. En vägkorsning. Han kunde välja. Antingen satte han sig på avbytarbänken, tillät att några kriminella pajsare knäckte honom. Att packet vann. Eller så löste han och Hägerström det här, även om han riskerade att förlora jobbet på kuppen, även om Hägerström var en quisling. De skulle inte sätta sig på honom.

Han ringde Åsa igen, frågade när hon skulle komma hem. Vågade inte ringa Hägerström från husets fasta lina eller sin mobil. Hon skulle vara hemma om en timme. Han övervägde att åka in till Kronoberg för att få tag på honom personligen. Men det var ingen bra idé – den eller de som bevakade honom behövde inte få reda på hans tankar just nu.

Thomas kände sig för upphetsad för att rulla in sig under bilen igen. Han satte sig i en fåtölj i vardagsrummet och väntade. Fåglarnas kvitter hördes utifrån. Klockan var halv tre. Sommaren höll igång för fullt. Området låg stilla så när som på en och annan bil som forslade hem matkassar och ungar från fotbollsläger.

Han knäppte på stereon. The Boss i högform.

Steget var taget i Thomas huvud. Kanske skulle han förlora jobbet. Kanske skulle värre grejer hända. Men det här var ett av ögonblicken. När livet tar en riktning.

22

Mahmud och Wisam Jibril satt i köket tillsammans med Beshar. Osannolikt. Otroligt. Totalt overkligt. Pappa bjöd på kaffe, ville höra vad Wisam sysslade med nuförtiden. Shunnen svarade skumt: ”Jag sysslar med riskkapitalverksamhet, investerar i olika företag. Jag köper alla eller en del av aktierna och försöker möblera om lite.”

Mahmud log. Hans pappa fattade säkert Wisams påstådda business lika bra som han förstod svenska ståuppkomiker på teve – men han älskade grannpojkar som blev framgångsrika på ärlig väg. Synd att det var lögn.

Pappa babblade på. Surrade gamla minnen. Om utflykter till Albybadet och Malmsjön vid Södertälje, musikfestival med föreningen Karavanen, ramadankvällar i muslimska kulturföreningens lokaler. Allt var bättre förr. Innan hans fru, Mahmuds mamma, dött. Wisams föräldrar hade åkt tillbaka till hemlandet. ”Kanske vi alla borde göra det”, sa Beshar.

Wisam nickade med. Antagligen för att vara schysst mot pappa. Mahmud kom inte ihåg ett skit. Men det var okej – då slapp han tänka ut vad han skulle säga till Wisam.

Efter tjugo minuter sa Mahmud: ”Abu, är det okej om du lämnar oss i fred en stund? Jag måste diskutera lite business med Wisam.”

Pappan bad honom lugna sig. Satt kvar i fem minuter till. Tuggade på.

När pappan satt sig framför teven i vardagsrummet stängde Mahmud dörren.

”Din far är verkligen underbar.”

”Absolut. Vi är en liten familj som du vet.”

”Hur mår dina systrar?”

”Jamila och Jivan mår bra. Jamilas snubbe har just kommit ut från kåken. Han är ett svin.”

”Varför?”

”Slår på henne.”

”Fy fan, men du vet hur vissa är. De måste göra så liksom. Men du vet ju vad som händer på kåken med såna.”

”Jag vet, jag satt ju också inne.”

”Jag vet. Hur länge satt du? Och vad var det du inte hade gjort?”

Mahmud garvade.

”Ett halvår. Och jag hade inte sålt testosteronampuller. Men det räcker att en blatte är bred över axlarna för att bli dömd för sånt.”

Wisam flinade tillbaka. Några sekunders tystnad. Mahmud spanade Wisams klocka: en Breitling.

”Det måste vara tio år sen vi gick i samma plugg? Vad lever du på nu?”

”Livet är så jävla skönt att jag känner smaken i munnen av det, förstår du? Jag gör business som jag sa till din pappa. Riskkapitalist, ungefär. Mina pengar tar en risk, men det kan bli fett kapital tillbaka.” Han skrattade åt sitt eget skämt.

Mahmud garvade med. Spelade trevlig. Ville få W-shunnen att känna förtroende.

Wisam avbröt sig mitt i garvet: ”Men mina pengar är för en god sak. Jag donerar till kampen.”

”Kampen?”

”Yes, tjugofem procent går till kampen. Vi bröder måste börja förstå vad det här jävla stället, Europa och USA gör med oss. De vill inte ha oss här, de vill inte att vi ska få leva som vi vill. De vill inte följa moraliska läror. Egentligen, om du tänker på det, så beter de sig som de otrogna apor de är. Hur kan du ha missat kampen? Vilken planet har du bott på de senaste åren?”

”Albyplaneten.”

”Sionisterna, USA, Storbritannien, alla är svurna fiender till oss bröder. Och du vet, de är ute efter mig personligen också. Serberna. Vet du vad de gjorde med såna som oss i Bosnien? De är värre än judar.”

Var snubben bäng i bollen, eller? Skämtade han? Wisam lät som värsta Usama bin Ladin. Mahmud pallade inte gå in i diskussion.

Wisam öste på: USA den stora satan. Muslimska bröders förnedring. Västvärldens förakt för alla rättrogna.

Mahmud visste inte riktigt vad han skulle göra nu. Borde han ringa Stefanovic direkt? Men han ville på inga villkor ha strul i lägenheten när pappa var hemma. Kanske bättre att försöka få ur Wisam så mycket info som möjligt om var man kunde hitta honom senare. Plus bestämma träff på ett bra ställe för säkerhets skull.

Han smörade: ”Kampen är viktig. Korsfararna och sionisterna förnedrar hela vår värld.”

Wisam nickade.

Mahmud bytte ämne. ”En annan grej, jag har hört om din affärsverksamhet. Det var därför jag ville träffa dig. Jag har en idé som jag skulle vilja bolla med dig. Kanske du diggar den. Kanske du till och med vill stödja den.”

”Shit man. Du måste vara ivrig att få finansiering. Jag har hört från typ fem pers att du sökte mig. Vad är ditt case?”

”Det handlar om att göra något med frisörerna och solarierna.” Mahmud tyckte faktiskt själv att idén var grym. ”Du vet, det finns frisörer och solarier överallt i stan. Min syrra jobbar på ett solarium. Man fattar inte hur folk kan klippa sig och sola sig så mycket som de gör, men någonstans går det ihop. Nästan bara svart cash, hur soft som helst. Men det finns ett problem, det finns inga kedjor. Är du med?”

Wisam såg intresserad ut.

”Man måste göra en kedja, som Seven Eleven eller Wayne's coffee, fast för frisörer och solarier.”

”Du, det där med kedjor är svårt. Det är stenhård konkurrens. Trångt att ta sig in liksom, som att köra upp en soffgrupp i anus på Paris Hilton, förstår du? Inget man bara gör. Det kräver investeringar, fet marknadsföring och sånt. Men det är en intressant idé. Kul att du tänker på lite business. Har du några närmare tankar? Vilka ställen köper man upp till exempel?”

Mahmud andades in. Nu kom det viktiga.

”Jag vill inte snacka om det här. Inte när pappa sitter i rummet bredvid. Idén är ju inte helt snövit om jag säger så och min farsa är den laglydigaste människan jag känner. Plus att jag måste iväg till gymmet nu. Men jag har ett förslag, kan inte jag få bjuda dig på lunch imorgon? Vad tror du om det?”

23

Niklas behövde alkohol. Gick in på Beefeaters Inn på Götgatan. Slog sig ner vid ett litet bord. Drog i sig två tabletter nitrazepam. Beställde Staropramen på flaska. Servitrisen kom in med flaskan och ett högt glas på en bricka. Hällde långsamt upp ölen som om det var en Guinness.

Niklas kollade omkring sig. Fullt med folk. De stora fönstren uppfällda ut mot gatan. Klockan var fyra. Götgatan ändrade karaktär – de hippa palestinasjalslirarna och barnfamiljerna byttes ut mot en annan mix av folk. Mer Benjamins stuk: biffiga snubbar med tatueringar, slitna brudar med torrt hår, unga killar med fotbollströjor.

Ölen smakade bra i hettan. Han beställde en till innan han ens druckit ur hälften. Staropramen var en livgivare.

Niklas tankar virvlade. Alla Kvinnors Hus nobbat honom. Men de misshandlade kvinnorna hade just fått förstärkning av elitstyrka number one. Legosoldaten som snittade fler smutsiga män än någon slö snut i Sverige ens kunde räkna till. Det var dags för offensiv, uppdrag in på fiendens territorium. Han hade tränat i över åtta år för det här.

Fingrade på sin concealed backup knife. Fastspänd längs benet som alltid. Smuttade på ölen. Torkade av skummet från överläppen.

Uträknat: folk slutade alltid jobbet kring klockan fem i Sverige. Om en timme borde någon komma ut från Alla Kvinnors Hus.

Han beställde ytterligare en öl.

Fortfarande varmt i luften ute. Människor gick långsamt Götgatan fram och tillbaka i jakt på sittplatser på barerna och restaurangerna. Än så länge var stämningen lugn men om några timmar skulle högljudda grabbskrik bombardera natten.

Han lutade sig mot staketet mittemot ingången till Alla Kvinnors Hus. Väntade. Klockan: kvart i fem.

Tänkte på hur han skulle presentera sig. Om han skulle förklara direkt vad han ville, eller först snacka på om annat. Bestämde sig för att inte referera till samtalet på porttelefonen.

Äntligen öppnade sig porten. En späd kvinna klädd i jeans och jeansjacka kom ut. Axelremsväska hängande över axeln och en cykelhjälm i handen. Han undrade om det var hon som han talat med tidigare. Han måste agera nu, annars skulle hon sticka iväg, på cykel.

Niklas klev fram.

”Hej, jag heter Niklas och jag tror jag kan hjälpa er.”

Kvinnan såg skärrad ut. Tittade sig omkring längs gatan. Verkade leta efter ett svar.

”Nej, du måste ha tagit fel. Jag tror inte vi känner varandra. Ha en bra dag.”

”Vänta. Vi känner inte varandra. Men jag känner till er. Ni gör ett bra jobb.”

Kvinnan försökte le. ”Var det dig jag talade med på porttelefonen för två timmar sen? Jag är ledsen men jag tror inte jag kan hjälpa dig. Men här, ta ett visitkort och ge till din mamma.”

Det kändes illa. Perplext. Förvirrat. Förbannat. Hon nobbade honom igen. Vad fan höll de på med på Alla Kvinnors Hus? Här hade de värsta chansen och så sket de i den.

Han höjde rösten: ”Du måste tro mig, jag vill bara hjälpa er. Kan vi inte gå och ta en öl någonstans så kan jag berätta?”

”Tyvärr jag måste hem nu. Du får ringa till oss istället, när vi har öppet.”

”Nej, stanna. Jag vill berätta här och nu. Jag har varit soldat.”

Kvinnan började gå mot en cykel som var fastlåst i staketet Niklas lutat sig emot.

Niklas tog tag i hennes arm. ”Stanna.”

Hon vände sig om. Ögonen uppspärrade. ”Släpp mig är du snäll.” Tonen var skarp. Hon var en svikare. Om hon inte tänkte anstränga sig mer för saken kunde hon lika gärna sticka och brinna. Om Alla Kvinnors Hus tänkte säga nej till hans tjänster ville de inte kämpa.

Han höll fast henne. ”Jag säger bara till en sista gång. Nu går vi och pratar.”

Kvinnan började skrika. Två tjugofemåriga tjejer några meter längre bort stannade upp. Niklas fattade inte var de varit för tre sekunder sen. Men nu stod de där som två fån och kollade. Famlade efter sina mobiltelefoner.

Niklas slet i kvinnans axelremsväska. Hon skrek något om överfall. Han drog i väskan. Något skulle han fan ha med sig härifrån.

Fick tag i den. Ryckte till. Rusade.

Kvinnan gapade.

Han sprang nerför backen. Hörde skrik efter sig. Var det brudarna med mobiltelefonerna? Fortsatte mot t-banan. Nästan trillade ner för rulltrappan. Det kändes som om folk vrålade. Någon försökte hindra honom. Sprang längs perrongen.

Ett tåg rullade in. Han hoppade på.

Dörrarna slog igen.

Där inne: nästan tomt. Lugnt. Kvavt. Stilla.

Han höll kvinnans axelremsväska i handen.

Öppnade den.

Papper. Filofax. Plånbok. Hårborste. Skräp.

Kollade igen: papper. Information om Alla Kvinnors Hus. Strategiförslag för utsatta kvinnor. Utkast på texter för en webbsida. Och en lista: kvinnonamn och telefonnummer. Det kunde bara vara en sak: drabbade kvinnor. Kvinnan han just ryckt väskan av skulle väl ringa till dem.

Det var storslaget. En öppning. Tio namn på kvinnor som Niklas kunde hjälpa. Tio män bakom namnen som skulle få se.

Två tankar i kombination i huvudet: Han skulle hitta dem. Han skulle göra sin grej med dem.

Niklas hade funnit sitt kall. Sitt uppdrag. Det fanns en mening med allt. Offensiven hade börjat.

24

Den stora frågan: hur farligt skulle det här bli för Åsa? Thomas tänkte agera på egen hand. Han tänkte skita i snubben utanför fönstret. Strunta i Adamssons rekommendationer – gubben var inte på hans sida i det här, det stod klart. Ge blanka fan i alla som ville stoppa honom. Gå vidare med sökningen efter IMEI-numret och kontantkortsinnehavarens identitet. Hitta den som mördat en ännu oidentifierad människa.

Idag: måndag. Den första dagen på hans steg ut i krimmarvärlden. Kurt Wallander – du kan gå och duscha. Här kommer Thomas Andrén.

Åsa gick hemifrån tidigt som vanligt. Hon hade velat älska inatt igen. Thomas kände sig stelare än på länge. Åsa masserade hans rygg, smorde in med massageolja. Långsamma drag längs skulderbladen. Hårda uppmjukande nyp över axlarna. Hon drog med handflatorna längs ländryggen. Precis vad han behövde. Problemet kom när hon började slicka hans ena öronsnibb. Thomas drog undan huvudet – det kittlades. Han fick ingen ro. Åsa smekte honom på insidan av låret. Han la ena benet över det andra. Hon smekte honom på bröstet. Han låg stilla. Till slut gav hon upp. Rullade över till sin sida av sängen.

Thomas ringde Hägerström klockan tio på förmiddagen.

Han lät andfådd när han svarade.

”Hej, det är jag.”

”Andrén, du drar otur med dig tror jag.”

”Vad snackar du om?”

”Jag har blivit omplacerad. Bortkopplad från utredningen.”

Thomas tittade ut genom fönstret. Såg ingen ute på gatan. Kände sig helt kall av det han just hört.

”Vad snackar du om? Det kan inte vara sant. Du måste skämta.”

”Jag skämtar lika lite som snubbarna på interna gör med dig just nu. Blev inkallad till min chef idag. Det ansågs inte lämpligt att jag fortsatte med förundersökningen mot bakgrund av att du varit inblandad i den och att du nu var suspenderad på grund av misstanke om grovt tjänstefel och misshandel. Min chef sa att det var lika bra att alla inblandade byttes ut.”

”Jamen det är ju för fan helt sjukt. Det är en konspiration.”

”Ja, det är sjukt. Vet inte vad jag ska tro. Fan att du skulle spöa på den där alkisen.”

”Du, det där vill jag inte höra. Gubben var helt livsfarlig och de hade bussat ihop mig med en liten flicka på sextio kilo. Vi var tvungna att använda batongerna. Så du kan lugna dig.”

Hägerströms andfåddhet verkade öka på andra sidan luren.

”Jag kommer från interna, glöm inte det. Mina öron har ruttnat på sånt där vämjeligt rättfärdigande. Det ska alltid finnas ursäkter. Men det är skitsnack. Du har gjort bort dig, använt övervåld mot en människa, som jag vet att du har gjort så många gånger förr.”

”Hägerström, skärp dig. Var inte sån jävla fitta nu.”

”Du tror tydligen du kan snacka med mig hur som helst. Det var trevligt att lära känna dig också. Vi hörs.”

Hägerström slängde på luren.

Thomas fortsatte stirra ut genom fönstret. Telefonen kvar i handen. Han darrade. Till och med Hägerström vägrade förstå hur situationen i Aspudden blivit som den blivit. Ränderna från internas tänk gick tydligen inte ur så lätt. Vilket jävla as. Omöjligt att fatta hur den mannen ens kunnat kännas minimalt sympatisk.

Nu var han ensam. Ensam mot det okända hotet. Ensam mot en internutredning. Ensam i jakten på en mördare.

Han la sig på sängen. Pallade inte meka med bilen. Ville inte sätta sin fot på stationen, bli uttittad, utviskad, nerskvallrad.

Försökte sova middag. Det var kört – klockan var bara halv elva. Han var inte trött men ändå genomslut.

Hjärnan kändes tom.

Han låg kvar. Ingen kraft att resa sig.

Måste ha somnat trots allt. Väcktes av mobiltelefonens tjutande signal. Han kände sig groggy. Fumlade efter telefonen. Kände inte igen numret. Försökte dölja hur förvirrad och sömndrucken han var.

”Ja hallå, Andrén här.”

”Hej, jag heter Stefan Rudjman. Jag vet inte om ni känner till mig?” Lätt brytning. Thomas kände inte igen rösten. Samtidigt: efternamnet klingade bekant.

”Jag kallas också Stefanovic.”

Thomas skeptisk. Fientligt inställd. Kunde det här ha att göra med hotet mot honom och Åsa härom natten?

”Jaha, och vad vill du?”

”Vi har förstått att ni råkat i trubbel på arbetet. Vi har ett erbjudande till er som vi tror skulle vara mycket lockande.”

”Du, jag låter mig inte påverkas av era hot.”

Stefanovic blev tyst en liten stund för länge – var det genuin förvåning eller en hotfull konstpaus?

”Ni måste missförstå mig. Det här rör inte alls något hot. Vi tror att vårt erbjudande kan ge er oanade möjligheter. Det gäller ett jobb. Vill ni träffa oss?”

Thomas fattade inte vad snubben snackade om. Beskäftighet blandad med den slaviska brytningen. Det var något som inte stämde.

”Jag vet inte vem du är och jag förstår inte vad saken gäller. Vill du vara så vänlig och berätta vad du pratar om för jobb?”

”Det kan jag gärna göra. Men jag tror det är bättre om vi ses. Då kan vi förklara på ett mer detaljerat sätt. Villkoren för er kan bli fördelaktiga. Varför inte ge det en chans. Träffa oss och diskutera saken. När skulle ni ha tid?”

Thomas visste inte vad han skulle svara. Var det nån jävla telemarketingförsäljning det var fråga om? Var det ett practial joke? Å andra sidan: han hade ju inget bättre för sig. Allt var åt helvete ändå. Kunde lika gärna träffa den här liraren, vem han nu var.

”Jag kan redan idag.”

”Det var bättre än väntat. Vi plockar upp er. Ska vi säga klockan fyra. Fungerar det?”

De körde tunneln under Söder. Rusningstrafiken hade inte börjat än. Sveavägen ut. Höger mot Roslagstull. Och ner på Valhallavägen. Sen Lidingövägen. Tog av på Fiskartorpsvägen.

Thomas undrade vart de var på väg. Mannen som körde hade bara presenterat sig som Slobodan och bett Thomas att ta plats i baksätet på en Range Rover.

De satt tysta. Thomas önskade att han haft tjänstevapnet med sig, men det hade han blivit tvungen att lämna in när internutredningen startat.

Längs vägen såg han Lill-Jansskogens blandvegetation.

De svängde upp på en smal grusväg och uppför en backe.

Till slut stannade bilen. Slobodan bad honom kliva ut.

Thomas hade aldrig varit på platsen förut.

De befann sig på en höjd. En byggnad låg framför honom: ett tjugo meter högt torn. Det måste vara Lill-Jansskogens backhoppningstorn. Thomas mindes det från barndomen. Han hade varit där med sina föräldrar. Vintrarna var så mycket mer vintriga då. Någon verkade ha renoverat tornet nyligen. Betongen nästan blänkte i solskenet.

En kraftigt byggd man kom emot honom. Han såg ut att vara i trettioårsåldern. Klädd i mörkblåa bomullsbyxor med pressveck och välstruken skjorta.

Mannen sträckte fram handen.

”Hej Thomas, vad fint att du kunde komma så snart. Det är jag som är Stefanovic.”

Stefanovic visade Thomas in i tornet.

Bottenvåningen var fräsch. En tom receptionsdisk med en dataskärm uppställd. Det satt en affisch på väggen: *Välkommen till Fiskartorpets konferensanläggning. Vi tar upp till femtio personer. Perfekt för kick-offen, firmafesten eller konferensen.* Golvet såg nyslipat och lackat ut.

Thomas följde efter juggen uppför trapporna. Kunde inte vara mycket till konferensanläggning än – det var ju tomt överallt.

Högst upp i tornet låg ett stort rum. Fönster i tre riktningar. Thomas såg ut över Lill-Jansskogen. Bort över Östermalm. Längre bort såg han Stadshuset, kyrktornen och höghusen vid Hötorget. Längst bort: Globen skymtade. Stockholm bredde ut sig.

En soffgrupp, ett matbord med sex stolar, en minibar mot den fönsterfria väggen, fylld med flaskor och glas. I soffgruppen: en man som reste sig upp. Klev långsamt fram till Thomas. Skakade hans hand med ett fast handtag.

”Hej Thomas. Tack för att du kom med så kort varsel. Det är fantastiskt. Jag heter Radovan Kranjic. Jag vet inte om du känner till mig.” Mannen hade samma slaviska brytning som Stefanovic.

Thomas fattade direkt. Det var inte vem som helst han hade framför sig. Radovan Kranjic: alias juggebossen, alias R, alias Stockholms gudfader. En man som det vanliga småbuset knappt vågade nämna vid namn. Vars rykte var hårdare än granit. En legend i Stockholms undre värld. Det kändes bisarrt. Samtidigt spännande.

”Jo, jag känner till dig. Du har, hur ska jag uttrycka mig, ett visst rykte i den värld jag jobbar.”

Radovan log. Snubben hade pondus som Marlon Brando i Gudfadern.

”Folk snackar så mycket. Men som jag har förstått har du också ett *visst* rykte.”

I vanliga fall: Thomas skulle gått på defensiven direkt med någon som antydde sånt. Men inte med den här snubben – han var ju på sätt och vis av samma skrot och korn, det kände han instinktivt. Istället garvade han.

De satte sig i sofforna. Radovan frågade: ”Får jag bjuda på ett järn?”

Thomas tackade ja. Stefanovic hällde upp whisky. Fina grejer: Isle of Jura, sextonåring.

Radovan kliade sig på kinden med utsidan av handen. Påminde om Don Corleone på riktigt.

Juggebossen började förklara. La ut orden om sina affärer. Han sysslade med hästar, bilar, båtar, import/export. Det var mycket från forna Sovjet. Det var Mercedesbilar uppkörda från Tyskland. Det var maskindelar från nerlagda svenska fabriker till polska kolkraftverk. Det var affärsutveckling, expansion och businessmöjligheter. Thomas lyssnade. Undrade om Radovan verkligen trodde på sig själv.

Till slut: Radovan verkade komma till poängen. Sippade från sitt glas. ”Okej. Nu vet du vad jag främst sysslar med. Sen har jag lite andra grejer på gång vid sidan om också. Jag är verksam i det vi kallar erotikbranschen, om du förstår vad jag menar. Det har ju blivit så känsligt nuförtiden i Sverige. Vi försöker tillhandahålla så trevliga miljöer och personal som möjligt för våra kunder. Erotik behöver inte vara smutsiga biografer dit ensamma män smyger på nätterna. Erotik kan vara proffsigt, affärsmässigt och snyggt skött. Erotik är faktiskt världens största form av underhållning. Våra flickor håller hög internationell klass. Förstår du vad jag menar?”

Thomas satt tyst. På helspänn. Samtidigt upprymd. Vad var det här fråga om? Varför satt Stockholms mäktigaste maffiaboss och berättade för honom om affärsmöjligheter med horeri? Var det ett test? Hade de tagit fel på person? Hängde det ihop med mordutredningen som han och Hägerström hållit på med?

Sen kom han på att Radovan ställt en fråga. Han mötte juggebossens blick. ”Jag tror att jag förstår vad du menar.”

Radovan fortsatte: ”Man kan fixa sig pengar när man är ung. Med pengar får man båtar, bilar, brudar. Vad du vill. Men när man blir äldre, som jag, vill man ha något mer – kontroll över situationen. Kunna känna sig lugn. Och det är här du kommer in, Thomas. Jag har som du själv noterade ett visst rykte. Men det har du också. Vi behöver folk som dig i vår organisation. Män som inte backar när det behövs lite extra insatser. Män som inte följer trånga regler av gammal vana, utan som istället tänker på vad som är rätt och rationellt. Män som är män helt enkelt.”

Radovan gjorde en konstpaus. Lät smickret sjunka in.

Thomas släppte hans blick. Tittade ut igen över Stockholm.

”Du är polis, det är jag medveten om. Det är just därför du är så intressant. Du har kontakter, trovärdighet, insikter. Samtidigt vet vi att du precis som jag skriver dina egna regler när det behövs. Egna regler är viktiga att ha, ska du veta. Utan egna regler kommer man inte långt här i livet. Vi har information om att du gör lite saker vid sidan om då och då. Du är en polis som sysslar med allt, som det brukar heta. Vi behöver såna som dig.”

Thomas svarade inte.

Radovan fortsatte: ”Jag ska fatta mig kort. Du kommer troligen att förlora ditt jobb på grund av att du försvarade dig själv och din kvinnliga kollega mot ett alkoholiserat djur. Jag kan vända den katastrofen till en ny start för dig. Jag vill anställa dig i min organisation.”

25

Mahmud snackat med sin juggekontakt länge – den perfekta platsen avgjord: Samans kolgrill i Tumba. De hade uteplatser, mycket folk i rörelse, rätt typ av ställe för en shunne som Mahmud att ta ett möte. Inte misstänkt. Full kontroll. Lätt att plocka med sig Wisamsnubben därifrån. Enda nackdelen han kunde komma på var att det var svårt att parkera i närheten.

De skulle ses klockan fem på tisdagseftermiddagen. Wisam hade själv föreslagit tiden. Jibril diggade Mahmuds förslag på ställe. "Vår typ av käk", tyckte han.

Tumba på sommaren, nästan tomt på folk förutom några tonåringar som hade för lite att göra. Mahmud kom dit kvart i fem, satte sig på ett bord nära utgången.

Utanför uteserveringen, mer eller mindre parkerad på trottoaren: en fet Range Rover med tonade rutor. Mahmud skymtade Ratko. Båda händerna vilade på ratten, stenhård uppsyn. Om aina eller parkeringsvakter dök upp skulle han tvingas flytta på sig direkt. På andra sidan gatan: en BMW med ännu mörkare rutor. Mahmud såg inte vem som satt i den, men hans kontakt, Stefanovic, instruerat honom: "Skiter sig något, ringer du mig. Jag sitter i närheten."

Mahmud väntade. Spanade kidsen längre bort på gatan. Han kände igen sig. Tänkte på marijuanaodlingen som Robert haft i den där lägenheten han passade åt sin faster.

Han undrade varför Wisam inte dök upp. Han hade låtit positiv på telefonen igår. Mahmud stolt över frisör- och solariesnacket, de påhittade affärsidéerna han hade dragit i pappas kök – egentligen var det Jamilas idé. Och det där om kampen. Mahmud kunde snacket – träffat kompisar från förr som inte surrade om annat. USA:s hat mot rättrogna världen över. Judarnas konspiration att starta krig mot muslimerna genom att köra igång nineeleven. Storbritanniens kolonialistiska imperialistkapitalism. Men Mahmud visste bättre: cash var kung. De hemliga judeamerikanerna som strävade efter att förtrycka shunnar som han hade inte tillräckligt med makt. De engelska pajsarlorderna som medvetet ville dominera hans bröder var inte så värst många. Bristen på cash var problemet. Och svaret var enkelt. Hans folk måste skaffa flos. Så fort man fick pengar löste sig allt. Speciellt för honom.

Klockan blev kvart över fem. Wisam dök fortfarande inte upp. Stefanovic instruerat: vi kan inte vänta med Range Rovern mer än tjugo minuter. Risken för griniga p-lisor eller snutar för stor.

Några minuter gick. Mahmud fattade inte vad som hänt.

Han kollade på mobilens klocka. Arton över fem. Balle också.

Sen: vid övergångsstället – där kom han: Wisam. Träningsoverallbyxor. Collegetröja. Sneakers. Riktig miljonstil. Mahmud blev förvånad över sin egen tanke: Gör jag rätt nu? Snubben är som jag. En förortskille med stil. Min bror.

Det funkade inte. Tanken fick flyta förbi.

Wisam passerade Range Rovern. Såg Mahmud. Nickade. Samtidigt: två snubbar hoppade ut ur bilen. Mörka jeans. Läderjackor. Jugge *classique*. Klev upp bakom Wisam. Den ena sa något till honom. Den andra höll något i handen. Satte det mot Wisams mage. Shunnens ögon uppspärrade. Tittade ner på grejen mot sin mage. Sen var det som om han blev slapp. Snubbarna ledde in honom i Range Rovern. Startade.

Mahmud reste på sig. La en hundring på bordet. Sket i växeln.

Såg Range Rovern köra upp på tvärgatan, försvinna bort.

***

Nere i källaren var det alltid tyst. Men tystnaden störde inte Niklas. I själva verket gillade han den, den gav honom tid att tänka. Men han hatade mörkret. Eller snarare, risken för att mörkret skulle komma. För om man inte tryckte på lampknappen tillräckligt ofta slogs belysningen av automatiskt. Han hade sitt eget system som var enkelt. Han tryckte på knappen varannan minut för att inte riskera något. Det var tur att han kunde klockan.

När han kom ner drog han fram hockeyspelet. Det var gammalt. Ytterspelarna kunde inte gå bakom målvakten som på ny-

are spel. Däremot kunde målvakten själv åka bakom målet vilket var en stor fara – att lämna buren obevakad. Fast nu spelade det ingen roll, han kunde ju inte lura sig själv. Istället övade han passningar. Högerforward till centern som sköt mot mål. Högerback fram till centern som gjorde mål. Centern tillbaka till högerforward som snärtade till pucken med baksidan av klubban, in i mål.

Han var rätt bra faktiskt. Synd att de inte hade något hockeyspel på fritids.

Ändå gick tiden superlångsamt.

Han tryckte in lampknappen med jämna mellanrum. Mellan tillfällena hann han med ungefär femton passningsserier.

Egentligen borde mamma ha kommit ner och sagt till honom att komma upp för länge sedan. Klockan var redan halv tio.

Kanske borde han gå upp själv. Fast han ville vänta. En gång hade han inte väntat – när han tröttnade på hockeyspelet tog han självmant hissen upp. Vardagsrummet och köket var tomt och dörren till mammas sovrum stängd. Han ropade på henne utan att få svar. Han ropade igen och hörde henne till slut skrika inifrån sitt rum till svar. "Stanna där du är, Niklas. Jag kommer ut."

Och mamma kom ut, klädd i morgonrock – vilket var konstigt – och hon var jättearg. Hon tog honom hårt i armen, hårdare än vad han kunde minnas att hon någonsin gjort förut, och slängde honom på sängen. Sen skällde hon en stund. Utan att han riktigt fattade varför.

Nej, han gick inte upp självmant. Hon fick faktiskt komma och hämta honom.

Han fortsatte öva skottserier.

En halvtimme gick. Han höll reda på tiden bra eftersom han tände lampknappen varannan minut.

Det var trist med hockeyspelet tänkte han. Tjatigt: pass med forward till backen, skjutrörelse med hela armen, pucken föstes in i mål, vänsterback till forward, klack med skridskon, rätt i krysset. Enformigheten tröttade ut honom. Men vad skulle han göra?

Han hörde ett märkligt ljud.

Bakom hockeyspelet.

Något som knastrade.

Han tittade noggrant. Följde väggen.

Ett djur.

Det blängde på honom från sin plats på flyttkartongen mittemot. En råtta.

En jättestor, svart, råtta. Ögonen som blanka elaka porslinskulor. Svansen som en lång mask på kartongen.

Skräcken grep honom på en gång. Rädsla som vällde upp från magen. Han vågade inte röra sig.

Råttan stod stilla. Verkade betrakta honom.

Niklas stod ännu mer stilla. Det enda han kunde tänka var: Bara den inte hoppar mot mig, bara den inte rör vid mig.

Sen släcktes belysningen.

Och han skrek. Han skrek som han aldrig skrikit förut. Allt kom på en gång: gråten, fruktan, paniken. Han vrålade ut sin skräck, sin rädsla för mörkret och djuret som stirrat på honom.

Han famlade efter lampknappen. Samtidigt kändes hela hjärnan som om den skulle brinna upp vid tanken på att han skulle råka röra vid djuret.

Var satt knappen någonstans?

Han sökte med händerna längs väggen med snabba rörelser. Hoppades på att det skulle skrämma bort råttan.

Till slut hittade han den.

Han tände ljuset. Tumlade mot dörren. Öppnade den. Rusade upp från källarförrådet till bottenvåningen. Struntade i hissen. Tog alla sju trapporna upp på en gång.

Slet upp ytterdörren. Andfådd med gråten fortfarande i halsen.

Så fort han kom in drabbade en annan panik honom. Råttan var som bortglömd. Ljuden han hörde dödade all annan rädsla. Från vardagsrummet kom skriken. Och han visste så väl vad de var. Han hade hört dem många gånger förut.

Soffbordet var bortskjutet mot teven. Alla tre soffkuddar låg spridda på golvet. En öl låg utspilld bredvid. Nedanför soffan stod hans mamma på knä.

Ovanför mamma stod Claes. Och slog henne.

Niklas började skrika.

Mamma grät. Det blödde från hennes näsa och hennes blus var sönderriven ovanför axeln.

Claes vände sig mot honom. Han höll fortfarande näven i luften. "Gå ner i källaren igen Niklas."

Sen lät han näven falla. Den träffade henne över ryggen.

Hon tittade på Niklas. Deras ögon möttes. Han såg skräck. Han såg sorg och smärta. Han såg kärlek. Men också något annat – han såg hat. Och han kände det själv tydligt, klarare än något han tidigare känt i sig själv – han hatade Claes. Över allt annat på jorden.

Hon ropade till honom: "Snälla Niklas, det är okej. Gå in på ditt rum. Snälla."

Claes näve föll igen. Han vrålade. "Din jävla satkärring, du bryr dig mer om den där lilla skiten än om mig."

Hans mamma skrek. Föll ihop.

Claes sparkade henne mot magen.

Niklas sprang in på sitt rum. Innan han stängde dörren hann han se Claes sparka henne igen. Den här gången mot huvudet.

Han blundade och höll för öronen.

Ljuden trängde igenom.

Han försökte tänka på råttan i källaren.

DEL 2

(två månader senare)

26

Tiden går fort när man har ett kall. En livsuppgift. Ett ledord: Sic vis pacem, para bellum. Vill du ha fred, rusta för krig.

Niklas joggade tre gånger i veckan. Gjorde armhävningar, mag- och ryggövningar efteråt. Tränade med kniven varje dag. Övade andningen, kontrollen, känslan. Förberedde sig. Ansträngde sig. En princip säker: ett litet krig kräver lika gedigna förberedelser som ett stort. Det är bara antalet mannar som skiljer.

Idag tog han sin vanliga joggingrunda. Över Aspuddsskolans asfalterade gård. Fyra våningar i gulaktigt tegel, höga fönster som släppte in tillräckligt med ljus. Inte som de afghanska barnens lerbunkrar där sju ungar delade på en skolbok. Det kryllade av kids på skolgården. Plugget måste ha startat igen efter sommaren. Niklas kollade in dem. Vilda, skrikande, odisciplinerade. Oklart vad han tyckte om ungar egentligen. Han såg uppdelningen. Killarna för sig, flickorna i en annan ända. Och undergrupperna: töntarna, sportlirarna, de farliga. Han såg våldet. En kille, högst tio år gammal, jeans med hål över knäna: knuffade en jämnårig flicka. Hon föll. Grät. Låg där själv. Ensam i världen. Pojken sprang tillbaka till sitt grabbgäng. In i gemenskapen, gruppen. Niklas övervägde: kliva fram, lära killen ett och annat om knuffar. Få honom att känna sig trettio gånger mer utlämnad än flickan. Men det passade inte nu.

Slutet av augusti. Solen värmde på ett oövertygande sätt: minsta lilla kyla i luften och det skulle bli en kall springtur.

De senaste veckorna hade varit hektiska, värdefulla, klargörande. Strategin började sätta sig. Konflikthärden klarna. Det drog ihop sig till angrepp. Sic vis pacem, para bellum.

Han kände värmen stiga i kroppen. Först bålen. Sen benen och huvudet.

Han tänkte tillbaka på de senaste månaderna.

Två dagar efter att han fått tag på listan med kvinnonamn från tjejen på Alla Kvinnors Hus klev han in på Seven Eleven och köpte surftid. Papper och penna framför sig. Sökte på namnen och telefonnumren. Tre av dem gick inte att få fram varken fullständigt namn eller adress på, kanske var de hemliga. Han antecknade: totalt åtta fullständiga namn med tillhörande adresser. Funderade på vad kvinnan från Alla Kvinnors Hus skulle med numren till. Troligen jobba hemifrån eller något, ringa stödsamtal, lullilulla med de stackarna. Trots att alla visste vad som behövdes – någon som pacificerade deras män.

Han funderade. Hur söka vidare? Listade möjliga informationskällor. Kom bara på en – Skatteverket. Ringde, checkade om de var gifta och i så fall med vem, eller om någon annan var folkbokförd på adressen. I slutet av dagen: namnen på sex snubbar med adress nedskrivna. Sex misshandlare – sex illegala kombattanter.

Dagen därpå. Niklas gjorde sin första investering – en DCU som han kallade det: Data Control Unit. Det vill säga, han fixade en bärbar dator på Elgiganten och beställde bredbandsuppkoppling.

Hela den veckan: han jobbade med idéer i datorn. Antecknade. Skapade mappar för olika uppslag, information för varje person på listan. Efter fyra dagar kom internet på plats. Nu kunde han börja researcha på allvar. Han försökte strukturera. Fundera. Analysera.

Först och främst: han behövde en bil. Men annat också: utrustning för espionage privé. Omvända dörrkikare, vattentäta bevakningskameror, extra kameralinser, väggmikrofoner, hörsnäckor, mörkerkikare, inspelningsenheter, falska nummerplåtar. Hur mycket som helst.

Han sökte bil bland begagnatsajterna på nätet. Niklas hade inte levt ett liv med nära kontakt till internet, men han hade lyckats när det gällde att luska i mannen. Ändå utan koll: tog en halv dag att ens fatta vad som gällde. Vilka sökmotorer som gav relevanta träffar, vilka bilsidor som hade störst utbud, var du kunde deala med privatpersoner och slapp företag, var han kunde hitta fyrhjulsdrivna, normalprissatta, blivande APC:s – Armored Personnel Carriers.

Nästan ingenting var klart än. Han visste inte när/var/hur han skulle behöva bilen. Om något skulle fraktas, om den kunde tänkas bli beskjuten av polis, på vilket underlag den skulle köras. Bara två saker bestämda: han måste komma igång nu med att bevaka männen. Och bilen måste ha tonade rutor.

Fastnade först för en Jeep Grand Cherokee från 2006. Säljaren påstod i annonsen: extremt välskött, endast nio tusen mil, dieselmotor. Lät perfekt, bilen kunde ta sig fram var som helst. Bakrutorna: stora, mörka, utan genomsyn. Nackdelen: priset – de ville ha trehundra papp. Niklas stack ut till Stocksund för säkerhets skull. Bilen var fin, skulle passa perfekt. Han satt på besparingar, men kriget skulle kräva mer utgifter än bara bilen. Han måste hålla i plånboken.

Nästa alternativ: en Audi Avant, fyrhjulsdriven från 2002. Verkade grym: komplett ifylld servicebok, gps, sidoairbag, vinterhjul med dubbar, xenonstrålkastare. Tonade rutor. Rubbet. Niklas sket i fälgarna, ratten, klädseln och sånt. Men gps:n – det slog honom: en navigator var precis vad han behövde, han hittade ju ännu inte världsbäst i Stockholm. Dessutom var bilen tjejkörd stod det i annonsen. Priset, tvåhundra kakor, mer än okej. *Mycket fint skick, väl omhändertagen! Ring för visning.* Han knappade in numret på mobilen.

Bilen såldes av en Nina Glavmo Svensén i Edsviken, Sollentuna.

Vikingavägen: lummig svenssonidyll. Fingrade på midjebältet. Där låg postväxeln. Hundraåttio tusen. Dessutom: tjugo tusen i kontanter för det fall det inte skulle gå att pruta. Tackade Dyncorp för det finansiella upplägget. Utan deras kunskap skulle hans arvode ha utbetalats i kontanter där nere. Men nu: deras kontakter med banker över hela världen löste problemet. Satte in degen direkt på Manhattan Chases kontor, som direkt transfererade dem, via sin filial i Nassau där bättre sekretessregler gällde, till trygga Handelsbanken i Stockholm. Niklas kvarvarande besparingar efter fiaskot i Macao: en halv miljon kronor. Och nu skulle han blåsa nästan hälften av pengarna.

Nummer tjugoett. En tvåplansvilla i gult trä och ett garage. Två överblommade fruktträd i trädgården. En vattenspridare och en uppblåsbar babybassäng på gräsmattan. Det var för bra för att vara sant. Måste dölja sig någon smuts bakom den perfekta fasaden.

Niklas ringde på.

En kvinna öppnade. Säljaren, Nina Glavmo Svensén. I cirka tre sekunder fick Niklas inte fram ett skit. Han hade inte väntat att säljaren skulle vara i hans egen ålder. Bodde folk som inte ens fyllt trettio i såna här hus? Han visste inte vad han skulle säga. Nina Glavmo Svensén: snygg som fan. Klädd i shorts och linne. Snett leende. En baby på armen. Niklas kunde inte avgöra hur gammal den var eller om det var en flicka eller pojke.

Han sträckte fram handen: ”Hej Johannes här. Jag skulle kolla på bilen.” Ett bra täcknamn, Johannes.

Nina verkade förvånad. Log nervöst.

Niklas garvade.

Nina kollade honom i ögonen. Han kollade tillbaka. Vad såg han där inne? Hur var hennes liv? Vem hade bestämt att bilen skulle säljas? Var det hennes eget beslut eller var det någon annan som styrde? Han tyckte sig se ett mörker i hennes ögon, en glimt av sorg. Det var inte omöjligt.

”Vad bra att du inte körde bil hit, det kan vara svårt att hitta.”

De skrattade. Stämningen relaxades.

Garaget var svalt. Tre bilar parkerade. Audin, en Volvo V70 och en svart Porsche 911. Niklas pekade på Porschen. ”Det var tvåhundra för den där va?” Igen: skratt.

Han kollade in Audin. Bra förutsättningar: den skulle inte väcka uppmärksamhet. Alla rutor var tonade förutom vindrutan. Gott om utrymme om man fällde ner baksätena. Xenonstrålkastarna gav bättre spridning på ljuset i mörkerkörning. Kanske inte lika mycket jeep som Jeepen han tittat på men fyrhjulsdriften borde fixa framkomligheten på de flesta platser. Nina visste inte exakt hur gps:n fungerade men den kunde Niklas klura ut själv. Hon hade inte kört den många mil och serviceboken verkade komplett. Kunde inte bli bättre. Den skulle bli hans – han måste bara pruta ner priset först.

Hon visade var vinterdäcken stod. Niklas rullade fram ett. Undersökte.

”Man vill ju inte behöva tänka på vintern en sån här solig dag. Men de här däcken är inte okej. Alldeles för nerslitna.” Han tryckte ner fingret så långt det gick. ”Mönsterdjupet här är bara några millimeter.”

De diskuterade bilen. Vinterdäcken kom tydligen från en annan bil. Ungen på armen höll sig lugn. Nina log åt Niklas, skrattade åt hans försök att skämta. Efter tio minuter sa han: ”Jag är jätteintresserad av bilen. Tar den nu på direkten för hundraåttio. Jag kommer ju att behöva köpa nya vinterdäck.”

Nina kollade honom i ögonen igen. ”Egentligen skulle hundraåttio vara okej. Men då kan du inte få den nu. Jag måste diskutera det med min man när han kommer hem ikväll.”

Återigen. Niklas tankar flashade till: Under vilka förhållanden levde den här kvinnan? Vad hade hennes lilla baby tvingats se i den här soldränkta lyxvillan? Tankarna snurrade, värre och värre. Han ansträngde sig. Försökte le. ”För hundranittio då?”

Nina sträckte fram handen. ”Vi har en deal.”

Han hade skaffat ett jobb under tiden, det blev väktare till slut. Satt i en kur och kontrollerade in- och utkommande fordon vid läkemedelsföretaget Biovitrums anläggning i Solna. Fick inte ens bära vapen. Bläddrade i tidningar. Värre tristess än att patrullera taggtrådsstängsel i sandstorm.

Men alla grejor han hade beställt hade kommit fram. De låg uppradade och väntade på golvet i lägenheten.

Grundpaketet för avlyssning genom väggar: en MW-22-enhet. Klarade enligt bruksanvisningen utan problem att lyssna igenom trettio centimeter tjocka cementväggar, fönster, dörrar, etcetera.

Utrustad med rec-utgång: möjligheter att koppla in digitala funktioner.

Ett gps-lokaliseringssystem för fordon – för bilar han behövde spåra i realtid men inte kunde ta sig in i. Systemet inbyggt i en vattentät skyddsväska med kraftiga magneter som fästes på bottenplattan på bilen. Gick på tolv batterier – bilen kunde följas med upp till fem sekunders uppdatering över en vecka utan att batterierna dog ut. Härlig high-tech.

Kameror av två typer. Dels tre stycken ccd-kameror för utomhusbruk, 480tvl, tjugofem millimeters lins, svartvit, 0,05/lux. De var vattentäta och klarade ner till minus tjugofem grader. Borde funka för de av männen som bodde i hus. Dels fyra stycken små bevakningskameror för dolda applikationer. Kunde monteras infällda i kopplingsdosor, kabellister, under lampor, proppskåp. Perfekt för dem som bodde i lägenhet.

Ett gäng vanliga buggar: små mikrofoner med radiosända signaler.

En lagringsenhet. Rymde flera dagars inspelningar och kunde ta in fjärrövervakning genom internet och andra nätverk. Klarade av fyra övervakningskameror samtidigt. Hjärtat i hans verksamhet.

Slutligen, smågrejer: omvänd dörrkikare, extra linser för kamerorna, två olika nummerplåtar för bilen, kikare, stege, rätt kläder, böcker, verktyg.

Han hade redan plöjt ner mer än sjuttiofem tusen. Krig var dyrt – en gammal sanning. Med tur landade det under tre hundra tusen all in all. Han behövde verkligen fortsätta med väktarjobbet. Dyncorps pengar skulle inte räcka i all evighet. Fler utgifter att vänta. Fler uppdrag att genomföra. Han ångrade sin naivitet – varför hade han prövat lyckan i Macao?

Ändå: Internet magiskt. På fyra veckor byggde han upp värsta FBI-centralen. Nu gällde det bara att få upp skiten.

Han sjukskrev sig från kneget. Satt hemma i lägenheten från åtta på morgonen till åtta på kvällen: övade utrustningen. Kopplade upp kamerorna en efter en. Läste manualen lika grundligt som om det var Forsmarks reaktor han skulle montera ihop. Testade, testade, testade. Hällde vatten på utomhuskamerorna, kollade stöttåligheten, la in dem i frysen. Lärde sig applicera minikamerorna, dölja dem, dra dess sladdar längs lister till platser där sändningsstationen kunde placeras. Pillade med mpeg-hårddisken, kopplade upp den mot teven hemma. Upprepade proceduren med kamerorna utan manual. Klockade sig. Testade dem under sämre ljusförhållanden. Monterade dem i mörker. Med bara en hand. Utantill. Provade väggavlyssningen på granntjejen. Hennes snubbe hade antingen stuckit eller höll sig undan. Hörde hur hon snackade i telefon eller kollade på teveserier. Instrumentet var grymt: blipljudet när hon knappade in telefonnummer i sin mobil lät som om hon stod femtio centimeter bort. Han fixade ihop gps-systemet. Satte fast det under Audin. Körde runt i Örnsberg. Lådan satt kvar under bilen, klarade fartguppen på Hägerstensvägen. Han kollade in mottagaren. Funkade bättre än den slitna defence receiver han rattat där nere. Han åkte runt och kollade in de olika männens adresser. Lärde sig kartorna, återvändsgränderna, rödljusen, de enkelriktade gatorna. Fortsatte testa prylarna hemma, lärde sig dem bättre än han behärskat sina skjutvapen där nere. Han analyserade metoder, memorerade platser, planerade. Pratade knappt med mamma, tänkte inte på mordet i källaren hos henne, slutade drömma mardrömmar. Besvarade Benjamins sms sparsamt. Struntade i läkarintyget han behövde för sin sjukskrivning. Tiden gick. Kriget var snart över dem.

Nästföljande veckor gick han till jobbet så gott han hann med. De undrade vad fan han höll på med, fipplade med schemat som det vore gå-ut-och-ta-en-öl-tider med en polare man egentligen inte bryr sig om. Men vad skulle han göra: Sic vis pacem, para bellum. Uppdraget tog tid.

Under de ljusa kvällarna och nätterna: han satt i Audin utanför lägenhetskomplexen eller villorna där de bodde. Försökte skapa sig en uppfattning. Vilka han skulle börja med.

Alla sex var normala snubbar. Utåt sett. De hade inte särskilt sena vanor på vardagskvällar. Tre nätter i början av augusti monterade Niklas upp kamerorna. Arbetade i tystnad. Det var enkelt: han hade redan kollat in platserna där de skulle sitta. Så skönt att slippa dagarnas ljudföroreningar: mobiltelefonsignaler, trafikbruset, grannar som spöade på varandra. Utanför en villa: en ccd-kamera i ett träd. Utanför den andra villan: kameran i ett buskage bakom ett elskåp. Lägenheterna svårare. Hur skulle det gå att se in? En av lägenheterna låg på nedre botten. Han gömde kameran i en trappuppgång på andra sidan gatan. Avståndet lite för långt, men det dög för de bilder han behövde. De tre andra lägenheterna funkade inte. Han skulle bli tvungen att bevaka dem personligen.

Det enda han ville veta: vilka var de tre största asen. Vilka skulle han fokusera på? Han: ett proffs med isvatten i ådrorna. Han kunde vänta.

Tillbaka i nuet. På väg tillbaka över Vintervikens kolonilottsområde. Idag såg han inga krigsscener. Inget blod. Inget bakhåll. Han tänkte: Kanske var det för att han snart skulle starta sina egna bakhåll. Veckorna som gått hade varit bra. Han: ett rovdjur. En predator. En människa som gjorde avtryck i historien. Förändrade situationer.

Svetten rann ner genom ögonbrynen. Sved i ögonen. Han strök sig över pannan med t-shirten.

Det enda han behövde nu var ett skjutvapen.

Det måste få ett slut. Råttorna.

Männen.

Kombattanterna.

27

Gloria Palace, Playa de Amadores, Gran Canaria. De hade kunnat åka till något flashigare ställe: Aruba, Mauritius eller Seychellerna. Men vad skulle de där att göra? Enda skälet för Thomas att resa var att komma bort. Och att lugna Åsa.

Ändå: hotellet, Gloria Palace, med fyra Vingtecken och ett plus.

Bättre än så gick inte att få på Gran Canaria. Stora rum med panoramafönster ut mot havet. En liten soffgrupp och ett soffbord med en korg som roomservice fyllde med färsk frukt varje dag. Över trettio kanaler på teven, intern filmkanal, svenska tidningar, fantastisk frukost. En av poolerna, den med tjugofemgradigt vatten, låg bara några meter från Atlanten – man blickade ut över vågsvallet samtidigt som lugn muzak spelades i hotellets högtalare. För att inte tala om gymmet: maskinerna kändes som om de var inköpta igår. Hans händer luktade ny plast istället för polissvett efter slitet. Han tränade varje dag. Allt var som han tänkt sig fast ännu bättre. Åsa älskade det. Thomas försökte slappna av.

Hans fulpengar kom väl till pass. Åsa undrade hur de kunde ha råd att bo på det närmaste lyxhotell hon någonsin kommit. Men så jävla dyrt var det inte, och Thomas förklarade att de spenderade prispengar han vunnit på skytteklubben. Fast han tänkte inte snåla. Åsa fick ta hur många behandlingar hon ville på hotellets Thalassoterapicenter. Han hyrde vattenskoter och prövade scubadiving, testade svingar på niohålsgolfbanan, stack ut på båtfisketur en heldag med några medelålders tyskar. Varje kväll trerätters på någon av à la carte-restaurangerna eller så tog de panoramahissen upp till strandpromenaden på bergssidan ovanför hotellet och vandrade till Dunas Amadores, hotellet näst intill.

Han odlade skägg: det första i hans liv, överraskade honom varje morgon i spegeln. Det kliade, han försökte trimma det – men gud vad skönt det var att slippa raka sig. Åsa påstod att det stacks. Men egentligen: de hade varit borta i snart två veckor och inte haft sex en enda gång. Okej, de kanske pussades ibland, men antalet kyssar gick att räkna på ena handens fingrar. De visste båda att det inte var skäggets fel.

Ibland tänkte han att han borde börja i terapi. Han älskade ju Åsa – varför blev han inte kåt på henne? Varför fungerade det bättre framför skärmen på en dator än med en verklig kvinna? Samtidigt: terapi var inte hans grej. Tänk om någon skulle få reda på det.

De satt i var sin solstol på solterrassen. Insmorda i rätt faktor. Poolens klorblåa vatten kluckade stilla. Hotellet tornade upp sig bakom dem som en bergvägg. Tjugosex grader varmt. Grankan var fint på det sättet: Atlantklimatet gjorde det inte till samma ugn som till exempel Sicilien, där de varit förra året.

Han försökte läsa en Dennis Lehane i pocket: *Mörker ta min hand*. La ner den på magen. Rastlös, pallade inte för långa avsnitt, även om den var sjukt spännande. Dialogen var det bästa han sett.

Åsa låg med slutna ögon, glansig av solkräm och svett. ”Pressade”, som hon sa. Lyssnade på en ljudbok. Han kollade ut över folket på terrassen. Det här var inte ett av de värsta familjehotellen. Varken han eller Åsa skulle klara av att kolla in lyckliga föräldrar som gullade med sina feta små fyraåringar kring poolkanten varenda dag. Hotellet befolkades mestadels av par något yngre än de själva – utan barn – och äldre folk i sextioårsåldern. Dessutom en hel del sköna gäng. Vid poolbaren fyra grabbar som inte var äldre än tjugofem bast. Krökade paraplydrinkar som om det vore mellanöl. Thomas gillade stilen. Såg sig själv för några år sen. Och ännu bättre, upp och ner ur poolen: ett gäng brudar i samma ålder som killarna. Han tänkte: Det kanske inte finns så mycket gott här i världen men en man som inte gillar stringbikinis är galen.

En hand på hans lår. Åsa tittade på honom. Hörlurarna urplockade ur öronen.

”Tänk att det bara är två dagar kvar. Hemskt.”

Thomas kollade på henne. La handen på hennes axel. Han kände det tydligt: hon var stelare än vanligt.

”Ja, snart ska man hem till hösten. Fast några varma dagar kan vi få. Det är tydligen skön sensommarhetta nu.”

”Vi måste prata, Thomas. Det är inte bara hösten det handlar om. Du måste berätta för mig vad det är som egentligen händer.”

Thomas visste vad hon tänkte på. Hon kunde inte förstå hur det kom sig att han inte nojade mer över internutredningen. Men det var mer än så: Åsa kände sig utanför. Tyckte inte att han delade med sig till henne av sina tankar, vad som skulle hända sen. Han kunde inte förklara, fast han kanske borde.

”Vi har ju pratat om det där. Om några dagar kommer beslutet. Då får vi veta. Antingen tar de sitt förnuft till fånga och ingenting händer, eller så väcker de åtal och då kommer jag bli förflyttad. Men då är de sjuka i huvudet."

"Du nämner inte det sista alternativet, Thomas."

"Sluta nu. Om jag blir fälld för den där grejen så flyttar vi från Sverige. Det skulle vara skandal. Då borde inte en enda ordningspolis jobba kvar inom kåren. Alla skulle gjort som jag gjorde. Alla sunda."

"Men om du verkligen försöker bedöma, hur troligt är det att du blir fälld och de säger upp dig? Thomas, jag måste veta. Vi måste veta. Det går inte att leva med den här osäkerheten. I två månader nu har jag gått med magont varje dag. Tänk om det händer. Hur ska vi ha råd med villan? Hur ska vi klara att ta hand om ett barn?"

Det sista brände till i Thomas. Sen tänkte han: Du får väl börja jobba heltid då. Men han höll käft. Ville inte diskutera det här igen. Ältats redan tre fyra gånger på resan. Det slutade alltid med irritation. Åsa ville att han skulle börja söka andra jobb. Hur kunde hon veta – det han redan blivit erbjuden var inte ordinärt.

"Du hetsar upp dig i onödan. De kommer inte säga upp mig. Jag lovar."

"Nu får *du* sluta. Jag fattar inte hur du kan vara så lugn. Men du förstår väl inte att det här handlar inte bara om dig. Det handlar om oss båda två, vi hänger ju ihop. Du sitter och är låtsasavslappnad när det kommer påverka mig också, påverka oss, vår familj. Vi har sagt att om vi adopterar ett barn, ska det få växa upp i en ordentlig villa med trädgård. Det är tryggt att bo i hus. Hur ska vi ha råd med det om du får sparken? Förstår du vad en bra barnvagn, bilbarnstol, leksaker, kläder, spjälsäng och allt sånt kostar? Och jag tänkte inte köpa på IKEA."

Hennes ögon lyste klara mot den blå himlen.

"Att bo i hus är inte alltid så tryggt ska du veta." I sitt huvud såg han mannen som stått utanför deras fönster hemma. "Men jag lovar, på min polismannaheder. Det kommer ordna sig. Du behöver inte oroa dig."

Hon reste på sig. Ryckiga rörelser. Typiskt vredesmod à la Åsa. Gick kanske till baren, eller upp på rummet. Han sket i vilket. Orkade inte tjafsa.

Han slöt ögonen. Solen värmde. Såg bilder i sitt huvud.

De senaste månaderna: några av de värsta i hans liv. I paritet med veckorna efter han fått reda på Åsas missfall. Ibland förvirrade, ofta sömnlösa. Mest av allt: sprängfyllda av oro. Men han kände ändå inte att det fanns anledning att hålla på och snacka med Åsa om allt. Hon hade inte hört hela hans story. Hon kunde inte hjälpa honom. Varför skulle han smitta av sig på henne? Det var bara taskigt.

Utredningen om den så kallade misshandeln i jourbutiken rullade långsamt. Efter beslutet att inleda den fick han gå på internförhör. Ge sin bild av situationen. En liten Hägerström-liknande jävel på andra sidan bordet: kriminalassistent Rovena. Antagligen någon som spenderat sina sju år från examinering bakom ett skrivbord. Eller troligare: *under* ett skrivbord för han var så jävla rädd att något skulle trilla ner från taket. Färg kanske. Eller damm? Att en sån ens fick kalla sig polis var helt koko. Antagligen hade han kommit in på någon jävla blattekvot. Han hade inget i kåren att göra.

Thomas berättade som det var. Rovena intresserade sig för detaljerna. Hur många gånger slog mannen mot Lindqvist? Hur kom det sig att Andrén inte lyckades få på handfängsel på mannen? När bestämde han sig för att använda batongen?

”Du, det finns en jättebra film om det där, den kan du kolla in”, tyckte Thomas. Rovena garvade inte åt skämtet. Ville inte kolla bevakningskamerans bilder. Hellre höra Thomas egen version, påstod han. Snicksnack.

I övrigt sköttes utredningsskiten i skriftlig form.

Thomas tog kontakt med en advokat efter det. Gubben skrev två brev. I det första begärde han att ta del av vissa delar av utredningsmaterialet som inte Thomas fått se. I det andra angrep han förundersökningen för att de låtit en kriminalassistent förhöra en polisinspektör – underordnad skulle inte förhöra överordnad – och för att man inte noterat att Cecilia Lindqvist faktiskt försökte anropa kommandocentralen men avbrutit försöket eftersom Torstensson varit så aggressiv. Thomas var inte imponerad. Det enda breven ledde till var att han fick gå på ett förhör till – med en kriminalkommissarie med särskild tjänstebeteckning. Det var bara att vänta på beslutet.

Han höll sig mest hemma. Fick viss förståelse för paniken som drabbade buset efter att de suttit häktade ett par dagar. Och han kunde ändå kolla dvd-rullar och surfa porr i oanade mängder. Ville jobba på sin Cadillac men den gav honom ingen ro. Mannarna skickade hem en chokladask, vilket stärkte. De hade skrivit ett litet brev: Vi ser fram emot att skyttekungen kommer tillbaka. ”Skyttekungen”, det smakade gott. Thomas var ofta bäst i tjänsteskjutningen, så smeknamnet stämde – det fanns många sämre ord att kallas i kåren. Ibland lyfte han vikter i teverummet. Men utan geist. Dagarna gick. Sommaren rann förbi utanför fönstret som en störande reflexion i teven.

Efter fyra veckor hade han tagit kontakt med Adamsson. Hela grejen kändes skum. Adamsson borde fatta att det inte var något problem för Thomas att stanna kvar medan utredningen pågick. Men som Thomas konstaterat förr: Adamsson var inte att lita på i det här. Han borde kolla upp mer.

Thomas försökte låta så trevlig som möjligt när han ringde upp. ”Tjena Adamsson. Det är jag, Andrén.”

”Ja, jag hör det. Hur har du det egentligen?” Gubben försökte låta tillmötesgående. Men det var ju inte Thomas som bett om att sjukskrivas.

”Du, jag vet inte om jag pallar det här länge till. Jag går runt här hemma som en osalig ande och väntar på beslutet.”

”Jag förstår det. Men jag tror ändå det är bäst att du håller dig borta. Du vet, stämningen blir helt fel här om alla vet att du går och väntar. Antingen lägger de ner eller så blir det rättegång – så är det bara.”

”Stig, kan jag fråga dig en grej?”

Att använda hans förnamn, Stig, var egentligen att bli för personlig, men Thomas sket i det nu. ”Jag har stor respekt för dig och jag har alltid känt att vi samarbetar mycket bra. Skulle någon fråga vem som har varit min mentor och förebild skulle jag utan att tveka ge ditt namn. Du har ett rakt sätt och kompromissar inte på det vi alla vill värna om. Sen har jag alltid uppfattat det som att du tycker att jag tillhör en av de bra männarna. Så nu undrar jag, finns det något du kan göra i den här situationen? Tala med någon på interna, CU, eller polismästaren?"

Stig Adamsson andades tungt i luren. "Jag vet inte, faktiskt. Det är knivigt."

Thomas kände det tydligt: irritationen vällde upp inom honom. Vad var det här för skitsnack? Han kunde ha gjort vad som helst för Adamsson och nu kunde inte gubbjäveln ens försöka för hans skull. Adamsson visste något, det var klart.

"Kom igen nu, Adamsson. Jag trodde vi spelade i samma lag. Finns det inget du kan göra?"

"Måste jag stava det för dig? Jag. Vet. Inte. Är det klart nog?"

Adamsson drog undan mattan. Det var ett svek. Igen. Precis som när han stormat in på bårhuset. Thomas mumlade något till svar. Adamsson sa adjö.

De la på.

Han tog sömntabletter för att kunna somna den natten.

En annan grej som också hade gnagt: det ouppklarade mordet. Så många frågor. Det troligaste måste ju vara att den mördade hade någon form av koppling till någon i huset. Eller så var han en simpel inbrottstjuv som någon av grannarna tagit på bar gärning. Men något i Thomas sa att det inte rörde sig om slump. Det fanns en koppling till någon – men hur skulle man få reda på till vem när man inte ens visste vem den döde var? Mördaren måste ha känt till offrets förflutna. Å andra sidan: mördaren hade inte tagit hand om papperslappen med telefonnumret. Andra frågor staplade sig. Varför fanns inga tecken på att offret gjort motstånd? Inga blodspår eller avriven hud från mördaren eller mördarna. Offret var inte direkt en liten person, det borde ha blivit lite kamp. Och kanylhålen, vad var grejen med dem? Till sist: vems var telefonnumret på papperslappen?

Hägerström hade kollat upp de registrerade abonnemangen – ingen av innehavarna tycktes ha med mordet att göra. Men kunde man lita på Hägerström? Han orkade inte tänka på det nu. Och oavsett så fanns det kontantkortsabonnemang kvar som inte var helt kontrollerade än. Det första hade använts av en ung tjej utan kopplingar till mordet. Men det sista? Där var det fortfarande oklart vem det tillhört. Endast tre nummer ringda. Två personer som påstod sig inte ha en aning och en tredje som Hägerström inte fått tag på.

Bara tre nummer ringda – något stämde inte. De enda som använde kontantkort på det sättet var buset.

Under de första veckorna som så kallat sjukskriven hade han svårt att gå upp ur sängen på mornarna. Men några dagar efter samtalet med Adamsson: han skulle fan i mig reda ut det här på egen hand. Som aktiv polisinspektör eller som sjukskriven. Idén med IMEI-numret hade ju funnits där men kommit bort när problemen radat upp sig.

Han hade skrivit ner telefonens IMEI-nummer trots att det var förbjudet att ta med sig material belagt med förundersökningssekretess. Femton siffror. En kod. En signal som skickas ut varje gång någon ringer från en mobiltelefon. Oavsett abonnemang. Med andra ord: om telefonen tillhört någon annan, eller tillhört samma person som av någon anledning ofta bytte kontantkortsabonnemang, gick det att få reda på andra nummer som ringts från den.

Frågan var hur. Thomas var ingen kriminalinspektör men han visste att det inte var någon raketforskning direkt. Krimmarna gjorde det hela tiden. Men han tänkte inte ringa Hägerström. Ville inte ringa någon annan i Skäris heller för att fråga. Fan att han inte kunde sånt här. Thomas: ensam mot konspirationen.

Teoretiskt sett borde han kunna fixa informationen från de stora telefonoperatörerna. Begära sökning på alla samtal som ringts på abonnemang tillhöriga dem från en telefon med IMEI 351349109200565. Men vad skulle hända om de bad att få motringa bara för säkerhets skull? Om de bad att han skulle faxa sin begäran från fax med polisens officiella telefonväxelnummer? Fast va fan: han var ju bara sjukskriven. Han var ju fortfarande snut. Det måste gå.

Tre dagar senare ringde han upp TeliaSonera, Tele2Comviq och Telenor och några småoperatörer. Thomas: körde sin myndigaste röst. TeliaSonera och Tele2Comviq lovade börja kolla – skulle ta några dagar. De köpte hans story. Lovade att faxa svaren till ett annat faxnummer än polisens gängse – Thomas eget privata. Ingen kontroll av vem han var, ingen dubbelcheck på var han ringde ifrån. Ingenting.

Telenor däremot.

Han hade presenterat sig men bytt ut vissa fakta. Istället för Söderortspolisen sa han Västerort. Skulle de motringa till Skäris eller annan station i hans distrikt skulle alla veta på direkten att han var borta från jobbet. Västerort säkrare. Han bad att få bli kopplad till någon tekniskt ansvarig. Han förklarade situationen. Det gällde en mordutredning med hög prioritet. Polisen behövde veta alla samtal som ringts från telefonen med det aktuella IMEI-numret. Tjejen på andra sidan lyssnade, sa ja och mmm – verkade med på noterna. Tills han bad henne skynda på med arbetet.

”Du, jag måste fråga dig en sak innan du drar igång massa merarbete för oss här.”

”Okej.” Thomas hoppades inget jobbigt skulle komma nu.

”Kan jag få motringa till dig. Du vet vi har våra rutiner och så.”

Thomas kände hur händerna blev kalla och svettiga på samma gång. Vad skulle han säga nu?

Han satsade på myndigheten igen: ”Du, vi gör så här. Jag faxar dig en officiell förfrågan imorgon. Då får du vårt officiella faxnummer på ditt fax. Det är så vi gör.”

Tystnad, spänning. Thomas tyckte nästan han kunde höra hur sekunderna slog inne i mobiltelefonens digitala urverk.

”Okej”, sa tekniktjejen. ”Inga problem. Vi ska göra så gott vi kan. Skicka det där faxet bara så kickstartar vi.”

Thomas andades ut. Nu: bara ett problem kvar – faxet måste komma från polisstationen. Han måste greja det där utan att någon började undra.

Nästa dag gick han som på nålar. Vaknade av sig själv klockan sju. Åt frukost tillsammans med Åsa. Bläddrade i resekataloger tillsammans med henne. Kändes bra, oerhört bra. Samtidigt: han tänkte på bästa tiden att ta sig in till stationen. När var minst personer inne? Vad skulle han kläcka om Ljunggren eller Hägerström dök upp precis när han stod där vid faxen för att skicka iväg skiten? Eller ännu värre: Adamsson.

När Åsa gått satte han sig i vardagsrummet. Mindes hur han suttit där och lyssnat på Springsteen. Bestämt sig för att gå vidare. Ett löfte som skulle hållas.

Det kändes bra. Hans liv behövde en injektion, en renovering från scratch. Som Cadillacen.

Klockan kvart över fem: gott om tid att hinna till klockan sex. Den perfekta tidpunkten på dygnet om man obemärkt ville besöka Skärholmens polisstation. Precis efter andra passet tagit över. Första passet gått. De nya gubbarna i omklädningsrummen.

Bredvid på passagerarsätet låg faxet. Han skrev ut det hemma för att kunna snabba på hela grejen: in, sänd, ut. Bara en sak han inte fick glömma: att ta med sig faxkvittot.

Skum känsla när Skärholmens jättelika konstverk i modern stil, en trettio meter hög rostfärgad metallbalk med en knut på, syntes från motorvägen. Thomas hade inte varit borta så länge från Skäris de senaste tio åren. Han lät bli att parkera i parkeringshuset – alla kollegornas privatbilar stod där. Risken att stöta på någon för stor. Han ställde sig på torget bakom centrumet istället.

Klockan blev sex. Han tog ett djupt andetag. Klev ur.

Gick sin vanliga väg. Stötte inte ihop med någon.

Tog huvudingången: de flesta gick hem via personalingången. Drog passerkortet. Knappade in koden.

Hissen: två kriminalinspektörer på ungdomsroteln kom ut. Hälsade på honom. De var inte nära. Antingen visste de inte att han var under utredning och så kallat sjukskriven eller så sket de i det hela.

Hissen upp. Korridoren såg tom ut. Han gick förbi sitt eget rum som han delat med Ljunggren och Lindberg. Sneglade in. Fotot på Åsa stod kvar på sin plats. Alla gamla trötta meddelanden från RPS satt kvar på anslagstavlan. Ljunggrens Bajenhalsduk hängde på väggen som vanligt. Hannus speedwaymedaljer hängde på sina platser.

I ett rum satt Per Scheele och skrev på datorn. Tittade upp när Thomas gick förbi. ”Nämen tjena Andrén. Kul att se dig. Hur mår du?”

Scheele tvååring på avdelningen. För oerfaren. Fattade troligen inte vad det hela handlade om eller så spelade han dum. Thomas nickade bara, svarade att allt var okej.

Faxen stod i klump med de andra gråa plastmonstren: kopiatorerna, skrivaren, scannern.

Förprogrammerade telefonnummer: Kronoberg, Västerort, Norrort, Norrmalm, arresten, Söderorts åklagarkammare, och så vidare. Thomas la sitt brev till Telenor i faxen. Dubbelkollade så att det låg i rätt riktning. Ultimata missen skulle vara att skicka iväg det så att Telenor mottog en blank sida.

Slog in numret. Tryckte på sändknappen. Brevet sögs in. En polissekreterare gick förbi bakom honom i korridoren. Elisabeth Gunnarsson. Aldrig någon som Thomas pratat mycket med. Hon hälsade snällt utan att börja artighetskonversera.

Hans beräkning stämt: det här var verkligen den tid på dygnet när det var som ödsligast här, förutom eventuellt klockan två på natten när natturen klev på.

Brevet kom ut på andra sidan.

Thomas hörde en röst bakom sig. Finsk brytning.

”Andrén, det var hundra år sen.” Det var Hannu Lindberg. ”Vi började nästan tro att du blivit utbränd som de säger numera. Det verkade inte likt dig.”

Efter Adamsson, Ljunggren och Hägerström: Lindberg var den värsta att stöta på. På ytan: en skämtande, jovialisk, glad skit som inte spottade i glaset eller drog sig för att ta i med hårdhandskarna i arbetet. Men samtidigt: Thomas kände aldrig förtroende trots att han alltid var underhållande att lyssna på. Litade inte på Lindberg som han gjorde på Ljunggren eller någon av de tre andra killarna han delade radiobil med. Det var något med Lindberg som inte stämde. Kanske var det hans leende som indikerade: jag får dig att garva så länge jag vet att du ställer upp på mig. Men om det ändras, då skrattar jag *åt* dig.

”Tjenare Lindberg”, sa Thomas.

Lindberg såg förvånad ut. ”Vad gör du här din gamla boxare.” Han garvade.

”Jag var tvungen att komma in och fixa en grej. Men du vet att det är Adamsson som tycker att jag ska vara sjukskriven, inte jag.”

Lindberg tittade ner på faxen. Brevet låg med baksidan upp i utmatningsfacket. Inget faxkvitto ute än.

”Jag förstår ju det. Hela grejen är sjuk för fan. Du har vårt stöd härifrån, det ska du veta. Vi var några stycken som skålade för dig på fredagsölen förra veckan. Ljunggren, Flodén, jag. Du skulle varit med. Du får komma med nästa fredag. Det kan väl fan inte Adamsson ha något emot.”

Kvittot matades långsamt ut ur faxen. Thomas skakade på huvudet. ”Ingen aning vad Adamsson tycker om sånt. Hela grejen gör mig illamående. Men du, Åsa väntar nere i bilen. Jag skulle bara fixa det här faxet. Hälsa de andra. Hasta la vista Hannu.”

Lindberg flinade. Thomas tog med sig brevet och faxkvittot. Hannu Lindberg tittade på honom. Fanns en glimt av misstänksamhet i hans ögon? Thomas försökte se om han kollade in brevet.

Han tog trapporna ner. Hjärtat bankade i takt med stegen.

Nu var det gjort.

Fy fan vad snyggt.

Tillbaka i nuet och värmen. Där satt han, ensam i en solstol på Gloria Palaces solterrass. Tjugofemgradigt poolvatten och ett gäng apläckra danska tjugoåringar framför sig. Ändå kände han sig så förbannat vilsen.

Samtidigt: alla poliser med stake fick gå igenom tuffa tider ibland. Thomas hade gått ut polishögskolan för drygt tolv år sen, hela tiden med siktet inställt på att befinna sig på gatan, få göra lite verklig nytta. Han började som ordningspolis i Söderort direkt. Fyra år senare befordrades han till polisinspektör. En framgång. Ett tecken på att han valt rätt yrke. Hans pappa blev stolt. Sen gick tre lugna år. Han träffade Åsa, såg till att hamna i samma liga som Jörgen Ljunggren och de andra. Efter ett tag gick det lite för långt, han prickades för övervåld två gånger. Nån demonstration i Salem dit han inkallats och nån jävla hustrumisshandlare som blivit lite väl störig. Han klarade sig med varningar. Sen fick Åsa missfallet. Världen sjönk lite längre ner i den skit som han för länge sen fattat att den redan stod ankelhögt i. Han försökte lugna sig med att meka med bilen. Det funkade inte. Han slog på folk tio resor värre, flera gånger i månaden. Bankade på pundare. Rappade invandrarpack. Spöade snattande svennealkisar. Men kårandan var fin. Det fanns en heder, en kodex. Folk sa inget om att Thomas körde den hårdare metoden. Man tjallade inte ner en kollega som gjorde sitt jobb.

Okej, han var kanske en fallen snut. En halvrasistisk, överaggressiv, degenererad polis. En rutten människa. Men ibland saknade han det gamla goda polisarbetet. Det som handlade om att söka efter sanningen och inget annat. Mitt i all skit han ställt till med, i sin sukt efter lätta pengar, fanns lite polis kvar i honom. Den som hade fått i uppgift av samhället att hindra brott. Samtidigt pendlade andra tankar. Hur skulle han göra med Radovan Kranjics erbjudande? Han hade inte bestämt sig än – internutredningens beslut kanske fick avgöra.

Hemma i Sverige skulle alla telefonoperatörernas rapporter ligga och vänta på honom. Det hade de lovat.

Hemma i Sverige skulle han inom några dagar få veta om han blev kvar eller inte.

Hemma i Sverige måste han besluta sig: hur skulle han göra med juggarna?

Hemma i Sverige kunde verkligheten göra vad den ville. Han kände sig redo.

Eller inte.

28

Fittvården vid Hornstull beigeare än nånsin. Mahmuds humör fittigare än ever. Han hade kommit en timme för tidigt. Receptionisten påstod att Erika Fittwaldsson vägrade komma ut och möta honom. ”Hon sitter tyvärr i ett annat möte.” Yeah right –

jättemycket annat möte. Förnedringsmetodik var grejen. Alltid låta Mahmud vänta. Han skulle fan sätta på den där bitchen i ett ”annat möte”.

Mahmud spanade in tidningarna. Tänkte: Sköna Hem, Dagens Nyheter – så gay. Säg en enda vanlig shunne som läser såna tidningar. Men Motortidningen funkade. Mahmud bläddrade. Reportage om nya Ferrari. Suktade en stund. Sen tänkte han: Skulle han dra? Klockan på mobilen: femtio minuter kvar. Han *borde* dra. Samtidigt: Erika var ändå rätt okej. Plus: blev det tjafs med Frivården blev det strul med snuten och blev det strul med snuten blev det knas med soc, och så vidare. Egentligen var principen klockren: hamna aldrig i systemet. För när du väl sitter där släpper de inte taget. Aldrig.

Mahmud hade lånat en mobbe av Babak som han tagit från sin farsas butik. Rymde hundratals mp3:or. Babak tankat den full med värsta blandningen. Tunggungarna: P Diddy, The Latin Kings, Akon. Fett bounce. Men också: Haifa Wehbe, Ragheb Alama – äkta Mellanösternsväng. Mahmud lutade huvudet bakåt. Chillade. Aldrig att han tänkte berätta för nån att han väntat så här länge på sin frivårdsinspektör.

Han hade drömt mardrömmen igen. Tillbaka i skogen. Tallar och granar skuggade himlen. Höjda armar mot skyn. Geväret blänkte i ett kallt ljus som kändes som det kom från gatlyktor. Lyktor mitt i skogen? Till och med i drömmen verkade det skumt. På gräset mitt i ringen av svartklädda män – Mahmud kollade snett uppifrån som om han svävade ovanför hela scenen – såg han Wisam. Händerna svarta av Wisams blod från ansiktet. Det rann långsamt. Varmt. Hett som en lavaström. Han böjde ner huvudet. Stefanovic riktade geväret mot hans nacke: ”Vi dödar dig inte för att du förtjänar det utan för att det ska synas i vår resultaträkning.” Wisam tittade upp. Söndergråtna ögon. Ett bultande jack i kinden. Fast kanske inte. Blodet kladdade ner kinderna. Hakan. Rann som i slowmotion. ”Hjälp mig”, sa han.

Inte första gången. Ända sen han sett juggarna plocka upp libanesen den där eftermiddagen. Drömmarna jiddrade med honom. Kristallklara. Ostoppbara. Skarpa som kokainrus. Skogsdungen.

Pisset i gräset. Akhramenkos jabbar upp i revbenen på en ansiktslös motståndare. Stefanovic leende. Gürhans flin. Born to be hated. Han försökte röka på innan han la sig för att somna bättre. Lät bli att träna eller dricka Cola för sent på kvällen. Kollade bara trista teveprogram. Det funkade ändå inte.

Minnena piskade på honom.

Stefanovic hade bett honom hoppa in i bilen. Kostymklädd, en mobiltelefon i handen, strålande humör. Han vände sig mot Mahmud: ”Stort tack för hjälpen.” Sen fortsatte han tala i mobilen. På serbiska.

De hade kört mot Södermalm. Slavisk musik ur bilens högtalarsystem. Rödljus på Vasagatan: ”Var det svårt att få tag på det där svinet?”

Mahmud flinade. ”Nej, shit alltså, jag är kungen av få tag på folk.” Nu två månader senare, kändes det flinet nästan lika vidrigt som om han skulle ha garvat vid sin mammas grav.

Erika knackade på bordet framför honom. Han öppnade ena ögat. Hon log. Vad fan log hon åt? Mahmud lät hörlurarna sitta kvar. Hörde inte vad hon sa.

Hon knackade honom på knäet igen. Försökte säga något som inte hördes genom tunga svänget, 50 Cent.

Han tog ut lurarna.

Släpade fötterna efter sig in på hennes rum. Lika stökigt som vanligt. Lika mycket papper, kaffekoppar, Ramlösaflaskor, uttorkade krukväxter, nördiga affischer med fett tjocka människor på. Undertext: Botero. Kuk alltså, Botero kunde hon va själv – klump.

”Kom igen Mahmud, du behöver inte bete dig som en tvååring bara för att du kom för tidigt idag.”

Mahmud rullade ihop lurarna. ”Vem tror du att du är?” Och med tystare röst: ”Fitta.”

Erika stirrade på honom. Mahmud visste: Man måste ha känt henne ett tag för att fatta hur irriterad hon var. Erika: en brud vars ilska du kunde mäta genom hur stilla hon satt. Just nu: hon rörde sig mindre än nakenstatyn på Hötorget.

Gick trettio sekunder av tystnad. Sen sa Mahmud, ”Okej, jag

var för tidig. Det var mitt fel. Förlåt. Jag blir bara så pissed off på er reception. Varför kunde de inte be dig möta mig lite tidigare?"

Erika rörde handen – ett gott tecken.

"Det var inte deras fel. Jag satt i ett annat möte. Hela världen kretsar inte kring dig, Mahmud. Det måste du förstå. Hur som helst. Vi glömmer det här nu. Det är softish att du är här."

Mahmud flinade åt hennes ordval: "softish", liksom. Pratade hon så? I hans hjärta: kunde inte låta bli att tycka Erika var rätt okej ändå.

"Hur har det gått med jobbsökandet? Du är väl på väg att bli vd nånstans nu."

Vem som helst annan: Mahmud kukat ur. Medvetet. Tagit det som en förolämpning. Ett sätt att driva med honom. Grejen med Erika: han visste på djupet att det inte var det hon ville. Fast det visste han ofta annars också, men här – han kunde liksom inte vara sur mer än fem minuter på henne.

"Ärligt så går det dåligt. Jag har nästan inte ens fått gå på intervjuer på sistone."

De diskuterade vidare. Erika höll på som vanligt. Sa att han måste gå på kurs, ta kontakt med Jobbcentrum, sin socialsekreterare. Att han måste hålla kontakten med sin pappa, sin syster. En stark familj var viktigt. En social omgivning var viktigt. Gamla vänner var viktiga.

Det sista – han kände huvudvärken komma krypande. Oroväckande. Wisam: en gammal vän.

Han slog på se-ut-som-du-lyssnar-looken. Men kunde inte slappna av. Försökte dämpa huvudvärken som började skrika. VAD FAN HAR DU GJORT?

Det kändes som han var tvungen att hålla i sig. Som om han höll på att trilla ihop. Typ falla, ringla runt som en insekt på linoleumgolvet. Kändes som han ville berätta hela skiten för Erika. Nej. Chara. Det funkade inte. Aldrig.

Han höll ut. Bet ihop. Svarade ja på allt Erika ville höra ja på.

Femton minuter senare var de klara.

Tack, tack, vi ses om fjorton dagar.

Fort. Ut.

Två timmar senare. Han bodde hos Babak några dagar, fixade inte pappas gnäll.

Gick bra nu för Babak. Han skaffat en Sony 46-tums platteve. ”Inte nån fattig rea-modell”, som han sa. ”Utan riktiga grejer, fler pixlar än det finns blattar i Alby. Är du med?” Babak krängde skit som aldrig förr: koks, weed, till och med kat. Kunde snacka hela dagar om det där: kokainet inte som förr. Inte bara lyxlirare och Stureplanspajsare som höll på. Tvärtom. Svennebanan och Ali Muhammed i porten bredvid drog näsor oftare än de drack bira. Alla höll på. Priserna rasat som på en mellandagsrea. Snart: k större än maja. Babak gjorde varenda mynt till en sedel. Belöningen: platteve, brudar, underhuggare. Det sista: Babak fixat två killar som dealade åt honom. Och det var först då de verkliga intäkterna började trilla in.

Belöningarnas belöning. För två veckor sen hade Babak skaffat pizzaracern nummer ett: en BMW. Bilen en nollsjua, köpt som del i en skulduppgörelse med en stackars finne i Norsborg som inte kunde leverera.

Mahmud kände det tydligt: han var så avis. På en bror. Hatade feelingen. Samtidigt, lovade sig själv, en dag skulle han äga ännu tyngre grejer.

Mahmud ställde sig upp. Vankade runt sofforna. Han hade mjukisbyxor på sig.

Babak sa: ”Vad håller du på med? Du stressar mig. Habibi, sätt dig ner. Vi kollar nån rulle.” Ibland lät han komisk: sa allt på arabiska men ordet ”rulle” på svenska.

Mahmud svarade lugnt: ”Du, jag måste surra med dig om en grej.”

”Inga problem. Vi väntar med filmen. Fire away.”

”Jag har gjort något dumt. Hordumt.”

Babak drog bak huvudet, låtsades se förvånad ut. ”Kom igen, när gjorde du inte något hordumt senast?”

”Seriöst, Babak. Det här är mellan oss. Bara. Jag har svikit nån jag inte ville svika.”

Babak verkade fatta allvaret. Mahmud gick runt runt. Berättade från början, även sånt som Babak redan visste. Hur han blivit pressad av Gürhan, genom Daniel. Hur desperationen växt. Hur möjligheten kommit som en giv från Allah. Chansen att göra juggarna en liten tjänst som de skulle betala grandiost. Att hitta Wisam Jibril, en gammal barndomsbekant från hooden, som blåst Radovan på cash. Babak hade ju redan fattat en del sen innan. Varit med i Bentleybutiken, hört hur Mahmud frågat varenda snubbe om Wisam. Men han visste inte hela storyn.

Mahmud stannade upp i rummet. ”Alltså när han kom hem till pappa den där dagen och jag började snacka med honom, dra min affärsidé, föreslå att vi skulle ses, då visste jag något samtidigt.”

Babak frågade, ”Vad visste du?”

”Jag visste att jag skulle få ångra det här resten av mitt liv. Förstår du?”

Babak bara nickade.

Mahmud fortsatte. Han beskrev hur han hade lurat Wisam till restaurangen i Tumba, hur juggarna plockat libanesen, hur Mahmud hoppat in i en BMW och följt efter. Men de hade inte förföljt bilen som Wisam satt i. Istället åkte de in mot stan. Stannade vid Slussen. Stefanovic sa till Mahmud att kliva av tillsammans med honom. De gick in i ett av de stora husen bakom Katarinahissen. Tog en trång hiss upp. Klev ut. Däruppe låg en restaurang. Vita dukar, kristallglas, proffskypare – äkta lyxstämning. Mahmud ingen aning om att det låg såna restauranger på Söder.

Bordet var förbeställt. Kyparen verkade känna igen Stefanovic. Shit liksom.

Stefanovic beställde en drink. Mahmud tänkte inte dricka sprit, tog en Cola Light som vanligt. ”Hoppas du trivs här. Jag tänkte att vi skulle fira att du hjälpt oss så.”

Till förrätt beställde Mahmud en anklever med nån slags päronvinaigrette som egentligen skulle ha kommit med serranoskinka. Han bad att få utan det där sista.

Stefanovic snackade på. Om vinsterna han gjort på K1-matcherna, Jörgen Ståhls fantastiska jabbar, nån ny krog vid Stureplan. Mahmud diggade tugget. Stefanovic drack vin. Mahmud körde vidare på Cola Light. Varmrätten kom in. Mahmud haft svårt att bestämma sig: mycket fisk på menyn och sånt var inget för honom.

Kyparen ställde ner tallriken. Grillad entrecôte. Riktiga grejer.

Hela tiden under samtalet, i bakhuvudet: Han måste fråga juggen om vad de kunde göra åt Gürhan och Born to be hated. Mahmud kollade sig omkring. Parkettgolv, kostymsällskap, värsta utsikten över stan. Några gubbar vid ett annat bord glodde svenssonaktigt på honom och Stefanovic.

Stefanovic torkade sig med tygservetten.

"Okej, låt oss prata lite business." Han sänkte rösten. "Först och främst vill jag tacka dig igen. Det hade varit svårt att hitta honom utan dig. Nu tar männen hand om honom. Du förstår vad jag menar?"

Mahmud förstod, fast kanske inte riktigt. Av nån anledning skakade han på huvudet.

"Du förstår inte? Så här är det. Vi tar honom inte för att han förtjänar det, utan för att det måste synas i vår resultaträkning. Du vet, egentligen kom han inte över särskilt mycket i sin lilla kupp på Arlanda. Vi lyckades återta det mesta. Så det är inte pengarna det handlar om. Utan principen. Spelreglerna. Hela vår företagsidé bygger på en sak." Han böjde sig fram, viskade i Mahmuds öra: "Fruktan."

Stefanovic tog en sipp av vinet.

"Hur som helst. Du har visat att du är en bra kille. Du har gjort ditt jobb smidigt, snabbt och på rätt sätt. Det uppskattas. Vet du vad som är viktigast i den här branschen?"

Mahmud skakade på huvudet.

"Att man kan lita på varandra. Förtroende är det enda viktiga. Vi jobbar inte med skrivna avtal eller andra såna grejer. Bara det, förtroende. Förstår du?"

Stefanovic tog en stor tugga.

Det juggen sagt lät okej i Mahmuds öron. "Mig kan ni lita på. Hundra procent."

"Det är bra det." Stefanovic tuggade ur. "Du ska få din betalning redan idag."

Mahmud hängde nästan inte med. Det kom för fort. Han behövde kontra med sitt förslag. Ändå spela enligt ceremonin. Han tog mod till sig. Skärpte upp språket.

”Vänta lite nu, Stefanovic. Jag tackar för det du sagt. Det känns fett bra att ha kunnat hjälpa er. Ärligt, det hade varit svårt för er att hitta den där killen. Han höll till i mina kretsar, inte era. Man måste kunna betongen för att klara en sån här grej. Och jag jobbar gärna vidare för er. På stan säger de bra saker om er. Så jag är er. Men, det är en annan grej också som jag måste surra om. Jag vill inte ha nån betalning i cash för jobbet. Däremot undrar jag om ni skulle kunna hjälpa mig med en annan grej.”

Stefanovic höll upp vinglaset till en skål.

”Berätta.”

”Du vet Gürhan Ilnaz, Born to be hated, från Södertälje?”

Stefanovic nickade. Alla i den värld han tillhörde visste vem Gürhan var – precis som alla kände till mister R.

”Han är efter mig. Det handlar om en skuld, som jag har betalat av. Men de lägger på mig mer och mer, förstår du? De beter sig som riktiga svin, hotar min familj och så.”

Han gjorde en paus. ”Så jag tänkte så här. Jag har ju gjort er en stor tjänst. Istället för nån betalning i kontanter så kan ni väl ta er ett snack med Gürhan. Du förstår vad jag menar, bara ni surrar på ert sätt med honom.”

Mahmud väntade sig ännu en stillsam nick. Istället: Stefanovic råflabbade. Säkert en minut. Tog sig en klunk av vinet. Lutade sig tillbaka i stolen. Fortsatte le.

”Det kan du glömma. Vi är tacksamma för det du gjort, som jag sa. Men inte så tacksamma att vi gör vilka dumheter som helst. Du får de pengar vi sagt. Trettio papp var det va? Kanske du kan göra den där turken glad med dem, vad vet jag.”

Mahmud försökte: ”Men jag har hjälpt er big time alltså. Det är inte en stor grej för er att prata med honom.”

”Hörde du inte vad jag sa. Glöm det. Forget about it. Däremot får du gärna börja sälja för oss. Då kanske du kan spara ihop lite.”

Mahmuds story tog slut där. Han hade gått upp i berättandet stenhårt, citerat varenda kommentar. Nästan glömt att Babak satt i soffan och lyssnade.

Nu tittade Mahmud ner på honom.

”Fattar du att jag är knäckt?”

Babak fingrade på fodralet till dvd-filmen.
"Du är fan helt dum i huvudet."

29

Morgon på väktarpissjobbet. Ögonen röda. Rinniga. Rynkiga undertill. Värre: huvudvärken pockade från insidan av pannbenet. Påminde om bristen på sömn. Inatt igen: fyra timmar. Oklart hur länge till han skulle palla. Men än så länge: han höll. Tredje natten i rad han suttit från klockan sju på kvällen till ett på natten utanför männens lägenheter. Tristess mixat med exalterad spänning. Hopfantiserade actionscener i huvudet blandat med rättvisepatos.

Projektet fått ett namn. Operation Magnum. Passade: i filmen poppade Travis asen med en .44 Magnumrevolver. Det var ett kraftfullt vapen. Det här skulle bli ett kraftfullt angrepp.

Niklas satt utanför en lägenhet i Sundbyberg. Han försökte se så mycket han kunde med hjälp av kikaren. Kvinnan, Helene Strömberg, kom hem klockan fem. Hon jobbade som tandhygienist hos Folktandvården vid Odenplan. Sonen kom hem klockan halv sex. Åt middag ensam framför teven. Det enda rummet Niklas såg bra – vardagsrummet. Killen kollade på nåt naturprogram. Niklas sarkastisk för sig själv: spännande, jag trodde det fanns tevespel för killar som han. Mannen, Mats Strömberg, kom hem klockan halv åtta. Han och Helene åt middag ihop. Sen kollade Mats på teve med sonen. Helene tvättade, verkade det som. Ett harmoniskt hem. Måste vara fejk. Allt var stilla. Som lugnet i kasernen innan en attack. Men inget hände.

Senare: från klockan halv ett till halv tre vittjade han sina kameror utanför de två villorna och mitt emot en av lägenheterna. Åkte hem. Sparade ner dem till hårddisken. Snabbspolade igenom filmerna på videon en efter en. Större delen av dagen var det mörkt i husen. På eftermiddagen/kvällen tändes det. Människorna kom hem. Mammor, pappor, barn. De gick ut med hundar. Körde barn till träning. Lagade mat. Ordinary lifes. Än så länge. Eller? Kanske innehöll listan inte alls namn på kvinnor som blev misshandlade. Kanske var det potentiella rekryter till Alla Kvinnors Hus telefonväxel, jourlinje, stödverksamhet. Kanske var hela skiten åt helvete. Niklas pengar i sjön. Kanske en FISHDO – Fuck It, Shit Happens, Drive On. Borde han börja fundera på något annat?

Dessutom: han måste se om sin ekonomi. Jobbet drog inte in många kronor, tio tusen i månaden max. Han hade spentat hundratusentals kronor på utrustning, bilen och annat. Han behövde till levnadsomkostnader och framtida utgifter i operationen. På det: svartmäklaren kunde claima lägenheten när som helst. Vad fan skulle han göra då?

Drömmarna kom tillbaka. Han såg Claes framför sig. Blodiga händer. Slag mot magen. Sparkar mot ansiktet. Bilder från Irak. Collin i stridsmundering. Attentatet mot moskén. Koranböcker i sönderrivna högar.

Augusti led mot sitt slut. Han väntade. Tålmodigt. Snart måste det hända – nån av männen avslöja sig.

Det var torsdag eftermiddag. Dags att sluta jobbet. En dag kvar till helgen. Ännu mer tid att ägna åt operationen.

Han ringde mamma på vägen hem.

”Hej, det är jag.”

Niklas hörde vatten rinna i bakgrunden. Hon måste redan vara hemma, diskade eller nåt. Bra.

”Hej gubben. Det var verkligen länge sen. Har du slutat svara när jag ringer?”

Han orkade inte med den anklagande tonen. ”Nej, men jag jobbar ju hela tiden. Det går inte att svara hur som helst då.”

”Hur är det på jobbet då?”

”Jobbet är skit, mamma. Ren skit.”

”Säg inte så. Det kanske är tråkigare än allt du hittade på där nere men det är säkrare. Tryggare för alla.”

Niklas på väg till sin bil i Biovitrums enorma parkeringshus. Stegen ekade.

”Lägg av nu mamma. Ibland måste man göra farliga saker för

brödfödan och ibland måste man göra farliga saker för att man måste.”

”Hur menar du? Det måste du väl inte? Vad är det för farligt du håller på med nu?”

”Nej, jag menade inte så.” Niklas såg Audin tio meter längre fram. Han öppnade den med fjärren. ”Men ibland borde du kanske vara mer tacksam.”

Hon slutade skramla med disken i bakgrunden. ”Vad menar du? Vad ska jag vara tacksam för?”

Niklas öppnade bildörren. Satte sig i förarsätet.

”I alla år har du tjatat på mig att jag ska sluta med krigandet, som du kallar det. Varje gång jag har varit här har du gnällt på mig. Sen när jag kommer hem för din skull, vad får jag då? Ännu mera gnäll. Du fattar inte hur många bra saker jag gjort för din skull, mamma. Det finns så mycket skit i den här stan. Kan du förstå det? Smuts som våldför sig på mitt blod. Som har våldfört sig på dig.”

Han stängde bildörren med en smäll.

”Vet du vad som skrämmer mig, Niklas?”

”Förutom insekter, duvor och höga höjder? Nej.”

”Du skrämmer mig. Du är inte som du brukade vara. Förut var du alltid hetsig och full av energi. Jag vet att du kunde bli arg då också, men du var alltid snäll. Vad är det som håller på att hända? Du pratar bara om tacksamhet, om skit som du ser omkring dig. Om att parkförvaltningen inte sköter sitt jobb för att det är så mycket råttor i Örnsberg. Du låter så konstig. Gick du till Öppenvården som vi pratade om? Hur är det egentligen, Niklas? Ska du inte ta och komma över till mig på middag ikväll? Jag köper pizza.”

Först: förvåning över hennes reaktion. Snabbt ersatt av något helt annat: indignation. Vämjelse. Öppenvården hade varit skit. Vad trodde hon? Han kände hur hans hand började darra. Kunde knappt hålla mobiltelefonen mot örat.

”Lägg av nu! Du kommer få se. Ni kommer alla att få se. Jag är inte som du. Jag är något mycket större, jag kommer göra intryck på folk. Det handlar om *impact*, mamma, att *förändra* något i världen. Och då måste man agera. Folks liv, historiens gång. Alla bara går omkring och accepterar skiten, men vem gör något åt det? Och du, du har bara varit feg."

Niklas bröt samtalet. Det fick vara nog nu. Om inte ens mamma förstod honom var det meningslöst att försöka förklara för nån.

Operation Magnum måste fortsätta. Niklas körde direkt ut till Sundbyberg.

Familjen Strömbergs lägenhet låg på andra våningen. Niklas hoppade över till baksätet. La sig ner. Placerade kikaren på magen. Tittade upp mot lägenheten genom vindrutan. Än så länge mörkt. Klockan var kvart över fem. Tur att han bytte registreringsskylt med jämna mellanrum.

Folk gick förbi utanför bilen. Fördelen med att komma så tidigt: lätt att hitta parkeringsplats. Några gånger hade han blivit tvungen att ge upp på grund av platsbrist. Fått åka till nån av de andra lägenheterna. Det störde honom – han behövde rutinerna.

I väntan på att familjen kom hem läste han sin nyfunna genre: Antimaktobalansen. Antiporr. Anti-män-som-trodde-de-hade-rätt-att-göra-vad-fan-som-helst. Just nu: *Könet brinner!* av Judith Butler. Ruskigt akademiskt men bildade honom ändå. Fick honom att inse sjukdomen i Sverige. Världen. Männen som utnyttjade styrkan. Den fysiska obalansen. Han såg det som råttor som tog chansen att suga ut människans hjärteblod bara för att de kunde. Som orenlighet ansamlad bara för att den fick plats. Skiten som smutsade ner varje centimeter av människans kropp. Invaderade blodet, muskelfibrerna, andningsorganen. Smuts. Men de visste inte vem de hade mot sig – stackars as.

Klockan sex kom sonen hem. Följde sin vanliga rutin. Knäppte på teven innan han ens tagit av sig jackan. Försvann in i köket. Kom tillbaka med en skål. Kanske mjölk och müsli. Satte sig framför teven.

Men Helene kom inte hem. Klockan blev sju. Grabben talade i telefon några gånger.

Halv åtta kom Mats-jäveln hem. Försvann in i köket. Klockan gick. Det här följde inte familjens rutiner. Mats kom in i vardagsrummet. Satte sig bredvid sonen framför teven med en öl i handen.

Sonen reste på sig, försvann ur sikte. Kanske gick han och la sig, fast det var tidigt.

Mannen satt kvar. Hinkade öl. Kollade teve.

Först vid halv elvasnåret såg Niklas hur Helene kom gående längs gatan. Han kunde redan koden till porten – den var lättspanad, bara följa folks fingerrörelser över portkodsdosan. Han hade testat den flera gånger för säkerhets skull.

Det brukade ta henne fyrtiofem sekunder upp till lägenheten.

Korrekt: fyrtiotre sekunder efter att hon gått in i porten reste Mats på sig ur soffan. Vinglade lätt. Försvann ut mot hallen.

Satan, Niklas kunde inte se vad som hände. Övervägde att kliva ur bilen, ställa sig längre upp på gatan. Få bättre vinkel, se en glimt av hallen. Samtidigt: här gällde det att agera rutinerat, inte förhasta sig, inte springa omkring och vifta med kikaren i onödan. Han stannade i bilen. Väntade.

Efter tio minuter: de kom in i vardagsrummet.

Helene gestikulerade med armarna. Mats högröd i ansiktet. Tydligt – de tjafsade.

Niklas på helspänn. Vad sa de där inne? Hur aggressiv var mannen? Han borde ha fixat trådlös avlyssningsutrustning, buggat stället rakt av.

Sen såg han det tydligt. Mats-jäveln knuffade Helene i bröstet. Hennes ansikte förvreds, kanske grät hon. Han knuffade igen. Hon tog några steg bakåt. Fick en knuff till. De förflyttade sig genom hans knuffar ut ur bild. Mot hallen igen. Nu höll det på, nu kom ett stort övergrepp: säkert, snart.

Niklas kastade sig ur bilen. Slet med sig dörrkikaren och sin Cold Steel-kniv. Mörkt ute. Gatlyktorna i vajrar mellan husen. Han knappade in koden. Ett svagt klick när dörrlåset öppnades. Slet upp dörren.

Fyra trappsteg per kliv. Avancerade – adrenalinfokuserad, attackmanövrerad. Stealth position – huggklar.

Strömberg. Keramikplatta på dörren med färgglad text i relief: Välkommen. Ljuden från deras gräl hördes vagt. Trots att Niklas varit uppe och kollat in dörren förr hann han tänka: idyllen mer förljugen än vanligt.

I övrigt tyst i trapphuset. Hörde sina egna flåsande andetag. Satte dörrkikaren mot titthålet i dörren. Där inne: Mats och Helene i fullt krig. Hon satt ner på en pall. Han: en meter från henne. Skrek. Niklas kunde höra nu när hans huvud bara var några centimeter från dörren.

"Din jävla egoist. Hur tror du det här ska gå? Om du är ute och svirar hela nätterna."

Mats tog ett kliv framåt. Helene satt med ansiktet i händerna. Snyftade. Hulkade. Grät.

Mats fortsatte gapa. Vrålade om förutsättningarna för deras gemensamma liv. Uppfostran av sonen. Städning i köket. Massa skit. Helene nonchalerade, tittade aldrig upp på honom.

Mats tog ett steg till. "Lyssnar du på mig över huvud taget? Din jävla hora." Tog tag i hennes hår. Slet upp hennes huvud. Rödgråtna ögon. Niklas kände det. Hennes skräck. Panik. Kanske visste hon vad som skulle komma nu.

Mats höll hennes hår i ett fast grepp. Hon tvingades resa sig upp. Försökte lossa hans grepp med sina händer. Han släppte. Knuffade henne in mot garderoberna. Hon tumlade, trillade, föll. Försökte resa sig. Han stod med sitt ansikte fem centimeter från hennes. Fortsatte vråla. Skällde, skrek, spottade saliv.

Hon hukade sig ner. Slet tag i sina skor.

Niklas hann knappt reagera. Dörren öppnades. Helene tryckte på lampknappen. Niklas stod som ett fån, dörrkikaren i en hårt knuten näve.

Helene ignorerade honom. Rusade nerför trapporna, fortfarande i strumplästen. Skorna i handen.

Niklas klev upp till nästa våning. Lyssnade.

Hörde Mats skrika: "Kom tillbaka nu, lugna dig."

Den militära planeringen var värdelös – Niklas kunde inte göra något.

Han väntade tills Mats stängde dörren. Gick ut till Audin. Såg Helene längre ner på gatan.

Hon gick i snabb takt, men det såg ut som hon vinglade.

Niklas följde efter.

30

Solbränd, vältränad, stark – utanpå.

Orolig, förväntansfull, nervös – inuti.

Idag skulle beskedet komma. Åsa och Thomas hade kommit hem från Gran Canaria dagen innan. Åsa sa att hon tyckte att det hade varit underbart. Men Thomas visste: oron gnagde i henne också, kanske värre än i honom.

Någon gång efter klockan ett skulle beslutet expedieras. Åsa var på jobbet.

Han gick ut för att handla vid tio. Himlen: hård och grå som betong, blek som hans eget inre. A-lagarna utanför Systembolaget dämpade sig när han klev förbi med matkassarna – de visste att han var snut. Han tänkte: A-laget måste vara så jävla bra på att snacka – det enda de gjorde hela dagarna, satt tillsammans och babblade. Social träning på topp. Kanske man borde skicka dit Ljunggren. Thomas log för sig själv – kollegan kanske var ett omöjligt fall.

Ljunggren: fick honom att sakna jobbet. Men också att tänka på allt som var konstigt. Faxen hemma hade varit överfull när han vittjat den igår så fort Åsa och han ställt ifrån sig väskorna. Minst trettio sidor från Tele2Comviq, tio sidor från en mindre operatör och över fyrtio sidor från Telenor. Bara att börja gå igenom. Organisera informationen. Arbeta strukturerat. Åsa undrade om han inte var trött av den långa hemresan: ”Den tog ju ändå över nio timmar med mellanlandningen och allt. Jag är i alla fall helt slut.” Visst var han slut, förbannat trött. Men listorna gav glöd. Nej, mer än så – listorna gav ren energi. Han ville att Åsa skulle gå och lägga sig direkt så han kunde börja jobba.

Hon hade slocknat vid niotiden. Thomas satt fyra fem timmar med listorna. Huset helt nedsläckt förutom skrivbordslampan i arbetsrummet. Prickade av numren som ringts från telefonen, kollade efter återkommande abonnemang, sökte på internet. Han fick fram namn – massor med namn.

Han ställde ner matkassarna. Öppnade dörren långsamt. Fyllde på kylen. Han packade in smöret, fläskfilén, osten, mjölken. Sistnämnda: ekologisk. Åsa envisades med det. Thomas orkade inte tjafsa, fast allt vettigt folk visste att sånt där var clowneri.

Han satte sig vid telefonen. Plockade fram telefonlistorna. Fyra nummer stod ut. Vart och ett av dem hade ringts minst tjugo gånger under maj och juni. Han tänkte ringa det med flest samtal först, trettiotre stycken bara under maj i år. Numret måste vara ett kontantkort – han fick inte upp något registrerat abonnemang i sina sökningar.

Någon svarade på andra sidan: ”Ja.”

Att bara svara ja i luren var ju skumhetstecken i sig.

”Hej, Thomas Andrén heter jag. Jag ringer från Stockholmspolisen ...”

Det klickade till i andra ändan.

Thomas ringde igen. Fick upptagettonen som ett utsträckt långfinger rätt upp i nyllet.

Nästa nummer: ringts sammanlagt fyrtiotvå gånger under maj och juni. Gick till en Kristina Swegfors-Ballénius. Det tredje var ytterligare ett okänt telefonnummer. Det fjärde var det mest uppringda numret: en Claes Rantzell.

Han började med Kristina Swegfors-Ballénius.

Relativt ung röst: ”Ja, det är Kicki.”

”Hej, jag heter Thomas Andrén och ringer från Stockholmspolisen.”

”Jaha, och vad vill du då?” Skepsisen på andra sidan linjen var tydlig.

”Det gäller en utredning som vi håller på med som rör mycket allvarlig brottslighet. Jag behöver svar på en mycket enkel fråga. Jag har en mobiltelefon från vilken du ringts en hel del gånger i maj och juni i år. Numren skiftar men i till exempel maj ringdes du arton gånger från det här numret.” Thomas läste upp ett av numren från Telenors kontantkort.

”Kan du säga det där igen?”

Thomas upprepade numret.

”Nä, jag har ingen aning faktiskt”, sa kvinnan.

Vad var det här för skit? Kristina Swegfors-Ballénius hade ju ringts över fyrtio gånger från telefonen – hon måste veta till vem numret gick. Thomas försökte höra stämningen i hennes röst. Hur mycket ljög hon?

”Du, det här gäller en mordutredning, det sa jag va? Inget vanligt jävla brott. Någon har ringt dig sammanlagt fyrtiotvå gånger. Någon med en och samma telefon som uppenbarligen byter nummer ungefär med samma frekvens som vanligt folk byter toapappersrulle. Försök minnas nu.”

Kvinnan på andra sidan harklade sig. ”Men det är ju flera veckor sen. Hur ska jag komma ihåg sånt, tror du?”

Något var fel – kvinnan ville inte ens minnas. Fientligheten för stor för att bara vara vanlig snutskepsis.

”Lyssna nu, Kristina Swegfors-Ballénius. Om du inte försöker minnas snabbt som fan, kommer jag att åka ut till dig, i Huddinge, och rota igenom din mobil personligen.”

Thomas hoppades det skulle bita – dels att han visade att han visste var hon bodde, dels hotet om att rota i hennes privatliv – egentligen fanns ingen befogenhet för något sånt. I synnerhet inte för en sjukskriven, eventuellt snart omplacerad, kanske till och med uppsagd, polisinspektör.

Det lät som kvinnan drog upp snor i näsan. Sen tystnad. Han nästan hörde hur hon tänkte. Det var klockrent: hon visste något. Till slut: ”Du, jag ska kolla lite i min mobil och så. Kan jag ringa dig om några minuter?”

Bingo.

Han kände på sig att hon skulle ringa tillbaka.

Tio minuter senare ringde Kicki Swegfors-Ballénius.

”Jo, jag har luskat ut nu vem de där numren har tillhört. De kommer från min far, John Ballénius. Fråga mig inte varför men han byter ofta telefonnummer. Jag kände inte igen dem direkt, för jag brukar klicka bort honom när han ringer.” Thomas kollade ner på listorna framför sig. Stämde med vad hon sa: inga samtal till henne var längre än någon sekund. Kicki lät på bättre humör, eller så smörade hon bara. Thomas struntade i vilket.

John Ballénius var namnet. Ett skumt efternamn, det måste vara taget. Men det var skit samma. Sannolikheten större än någonsin att ett första genombrott stod för dörren. Numret som döingen haft i bakfickan bara måste tillhöra den här Ballénius.

Första dagen hemma i Sverige började bra. Thomas hoppades på en turdag på mer än ett sätt – snart skulle beslutet om hans framtid meddelas.

Han värmde en minipizza i mikron och började steka två ägg. Klämde i sig pizzan bisarrt snabbt: mindre än en minut. En dold styrka: ingen åt så fort som han.

Även om de jävlarna skulle omplacera honom tänkte han inte ge upp. Han tänkte sköta sin egen mordutredning vid sidan om. Utan Hägerströmtönten. Utan någon. Komma tillbaka i triumf. Samtidigt i bakhuvudet en mörkare tanke: Tänk om de inte la ner förundersökningen, inte nöjde sig med omplacering. Tänk om han blev dömd som en brottsling, förlorade jobbet helt.

Googlade John Ballénius. Noll träffar. John Ballénius var tydligen ingen internetestradör. Men å andra sidan – vem fan var det? Enligt folkbokföringen. Ballénius adress: en box. Internet var värdelöst. Han behövde tillgång till polisens databaser. Men det var problem. För det första var han formellt sjukskriven. För det andra registrerades varje sökning – inte ens poliser skulle få snoka i kriminellas liv. Man var tvungen att dra sitt passerkort för att ens kunna starta databaserna och varje ord du knappade in loggades.

Trots det: han gjorde ett försök. Ringde till Ljunggren och bad honom köra en multifråga – sökning i alla registren samtidigt. Ljunggren var skeptisk. ”Fan, Andrén, vad är det här? Du ska ju bara vila upp dig hemma. Vi ser fram emot att få tillbaka dig hit.”

Samtidigt: Ljunggren visste att det ur ett perspektiv var hans fel att Thomas satt i skiten nu. Det måste utnyttjas. Thomas sa: ”Kom igen. Om du hade dykt upp som vanligt skulle jag inte ens sitta här. Gör mig en liten tjänst bara.”

”Säg inte att det har att göra med den där döingen vi hittade på Gösta Ekmans väg?”

”Kom igen nu. En enda multifråga.”

Otroligt nog: Ljunggren accepterade. Körde sökningen med Thomas kvar i luren.

Multifråga: träff i Allmänna spaningsregistret, Skatteverkets och Vägverkets databaser, Belastnings-, Pass och Misstankeregistret. Om någon var skum dök han alltid upp någonstans.

Ballénius fanns med: Fälld för misshandel och narkotikabrott en gång på åttiotalet. Extensiva spaningar mot snubben under mitten av nittiotalet. De hade trott att gubben var målvakt i massa bolag. Men han fälldes bara för några mindre rattfyllor och ett ringa narkotikabrott. Senare under nittiotalet: personlig konkurs, skuldsaneringsåtgärder beslutade år 2001. Näringsförbudet hävt samma år. Så kallade konsumtionsskulder hade uppenbarligen knäckt honom. Snubben var åter i konkurs år 2003. Vad fan höll Ballénius på med? Gubben var ordentligt tillbaka på banan igen 2006 – registrerad som styrelseledamot i sju bolag. Det blev varmt. Fel, det var en underdrift – plötsligt brändes det tokmycket. Snubben var skum. Råskum.

Dessutom: det fanns en bostadsadress på Ballénius: Tegnérgatan 46. Men det fanns inga telefonnummer.

Klockan hade hunnit bli ett. Ännu inget samtal från jobbet om internutredningens resultat. Skulle han ringa själv? Bestämde sig: om han inte hört något före klockan två tänkte han ringa.

Fem över ett ringde Åsa – ville höra om beskedet kommit än. Thomas kände sig irriterad. Det var inte hennes problem. ”Jag ringer dig, när de har hört av sig. Okej?”

Hon lät ledsen.

Klockan blev halv två. Fortfarande inget. Vilka svin alltså – låta honom vänta som en förnedrad nolla.

Kvart i två ringde det på hemtelefonen. Thomas kände igen siffrorna i displayen.

Det var Adamssons direktnummer på stationen.

”God eftermiddag, Andrén. Det här är Adamsson.”

”Ja, jag ser det. Allt väl?”

Adamsson varken hård eller stressad men stillheten i rösten avslöjade honom. Inga goda nyheter på gång.

”Allt är bra med mig. Och du själv? Hur har du haft det?”

”Åsa och jag var på Gran Canaria i två veckor. Förbannat skönt. Annars har det varit riktigt trist.” Thomas ansträngde sig för att inte låta bitter på rösten. Adamsson skulle bli hans chef igen om han kom tillbaka, och Adamsson var fienden.

”Jag förstår. Men det var rätt beslut. Starkt av dig.” Konstpaus. Adamsson fick det att låta som om det varit Thomas egen vilja att sjukskriva sig. Han fortsatte: ”Internas beslut har kommit nu.” Thomas höll telefonluren så hårt att knogarna såg vitaktiga ut. ”Det ser bra ut, faktiskt. De lägger ner. Grattis.”

Thomas kände hur han sjönk ner i fåtöljen. Andades ut. Det fanns uppenbarligen några sunda människor kvar inom polisen.

Adamsson fortsatte: ”Men polismästaren har inte sett så bra på saken. Han förordar omplacering. Och han har lämnat ett förslag också. Enheten för trafikförseelser.”

Thomas visste inte vad han skulle säga. Ett skämt. Ett hån. En jävla spottloska i fejan. Värre än så: det här handlade om yrkesheder.

Adamsson försökte låta sympatisk. ”Jag har full förståelse för att det här kan vara jobbigt, Andrén. Men se det från den positiva sidan, du slipper åtal. Jag har alltid gillat dig. Men du vet hur det är, polismästaren har inget annat val. Det är synd att det blev så här, du är en bra man. Som jag brukar säga: av gott virke, och pålitlig också. Men nu är det som det är.”

Thomas tänkte: Tack din jävel.

Adamsson fortsatte: ”Jag kan egentligen bara ge dig ett råd. Du måste lära dig att behärska dig. Jag tror du skulle fungera bättre om du förstod polisarbetets situationer på ett djupare sätt. Ibland är det rätt tillfälle att agera starkt, men ibland finns det inget behov av sånt. Tro mig, jag har varit med så pass många år att jag sett det mesta. Förhoppningsvis lär du dig en dag.”

Åsa kom hem två timmar senare. Thomas låg under bilen, pannlampan släckt. Först hade han försökt koncentrera sig på underredet. Efter fyrtio minuter la han av. Allt blev skit. Han glömde verktyg så han fick rulla ut sig fyra gånger, tappade grejer, slog sig

på armbågen. Det var inte menat att han skulle meka just då.
Dörren till garaget öppnades. Han såg Åsas ben och tofflor.
"Hej, det är jag."
"Hej, hej, jag är här under."
"Det ser jag väl. Har du fått beskedet?"
Thomas hasade ut sig. Låg kvar på rullplattan. Tittade upp på Åsa. Han hade bestämt sig. Kändes överväldigande. Stort. Men de förtjänade inte bättre, svikarkollegor.
"De la ner internundersökningen men jag blev omplacerad. Till trafikförseelser."
Hennes ansikte uppochner. Ändå tydligt – leende, avslappning. Hon pustade ut.
"Gud va skönt. Det är ju underbart. Jag trodde de skulle göra något värre."
"Åsa, det är för jävligt. Hur kan du säga att det är bra? Förstår du inte hur jag kommer att må på den avdelningen? Jag kommer att ruttna bort. Det går inte, jag måste fixa det här. Jag vet inte hur, men snälla säg inte att det är bra."
"Förlåt, men det är ändå skönt. Tänk om du blivit dömd. Jag kan inte hjälpa det."
Thomas reste sig upp. "Det är en till sak jag måste berätta."
"Vad då?" Hon såg orolig ut.
"Jag har faktiskt tackat ja till ett annat jobb. Som vaktchef. Det är privat. Helt utanför polisen."
Åsa fortsatte att se orolig ut.
"Jag kommer att ta det."
"Skämtar du med mig nu, Thomas?"
"Inte alls. Jag är helt seriös. Det är ett deltidsjobb som jag tycker verkar jäkligt spännande. Så imorgon tänker jag ringa Adamsson och säga att jag bara tar trafikenheten på deltid och att han kan köra upp sin jävla sympati i röven. Resten av tiden blir det här andra."
"Det går inte, Thomas. Det är alldeles för osäkert, tycker jag."
Thomas kände sig så trött. Orkade inte mer gräl.
Samtidigt: det här kanske var början på något nytt.

31

Värsta regnet på typ ett år fast det fortfarande var sommar. Pissade ner på stan. Smattrade mot rutan som kulspruteljud. Sjukt egentligen. Mahmud kom ihåg ljudet av kulkärvar från när han var liten. Ett släktbröllop i en förort till Bagdad. På den tiden sköt man för att man var glad, brukade pappa säga.

Förhoppningsvis hans sista körning till Shurgardanläggningen idag. Sköndal. Stället såg ut som en blandning av en riddarborg och en lada. Ett torn med en fet skylt: Shurgard Self-Storage. Our space, your place. Träkänsla i ljusrosa – egentligen var det en plåtkåk. Omgärdat av asfalt: parkeringsplats, infarter till förråden, avlastningsutrymmen. Förra veckan var det förrådet i Kungens Kurva, veckan innan Bromma. Han hade varit över halva stan, men de såg likadana ut överallt.

Mahmud diggade stället. Idén fett nice. Inget behov av att träffa juggarnas underhuggare i onödan. Det här sköttes på en strictly need to know basis, som Ratko sa. De fyllde på med grejer så fort Mahmud meddelat att han ville göra uttag. Han lämnade stash på förhand till en juggeägd närlivs i Bredäng. Juggarna smarta: satte reglerna stenhårt. Mahmud rankad som noll i deras värld. Åkte han dit skulle de säga att de aldrig sett honom eller ens kände till hans namn. Igen: upplägget tjockt snyggt – ur deras perspektiv.

Men vad skulle han göra? Skulden till Gürhan hade pressat honom. Ärligt: hans löfte till Erika Ewaldsson hade inte varit hundra procent bullshit. Egentligen ville han inte kränga sån här skit. Muskelpreparat var en grej: sånt käkade han själv så varför inte finansiera sin egen kropp med att langa lite piller. Men det här – åkte han in igen blev det en långtidssittning.

Lånat Roberts bil. Kändes skumt. En liten gullig Golf. Sportutrustad: kupade säten i grått skinn, stor navi-plus, fräscha fälgar. Inget fel på den, men tidigare körningar hade han gjort i Babaks lyxåk. Det var slut med det nu. Babak nobbade kontakt. Sen Mahmud berättat om sitt samarbete med juggarna. Babak bett Mahmud packa sina grejer och flytta. Skit – Babak en jävla grinfitta. En sharmuta.

Utomhusförråd kostade lite mer men mycket smidigare att ta sig till med bil. Du slapp ta dig in i anläggningen, slapp passera alltför många videoövervakningskameror, slapp möta för många skraja fejor. Ratko flinat när han berättat att förrådet till och med var försäkrat.

”Fattar du? Blir det inbrott får vi åtminstone tillbaka från Trygg Hansa för vårt påstådda lager av varor i balsaträ.”

Mahmud knappade in pinkoden. Fingrade på nycklarna. Händerna hala. Säkerheten god på de här ställena: pinkod, nycklar, kamerabevakning. Ändå: han kände sig svag. Blixtar för ögonen. Range Rovern med Wisam i baksätet. Varför tänkte han på sånt? En snubbe som han måste gå vidare. Släppa det som hänt.

Efter att han sålt skiten idag skulle han ju vara fri. Snart sista betalningen till Gürhan och Born to be hated-shunnarna avklarad. Tre månaders terror strax över. Behövde bara kränga de här grammen. Shit, vad chill.

De trettio pappen han fått från Stefanovic plus sköna slantar han dragit in genom gräs- och koksförsäljning de senaste månaderna betalat av nittiofem procent av skulden. Och ikväll på gymmet – dealen i princip klar med Dijma, en storkund. Så grymt soft. Då var det jalla bye till Gürhan. Fast ännu softare: adjöss till juggesvinen också – de som han varit blåst nog att hjälpa likvidera en homie från barndomen – som han slavat för i två månader, som kört honom så hårt i röven när han bett om deras hjälp. Han tänkte säga upp sig. Göra som Erika Ewaldsson rekommenderade: lägga ner olagligheterna. Bli en fri man.

Mahmud låste in påsen med skiten i omklädningsskåpet. Omslagspappret och plasten skrymmande. Stölder ingen risk på Fitness Center – skulle nån bli påkommen med att försöka baxa något här skulle de först typ klämma hans pung några vändor i magmaskinens kugghjul och sen smasha hans huvud under tre, fyra drag med lårpressens tyngder. Sen göra proteindrink av stackarn och bjuda muskelbergen på.

Mahmud klev in i gymmet. Eurotechnon malde på. Han hälsade på några tunga killar vid hantlarna. Det sköna med gym: en shunne som Mahmud behövde nästan aldrig känna sig ensam.

Idag knäböj på schemat. På andra gym: massa uppkopplade kardiomaskiner och avancerade press- och dragmaskiner designade för att isolera muskler du inte ens visste fanns. Typ sciencefictionland. Inte något fel på det, för vissa, men enligt Mahmud låg nyckeln till tillväxt i basövningarna. Alltid med fria vikter. Och kungen av alla fria övningar självskriven – knäböj.

Många surrade på om att knäböj orsakade ryggpaj och problem. Mahmud visste bättre: orsaken till ryggont var inte övningen i sig, utan dålig teknik. Lösningen enkel för alla med hjärna. Mahmud hade läst på, snackat med de andra på Fitness Center. Istället för att börja rörelsen vid höfterna skulle man göra som styrkegurun Charles Poliquin alltid sagt – börja knäböjen med knäna.

Han älskade övningen. Och snart skulle han kliva på sin kur – då skulle det bli ännu bättre. Han satte fyrtiofem kilo på vardera sidan av stången. Började manövern, böjde långsamt knäna. Höften rörde han bara när det behövdes för att upprätthålla balansen under nergång. Han tänkte köra tre gånger tio. Han morrade, spottade, fräste mellan tänderna. Kände blodkärlen pressas till max. Ögonen nästan poppade. Abbou – så skönt. Tänkte bara på lyften, rörelsen, böjningen av knäna. Inga dåliga minnen, inget dåligt samvete, ingen dålig karma.

På kuren skulle han orka ännu mycket mer. Och shit, vad han skulle växa. Med ordentlig disciplin skulle han gå upp tio kilo. Injicera systanol och dubbeldekare. Ampullerna kändes overkliga men Mahmud var så glad att han inte var spruträdd – kanylerna stora som McDonald's-sugrör. Sen skulle det bli lite Winstrol för att driva ut vätska, han ville ju inte se ut som en ballong.

Det fanns små nackdelar också. På gymmet sa de att njurarna kunde ta stryk. Men han skulle bara köra i åtta veckor.

En timme senare: Dijma med en gripper i handen. Dijma: köparen med stort k som aldrig kritade – alltid cashade. Dijma; albanen som inte tränade så mycket men sålde desto mer skit. Alltid med grippern intensivt pressad. Tummarnas muskler stora som tennisbollar. Snubbens lillfingernaglar var långa som på en porrstjärna.

Mahmud diggade honom, riktigt skön lirare. Klädd i klassisk gymklädsel: mjukisbyxor och långärmad tröja, munkjacka med dragkedja. Kollade sig omkring. Ingen i närheten. Fredagskväll – gymmet halvtomt vid den här tiden på dygnet.

Mahmud la ner hantlarna. ”Stickan, sluta träna runkmuskeln nu och kör lite vikter istället.”

Dijma flinade. Hierarkins regler: Mahmud större, Mahmud satt på varorna. Mahmud levererade. Alltså: Dijma garvade åt vad Mahmud än sa.

På taskig svenska: ”Du har grejerna med dig?” Dijma uppenbarligen stressad idag.

”Absolut. Femtio, i ett paket.”

”Men fuck alltså, ni skulle ju dela upp.”

”Lugna dig. Dela upp får du göra själv. Det är inga problem.”

”Okej, okej, och priset?”

”Nio hundra pesetas.”

”Pesetas?”

”Kronor alltså, fan är du trött idag?”

”Nio hundra kronor? No way. Åtta hundra.”

”Nio hundra har vi kört med varenda gång de senaste månaderna. Så kom inte och ändra nu.”

”Pris ändras. Och ni inte delat.”

Dijma sa det som om det vore värsta nationalekonomiska självklarheten. Mahmud diggade inte tjafset.

”Vad är det här för skitsnack. Nio hundra är dealen.”

”Åttahundrafemtio, ingen krona mer.” Dijma var kaxigare än vad som var bra för honom.

Mahmud borde inte acceptera stilen. Ändå: han behövde cashen desperat.

Hans uträkning: sålde han femtio gånger åttahundrafemtio kronor grammet blev det fyrtiotvåtusenfemhundra. Mahmuds avans: tolv lakan. Räckte inte för sista avbetalningen på femton till Gürhan. Han behövde nio hundra grammet. Annars var det kört.

Mahmud tog ett steg framåt.

”Dijma, nio hundra kronor är priset. Vi kan förhandla nästa gång, då ger jag dig åtta hundra. Men idag är det nio hundra kronor. Förstår du?”

Dijma körde några tag med grippern. Mahmud släppte inte blicken.

Albanen nickade. ”Okej idag. Nästa dag åtta hundra.”

Grymt. Dijma måste vara stressad för något, albanen hade gett sig för lätt. I vanliga fall kunde det nästan ha blivit ds, dålig stämning, av en sån där grej. Men inte idag, och det var inte Mahmuds problem – här skulle firas.

De gick ner i omklädningsrummet. Satte sig bredvid varandra på bänken. Mahmud räckte över påsen med skit. Dijma in på toaletten för att testa av. Mahmud med högre röst: ”Litar du inte på mig eller?” Albanen svarade inte. Kom ut trettio sekunder senare, tummen upp, sköt över en plastbunke som det stod Creatamax 300 på – i vanliga fall muskelbyggarmilkshake. Idag: deg. Mahmud körde ner handen. Kände sedlarna.

Helt tjockotroligt. Inom några timmar skulle Mahmud höja sin rankningsplats i Stockholm. Bli av med Gürhansvinen. Säga upp sig hos juggeasen. Bli sin egen. Rocka rätt ut.

Klockan halv tolv, en fredagskväll i Stockholm: folk betedde sig som om de gick på speed. Väntat hela veckan på att få gå ut plus att det fetregnat hela dagen. Men nu: regnet slutat – sommaren var här igen. Kanske sista chansen för den där sköna utomhusfyllan, sommarknullet, weedupplevelsen. Raggarbilarna var på väg ner längs Sveavägen för att köra runt, runt, hänga ut med armbågarna genom nervevade fönster och vara så suedi som en svenne bara kunde bli. Kidsen på väg från ställena i Vasastan som snart skulle stänga. Uppdrag: ta sig ner till Stureplan och försöka få lite glamourfeeling. Mahmud: på väg till friheten.

Bar träningsbagen över axeln. I den: fyrtiofem tusen cash i en behållare som innehållit jordgubbssmaksatt kreatinpulver. Trettio papp skulle återbetalas till Robert, för utlägget till juggarna. Resterande femton skulle till Gürhan. Det var inga jättepengar, det var klart. Men det var Mahmuds nyckel till frihet.

Han gick ner mot stan. Pillade i fickan. En redlinepåse, en femma. Ställde sig i en port. Plockade upp en cigg. Skruvade den mellan tummen och pekfingret. Tobaken lösgjordes och föll i hans hand.

La upp weeden på papper, blandade med tobaken från ciggen. Slickade. Rullade. Brände utanpå några gånger med tändaren för att skiten skulle torka. Tände spliffen. Tre djupa puffar. Rökringar i porten. Avslappnad känsla.

Det här skulle bli en fet kväll.

Robert satt i Golfen och väntade utanför kebabstället nästan uppe vid Hötorget. Feta dunka-dunkat hördes på flera meters avstånd.

Robban smajlade. Mahmud smajlade bredare. Hoppade in på passagerarplats.

Mahmud frågade, ”Du vet att Fat Joe är kines, va?”

Robert rivstartade bilen. ”Han är fan inte kines. Han är indian.”

”Indian? Har du inte sett hur han ser ut? Blandning av zinji och kines. Walla, jag svär alltså.”

Robban lutade huvudet tillbaka. Garvade.

Gjorde u-sväng mitt på Sveavägen. Tryckte gasen i botten. Ner mot Norrtull. Knappt någon trafik. Svängde upp på Essingeleden. Söderut mot Södertälje.

Robert bytte spår på stereon. Värsta sköna Mellanösterndraget. Mahmud gillade rap och r&b men en schysst slinga av någon libanes knäckte det mesta.

Robert sänkte volymen. ”Du, varför är Babak lack på dig?”

Mahmud visste inte vad han skulle svara.

”Äh, jag vet inte. Det är mellan oss.”

Robert sa: ”Men ni kan väl ta ett surr med varandra?”

Mahmud orkade inte dra in Robert i det här, risk att han inte skulle greppa – reagera som Babak. Ändå: hela grejen kändes risig. Babak hängt med länge.

”Det är soft. Men jag pallar inte med Babak just nu bara.”

Robert frågade inte mer.

De körde under tågbron. Södertälje station. Svängde höger. In mot stan. Över kanalen. Mahmud guidade. Varit där många gånger förut. Diggade stället: det närmsta en blattestyrd stad man kom utan att det kändes som bortglömd slum.

Stället: Carwash, City & Södertälje. Rekonditionering. Reklamen utanför: *Oslagbara priser och tillgång till lånebil!* Robert parkerade. Böjde sig bakåt, letade efter något på golvet vid baksätet. Tog upp ett rattlås. Hängde på det och låste.

”Det här är Södertälje vet du, varannan unge som föds här är fotbollsproffs och varannan biltjuv.”

En metalldörr bredvid garageporten. De ringde på. Det hade precis blivit mörkt ute.

Mahmud kände efter butterflyen i bakfickan.

Bzzz-ljud. Klick i dörrlåset. Mahmud öppnade. Betonggolv. Ditecskyltar på väggarna. Reklam för underhållsprodukter, bilvårdspaket, utrustning, polermedel och vax.

Mahmud såg sig omkring. Tomt på folk.

En röst från kontorsutrymmet: ”Den lille araben. Hur mår du idag?”

Daniel kom fram ur skuggorna. Bredvid honom stod en jättesnubbe. Daniel: som en dvärg i jämförelse. Mahmud sett många stora killar i sina dar. På Fitness Center, på K1, i betongen, kåken. Snubbar som sket på sig varje dag under bänkpressen bara för att få nackar som inte ens var hälften så breda som biffen som stod bredvid Daniel nu. Killen var i samma size som ryssen på K1-galan.

De klev in i kontorsrummet. Ett skrivbord, en skrivbordsstol, två fåtöljer. Mittuppslagsbrudar på väggarna.

Gürhan satt i kontorsstolen. Mötte Mahmuds ögon.

“Välkommen.” Rösten lät oskyldig. Hans ögon var döda.

Ingen stol för Robert och jätten, de fick stå i bakgrunden.

Daniel la upp en dosa med två sladdar och antenner på skrivbordet. Mahmud hört talas om såna på kåken. Någon slags antiavlyssningspryl. Störde aina om de eventuellt buggade lokalen. Varför pådraget? Varför jätten i bakgrunden? Varför var Gürhan med över huvud taget?

Daniel sa: ”Har du cashen eller?”

Mahmud ställde upp burken på bordet. Öppnade locket. Lukten av godis. Tog upp de femton tusenlapparna. Vände sig till Gürhan.

”Jag vet att jag fuckade upp det. Losade din Winstrol. Men nu har jag betalat tillbaka varenda öre plus er ränta. Hundra procent. Jag har betalat rubbet.”

Han gömde händerna under skrivbordet. Svettades som i värsta bastun.

Daniel fortsatte svara istället för Gürhan. ”Nej, vi är inte överens. Du har strulat hela tiden. Kommit för sent. Gnällt som en jävla hora.”

Mahmud stirrade på honom. Vek inte med blicken en millimeter. Hjärtat dunkade värre än Fat Joes basgångar. Sen: han nonchade Daniel. Vände sig till Gürhan igen. ”Bullshit. Jag har betalat. Och jag har betalat dubbel ränta. Med de här femton tusen flosen är vi klara med varandra.”

Daniel började jiddra igen. ”Knip nu. Du snackar inte så där till Gürhan. Vem tror du att du är? Stick härifrån. Vi vill inte ha dina smutsiga arabpengar.”

Robert tittade på Mahmud. Händerna i fickorna. Orolig. Kanske greppade han lika hårt om sin kniv som Mahmud ville göra om sin. Jätteshunnen tog ett steg fram.

Daniel reste sig upp.

”Stick säger jag! Ta med dig din äckliga godisburk.

Robert kollade på Mahmud igen. Stressen syntes tydligt. Mahmud satt kvar. Blicken kvar på Gürhan.

”Han kallar mig inte gay en gång till. Vi är klara med varandra nu. Jag har betalat allt ni ville ha.”

Tystnad.

Gürhan mötte Mahmuds blick.

Mahmud upprepade: ”Vi är klara med varandra.”

Daniel ballade ur. ”Säger du ett ord till sparkar jag in pannan på dig.”

Då: Gürhan höjde handen. ”Sätt dig ner.”

Daniel vände sig om. Förvånad. Oklart vem Gürhan talade till.

”Sätt dig, sa jag.” Han vände sig om till Daniel.

Daniel försökte protestera.

Gürhan upprepade: ”Sätt dig.”

Daniel satte sig ner. Jätteshunnen klev tillbaka mot väggen.

”Han har betalat vad han ska.”

Mahmud trodde knappt det var sant. Reste på sig. Robert andades ut ljudligt i bakgrunden.

Gürhan sa: ”Vänta.”

Mahmud vände sig om. Gürhans ansikte fortfarande helt neutralt. Han sa: ”Mahmud, ta hand om dig.”

Stråkmusik. Hollywoodavslutning. Äntligen lite flyt.

32

Måndag. Niklas vaknade vid åtta trots att han inte kommit i säng förrän klockan fyra. Han hade varit hos en läkare igår – lurat till sig en sjukskrivning. Kollade igenom filmerna från förra natten en gång till. En kamera hade slutat filma klockan elva. Niklas hittade den på marken nedanför det träd där den suttit uppskruvad. Det var inte omöjligt att någon sett den, slitit ner den. Bara det inte var snubben som skulle övervakas. Niklas behövde tid – fick inte bli upptäckt, väcka misstankar. Operationen var skör nog som det var.

Trots det: han hade sett tillräckligt. Mats Strömberg skulle få sitt straff. Operation Magnums första offensiv i inledningsfasen. Niklas planerade, la upp anfallsstrategin. Tänkte på Collin och de andra nere i sandlåndan. Han försökte gå igenom familjens rutiner om och om igen. Insåg: han visste inte tillräckligt om svinet. Behövde punktbevaka honom några dagar till.

Dagen rullade på. Han knaprade nitrazepam, åt yoghurt. Läste en bok om Valerie Solanas av en svensk tjej som hette Sara Stridsberg. Hon tänkte som han även om själva boken var jobbigt skriven. Men idén var rätt. Scum – Society for cutting up men – ett manifest för handling löste problemen bättre än massa patetiskt tänkande.

Vid sextiden skulle han träffa Benjamin. Övervägde att ställa in. Samtidigt: Benjamin hade lovat fixa en vapenkontakt. Det behövdes.

Några timmar kvar: han läste, strukturerade informationen om de olika männen, deras rutiner, mönster, beteenden mot sina fruar, sambos, flickvänner. Det var bara maktutövning. Kärnfamiljen var en sluten värld.

Han surfade runt på nätet. En ny grej – Niklas hittat hemsidor där människor delade hans åsikter. Feministchatter där inläggen speglade hans känslor. Hatet. Drivet. Jakten. På de skyldiga. Männen.

Det ösregnade ute. En känsla av renhet. I alla länder han krigat var regnet en välsignelse. Ofta hade paramilitära styrkor, stödförband, gerillamän som stridit på samma sida som Niklas stannat upp någon halvtimme, till och med mitt i offensiver, för att be till sina respektive gudar. Tacka för regnet, för att marken åter kunde blomma, bära fram grödor. Be för framgång i striden. Inshallah.

Därför kändes det sunkigare än vanligt att komma in på Friden.

Benjamin satt redan vid ett bord. Blöt i skägget. Under bordet, Arnold hans dogg. Reste sig när Niklas klev närmare. Viftade slött på den korta svansen. Men ögonen, Niklas mötte blicken. En lågintensiv glöd.

Han beställde en Cola Zero.

Benjamin kommenterade: ”Har du blivit ett sånt där hälsofreak medan jag tittade bort?”

Niklas ville inte dricka alkohol. Om två timmar skulle han tillbaka till Sundbyberg, bevaka familjen Strömberg i allmänhet – den så kallade husfadern i synnerhet.

”Nej, men jag såg en när jag kom hit, det verkar ligga ett sånt där Hare Krishna-ställe här.”

”Åh fan, ska jag bussa Arnold på dem?”

Garvpaus.

”Har jag sagt att jag ska börja träna honom för hans första fight?”

”Är han kuperad?”

”Ser du inte det?”

”Jo, men det är ju förbjudet.”

”Lägg av. Arnie är importerad från Belgien. Där har de inte såna där sjuka regler.”

”Okej, och hur går träningen?”

”Det finns en snubbe som föder upp såna här i Stockholm. Han har lärt mig en hel del knep.” Benjamins ögon glittrade. ”Man ska svälta hunden och låta den spana in löpande tikar utan att han får röra dem. Sen binder man benen, sätter en hållare över kuken så hunden inte kan shpritza, sprejar buren full med mensblod från tikarna, hetsar den till bristningsgränsen. Arnold kommer vara tokigare än en Tyrannosaurus Rex.”

Niklas tittade på Benjamin som om han inte kände honom. Tänkte: Du är sjuk.

Han frågade om Benjamin fixat kontakten. Benjamin smajlade, nickade. Såg nöjd ut. Sköt en hopvikt post-it lapp över bordet. Niklas vecklade upp den: *Black & White Inn, Södermalm. Lukic. Måndag kväll.* Benjamin kluddrat en pistol längst ned på lappen. Snubben var så barnslig.

Niklas sträckte fram armen. Skakade Benjamins hand. ”Det här glömmer jag inte.”

De snackade vidare. Benjamin tjatade på om Arnolds potentiella framgångar, brudar och affärsidéer. Han hinkade öl. Niklas kände sig stressad. Han måste gå om tio minuter.

Benjamin tog upp Arnold på platsen bredvid honom. Hundens tunga: som bacon ut genom munnen.

Niklas övervägde. Borde han stanna bara för att hålla Benjamin på gott humör? Snubben hade ju ändå gett honom en vapenkontakt. Dessutom: gjort honom en tjänst när polisen frågat efter vad han gjort den där kvällen i somras. Samtidigt: han måste iväg. Operationen viktigare just nu.

På väg ut till Sundbyberg. Niklas hade för många idéer samtidigt. Hans mål var klart. Att bli en människa som gjorde avtryck. Men han behövde resurser. Offensiven krävde cash. Tanken växte. Kanske kunde han använda Benjamin till något.

Så många föds som aldrig gör avtryck. Personer som lika gärna aldrig kunde ha fötts. Vem skulle ha brytt sig hundra år senare om de upphörde att existera innan de ens kom till jorden? Vem skulle ha brytt sig om någon såg till att de försvann från jorden?

Att göra något med Benjamin. Kanske en möjlighet. Men det fanns problem av magnitud: Benjamin var inte av rätta virket. Hur många kamphundar eller tuffa tatueringar han än skaffade: en pussy.

Niklas behövde någon annan. Någon som skulle palla att faktiskt genomföra det han tänkte sig. Men vem kände han? Han tänkte på hemsidorna han besökt de senaste veckorna. Feministfolket. Kanske kunde han hitta någon där?

33

Formellt hade han fått tillbaks tjänstevapnet. Men på den här avdelningen bar ingen vapen. Thomas bar sitt ändå. Kändes ovant med pistolens tyngd i fickan. Kavajen hängde liksom snett, fick honom att rätta till den hela tiden. Beväpnad, men utan uniform, som civilspanarna måste känna sig jämt. Fast med en gigantisk skillnad: han var inte i sån tjänst.

Jobbet på Enheten för trafikförseelser var nästan tristare än hans två månader i väntan på beslutet. Människorna på avdelningen var som töntarna i skolan när han varit barn. Eller snarare, de här snubbarna var antagligen samma mesar, fast tjugofem år senare. Sånt förändras inte, töntar var töntar. Garvade åt tråkiga ordvitsar, berättade om vilken mat de lagat åt sina fruar kvällen innan, gick igång på hur dålig kvalitet det var på de nya ringpärmarna i plast. Enheten låg i Farsta. Thomas brukade gå ut ensam på lunchen: ta en burgare eller kebab.

Men den här natten skulle något hända. En ny erfarenhet i livet. Från klockan nio till sent: hans första uppdrag för juggebossen, mister Kranjic. Ordningsvaktskontroll. Utkastaransvar. Nerlugnarjobb. Skulle någon bli strulig/våldsam/osedlig – hans grej att fixa situationen. Hårt kroppsarbete var hans specialitet.

Han tänkte: Enda nackdelen var att stället som han skulle bevaka råkade vara en strippklubb. Inte så att han hade något emot strippklubbar. Man hamnade ju på såna ställen ibland. Hannu Lindbergs svensexa, efter en personalfest för fyra år sen, tillsammans med några gubbar från skytteklubben när de varit på tävling i Estland. Han gillade grejen. Sitta med en drink i handen och kolla in hur brudarna svängde på höfterna, putade med läpparna, snurrade runt stången. Lättade på bh:n, lät strumpebanden långsamt knäppas upp, trosorna falla till golvet. Lapdansade för den som dricksade. Det var läckert, avslappnat, förbannat kul. Aldrig lika snyggt som på nätet men verkligheten var ju alltid full av skavanker. Ett strippbesök då och då kunde vara en krydda i tillvaron. En liten guldkant i brallan.

Så när han kom till klubben – mixade känslor: äckel och kåthet. Dessutom kändes det som han var otrogen. Trots att det inte funkade i bingen med Åsa – hade han lovat sig själv, sånt gör jag inte. Det var inte han helt enkelt – porrsurfandet fick duga. Han intalade sig själv: strippklubben var inte otrohet.

En annan grej var förvirringen i att vara på andra sidan. Han hade varit snut i tolv år.

Samtidigt: tjejerna var där, så nära. Inte bara fixade bilder på en skärm eller dansande gudinnor på en scen som du som mest fick nypa i rumpan. Utan på riktigt. Så smala, lättklädda, fnittriga. Så enkla att få. Så lätta att ta. Han kände det så fort de dök upp vid halv tiotiden. De sprang ut och in ur omklädningsrummet med sina mobiler eftersom det inte fanns täckning där inne, vissa bara klädda i showkläder. Tajta lår, lyfta tuttar, inbjudande skrattgropar. Han råstirrade som värsta fula gubben.

Det var bisarrt, samtidigt härligt. Tänk om Ljunggren eller Lindberg skulle se det här. Avundsjuka som kåta kaniner. Tänk om hans chefer fick nys om det här extraknäcket. Tänk om Åsa fick reda på vad han gjorde. Stopp – den tanken sket han i att tänka.

Thomas skulle stå placerad vid entrékassan. Två andra snubbar på stället: en juggesnubbe, Ratko, inne i lokalen, kring scenen. Den andra killen, Andrzej, en polack eller något, ute vid entrén tillsammans med Thomas.

Andrzej körde hårda, störiga stilen. Testade, provocerade. När Ratko presenterade Thomas, frågade han: ”Vad gör *du* här? Är inte du snut?”

Ratko bad honom lugna sig. Thomas sa ingenting. Bara tittade rakt fram.

En tjej med asiatiskt utseende satt i kassan, Belinda. Hon försökte konversera. Thomas fåordig. Höll sig på sin kant. Brydde sig varken om henne eller polacken. Han skulle bara göra sitt jobb här ikväll. Lugnt och försiktigt.

De första timmarna var det dött på stället. Tre fyra män per timme gled fram till kassan. Vissa talade tyst. Försökte att inte dra uppmärksamhet till sig. Thomas tänkte: Ni är ju redan här så det är ingen som tror att ni råkat gå vilse direkt. Andra stimmade mer. Skämtade med kassörskan om inte hon skulle dra en show senare, undrade om hon inte kunde rabattera just för honom som var stamkund, frågade henne vad hon skulle ha för en timme bara suga.

Belinda vände sig till Thomas.

”Har Ratko gått igenom med dig vad som gäller här?”

Thomas skakade på huvudet.

”Alltså, de flesta kör bara sin show med tillbehör. Du vet lite spret och en lapdans. Tillåter kanske en smisk i baken och slick på bröstet, men inte mer. Men vissa gör annat också. Lite rajtantajtan, om du förstår vad jag menar.”

Thomas fattade. Han hade varit snut längre än den där tjejen haft lökar.

Vid elvatiden höjdes musiken inne i lokalen. Ratko byttes av. En snubbe som hette Bogdan dök upp.

Thomas kunde inte se in. Röda svängdörrar skilde entrén från showrummen. Ville han se in? Ja. Nej. Ja.

Andrzej och Belinda babblade på med varandra. Skämtade, garvade. Diskuterade senaste avsnitten av någon teveserie, priserna på bostadsrätter i stan, vilka av tjejerna på klubben som hade äkta tuttar. Andrzej påstod att han alltid kunde identifiera.

Det strömmade in mer snubbar. Tjugo trettio stycken.

Thomas lutade sig mot väggen. Tänkte på sin egen utredning.

En dryg vecka hade gått sen han ringt John Ballénius dotter. Fått Ljunggren att köra en multisökning på gubben. Beställt passbilder. Tyvärr fanns inget telefonnummer som verkade fungera. Men han hade en adress. Tegnérgatan. Thomas hade tagit sig dit både söndag kväll och måndag kväll. Testade också tisdag och onsdag morgon och kväll. Bad Jonas Nilsson, en före detta kollega som numera jobbade i Citygruppen, att ta sig en vända förbi och ringa på Ballénius dörr mitt på dagen på torsdagen. Ingen var hemma. Antingen var snubben utomlands, arbetsnarkoman eller död.

Thomas försökte ringa på de olika abonnemangsnummer som Ballénius haft under de senaste månaderna. Samtliga abonnemang var avslutade, hänvisning saknades. Han testade de mest uppringda numren igen. Personen på andra sidan klickade bort honom precis som förra gången. Det var ett kontantkortsabonnemang så Thomas visste inte vem numret gick till. Det näst mest ringda numret gick till dottern som han snackat med tidigare. Den tredje mest uppringda personen visade sig vara en pizzeria på Södermalm. De hade ingen aning om vem John Ballénius var. Det fjärde numret gick till en man med riktig alkisröst som gjort lite affärer med Ballénius, som han sa. När Thomas började ställa frågor la han på.

Så Thomas bestämde sig för att ringa henne igen, dottern, Kicki. Hennes svar var klart: ”Jag har ingen aning om var min farsa håller hus. Vi har inte haft ordentlig kontakt på över sju år, fast under de senaste månaderna har han ofta försökt ringa mig. Jag la på så fort jag insåg att det var han. Men det har vi ju redan pratat om.” Hon lät ärlig. Thomas frågade var hon trodde att han skulle ha hållit hus om det här varit för sju år sen. Kicki tyckte gubben borde vara hemma på Tegnérgatan. Annars visste hon inte.

Men gubbjäveln var ju inte hemma. Thomas – ingen kriminalare, men hur svårt kunde det vara att hitta en skum femtioåring i Stockholm? Då slog det honom, Ballénius kanske var mer känd än han förstod.

Thomas kontaktade Jonas Nilsson igen. Gav honom lite info om Ballénius som han fått från multifrågan i registren. Bad Nilsson kolla upp om han eller någon annan i Citydistriktet kände till något mer. Han återkom efter två timmar. Flera gamla polisrävar hade bara garvat när han frågat runt på lunchen. John Ballénius var en klassiker i fiffelkretsar. Som Thomas misstänkt.

Nilsson berättade mer. Ballénius var notorisk spelare. Poker, sportsbetting, hästar, allt. Gubben hade till och med häckat på spelklubben Oxen på Malmskillnadsgatan på den tiden det begav sig. Thomas kände till stället, ökänd svartklubb på åttiotalet. Massa skriverier om Oxen: det hade varit tillhåll för Christer Pettersson – han som majoriteten av Sveriges befolkning trodde hade mördat statsminister Olof Palme.

Polisrävarnas bästa tips var att söka Ballénius på Solvalla eller kasinot.

Thomas började på Valla. V75. Skyltar annonserade överallt: dagens extra krydda, Jubileumspokalen. Det var en av de största travhändelserna på året. I informationsbroschyrerna konstaterande man att alla med minsta faiblesse för trav borde vara där. Så det var självklart att Thomas borde vara där. Förhoppningsvis kände Ballénius likadant.

Vädret var strålande. Proppat med folk utomhus – oron över att regnet skulle återkomma var lika bortglömd som växthuseffekten på en motormässa. Stojig atmosfär med spänning i luften. Reklam för Agria djurförsäkringar tapetserade området. Varmkorv, öl och bongar i allas händer. Högtalarna ropade ut dagens kommande lopp. Snart skulle det börja.

Thomas trodde inte Ballénius höll till på utomhusläktaren. Han tänkte börja kolla i byggnaden. Den var stor, glasfasader, säkert hundra meter lång. Fyra våningsplan, men varje våning var som en egen läktare.

De olika våningsplanen hade olika klass. Längst ner i jättebyggnaden: Sportbaren Ströget. Skröt med fullständiga rättigheter. Storbildsskärmar som visade banan bättre än du såg från ståborden. Kall pilsner, korv, burgare med hundra procent nötkött. Klientelet: mest yngre folk. Svenska killar i jeans och t-shirt med plånböckerna upplangade på bordet. Några av deras brudar, tjejer med håret uppsatt i en liten boll uppe på huvudet. En del barnfamiljer. Utanför: ordningsvakter.

Thomas litade på sin magkänsla. Om Ballénius var här, så hängde han inte på det här våningsplanet.

Högtalarna basunerade ut dagens specialevenemang. "Som ni alla vet blev Björn och Olle Goops Conny Nobell Elitloppsvinnare förra året. Men familjen Goop fick aldrig segerdefilera här inför vår publik. Vi på Solvalla vill därför uppmärksamma Elitloppssegern. Välkomna ut på banan Björn och Olle Goop!"

Nästa plan hette Bistron – enklare brickservering med borden i olika nivåer. Utsikt över banan. Kostade ändå femtio spänn bara att gå in. Thomas visade upp polislegitimationen för entrévärden som frågade om det hänt något. Thomas skakade på huvudet. Visade upp kopian av passbilden på Ballénius. "Nej, nej. Men vi letar efter en man. John Ballénius, känner du till honom?" Entrévärdens tur att skaka på huvudet. Killen var ung, kunde inte ha jobbat länge på Valla. Rekommenderade Thomas att fråga restauranganansvarig spelchef idag, en Jens Rasten. Thomas klev fram till disken, frågade en serveringstjej om Rasten. Hon försvann in i köket. En ljushårig man med ölmage kom ut.

Lätt dansk brytning: "Hej, du är från polisen förstår jag. Jag är Jens Rasten, ansvarig för Bistron. Hur kan vi hjälpa till?"

"Ledsen om jag stör en så här hektisk dag. Jag söker en person som heter John Ballénius. Känner du till honom?"

Rastens ögon tittade först ner på fotokopian, sen snett uppåt. Såg ut att tänka hårt. I bakgrunden hurrarop. Gooparna slutförde sin defilering på banan.

"De är fantastiska familjen Goop", sa Rasten.

Irritation i Thomas. Vad snackade dansken om?

"Ja, men jag frågade om John Ballénius."

"Förlåt. Jag känner inte honom. Men kolla med han där borta, Sami Kiviniemi. Han har hängt här varje tävlingshelg så länge jag kan minnas. Han känner alla."

Thomas kände sig trött. Vad var det här för fånig lek? Hur många skulle han behöva fråga idag? Antingen kände de väl till Ballésnubben eller så var han inte här. Punkt slut. Ändå gick han fram till Kiviniemi.

I Thomas ögon: snubben såg ut som karikatyren på en finnpajsare. Ljust getskägg, solglasögon med spegelglas, ett snett leende med en saknad framtand, på huvudet en keps med Mercedes Benz-logotypen, en Solvallapåse i ena handen. Han var klädd i fleecetröja fast det var augusti.

Sami snackade travtugg med en annan kille.

Thomas orkade inte spela artig. Knackade finnen på axeln. Höll upp polisbrickan med ena handen och bilden på John Ballénius i den andra. ”Vet du vem den här liraren är?”

Samis ögon flackade. Kanske var det förvåning, kanske oro.

Han tog passkopian i handen. ”Javisst, det är Johnny.”

Thomas ryckte till.

”Men honom hittar du aldrig här på Bistron. Om han är här idag, vilket han borde vara, är han på lyxstället, där uppe, Kongressen. En riktig glidare den där Ballénius alltså. Riktigt hal. Vad har han gjort?”

Thomas: redan halvvägs uppför i rulltrappan. På väg till översta våningsplanet. Hjärtpuls som efter ett träningspass.

Han kom upp. Tittade ner över Kongressen Bar och Restaurang: à la carte-restaurang där borden stod på läktare mitt för mållinjen. Vita dukar, heltäckningsmatta, låg musik i bakgrunden, platta tv-skärmar och blanketter för V65, V75 och tvillingraketen vid borden. Majoriteten: herrar i femtio- sextioårsåldern. Förväntansfull stämning i lokalen. Dagens första lopp skulle starta om två minuter.

Entrévärden hänvisade honom till hovmästaren. Som tittade igenom sin bokningslista. Javisst, John Ballénius hade bokat sitt turbord idag. Nummer hundraarton.

Thomas gick mellan borden. Han spanade in stället i ögonvrån: folk med egna bärbara datorer som verkade skita i utsikten, fyrtioåriga kvinnor med hesa skratt, pennor och bettingblanketter, mer reklam för Agria djurförsäkringar. På några bord: hinkar för champagne. Vissa verkade redan veta att de skulle fira.

Bord hundraarton: fem meter längre fram. Han såg honom, kände igen honom från passfotona, det måste vara han – Ballénius. Han satt med tre andra: två kvinnor och en flintskallig man. Ballénius såg lång ut, ganska tunn. Enligt bolagsregisterutdragen borde han vara femtiosex år gammal. Slitet ansikte, djupa fåror i pannan, skrattrynkorna skar över kinderna som sprickor. Fast det fanns inget skratt i det ansiktet. Thomas hade nästan aldrig sett en person med så grått, urholkat, sorgset utseende.

På bordet stod tallrikar med varmrätter, vinglas, en halvfull vinflaska, två flaskor öl och blanketter, broschyrer och foldrar, miniräknare, pennor, mobiltelefoner. Kvinnorna såg uppiffade ut, stiligare än han väntat sig från Ballénius. Det som förstörde intrycket: en av dem hade en påse från lågpriskedjan Willys istället för handväska bredvid sig.

Thomas klev fram. Flashade polisbrickan.

Såg tydligt John Ballénius panikslagna blick.

”Hej John. Skulle jag kunna få ställa några frågor till dig?”

Ballénius blick ofokuserad. Tittade någon annanstans. Sen nickade han.

Kvinnorna såg frågande ut. En av dem undrade om inte Thomas kunde vänta till efter loppet. Den flintskallige gubben verkade inte bry sig. Ballénius reste på sig. Gick före Thomas.

De gick upp bland borden. Ut till spelbåsen. Helt tomt där uppe nu. Loppet skulle börja om trettio sekunder.

”Vad vill du mig?” frågade Ballénius, fortfarande utan att se på Thomas.

”Vad bra att jag fick tag på dig. Det gäller ganska allvarliga grejer. Ett mord.”

Ballénius såg låtsasförvånad ut. ”Åh, fan. Men vad vill du *mig*?”

Thomas förklarade snabbt. Att de hittat ett nummer i en mördad persons bakficka. Att numret troligen gick till ett abonnemang som Ballénius tidigare haft, vilket kontrollerats med hans dotter. Gubben lutade sig mot väggen. Det hördes skrik och påhejningar nerifrån Kongressen. Loppet hade börjat. Han tittade någonstans bortom Thomas.

Snubben: ashispig. Det här var inte ultimat på något sätt. I en riktig utredning hade man ju tagit in Ballénius på förhör upplysningsvis. Men nu körde Thomas sitt eget race.

”Så, nu vill jag veta om du vet vem den döde är.”

Johns blick snuddade vid hans ögon. ”Var sa du att ni hittade honom, sa du?”

”Gösta Ekmans väg 10. Det ligger i Axelsberg.”

”Jaha.” Ballénius sorgsna ansikte förvreds. I den mån det var möjligt såg det ännu mer knäckt ut än innan.

”Vet du vem det kan vara?”

”Inte en aning.”

”Känner du till adressen?”

”Nej, det tror jag inte.”

Thomas kände sig stressad – det här var så långt ifrån en bra förhörssituation man kunde komma. Han måste få fram något här på direkten. Körde en rövare.

”Din dotter har redan berättat att du vet. Jag talade med Kicki senast igår.”

John Ballénius såg chockad ut. Tittade på Thomas och sa bara: ”Kicki?”

”Ja, Kristina. Vi har talats vid en hel del. Jag var till och med ute hos henne i Huddinge.”

Det lät som John kved. ”Är det sant?”

”Ja, så sant som att du också vet vem den döde är. Eller hur?”

”Det kan vara en gammal polare till mig.”

”Är du säker? Vad heter han då?”

”Jag känner honom inte längre. Det var länge sen. Jag vet ingenting.”

Kraftiga hurrarop i bakgrunden. En högoddsare höll på att springa in loppet.

”Kom igen nu, annars får vi ta in dig på förhör.”

”Då får ni göra det.”

”Skärp dig för fan. Säg mig bara något om vad han heter.”

”Jag vet ju inget säger jag. Det var många år sen. Han hade alltid lite tomtar på loftet. Var alltid rätt skum. Det var synd om honom. Jävligt synd.”

”Men vad hette han?”

John stod stilla, sen sa han: ”Classe.”

”Och mer än Classe?” Thomas var ju redan nittionio på svaret. Ändå: han ville få det bekräftat. Kom igen nu, John Ballénius. Kom igen.

Folk kom upp från restaurangen. Myllrade mot spelbåsen. Loppet var över där nere. Det var dags att satsa på nästa häst. Utrymmena utanför kassorna fylldes snabbt.

Thomas försökte få Ballénius att kläcka namnet – det måste vara Rantzell som ringts från Ballénius telefon. Claes Rantzell.

Plötsligt ryckte Ballénius till. Slängde sig åt sidan. Thomas försökte hålla kvar honom. Fick tag på skjortärmen, en mikrosekund höll han greppet. Sen gled tyget genom hans fingrar.

John rusade mot köerna till spelbåsen. Tre meters försprång plus överraskningsmomentet. Rätt in i folkmassan. Gubben kutade som en dåre. Thomas sprang efter. Jagade den länge mannen så gott det gick. Ännu mer folk trängde sig upp mot kassorna. Vissa viftade med bongar. Skrålade, hurrade. Han försökte tränga sig igenom.

Thomas såg John Ballénius försprång öka.

Han viftade med polisbrickan. Till ingen nytta. Det var för mycket folk.

Han skrek. Pressade. Försökte ta sig fram.

Han måste göra något.

34

Mahmud på väg att träffa sin pappa. Irakiska klubben i Skärholmen, Dal Al-Salam. Robban skjutsade honom. De satt tysta. Lyssnade på Jay Z:s tunga rhymes. Robban körde som en galning.

Det hade gått en vecka sen Mahmud fixat sista avbetalningen till Born to be hated-snubbarna. Han borde vara glad. Han borde känna sig fri, självständig, obunden. Borde.

Allt uppfuckat. Han kände sig trött. Sliten. Framförallt lack. De körde honom i prutten så hårt att han grät. Utnyttjade honom som en punschig bitch som bara tog emot. Tvingade in honom i ringhörnan, slog på honom mentalt som en försvarslös nolla. Ett stort svek.

Inte Gürhan och hans grabbar. Utan de han trott skulle bli hans räddning: Juggarna – Radovan & Co. Kristna jävla korsfararserber, värre än sionisterna. Fuck them. Det var lätt att säga, men inte så enkelt att göra.

Robban vände sig emot honom.

"Habibi, vad tänker du på? Du ser helt förstörd ut."

"Ingenting. Det är lugnt."

"Okej, hustler's hustler. Om du säger så."

De fortsatte lyssna på musiken.

Förra helgen hade Mahmud kontaktat Stefanovic. Bett att få en träff. De bestämde lördag kväll, Black & White Inn, en krog på Söder. Stefanovic meddelade: "Du vet, vi kan inte hålla på och träffas hela tiden. Men jag skickar dit någon."

Mahmuds tänkte göra slut med jugoslaverna. Sälja sin sista omgång koks som han hämtat ut, och sen: ett rent avslut. Hitta ett normalt jobb. Göra Erika E glad. Främst: göra pappa glad.

Den gången fick han skjuts av Tom, som gillade äldre bilar – körde en Cheva från 1981, svart med flames målade på huven. Mahmud fattade inte varför. Tom försäkrade: "Motorn och lådan är från nittiofem så den rullar som en skateboard, den här."

Tom var soft. Gått en annan väg än Mahmud men såg aldrig ner på shunnar som han. Kört teoretisk linje på gymnasiet. Mahmud flinade vid tanken: tog honom fem år att bli klar, men kolla nu. Tom, tjugotvå bast gammal – lärde sig inkassobranschen som värsta universitetssnubben. Som han själv sa: "Snart öppnar jag eget och då får både Intrum Justitia och Hell's Angels se upp."

Tom bad Mahmud hålla ratten en stund. Plockade upp ett manillakuvert. Strödde ut på ett cd-fodral. Nästan omöjligt att göra ordentliga linor när de satt i bilen. De fick höfta. Leva på edgen. Tom rullade en sedel, drog en ladd. Tog tillbaka ratten. Mahmud fick sedelröret. Försökte uppskatta mängden. Sög i sig. Shit, blev säkert ett halvt gram. Ruschen ännu starkare dagar när han tränat innan. Två sekunder: tandköttet kittlade, domnade. Sen sa det schwing.

Vägens lyktor smetades liksom ihop som på foto. Natten tjockt vacker. Känslorna på topp. Vägen som en lång sportbilssträcka kantad med värsta fyrverkerierna.

Black & White Inn: juggeregistrerat ställe. Alla behövde sina tvättstugor. Mahmud och hans polare kom aldrig riktigt upp i de summorna att de behövde tvätta, men han visste att lirade man stort var det en självklarhet förr eller senare. Gürhans liga körde sina pengar genom kemtvättar, videobutiker och annan syriansk business. Juggarna drev restauranger och pubar. Kanske ännu tyngre grejer: utländska konton, öar i Västindien, aktier och sån shit.

Mahmud blev tvungen att vänta i bilen några minuter. Ruset var för skarpt. Efter en kvart kändes det normalare. De klev in.

Sedvanlig pubkänsla. Ölreklam i gamla träramar och träpaneler längs väggarna. Träbord och trästolar på trägolvet. De måste ha dålig fantasi.

Halvtomt på stället. En snubbe kom och mötte dem. Insjunkna ögon. Bred, blek. Brutalt utseende. Ledde dem in i något slags vip-rum. Stängde dörren bakom. Där inne satt Ratko, Stefanovics gorilla, tillbakalutad på en stol. Juggen ledigt klädd. Softare stil idag än något Mahmud sett honom eller Stefanovic köra. Ratko idag: T-shirt, svarta jeans, och racingskor i Sparcomaterial. Munnen halvöppen, hakan i vädret. Jidderutseende par excellence. Snubben brukade ändå vara schysst mot Mahmud på gymmet.

Juggen nickade. ”Tjena Stickan, allt bra med dig?”

Äkta stötkommentar: ”Stickan”, kunde han va själv. Mahmud dubbelt så bitig som Ratko. Men Mahmud var fortfarande hög som Nackasändaren. Självsäkerheten i topp. Ville sköta det här snabbt. Svarade, utan att tjafsa: ”Allt fett med mig.”

Kallprat i fem minuter. Sen avbröt Ratko snacket: ”Det har gått bra för dig med försäljningen förstår jag.”

Mahmud garvade. Ödmjukhet var inte hans grej: ”Du kan kalla mig kungen av k.”

Ratko flinade med. ”Eller hur?” Men sen ändrade han ansiktsuttryck. Leendet försvann.

”Du ville snacka om något?”

Mahmud vaggade, bytte tyngd från höger till vänster fot.

”Jag ska starta ett nytt liv. Så jag har tänkt lägga av att sälja. Min sista grej blir skiten jag hämtade ut i förrgår, men den är ju redan betald.”

Ratko sa ingenting.
Mahmud tittade på Tom. Tom tittade på Mahmud.
Mahmud sa igen: ”Jag ska lägga av att sälja.”
Ratko låtsades att han inte hörde.
”Hur hör du? Jag slutar sälja.”
Ratko slog ut med armarna. ”Okej du slutar sälja. Vad ska jag säga om det?”
”Ingenting.”
”Nej, jag säger ingenting. Men hur ska det gå för din syrra då? Och vad tror du din pappa tycker?”
Mahmud fattade inte vad han snackade om.
”Jag menar, om du slutar sälja, så måste vi ju sälja solariet där din syrra jobbar. Visste du inte det? Det är vi som äger stället. Och sen måste vi ju berätta för din farsa att du krängt massa skit för oss. Vi har foton på när du lämnar in pengar i butiken i Bredäng. Vi har foton på när du hämtar ut grejer ur förråden. Vi har bilder på hur du dealar på stan. Mest av allt har vi foton på dig och Wisam Jibril. Han kan lätt råka få höra vad som hände med den där libanesen. På grund av dig. Vad kommer han att tycka om sånt?”
Mahmud hade svårt att få fram saliv, munnen torr som sand.
”Mahmud, jag tror du börjar förstå nu.”
Tom tog ett steg fram. ”Låt honom quitta om han vill, för fan.”
Ratko fortfarande med blicken riktad mot Mahmud. ”Mahmud kan väl snacka själv.”
Mahmud ville bara sticka därifrån. Ansträngde sig. Fokuserade. Måste få ur sig något. Han sa: ”Skärp er. Jag slutar sälja om jag vill.”
Ratkos svar kom som en pisksnärt. ”Korrekt.” En kort paus, sen la han till: ”Men då kan din syrra glömma sitt jobb och vi berättar för din farsa. Vi är ärliga människor. Han måste få veta.”

I Skärholmen. Tillbaka i nuet. Robban släppt av Mahmud utanför Dal Al-Salam. Mahmud öppnade dörren. En lite bjällra plingade till.

Där inne var röken tjockare än i en hammam. Klubben sket i eventuella rökförbud: alla där inne var över femtio bast ändå – vad skulle de vara hälsosamma för? Rummet: små fyrkantiga bord med gröna dukar och askkoppar. Plastiga stolar, affischer med bilder på spiralminareten på Abu Duluf-moskén i Samarra, martyrmonument för Irak–Iran-kriget i Bagdad, bilder från öknen i Najaf, fårhjordar, kameler. En gammaldags teve upphängd i ett hörn: Al-Jaziras nyheter som vanligt.

Snackvolymen som på högsta nivå. Gubbarna sysslade med sina vanliga grejer. Käkade pitabröd, drack kaffe med extremt mycket socker, rökte starka cigariller och vattenpipa, spelade shesh-besh, la patiens, bläddrade i irakiska tidningar. Mahmud fick en nostalgikick direkt: bröden doppade i baba ghanoush, lukten av vattenpiporna, ljudet av gubbarnas hetsiga diskussioner, bilderna på väggarna från hemlandet.

Mahmuds pappa kom ut ur rökdimmorna. ”Salam Aleykum!” Pussade Mahmud två gånger på vardera kinden. Såg gladare ut än vanligt: kanske inte så konstigt – Mahmud inte varit på klubben sen han fyllt fjorton.

”Vill du inte hälsa?” Beshar talade stilla. Hans irakiska dialekt starkare än vanligt – ch-ljud istället för k-ljud. Men Mahmud visste vad pappans vänner tyckte om såna som han, fast han bara suttit inne kort tid. Irakier som förstörde för alla andra, som smutsade ner värdigheten med kriminalitet.

Mahmud sa: ”Nej, jalla nu. Jag vill gå.”

Beshar skakade på huvudet. Mahmud tänkte: Vad han än säger så tycker han det är skönt att slippa dra runt mig här.

De gick över Skärholmens torg. Ståndförsäljningen pågick som bäst. Handlarna skrek ut sina påstådda lägstaprisgarantier.

De skulle plocka upp Jamila på hennes jobb, solariet i Axelsberg. Mahmud kom ihåg juggarnas hot.

Pappa sa: ”Vet du hur det blivit med Jamilas vän? Har han slutat ofreda henne?”

Mahmud tyckte han använde så gammaldags arabiska ord ibland. Vad betydde liksom ”ofreda”?

"Det är inte hennes vän. Det var hennes kille. Jag tror de gjort slut och att han inte stör henne. Hoppas det."

Beshar kände inte till så mycket om händelsen för några månader sen, Jamilas granne rusat in i lägenheten och slagit hennes kille sönder och samman. Varken Jamila eller Mahmud ville berätta. Snubben hade fått ligga på sjukhus i åtta dagar efter att hans käke opererats – ätit frukost/lunch/middag i sugrör. Ändå vägrade snubben snacka med snutarna som dök upp och ville förhöra honom. Trots allt han gjort mot Jamila – han var en hedersman.

"Vet du vad som har hänt med hennes granne?" frågade Beshar.

Mahmud hade ingen aning. Snubben verkade livsfarlig.

En man med mörkt krulligt hår, smutsig stickad tröja och mustasch delade ut små lappar. En bild på en pojke i fosterställning. En text: *Min bror är kvar i Rumänien. Han kan inte resa. Han har en mycket svår ledsjukdom, därför lider han oerhört och behöver läkarvård. Min familj har inte råd att hjälpa honom. Vi ber om Er gåva. Må Gud beskydda Er!*

Beshar la en tiokrona i tiggarens hand när han gick förbi för att samla ihop lapparna. Mahmud tittade på honom.

"Vad gör du? Du kan inte ge till en sån där."

"Man ska alltid vara generös."

Beshar vände sig mot Mahmud.

"En värdig man är generös. Det är det enda jag vill lära dig Mahmud. Du måste behålla din värdighet genom livet. Bete dig som en man."

"Det gör jag, pappa."

"Nej, inte när du håller på och säljer såna där piller och bråkar med poliser och åklagare. Kommer du någonsin kunna ändra dig?"

"Jag är på god väg. Mycket god väg. Jag håller inte på med sånt där nu. Det var före fängelset." Mahmud kunde knappt dölja besvikelsen i rösten. När skulle han bara kunna styra sitt eget liv? Slippa alla sharmutas som fuckade upp honom. Syrianer, juggar, Frivården vid Hornsknull.

"Du ska uppträda respektfullt mot de människor som förtjänar det, respektera de äldre och var alltid generös, som mot den stackars mannen som just gick förbi här. Sen ska du ta hand om din syster. Jag är för gammal för det. Tänk på vad hon råkat ut för. Har du tackat hennes granne?"

"Absolut. Jag tackade honom direkt efter den där grejen. Han blev glad tror jag. Men han verkar lite knäpp."

"Det spelar ingen roll. Vet du vad Allahs budbärare, välsignelser och frid vare över honom, sa om sånt?"

"Om vad?"

"Om kvinnan."

Mahmud kom ihåg vissa ordspråk som hans pappa lärt honom för hundra år sen. "Hon är en ros."

"Just det. Du ska behandla henne väl. Profeten sa också att de bästa bland er är de som behandlar sina hustrur väl. Han sa att ingen hedrar kvinnan förutom en hederlig man. Förstår du? Tänk på din mor."

Mahmud tänkte på mamma. Minnet blev svagare för varje år. Hennes ögon, hennes kyssar innan han skulle somna. Sjaletten som hon slutat ha de sista åren, men som alltid hängde framme som en påminnelse. Hennes sagor om rövare och kalifer. Han undrade vem hon hade varit. Vad skulle ha hänt om hon följt med till Sverige? Då kanske inte allt skulle skitit sig.

De var snart framme vid Jamilas solarium. Mälarhöjdens inomhusperrong gled förbi. Beshar flippade sitt radband mellan tummen och pekfingret.

Mahmud kunde inte släppa ironin i det hela. Han hade tagit ett jobb för juggarna för att slippa undan Born to be hated, och komma någon vart i livet. Effekten: istället för jagad av Gürhan var han instängd hos Stefanovic. Istället för fri men med skulder var han nu skuldfri men slav. Och abu inblandad båda gångerna. De hade klippt Wisam. Skulle Mahmuds bidrag till den skiten läcka ut till pappa – shit, gick inte att tänka på sånt där. Då kunde han lika gärna gå och deppdö direkt.

Axelsbergs centrum med sedvanliga butiker. En Ica och en videobutik, en bankomat och en frisersalong som såg ut som om den inte ändrat skyltfönster på trettio år. En nyöppnad mexikansk restaurang i gamla lokaler och ett ölhak. Slutligen: Jamilas solarium. Eller, Jamilas och Jamilas – juggarna ägde ju stället. Men hon hade jobbat där i fem år.

De klev in. Gråa dörrar ledde in till båsen. Jamila höll på att svabba golvet. Solarier: äckliga, insvettade, snuskiga per default. Höll man inte extra rent kom inte ens de värsta brunhetsnarkomanerna dit.

Jamila log. Beshar log. Mahmud kollade in dem. Jamila påminde om mamma, hetsigt humör men alltid fett snäll mot pappa. Sa aldrig emot, daltade med honom. Fast det kanske var bra. Han fick en flashback: grishuvudet i plastkassen.

Efter femton minuter kom Jivan. Hon var stressad, hade massa läxor sa hon. Mahmud kom ihåg sin egen tid i skolan. Babak, Robban, de andra – ingen av dem visste vad läxor var för nåt.

De gick tillsammans till mataffären. Handlade. Sen promenerade de mot Örnsberg där Jamila bodde. Mahmud bar på matkassarna. Förbi en lekpark, en fotbollsplan, ett skogsområde. Förbi hela svenneförortens fördelar och förmåner. Det var inte att själva parken, planen och skogen fanns – sånt fanns i Alby också – utan att det fungerade så lugnt och felfritt. Fjollpappor och dagisfröknar i parken med barnen, utan kaos. Skollag på fotbollsplanen, men inga slagsmål. Han kanske överdrev bilden av sin egen hood.

Beshar frågade ut Jamila. Hon pratade om att köpa solariet. Äntligen. Lokalen och rörelsen kunde inte kosta mer än femtio kakor att ta över.

Jivan lovade: ”Jag ska bli advokat. Sen kan du få låna av mig.”

De skrattade.

Utanför Jamilas hus. En snubbe packade en Audi. Mahmud kände först inte igen killen. Jamila verkade vilja undvika honom, vände bort huvudet. Tre sekunder: Mahmud hajade vem det var – grannen som spöat på hennes kille.

Mahmud stannade upp. Ropade på grannen.

Snubben tittade upp. Svarade på arabiska. ”Salam.”

Niklas steg fram till Beshar. ”Hej, jag heter Niklas och bor på samma våning som Jamila. Är det din dotter?”

Beshar såg förvirrad ut. En svensk som talade samma språk som han?

”Må Gud beskydda dig”, sa Beshar med tyst röst.

Mahmud tänkte: Kan pappa verkligen inte klämma fram något bättre?

Samtidigt: det var något med den där grannen, Niklas. Någon slags utstrålning. Coolhet. Styrka. Hårdhet. Något som Mahmud behövde just nu.

35

Vänsterfolk/anarkofeminister/hbt-socialister/genuskommunister. Niklas sket i beteckningarna. Sket i om de läste samma böcker som han. Sket i vad de skrev i inläggen, bloggarna, artiklarna. Sket i vilka de var, varför de tyckte som de tyckte. Bara en sak klar: han behövde mer folk till offensiven – och vissa på de där hemsidorna verkade tycka som han. Operation Magnum krävde tid. Mer än han fixade ensam. Tanken hade växt på sistone: Han borde rekrytera. Och Benjamin funkade inte.

Under de senaste tio dagarna, sammanlagd sömn: under fyrtio timmar. Han förföljde Mats Strömberg från klockan halv nio på morgonen till klockan halv åtta på kvällen då snubben tog sig hem. Niklas satt största delen av tiden i Audin utanför asets jobb, en redovisningsbyrå på Södermalm. Några dagar hyrde han en annan bil för att inte väcka uppmärksamhet. Använde ett falskt körkort som han köpt på nätet.

Han fortsatte att läsa rätt litteratur – *Flickan och skulden* av Katarina Wennstam, *Under det rosa täcket* av Nina Björk – halvsov, drack kaffe. Resten av kvällarna bevakade han de andra lägenheterna. Senare på nätterna: bytte film i videokamerorna, kollade igenom dem, strukturerade sin info, övade med kniven, chattade med vänsterfolket. Han slutade jogga, hörde inte av sig till sin mamma, Benjamin eller någon annan. Fast vilka andra fanns det? Det var inte direkt så att hans sociala liv varit överfullt sen han hade kommit hem.

Kollen på Mats Strömberg ökade. Snubben hade strikta rutiner. Tog samma väg till pendeltåget varje dag. Köpte en kanelbulle och en kaffe i samma Pressbyrå varje morgon. Slängde kaffemuggen i exakt samma papperskorg på gatan. Antingen kom han ut klockan halv tolv med arbetskamraterna eller så gick han själv och köpte något en halvtimme senare. Varierade mellan tre olika lunchställen. Niklas såg tydligt in på svinets kontor, det låg på nedre botten. Sex personer jobbade på stället. Han undrade hur mycket de visste om Mats Strömbergs hemmaliv.

Dessutom: i en av villorna började saker hända. Roger Jonsson och Patricia Jacobs – lyckliga familjen utan barn. Niklas gick igenom filmerna. Insåg: mannen kom hem senare och senare. Roger och Patricia tjafsade. Uppenbart: snart skulle det smälla – han såg det i mannens blick. Hans sätt att hytta med fingret åt Patricia. Kroppsspråk som skrek våld.

Andra problem: svartmäklarjäveln hade hört av sig. Niklas kunde inte bo kvar i lägenheten längre. Det var ju bara en övergångslägenhet, påminde svartmäklaren honom om, och nu hade han grejat ett riktigt kontrakt. Fixat och klart. Hundrafemtio kakor och stället skulle tillhöra Niklas som förstahandshyresgäst. En vecka på sig att bestämma sig. Inga möjligheter att få förlängning i lyan han nu bodde i. Helvete. Egentligen var det bra med ett förstahandskontrakt men det funkade inte just nu. Jobbet hotade med uppsägning – Niklas bommat att få ett ordentligt läkarintyg som förklaring på alla dagar han uteblivit. Vad fan skulle han göra? Han behövde mer folk. Mer pengar. Mer tid. Mer vapen. Mer allt.

Lösningar. Inom några dagar: dags att slå till mot Mats Strömberg. När den delen var avklarad skulle viss tid frigöras. Sen: han måste planera något för ekonomin, kanske ett bankrån. Slutligen: han tänkte åka ut till folkhögskolan Biskops-Arnö – en person han chattat med pluggade där, Felicia. Hon läste något flummigt som kallades ekologi och global solidaritet. Potentiell rekryt, truppförstärkning, ett par till boots on the ground.

Han hade åkt till Black & White Inn i måndags eftermiddag för att fixa vapnet. Kände sig stressad, han ville missa så lite som möjligt av Mats Strömbergs liv.

Stället var tomt. Han beställde en mineralvatten. Satte sig vid ett bord. En ensam barkvinna höll på att ställa i ordning för kvällen. Hon skar citroner. Han kollade in kvällens meny: uppritad med krita på svarta tavlor. Rödspätta med pommes frites, fläskfilé med grönpepparsås. Kvinnan i baren struntade i honom.

Efter tio minuter frågade han henne om Lukic var där.

Kvinnan skakade på huvudet. Sen gick hon fram till pubens ytterdörr, vände på öppetskylten som hängde i det lilla dörrfönstret. Vände sig till Niklas. ”Du vill ha grejer?” Han nickade. Niklas förstod genom rörelsen hon gjorde med handen: kom med här.

Bakom bardisken. Igenom köket. En snubbe höll på att koka något där inne. En korridor på andra sidan. Flagnad gul färg på väggarna. Blinkande lysrör. Förbi en toalett, städskrubb, frysrum, omklädningsrum. Som någon jävla maffiafilm. Längst bort låg ett kontorsrum. Kvinnan stängde dörren bakom dem. Niklas spanade in henne. Råttfärgat hår som gick till axlarna. Ringar under ögonen som inte sminket kunde dölja. Ändå en styrka i blicken. Hans krigarinstinkt tydlig: det här var en sann warrior.

Hon låste upp ett träskåp. Plockade ut en resväska i metall. La upp den på skrivbordet. Vred på kodlåsen. Fällde upp den. Fyra tygknyten. Hon virade upp innehållet. Tre pistoler och en revolver.

Han kände direkt igen Berettan. Många killar där nere använde den – klassiska 92/96-serien, en basic niomillimeterspistol som fanns i massa olika utföranden. Kromat stål, kamouflagefärgad, aluminiumram, till och med äkta elfenben i handtaget.

”Det där är en Beretta.”

”Jag vet, en nittiotvå nittiosex. Dra de andra.”

”Som du vill. De andra tre är ryska vapen. Först en revolver, Nosorog niomillimeters. Sen den här, av samma kaliber, en Gyurza, speciellt mot skyddsvästar. Både för höger- och vänsterhänta. Mycket bra. Sist en Bagira MR-444, en lätt pistol, också niomillimeters.”

”Och priserna?”

”Den här och den där, smutsiga.” Hon pekade på Berettan och Gyurzan. ”Amerikanen får du för fem tusen och ryssen för fyra tusen. Men de är bra.”

”Vad menar du med att de är smutsiga?”

”Jag kan inte säga att de inte varit inblandade i rån eller annan skit.”

”Då kan du glömma dem. Jag vill ha ny kartong. Vad ska du ha för den här?” Niklas ville inte ha en revolver. Han tog upp Bagira-pistolen i handen. Den var verkligen lätt, ett plus helt klart. Men hur klicksäker var den? Han hade ingen koll på märket.

”Tolv tusen. Den är ren.” Hon tog tillbaka den. Torkade av den med duken.

”Hur mycket ammunition har du?”

”Ett paket, tjugo rundor.”

Problem. Han behövde minst femtio skott. Ville kunna öva in sig på vapnet ordentligt. Det här var inget hafsjobb.

”Hur många rundor har du till Berettan?”

”Många. Säkert hundra, sån ammunition jag kan fixa på många ställen.”

Niklas tänkte: Shit, det var verkligen hon som rattade det här. Samtidigt: han kunde inte köra med något smutsigt vapen. Allt sköts så grundligt hittills. Han hade beställt spionutrustningen i falskt namn till en hyrd postbox, roterat registreringsskyltarna på Audin, använt sig av hyrbil vissa dagar, alltid dolt sig bakom de mörka rutorna, inte talat eller mött någon som kunde binda honom till hans spaningar förutom möjligtvis kvinnan från Alla Kvinnors Hus – men hon måste ju vara på hans sida. Gick inte att ta risken med ett vapen som kunde finnas i myndigheternas register. Han skakade på huvudet. Det här var skit.

”Jag köper inte smutsiga vapen. Jag köper inte en revolver som ser ut som om den är gjord av plast. Jag köper inget som jag inte får minst femtio kulor till. Fattar du?”

”Lugna dig. Jag har inget annat just nu. Så du är intresserad eller inte?”

Låtsades hon vara hårding eller var hon så där? Det spelade ingen roll – han behövde ett vapen. Snart.

”Jag kan inte köpa något av de här vapnen. Men kan jag göra en beställning?”

Hon nickade.

Det kändes bra. Angreppet skulle snart bli av, hans TACSOP – Tactical Standard Operations Procedure. Ett prejudikat för resten av operationen.

Bilen på väg ut mot Biskops-Arnö. Västerut.

Han tänkte på kriget. Rättfärdiga måltavlor.

Dagen innan hade han stött på Jamila tillsammans med hennes bror och pappa utanför huset. Pappan verkade vara en rättskaffens man, han hade tackat honom. Så som hela Sverige skulle göra när han var klar med operationen. Hylla honom. En vacker tanke.

Klockan var tio på morgonen. Lite trafik så dags på dan. Motorvägen ut mot Bålsta och Biskops-Arnö: trist. Han tänkte på Mats Strömbergs rutiner. Om en och en halv timme skulle han med största sannolikhet komma ut ur porten på sin arbetsplats tillsammans med två eller tre arbetskamrater.

Strax före Sollentuna stannade Niklas på Shell. Luktade bensinångor. Han tankade full tank. Bensinen svindyr. Han tänkte på vad den kostat för tio år sen, när han tagit körkort. Den var säkert femtio procent dyrare nu. Och priset i Irak: en annan story. Kickade igång oron igen. Vad hände om han måste fortsätta jobba ensam? Om han tvingades flytta, betala för ett kontrakt? Om det sket sig med vapnet han beställt?

Han gick in för att betala. Körde med kontanter. En röst bakom sig i kön.

”Nämen hej.” Ett leende. Han kände igen henne direkt: kvinnan han köpt Audin av, Nina. Vafan gjorde hon här? Kanske var det inte så konstigt ändå, hon bodde ju bara någon kilometer bort.

”Jag tyckte väl att det var du? Såg bilen här utanför. Kände igen den på tjugo meters håll.”

Niklas störd. Inte bra att någon visste var han befann sig och att det var han som körde Audin. Samtidigt: han kollade in henne. Som en ängel. Hud ren som mjölk. Ögonen, melerade, blänkte i solljuset som föll in genom bensinstationsbutikens stora fönster. Mötte hans blick. Glittrande. Hennes barn såg ut som ett barn nu. Inte som en baby. Så synd om henne. Och om barnet. Han mindes.

Han sa: ”Ja, hej. Den går bra.” Kände sig patetisk. Måste bort därifrån. Innan Nina började ställa fler frågor.

”Jag ser att du registrerat om den. Gillade du inte mitt registreringsnummer. UFO 544. Jag tyckte det var ganska häftigt.” Igen: leendet, ögonen.

”Jo, det var häftigt. Men jag kände mig så orolig att någon skulle rapportera mig till Försvarets radioanstalt och så.” Bra där – ett skämt, lätta upp stämningen, sen dra.

Nina skrattade. ”Du är en festlig typ. Vart är du på väg så här dags då?”

”Jag är bara ute och åker lite. Jag jobbar.”

”Jaha, själv är jag fortfarande mammaledig. Börjar nästan bli lite trist. Vad jobbar du med då?”

Niklas visste inte vad han skulle svara. Väktare lät så patetiskt. Han ville låta vag. ”Inom säkerhetsbranschen.”

”Det låter spännande. Kör du Audin på jobbet?”

”Ibland.”

”Jag saknar den. Den är pigg, eller hur?”

”Ja, den är fin.” Han ville avsluta samtalet utan att vara oförskämd. ”Du, jag måste åka vidare. Trevligt att träffas.”

Han satte sig i bilen. Svettig om handflatorna. Vad höll på att hända med honom? En vanlig konversation med en främmande människa och han kände sig nervösare än en nittonårig rookie på premiäruppdrag nere i sandlådan.

Längre ut. På landet. Längs motorvägen: gula sädesfält på väg att skördas. Bondgårdar, spannmålsanläggningar, traktorer.

Avtagsskylten mot Biskops-Arnö såg smutsig ut. Påminde om skyltarna där nere. Alltid slitna, skitiga, buckliga. Ibland beskjutna.

Han körde över en smal bro ut till ön. Parkerade bilen. Tittade ut över området. Rakt mittemot parkeringsplatsen: större rödmålade träbyggnader, gamla lador. Längre bort: vita stenhus. Han fortsatte upp. En gräsbevuxen gårdsplan. Sex stycken flaggstänger med de fem nordiska flaggorna vajandes i topp och en annan, kanske folkhögskolans egen symbol. Några personer satt på gräsmattan framför huslängan. Niklas klev fram. En kille med gitarr i händerna. Han var piercad i näsan, läppen och ögonbrynet, hade tjocka dreadlocks som var samma size som hans underarmar och en slags luvtröja som såg ut som om den köpts på basaren i Kabul. De andra två var tjejer. En hade rödfärgat hår, skjorta som var knäppt ända upp och alldeles för breda jeans. Den tredje var klädd i tygbyxor och en svart t-shirt. Stod Ramones med vita bokstäver över bröstet. Örsnibbarna var uttänjda av någon slags örhängen som, i stället för att hänga i ett litet hål i örat, utvidgade själva hålet. Niklas skulle kunna få in sin tumme i tjejens örsnibb. Han tänkte: Vad är det här för ställe egentligen?

Felicia hade sagt till honom att fråga sig fram. Pajaserna visade vägen till hennes stuga.

Den var i brunt trä med svart plåttak, såg inte ut att vara större än trettio kvadratmeter. Han knackade på. En tjej öppnade, klädd i bara trosor och ett linne. Niklas kände sig förlägen. Samtidigt: något otroligt kaxigt i att öppna för en främmande person klädd i så lite. Tjejen knackade på en dörr. En annan tjej kom ut. Rakat huvud, en hårtofs kvar i nacken som en Hare Krishna-lirare. Hon var klädd i en slags kimono och Converseskor. Bisarrt.

”Hej, är det Johannes?”

Niklas hade konstant använt sitt alias i alla diskussioner över nätet.

”Ja, hej. Vad trevligt att få komma hit, det har jag sett fram emot. Du är Felicia antar jag?”

Hon nickade. Välkomnade honom. Frågade om han hittat ordentligt. Verkade trevlig. Ändå fanns något utforskande i blicken.

Han stod kvar i dörröppningen. Det hela kändes konstigt.

”Kom in”, sa hon. Han klev in. De satte sig i det lilla köket. Stugan bestod av två små sovrum och ett gemensamt kök. ”Så här bor alla förstaårsstudenter.”

Hon frågade om han sett något av folkhögskolan. Så klart att han inte hade. Hon började förklara om stället: kurser i foto, film, skrivande, kultur, historia, bistånd, ekologi och solidaritet med tredje världen. Niklas lyssnade halvhjärtat. Ville pejla in henne, folket därute, deras inställning, styrka. Hans uppdrag idag var att rekrytera.

De hade chattat nästan varje dag i två veckor. Han kunde hennes åsikter på sina fem. I hans värld: hon kunde bli en krigare. Patriarkatet, som hon kallade det, subordinerade kvinnorna. Könsmaktsordning hette det. En permanent belägring av samhällets inställning. Hur kvinnor skulle vara, vilka de skulle vara, hur de skulle bete sig – allt tvingades in i välbevakade fack. Klev du utanför demarkationslinjerna blev du exkommunicerad. Räknades inte längre som kvinna, som passande, som god, som följsam samhällsmedborgarc. Trots att alla borde veta sånt vid det här laget var det så många som tog skiten. Åt skiten. Lät männen regera, piska på dem, aldrig gick ut i strid. Som ett ojämnt krig där den ena sidan tog sig rätten att bryta mot spelreglerna.

Och Felicia – hon imponerades av hans kraftiga idéer. Det märkte han – varje gång han drog igång krigspropagandan svarade hon med att beskriva aktioner hon själv deltagit i eller skulle vilja utföra. Demonstrationer, demos som hon kallade dem, vaktringar utanför porrklubbar, sönderslagna rutor, sprejade fasader, trashad inredning, internetattacker mot porrsidor, vrålade slagord mot ministrar, storföretag och män.

Kanske var hon rätt för honom.

Felicia bjöd på örtte. Hennes stugkompis, Joanna, snackade på om sin kurs: något om naturens medicin. Hon skulle åka till Brasilien nästa termin och bli shaman sa hon. ”I Amazonas kan man lära sig mycket mer än i något västland.” Hennes ögon glittrade över tekoppen. ”Så vad sysslar du med?”

Han visste inte vad han skulle svara. Kände instinktivt: att nämna sitt snart före detta jobb som väktare var helfel. Lät hennes fråga hänga i luften ett tag. Tog en sipp av teet.

”Jag är tyvärr arbetslös”, sa han till slut.

Reaktionen inte som han tänkt sig. Felicia såg nästan glad ut. Joanna lugnad. Felicia sa, ”Samhället har blivit tuffare sen asen tog makten. Du ska inte känna dig utelämnad. Vi är många som stöttar dig. Som tror på ett annat samhälle.”

De snackade ett tag. Felicia gick igång på hela grejen att nya regeringen krossade de svaga och gamla, kvinnorna och låginkomsttagarna. Niklas gjorde sitt bästa för att hänga med, fast svensk politik var inte hans grej. Han brydde sig inte. Det viktiga var att hon var tillräckligt arg.

Efter en stund reste Felicia på sig. Det var någon slags föreläsning som alla kursdeltagare kunde lyssna på. Hon undrade om Niklas ville hänga på – inget problem att ta med besökare. Självklart, okej, det ska bli intressant. I sitt inre var han nervös. Han hade aldrig varit på föreläsning förut. Förutom genomgångarna hos Dyncorp inför uppdrag därnere.

Massa folk samlades utanför ett av de större husen som liknade en lada. Felicia och hennes rumskompis hälsade på många. Nästan hälften liknade de Niklas tidigare sett på gräsmattan. De såg ju inte direkt ut som krigare. Ändå: Felicias rakade skalle gav hopp. En riktig GI-cut frånsett tofsen där bak.

Ladan inrymde en fräsch föreläsningssal. Vitmålade plankväggar, mäktig ventilation, belysning, videoprojektor i taket, stolar med ett litet nedfällbart bord för anteckningsblocket.

Föreläsaren var klädd i jeans och rödrutig skjorta. Kanske fyrtio år gammal. Niklas förväntat sig något annat: en professorstyp med läsglasögon på nästippen och tweedkavaj. Han insåg sin egen naivitet.

Felicia viskade till honom: ”Det här kommer du att gilla.”

Föreläsaren satte igång. Presenterade sig, körde en inledande story om en reklamkampanj som pågick just nu. Enligt föreläsaren privatiserade kampanjen den kvinnliga identiteten och cementerade på så sätt en politiskt skapad könsidentifikation. Sen blev det ännu tyngre. Snack om könsroller, könsmaktsordning, könshierarkier och könsbyten. Niklas såg sig omkring i lokalen. Åldrarna blandade. Felicia som i trans. Shaman-Joanna satt och ritade blommor i sitt block. Hon var oseriös.

Han fokuserade på de yngre. Soldatämnen? Var de beredda att sitta nätterna igenom hopkrupna i baksätet på en bil, arbeta stenhårt på dagtid med planering, slå in dörrar, ta hand om gråtande barn, attackera de olagliga kombattanterna?

Till slut: han fastnade för en kille längre bort på samma stolsrad. Kort mörkt hår. Några ringar i ena örat, upphängda på rad som om någon nitat fast spiralen från ett kollegieblock längs örsnibben och uppåt. Killen såg ung ut, kortärmad t-shirt: smala spänstiga armar. Soldatarmar. Niklas sett dem hos så många där nere, en seghet i kroppen som gjorde att de pallade långt mycket mer än vad biffarna klarade av. Framförallt: killen hade fokus. Blicken stålgrå, stenhård, stelt inriktad på föreläsaren. Beslutsamhet. Ett slags vilja. Kanske var han rätt person.

”Det gäller inte bara att vända upp och ner på den hierarkiska världsordningen ...” Föreläsaren blickade ut över åhörarna. Kändes som om hon fäste blicken på Niklas. ”Utan att helt frigöra sig från en sån världsbild.”

Niklas nickade medhållande. Han skulle fan i mig vända upp och ner på hierarkin i familjerna Strömberg och Jonsson. Till att börja med.

Koncentrationen svävade iväg. Han försökte låta bli att sluta ögonen. Såg ändå samma gamla bilder i huvudet. Bakhållet utanför moskén. Bakhållen på joggingturerna i Aspudden. Bakhållen från drömvärlden: Claes Rantzell i slamsor. Jamilas snubbe i spillror på golvet. Mats Strömberg kvidande. De bad om nåd. En nåd som inte fanns att få.

Felicia, shamanen och två snubbar från samma kurs som Felicia satt med vid bordet i stugan. De hade ätit i skolans gemensamma matbespisning. Fanns inget kött – bara vegokäk. Felicia kollade förbryllat på Niklas när han ifrågasatte maten.

I bakgrunden: skränig musik.

”Manu Chao är fantastisk”, tyckte Joanna. Niklas tänkte: Kanske för shamanövningar i skogen men inte för krig.

Niklas hade fått köpa några flaskor öl och cider av Felicia.

Joanna drack ur flaskan utan att nudda glaset med läpparna. ”Det är inte bra för din energi.” Felicia garvade. Shamanbruden var verkligen paj i huvudet.

De diskuterade utbildningen, föreläsningen, det allmänna världsläget. Niklas höll mest käft. Drack en, två, tre, fyra, fem flaskor öl. Snubbarna hårdkritiserade USA:s invasion i Irak. Babblade på om övergrepp, förbjudna vapen och frihetskämpande bombmän. Om några dagar skulle de delta i en jättedemo mot kriget. Stackars nördar – de visste inte vad de pratade om.

Klockan nio gick de ner till en större stuga mitt emot matsalsbyggnaden. Det såg ut som en gemensamhetslokal. Ett tjugotal människor satt i sofforna och fåtöljerna, några försökte dansa lite slappt. Samma skräniga musik. Samma ekologiska känsla. Samma töntiga diskussioner.

Han började känna av ölen. Felicia i kvasidjup diskussion med en av snubbarna från förkrökat. Joanna smådansade. Han tänkte: Vad var det här för skit egentligen? Han behövde ju drafta Felicia men hon verkade inte bry sig.

Alla snackade runtomkring honom. Det luktade sötsliskigt av marijuana. Han klunkade mer öl. Försökte se lugn ut. Snubben från föreläsningen dök upp. Ringarna i öronen glimmade i rummets dimmade belysning. Niklas klev fram. Snubben stod och pratade med en brud som faktiskt såg helt normal ut. Han ställde sig bredvid dem. Böjde in huvudet för att lyssna in samtalet. Något om aktioner, demonstrationer, protestambitioner. Det första lät okej.

Killen avbröt sig. Vände sig mot Niklas. Först: fullkomligt oförstående, irriterad blick. Sen sträckte han fram handen. ”Hej, Erik heter jag. Är du gäst här?”

Niklas skakade Eriks hand. Presenterade sig som Johannes. Killen hade ett fast grepp. Det var ett bra tecken.

”Ja, jag hälsar på Felicia, vet du vem det är?”

Tjejen som Erik pratat med slutade inte stirra på Niklas.

”Ja visst, jag läser samma kurs som hon fast året över. Hur känner ni varandra?”

Niklas visste inte vad han skulle svara. Internet lät så fånigt. Han mumlade något till svar.

Erik sa: ”Vad sa du?”

Niklas talade högre. ”Jag är här och diskuterar kvinnokamp och såna där grejer. Vad tycker du om det?”

Erik garvade till. ”Definiera kvinnokamp.”

Tjejen glodde fortfarande. Precis när Niklas skulle svara sträckte hon också fram handen. ”Hej, vi kanske ska hälsa också. Jag heter Betty.”

”Som härliga fröken Boop?” Niklas tänkte på de påmålade

bilderna på vissa helikoptrar därnere. Verkliga pinuppbilder tolererades inte numera, men Betty B funkade alltid.

Tjejen snörpte med munnen. Uppenbar diss.

Niklas fattade inte grejen. Fick man inte skämta här eller? Men han ville inte förstöra situationen med Erik.

”Är din humor en del av kvinnokampen?” frågade Erik.

”Äh, det var ett dåligt skämt. Bara så. Men vill du verkligen att jag ska definiera kvinnokampen? Jag brinner för den.”

”Det låter bra. För det gör jag också.”

Niklas kände en bra stämning. Erik kunde vara rätt person.

”Jag tror att vi män måste hjälpa dem. Kvinnorna är utsatta och försvarslösa. Jag har börjat se all skit runtomkring oss i Sverige. På gatorna, i husen och lägenheterna. Det är massa övertramp hela tiden. Massa förnedring och våld. Kvinnokampen måste ta ett steg till.”

”Jo, så är det nog.”

”Vi måste kämpa.”

Erik såg fundersam ut. ”Jag håller med. Men exakt hur menar du?”

”Jo, men som jag sa, vi måste gå till attack. I vissa situationer är en offensiv strategi det enda möjliga för att försvara sig. Och det blir aldrig ett krig om vi bara intar en defensiv position. Förstår du? Vi måste använda oss av fiendens metoder. Våld är alltid det bästa botemedlet mot våld.”

Niklas kände sig upphetsad. Äntligen någon som höll med. Någon han kunde prata öppet med. Någon som skulle förstå. Efter alla dessa kvällar och nätter. En co-soldier.

Han sprutade militära termer, attackstrategier, vapenidéer. Han redogjorde för möjliga uppdrag, mål, tortyrmetoder, sätt att avrätta dem.

Erik bara nickade.

”Vi måste ta tag i det här. Jag är på god väg faktiskt. Jag har kommit en lång bit i planeringen och den operativa delen också. Det kommer att smälla inom några veckor. Men det behövs förstärkning. Vad tror du? Vill du vara med?”

Tystnad. Manu Chao-skiten i bakgrunden.

Niklas upprepade frågan. ”Vill du vara med?”

”Johannes, det var så du hette va? Jag tror du har fått lite för många öl av Felicia.”

Niklas skakade på huvudet. Han var full, men klar. Det där var skitsnack.

”Inte alls.”

”Kanske inte, men du har för aggressiva idéer. Det där går inte, som du snackar om. Men det var trevligt att träffas.” Tjejen bredvid Erik log skadeglatt.

Niklas kände sig kall. Skit. Killen snackade skit. Tjejen kunde dra åt helvete. Erik kunde knulla sig själv. De hade ingen koll. Visste zilch om kampen. Om operationen. Om vad som måste göras.

”Du vet inte vad du snackar om”, sa Niklas.

Erik vände sig mot tjejen. Skakade på huvudet. Det var tydligt vad han tyckte om Niklas.

Tjejen skakade också på huvudet.

Det här var bara för mycket. Till och med här – bland dem som påstod sig stå på samma sida som han – blev han motarbetad. De var as.

Niklas höjde rösten. ”Era jävla kollaboratörer. Ni sviker kampen.”

Erik började gå därifrån. Knackade på sin tinning med pekfingret. Tjejen följde efter. Det här var too much. Nu hånade de honom också.

Niklas slängde sig efter tjejen. Rev tag i hennes kofta. Slet ner henne på golvet.

Hon krängde med kroppen. Erik försökte skydda henne.

Niklas stod över henne. Visste inte om han skulle skratta eller gråta. Ge dem en omgång eller dra därifrån.

36

En vecka som juggarnas man. Inte varje kväll – fan heller – men torsdag/fredag/lördag/söndag. Åsa frågade inte. Hon sa att hon var glad att han fått ett extrajobb. På dagarna halvsov han vid skrivbordet på trafikenheten. Nonchade de andra tråksnutarna. De tyckte han var arrogant men det sket han högaktningsfullt i.

Samma grej varje natt. Hänga i entrékassan med Andrzej och Belinda eller den andra strippan/kassörskan som hette Jasmine. Enkla pengar – Thomas tjänade två tusen kronor per kväll. Inget strul, inget tjafs, bara lite vanliga kåta snubbar som ville ha kul.

Idag: ledig dag. Först skulle han till Barkarby Outlet med Åsa. Hon ville köpa en höstjacka. Gärna något ”tåligt” som hon sa. Thomas visste vad Åsa menade. Han var likadan själv. I vanliga fall sket de i töntiga märken och fjolliga designprylar. De brydde sig mer om insidan än om utsidan. Men när det kom till vissa produkter ville både Åsa och Thomas ha högsta kvalitet, vilket innebar de dyraste märkena. Kläderna skulle tåla regn, kyla och svett inifrån. Samtidigt vara lätta och smidiga. Det betydde tydligen följsamt material i Gore-Tex som andades men samtidigt inte släppte in fukt. Det betydde mycket pengar.

Han spanade på människorna i outleten. Barnfamiljer med snoriga treåringar. Yngre par som bodde i innerstan men ville vara välutrustade när de åkte till alperna. Vanliga nio till fem-folket. Levde de lyckligare än honom? Definitivt tryggare. Men han tjänade säkert mer, hoppades han.

Han tänkte på Adoptionscentrums hembesök häromveckan. Två medelålders kvinnor som faktiskt verkade helt normala hade kommit hem till dem. Thomas hade väntat sig något annat, mer flummiga typer. De hade suttit i köket i en timme och diskuterat barnuppfostran, föräldraledighet och svårigheter för ett adopterat barn att hitta sin identitet. Åsa skötte snacket, men Thomas såg till att nicka på rätt ställen. Det kändes faktiskt bra.

Åsa var överlycklig. ”Snart kanske vi är föräldrar, förstår du.”

De köpte var sin jacka till slut. Av märket North Face. Kostade över fyratusen kronor styck. Thomas betalade lätt: hans nya jobb drog in härliga slantar.

På eftermiddagen skulle Thomas träffa Ljunggren på skytteklubben. Första gången på flera veckor. Thomas visste inte om det var han som blivit paranoid men det kändes som han dragit sig undan. De hade varit nära. Fåordiga men med rätt nivå på humorn. Vart tog allt vägen? Kanske tyckte Ljunggren att Thomas klantat sig för sista gången som blivit omplacerad. Det var inte möjligt. Kollegor som Jörgen Ljunggren gnällde aldrig på någon som råkat bli lite hårdhänt. Ljunggren själv – hårdhänt var hans andranamn. Ändå fanns något där. En gräns. Mellan dem. Thomas kände det tydligt.

I bilen tänkte han på Solvallahändelsen. John Ballénius freakat ur, försvunnit i folkmassan. Enligt telefonlistorna var gubben inte i närheten av Axelsberg den natten Rantzell mördats, fast något var uppenbarligen skumt. Men det viktigaste: nu var Thomas säker på att Rantzell var den döde. Det var ett stort framsteg.

Direkt på måndagen efter incidenten på Solvalla ringde Thomas till krimråttan som tagit över utredningen efter Hägerström. Stig H Ronander, en senior, med ett namn som skulle ha passat just ute på Solvalla. En kort stund övervägde Thomas att skita i det. Men sen kom han på andra tankar. Det här kunde ju vara hans väg tillbaka. Om han löste gåtan vem den döde faktiskt var, ökade möjligheterna att lösa den här gåtan markant. Det var en chansning, något var ruttet i den där utredningen. Och han kunde inte se att något negativt kunde komma ut av att han hjälpte den på traven.

Utredningsmannen, Ronander, tog emot Thomas information med skepsis. Ifrågasatte hur det kom sig att han frågat runt efter John Ballénius, varför snubben lyckats försvinna ute på Solvalla. Thomas skarvade – sa att Ballénius redan varit uppe i utredningen när han hjälpt Hägerström. Försökte hänvisa till telefonlistorna utan att nämna att han själv beställt ut egna. Stig H Ronander verkade inte tacksam. Han kunde dra åt h-vete.

Jobbet, bilen, skytteklubben. De brukade vara Thomas tre pelare i livet. Nu visste han inte längre. Trafikenheten tristare än något han ens kunnat ana. Cadillacen gav honom ingen ro. Samtidigt trivdes han på strippklubben. Jasmine och Belinda var trevliga, chosefria.

Omplaceringen och mannen som hade stått utanför deras fönster den där natten rörde om i huvudet. Kanske för att han tappade försvarsmöjligheterna när han rullade in sig i mörkret under amerikanaren. När han var ensam kanske det inte spelade någon roll. Men när Åsa var hemma – nej. Även om deras äktenskap inte var världsbäst: om någon skadade henne skulle han aldrig förlåta sig själv.

Så skytteklubben borde ge ro. Men han gillade inte blickarna han fick från de andra efter allt strul på jobbet. Han undrade vad de trodde om honom.

Klubben låg inomhus, i en egen byggnad. De flesta skyttehallar i Sverige var byggda i stugor som öppnats upp längs en långsida, med skyttebås och tavlor. Sen stod man och sköt, övertäckt av taket, i praktiken utomhus – frös ändå som en hund. Men Järfällaklubben var lyxigare: hela fjorton parallella tjugofemmeters banor för precisionsskytte med bästa ljuddämpningen Thomas kände till. Alltsammans varmt placerat inomhus.

Ljunggren var redan där. Ena handen i jeansfickan, lätt tillbakalutad, andra armen utsträckt. En tävlingspistol med ergonomiskt grepp. Keps, hörselskydd, bredbent pose. Skjutklar. Precis innan Thomas knackade honom på axeln fick han iväg ett skott. En tvåa. Inte illa alls.

De skakade hand. Ljunggren såg uppriktigt glad ut. Gav Thomas en ryggdunk. Inte likt honom – i vanliga fall, snubben skydde kroppskontakt mer än han skydde nonsensbabbel. ”Såg du min tvåa som jag just satte?”

Thomas kände sig glad. ”Snyggt. Det hör väl inte till vanligheterna direkt att du får toppoäng?” Rå, kamratlig garvpaus.

De pratade på en stund. Allt kändes som vanligt.

Thomas ställde sig i sin fålla. Drog på sig hörselskydden. In med magasinet i niomillimeterspistolen. Slöt ögonen i några sekunder. Andades in. Fokus nu. Även om hans arbetsliv inte blivit vad han tänkt sig måste han alltid kunna koncentrera sig i rätt ögonblick. Få iväg ett skott på rätt sätt när det behövdes. Träffa målet i rätt kroppsdel.

Han höjde högerarmen långsamt. Höll pistolen så stilla det bara gick. Ögat letade upp siktskåran. Fick kornet. Fortfarande darrningar. Han slappnade av. Siktbilden klar. Försiktigt nu. Fokus. Ökade trycket långsamt och jämnt på avtryckaren. Undvek ryck i armen, handen, pistolen. Nästan slöt ögonen. Fingret rörde sig av sig själv. Gällde att släppa medvetandet om den rörelse som snart skulle komma. Krama långsamt. En enda rörelse. I ett med kornet, skottets bana genom luften, han kände rekylen, kulans hål i måltavlan.

Skottet kom som en överraskning. Han mötte handens ryck, nästan med förvåning. Kisade, såg hålet i tavlan: en etta. Ljunggren sa: "Trots att du bara nitar trafiksyndare hela dagarna verkar vissa grejer sitta i. Jag har saknat dig ska du veta."

Thomas visste inte om han skulle skratta eller gråta. Det kändes så förbannat bra.

Efter skytteträningen föreslog Thomas att de skulle ta en öl på Friden. Ljunggren kom med annat förslag: "Kan vi inte bara åka runt lite. Som förr."

Det kändes märkligt, ändå skönt. Ljunggren: Integritetens överhuvud. Avståndsmannen, ickekroppskontaktspecialisten, machosnubben nummer ett. Hans förslag: en ömkande öppning. En förfrågan om vänskap.

Poliser tog ofta tjänstebilen till skytteträningen. Ljunggren knäppte på polisradion, fast med nerskruvad volym. Thomas kunde inte tyda honom: kanske tänkte han inte på vad han gjorde eller så var det för att få den rätta känslan. Han körde långsamt, som om de var ute på jobb. De befann sig i ett villaområde. Träden hade torra blad. Trots regnen hade det varit en varm sommar. Riktig septemberkänsla – kanske för att det var september.

De snurrade runt – verkligen som förr. Över tre månader sen. Kändes som en evighet. En evighet av ångest. Ångest över att allt gått åt helvete så fort.

”Berätta lite. Hur är trafiktöntarna?”

Thomas förklarade. Deras samtalsämnen, attityd, matvanor. Ljunggren flinade. Äntligen någon som förstod.

”Jag hör rykten om dig, Andrén. Att du extraknäcker. Stämmer det?”

Thomas visste inte vad han skulle svara. Hur mycket visste Ljunggren? Det var inte läge just nu att berätta allt.

”Jo visst. Jag hjälper ett bevakningsbolag. Mycket kvällar och nätter. Så det liknar det gamla. Åsa är ju van.”

Ljunggren nickade. Blicken riktad ut mot vägen.

”Jag ger två gånger pengarna på att du har bättre betalt.”

Thomas skrattade till. ”Jag ger fyra gånger pengarna på att du har bättre pensions- och sjukförsäkring än man någonsin får där. Mitt nya jobb är så att säga utanför det hela.”

”Det var det jag misstänkte. Är det värt det?”

Thomas tänkte efter en stund. Frågan stört honom själv i flera veckor. Och då verkade Ljunggren inte ens veta vad det var han faktiskt sysslade med.

”Jag ska vara helt öppen med dig, Ljunggren. Jag vet inte vad som är värt och inte värt något längre. Det enda jag vet är att om någon pissar på dig är du inte skyldig att vara lojal längre. Hela grejen som jag utsatts för är bara skit. Vet du hur det gick till? De sa till mig att du inte kunde följa med på patrullering som vanligt, att du fått hoppa in för någon annan. Sen satte de in den där flickan som knappt orkade bära tunga västen till bilen. Vi kallas till en galen boxningsmästare som går bärsärk i jourbutik och nästan dödar henne. Men vi får inte försvara oss. Vi får inte se till att lugnet återställs. Nej, då blir det massa gnäll. Då är det polisbrutalitet. Misshandel. Övervåld. Och Adamsson, den gamla kuken, han vänder sig bort från mig. Får mig sjukskriven, ber mig mer eller mindre dra åt helvete. Tack för stödet, rynkiga, jävla gubbe! Men både du och jag känner ju till Adamsson. Han har egentligen inte något emot sånt som hände i jourbutiken. Han borde ha stöttat mig till hundra procent. Men inte, den här gången släppte han mig till vargarna. Jag fattar inte varför.”

Ljunggren sa ingenting. Som vanligt.

Thomas fortsatte. "Ibland tänker jag, tänk om. Tänk om allt hänger ihop liksom. Du vet den där utredningen som den där Hägerström höll på med. Jag hjälpte honom en del. Okej, jag gillar inte såna som han, men något var skumt med det där mordet. Så jag kollade upp en del grejer på egen hand. Och vad händer? Bara några dagar senare börjar allt det här mot mig. Som om det var startskottet. Som om någon inte vill att jag ska hjälpa Hägerström med den där utredningen längre. Som en sammansvärjning."

Ljunggren vände sig om mot Thomas igen. "Ja, det var lite konstigt det där."

"*Lite* konstigt? Det var ju helknäppt."

Ljunggren brydde sig inte om Thomas påpekande. "Jag vet inte hur det gick till den där kvällen. Men det var faktiskt Adamsson som ringde mig och bad mig hoppa in istället för Fransson. Och jag lydde bara order. Fast att det skulle vara någon sammansvärjning, nej det tror jag inte. Det låter lite väl, vad heter det ...?"

"Konspiratoriskt?"

"Just det. Konspiratoriskt." Ljunggren gjorde en paus. Sen sa han med lägre röst som om han tänkte på vad ordet betydde, "Konspiratoriskt, alltså."

De fortsatte köra runt, en timme till. Det blev mörkare. De lysande instrumenten på panelen i radiobilen kändes hemtrevliga. Thomas kunde inte släppa vad Ljunggren just berättat. Det var alltså Adamsson som beordrat bort honom från patrulleringen. En tanke stod ut klar bland all förvirring i Thomas hjärna: Nu var det klarlagt – Adamsson var inblandad på något sätt.

Han sa inget till Ljunggren.

Ljunggren började köra tillbaka mot skytteklubben för att släppa av Thomas vid hans bil.

Han stängde av motorn men lät instrumentbrädan fortsätta lysa. Händerna på ratten som om han fortfarande satt och körde. Blicken långt bort, kanske fäst på klubbhuset.

"Du, det är en grej till jag vill berätta för dig."

Thomas hörde direkt på rösten att det var något.

"Vadå?"

Ljunggren svalde flera gånger. Harklade sig. En minut gick.

"Jo, vi fick ett larm för tre dagar sen. Några hyresgäster som trodde att någon kanske låg död i en grannlägenhet. De kunde se genom brevlådan att det låg massa post innanför dörren och ingen hade setts till där på flera månader. Jag åkte dit tillsammans med Lindberg. En lägenhet på Elsa Brändströms gata. Vi ringde på, knackade. Den vanliga rutinen. Till slut kände vi på dörren, den var öppen så vi klev in. Vi kollade runt, tjocka dammlager överallt. Verkade inte som om någon bott där på flera månader. Men vi hittade ingen döing."

Thomas undrade vad hans långa berättelse hade med honom att göra.

"Det fanns massa skumma hårdporrgrejer, attrapper och sån där skit. Vi hittade massa sprit, ett stinkande kylskåp. Sen hittade vi inget mer intressant. Det verkade inte som om någon varit där på hur länge som helst. Jag trodde det var ett rutinuppdrag. Men sen hittade jag ett glas med löständer i badrummet. Då slog det mig att den som har bott i lägenheten kan vara det där sönderslagna liket som vi hittade på Gösta Ekmans väg. Han som du pratade om att du hjälpte Hägerström med. Du berättade ju för mig att du såg kanylspår i hans armar och att han saknade tänder och så. Jag tänkte att jag skulle berätta det för dig. Som en gentjänst."

Tystnaden i bilen var kompakt. Thomas tyckte nästan han kunde höra Ljunggrens hjärta slå. Det här var ett brott mot reglementet, förundersökningssekretessen. Sånt var i vanliga fall inget som oroade Ljunggren. Men det här – det var något större på gång.

Thomas ansträngde sig att inte låta alltför intresserad. "Okej. Tack för informationen. Jag håller ju inte på med det där längre. Men visst fan tycker jag det är spännande. Vad hette han som bott i lägenheten då?"

Thomas kände huden knottra sig på armarna. Egentligen visste han redan svaret på sin fråga.

"Rantzell heter hyresgästen. Claes Rantzell. Men det är ett nytt namn, det hörs ju nästan."

"Va?"

”Ja, Rantzell låter taget, tycker du inte det? Snubben heter egentligen Cederholm. Han bytte namn för några år sen. Ringer det några klockor? Claes Cederholm?”

Thomas skakade på huvudet, fast namnet lät bekant.

”Claes Cederholm var huvudvittne i rättegången för Palmemordet. Fattar du? Det är inte vilka grejer som helst det här. Mordet på Olof Palme, Sveriges statsminister.”

Det var sjukt.

Thomas var ute på djupt vatten.

Mycket, mycket djupt.

***

RIKSPOLISSTYRELSEN
Rikskriminalpolisens Palmegrupp

Datum: 8 september APAL - 2431/07

Promemoria

(Sekretess enligt 9 kap. 12 § sekretesslagen)

Avseende Claes Rantzell (tidigare namn: Claes Cederholm)
(Reg. nr 24.555)

Claes Rantzell (tidigare namn Claes Cederholm, reg. nr 24.555 i misstanke och uppgiftslämnarregistret) har med största sannolikhet mördats den 3 juni i år.

Bakgrund
Claes Rantzell hittades på morgonen den 3 juni i år i ett källarutrymme på Gösta Ekmans väg 10 i Stockholm. (se bilagd händelserapport, Bilaga 1). Han var död vid upphittandet. Rantzells ansikte

var svårt skadat på grund av yttre våld och han visade även i övrigt en mängd tecken på att ha blivit grovt misshandlad. Mer anmärkningsvärt var att Rantzells tandprotes avlägsnats från platsen samt att hans fingertoppar blivit bortskurna (se vidare i obduktionsrapport, Bilaga 2).

På grund av dessa omständigheter kunde vare sig Söderortspolisen eller SKL identifiera Rantzell förrän den 7 september i år (se vidare identifikationsprotokoll, Bilaga 3).

Samtliga omständigheter tyder på att Rantzell mördats.

Sammanfattning avseende Claes Rantzell
Rantzell är Palmeutredningens mest hörda person. Mellan 1986 och 1991 hördes han över tjugo gånger (se APAL - 5870/91). Rantzells namn var, som nämnts ovan, Claes Cederholm vid tiden för mordet på Palme.

Rantzell var under den tidigare delen av åttiotalet en känd narkotikahandlare i Stockolm samt delägare i spelklubben Oxen på Malmskillnadsgatan. Han var dömd för en mängd narkotikarelaterade förseelser.

I förhör den 26 april 1987 (se APAL - 151/87) uppgav han bl a att han var nära vän med Christer Pettersson samt att denna befann sig utanför biografen Grand, den biograf som paret Palme besökte strax före mordet på mordnatten. I förhör den 3 februari 1988 (se APAL - 2500/88) uppgav Rantzell att hans minnesbild växlat. Han täckte då upp Christer Petterssons tider för mordkvällen. I förhör den 17 mars 1990 (se APAL - 3556/90) berättade Rantzell emellertid att han på hösten 1985 lånat ut en magnumrevolver av märket Smith&Wesson, kaliber .357, till Christer Pettersson. Enligt Pettersson skulle vapnet användas för att skjuta salut på en kamrats födelsedag. Rantzell fick aldrig tillbaka revolvern.

Den mest sannolika typen av mordvapen är just en magnumrevolver av märket Smith&Wesson, kaliber .357. Uppgifterna om den utlånade revolvern var således en av de centrala bevisuppgifterna under resningsrättegången mot Christer Pettersson. Åklagaren avsåg att binda Christer Pettersson till det potentiella mordvapnet.

Rantzell har levt ett kringflackande liv. Under åttiotalet tycks han huvudsakligen ha försörjt sig på langning av narkotika samt dobbleri. Under nittio- och tjugohundratalet har han figurerat som så kallad målvakt i en mängd bolag, främst i byggbranschen (se Bilaga 4).

Från mitten av åttiotalet till början av nittiotalet var han sammanboende med Marie Brogren.

Vår bedömning är att mordet på Rantzell inte har någon direkt koppling till mordet på Palme. Det kan emellertid inte uteslutas att sådana samband finns.

Föreslagna åtgärder

Mot bakgrund av ovan föreslår vi följande åtgärder:

1. Palmegruppen skall kopplas in på utredningen av mordet på Rantzell. Samtliga förundersökningsåtgärder skall kommuniceras med Palmegruppen. Utred-

ningsmannen skall informeras och rapportera personligen en gång per vecka till av Palmegruppen utsedd utredare.

2. Palmegruppen skall förordna utredare att gå igenom samtliga handlingar avseende Rantzell och sammanställa en rapport senast den 30 oktober.

3. Palmegruppen skall administrera en egen utredningsgrupp, bestående av minst tre utredningsmän, att bevaka, granska samt vidta egna utredningsåtgärder.

Vi förordar att beslut fattas i dessa frågor vid sammanträde den 12 september.

Stockholm som ovan

Kriminalkommissarie Lars Stenås

DEL 3

(två månader senare)

37

Digga proceduren: hackade kristallerna med rakbladet. För att ha sönder stenarna. Inget munskydd som när han blandat ut koks med tetramisol, djurmedicin, tidigare i veckan. Inga latexhandskar. Ingen jugge som stod bakom ryggen och övervakade honom. Hetsade honom. Misstrodde honom. Bajsade på honom. Bara Mahmud ensam i sin lya. Den låg några kvarter från Robert. Observera – *egen* lya. Fett. Till och med pappa var stolt.

På teven: Brasilien mot Ghana i något slags träningslandskamp. Han brydde sig inte.

Han hackade mer än han behövde. Som en rytm. En irritation som kom ur honom. En lackhet som höll på att explodera. Det hade kukat ur med juggarna.

Snorta var soft. Men den senaste månaden hade Mahmud börjat köra en tyngre rusch. Allt kokainflingorna krävde när de var upphackade var tre droppar vatten, sen löste de upp sig. Han tog upp engångssprutan. Kokainet olikt dopinggrejerna – fick venerna att dra ihop sig. Kanske tionde gången i livet han injicerade koks. Mindes fortfarande jungfrusilen för fyra veckor sen. Värsta vita dynamiten – ruset som en paradisresa. Robert och han, tillsammans i värsta high-definition tevespelskänslan. Grand Theft Auto nummer fjorton miljoner. Big timeee.

Han satte nålen mot armen. Såg till att venen inte rullade undan. Tryckte till. En bloddroppe hoppade upp i kanylen. Han pressade lite till. Sen lät han blodet komma upp i kanylen igen. In i venen. Tio sekunders väntan. Nio, åtta, sju, sex, fem, fyra, tre, två, ett. Vilket drag! Som en blixt direkt upp i hjärnan. Weed var blekt i jämförelse, dra näsor kändes trött, dricka sprit var oseriöst.

Den gröna färgen på fotbollsgräsmattan på teven kändes grönare än Amazonas. Det här var livet deluxe.

Var fan var Robert och de andra? De skulle ringa. Kanske komma förbi och kolla på lyan. Sen skulle de ut. Mahmud drog en ladd genom näsan. Ordinarie känsla. Skön, men när man väl testat intravenöst kändes intravenäst inte på samma sätt.

Han tänkte på sin situation. Förutom de här kvällarna sög den bögballe. Han jobbade som värsta lassen, typ fyrtiotimmarsveckor. Kunde lika gärna ta ett vanligt jobb, som Erika föreslog. Han körde runt i förorten hela tiden. Hämtade skiten från Shurgardförråden över halva Stockholm. Sålde till kranar i Norra Botkyrka, Norsborg, Skärholmen, Tumba, överallt. På pizzeriorna efter stängning, pubarna, klubbarna, gymmen, fighterlokalerna, i källarförråden, vindsutrymmena, partylägenheterna, komvuxkorridorerna, tunnelbanestationerna, köpcentrumens inglasade mötesplatser, parkerna, lekplatserna. Mest av allt sålde han från bilen. För så var det: han hade tjackat en riktig feting – en Merca CLS 500. I och för sig på avbetalning, men va fan liksom. Och en sån skulle han ju aldrig fått med ett vanligt kneg.

Sex sju snubbar, och faktiskt en brud, under sig som regelbundna kranar. Dijma var en av de bästa. Köpte åtminstone tvåhundra gram i månaden. Mahmud – på g att bli k-kungen av södra Stockholm. Han omsatte minst ett kilo per vecka. Minst en halv miljon cash på gatan. Han betalade juggarna fyrahundratrettio tuss per kilo. Typ sjuttio papp över till honom. Han glassade rätt ut men fick slita hund för flosen. Och den tunga baksidan: Radovan släppte inte greppet. Mahmud: en välbetald livegen. Hur mycket han än ville göra farsan, syrrorna, Erika och alla andra glada. Han fixade det inte. Så han hade bestämt sig: han kunde lika gärna bli kungen. Det var dags för en arab på toppen. Större än juggarnas gudfader.

Han fick mindre tid över för gymmet. Träningen led. Han

mådde inte okej. Kuren hade gett biverkningar. Winnarna var fan livsfarliga. Finnar spritt sig över ansiktet och ryggen som typ ebola. Det värkte i njurarna. Konstiga, tjocka, hår började växa på ryggen. Inatt hade han inte ens sovit två timmar. Men han hade varit tvungen att ta Winstrolen. Kuren skulle inte funkat annars.

Nu måste han tagga ner. Kunde inte köra både kur och koks samtidigt. Han beställde bättre proteiner på nätet istället. Trissade upp användandet. Men det kunde aldrig väga upp att han körde mindre på Fitness Center eller att han inte tog några hormoner.

Tankarna svindlade: allt han skulle göra med alla flos. Samtidigt: juggarna kunde sänka honom när som helst. De var mammaknullare hela bunten.

Klockan blev elva. Han plockade upp mobilen. Ringde Robert. Polarn hade ingen ordentlig telefonsvarare, bara högljudd, skränig arabisk musik på meddelandet. Ingen idé att spela in något. Robert skulle se att han ringt ändå.

Klockan gick. Mahmud drog en ladd till. Spelade playstation som en tevespelsgud.

Mobilen ringde. Det var Robert, upphetsad som ett barn: ”Kom ner för fan, vi står nere på din gata. Vi ska ta stan.”

Mahmud klädde på sig ytterkläderna. En läderjacka med Mercamärken på ärmarna. Stoppade ner en liten folieboll med två gram i fickan. Ikväll: han skulle visa Stockholm – plocka bitches som aldrig förr.

Mahmud och Javier drog varsin lina det första de gjorde. Tunga rytmen på Robbans bilstereo. Grymma stämningen. Det enda Mahmud saknade: Babak bredvid sig i baksätet.

Syntes att Robban stylat sig för pussy-catching. Värsta backslicken, lätt men välansad skäggstubb, guldlänk runt halsen, tajt v-ringad silkeströja. Hans biceps pressade på tyget inifrån.

”Ey, är du het ikväll, eller?”

Robert garvade. ”Shit mannen, jag är så het så jag nästan kommer i brallan redan.”

”Hustler's hustler. Ska vi inte ta min CLS istället?”

”Om du vill. Fett alltså. Big pimpin' rätt ut.”

Javier bara flinade åt deras surr. De bytte till Mahmuds bil.
Det var så soft.

På vägen. Robert vände sig om mot Mahmud: breda pirayaflinet.

”Om jag inte gör ett hat-trick ikväll, får ni tio gånger flosen. Fattar ni?”

”Vadå, ska du sätta på tre brudar, eller vadå?”

”Nej, habibi. Hat-trick, vet du inte vad det är?”

Mahmud kunde tänka sig en massa grejer, men han ville höra Robbans senaste idé.

”Hat-trick alltså. Det är när man får spruta i alla tre hålen på samma kväll.”

Mahmud asflabbade. Javier garvade högt. Robban såg nöjd ut – skrattade åt sig själv. Tre sköna snubbar på brudturné, om de inte fick scora ikväll skulle de fan aldrig få till det.

Mahmud mellan skrattattackerna: ”Jag svär alltså, jag kör hattrick ikväll också. Walla.”

Garven lugnade sig. De närmade sig stan.

Mahmud blev seriös. Ville snacka lite allvar.

”Jag börjar bli rätt lack alltså.”

”Vadårå, är det något med Babak eller? Släpp det där nu.”

”Nej, det är inte det. Och jag lovar, jag vill inte tjafsa med Babak. Hälsa honom från mig, salam.”

”Vad är grejen då?” Mahmud såg Roberts ansikte i backspegeln. Han såg faktiskt undrande ut på riktigt.

”Äh, men juggarna kör mig duktigt i röven alltså. Jag vill faktiskt lägga av.”

”Lägg av då. Be dem köra sig själva.”

”Nej, jag är inte snubben som brusar upp. Jag brinner sakta som spliffen. Men det kan koka över. Är ni med?”

Javier lutade sig bakåt. ”Jag är inte med. Du tjänar fina para. Cruisar runt i en grym bil. Vad är problemet?”

”Jag är som deras bitch. Det är annat för dig Robban, du kör ditt race. Egenföretagare liksom. Men mig håller de i ett koppel som värsta horan. De är som plitar, bestämmer vad jag ska göra, när jag ska göra vad. Hotar med att berätta för farsan om jag inte ställer upp, förstöra för min syrra. De är såna as, alltså. Jag måste göra något."

Robert med allvarlig ton för första gången på kvällen: "Mahmud, lyssna på mig. Jag kanske inte tror på juggarna om tio år, men nu – passa dig. Det är allt jag säger. Passa dig. De är djur, lek inte med dem. Så länge du tjänar flos, kör på och var glad. Jag svär."

Det blev tyst i bilen.

Stan i glödhet stämning. Mahmud mindes: svennarna firade nån sorts alla helgons dag. Novembermörkret upplyst av platinablonderade snärtor i stilettklackar som frös om sina ben. Stekare med Barbourvästar som mer såg ut som innerfoder än ytterjackor.

Men kvällen var deras. Javier hade bokat drinkbord på White Room. Skulle Mahmud försökt boka: kalla handen rätt upp i fejan. Hans Rinkebysvenska gick inte att dölja. Och i dörren var det kört utan bokning. Bevisats gång på gång av några småblattar som var typ universitetsutbildade: killarna spelat in apartheidregimen i Stockholms dörrar på video och gjort en grej av att stämma krogarna. De borde vara hjältar i Sverige – men inget förändrades för Mahmud.

Men Javier var nästan som en lasse. Tjockt tungt.

Inne på White Room: ishinkar inbyggda i borden, kristaller i taket, rosa upplyst bar med lyxvodka och skumpa. Smycken hängde på väggarna – någon slags utställning. Dansgolvet var en cirkel i mitten av rummet. Världens tryck. Den enda skiten var att de inte släpptes in i vip-rummet. Skit samma: här skulle jazzas loss. Men missförstå inte: jazza loss innebar inte att Mahmud dansade. Aldrig att en miljonshunne som han skulle förnedra sig så. Det var reserverat för lassarna, fjollorna.

Ändå: känslan av att vara inne knäckte det mesta. Han tänkte på den gången på Sturecompagniet när han sett Daniel och snubbarna. Ångesten i maggropen. Paniken i stötar genom huvudet. Han undrade vad som var värst. Att vara skyldig Born to be hated stash eller hora för juggarna?

Tre näsor senare: Mahmud, Robert och Javier satt i drinkbåset. Mahmud tog det som vanligt soft med spriten. Istället: spriten till för gussarna. Planen: häll i dem tillräckligt för påsättning men inte för mycket – ingen ville råka ut för spya på kuken. Mahmud tyckte svennebratsen stirrade hotfullt. De diggade inte liret. Blattekungarna knep snärtorna.

Han kände darret i fickan. Telefonen störde honom. Och han måste kolla den. Det kunde vara affärer. Sms:et var en klockren order: "D vill ha 50 biljetter ikväll." Med andra ord: han måste ut till något Shurgardförråd, fixa femtio gram k, och sen leverera skiten till Dijma. Här satt han med polarna, tre, fyra villiga katter, livet på topp, möjligheten till ett hat-trick inom räckhåll. Och just då skulle herr R tvinga bort honom. Som värsta antijackpotten. Han borde vägra, ge dem långfingret. Allt hat kom upp på en gång. Vällde runt inom honom. Det var som om hans glödande ilska började brinna. Blev till en sjuk lavaström. Han borde skita i juggarna. Be dem sticka. Men samtidigt, så starkt, kraftigare än hatet, ruschen, hettan: han visste vad han måste göra. Det var bara att leverera.

Han var glad att han skitit i spriten. Bättre att köra bil på en övergående k-rusch än med massa promille i blodet. Satte på stereon på fetingvolymen. Snoop i högform. Inte som Mahmud kände sig just nu.

Genom stan, över Sunksöder, motorvägen raka spåret söderut. Förbi Liljeholmen, Årsta och så vidare. Kungens Kurwa – kurwa som i hora.

Det var tomt på folk kring förråden. Så klart: klockan var halv ett en lördagskväll. Iskalla duggregnsdroppar. Han checkade in, rotade ett tag i lådorna i förrådet, plockade ut alla gram som fanns där – sex stycken femmor. Tillbaka till bilen. Swish-swish genom natten. Till nästa förråd, Årstaberg. Han kunde de här ställena på sina fem. In/ut som en idiot.

En och en halv timme senare: femtio gram i en påse i fickan. Livsfarligt – plockades han av aina nu åkte han in på två år. Minst. Domstolen följde mängdstegar, stela bedömningar, gav stenhårda domar mot langare.

Tillbaka i stan. Svårt med parkeringsplatser. Mahmud orkade

inte snurra runt. Sket i om det blev en bot – han ställde bilen framför ett hus som det stod Kungliga Biblioteket på. Drog iväg ett sms till Dijma på det numret han trodde att albanen använde den här veckan. Väntade tio minuter. Novembernatten var mörk. Glest mellan lyktorna där han stod parkerad. Han tänkte på pappa. Om han fick reda på den här skiten skulle han gråta sig till döds.

En silverfärgad Saab rullade upp bredvid honom. Mahmud hoppade nästan till. Hade han slumrat till där inne i bilens mörker?

Han hann se Dijma i framsätet. En snubbe hoppade ur Saaben. Öppnade bakdörren på Mercan. Satte i sig i baksätet. Mahmud på helspänn. Kände inte igen killen. Grammen i fickan värda mer än tre hundra papp på gatan. Försökte Dijma köra ett trick?

Snubben såg blek ut. Ringar under ögonen, cendréfärgat hår med en helt rak lugg som såg öst ut.

”Move”, sa han på bruten engelska.

Mahmud startade bilen. Såg Saaben längre fram.

De rullade ut på Sturegatan. Mahmud fick dåliga vibbar. Så här brukade det inte gå till.

Snubben i baksätet mötte hans frågande blick i backspegeln. ”Park the car at the Stadion.” Mahmud fick en skum känsla: killen uttalade ordet Stadion lite för bra för att vara en nyinflugen knarkalban.

Han körde bilen Sturegatan upp. Vid Karlavägen tog Saaben åt höger.

”Don't follow him”, beordrade kurirsnubben.

Mahmud saktade in. Han sa: ”I don't know you.”

Albanen svarade: ”Are you delivering or not?”

Mahmud svarade inte. Orkade inte tjafsa. Ville tillbaka till brudarna.

De körde över Valhallavägen. Det var knappt någon trafik. Mahmud parkerade bilen bredvid Stadions rödaktiga byggnad. Regnet fortsatte droppa ner.

Mahmud stängde av motorn. Fingrade i fickan efter grammen. En mörk Volvo körde upp bredvid bilen. Parkerade, stängde in Mercan.

Snubben i baksätet lutade sig framåt. Sa på svenska: ”Du är en bra kille, Mahmud.” Vad fan var det här? Plötsligt snackade albanen svenska. Mahmud måste fatta vad som hände. Var det Dijma som försökte blåsa honom. Juggarna som drev med honom. Eller snuten? Ikväll av alla fittiga kvällar låg hans butterfly hemma i lägenheten.

”Ey, vem fan är du? Stick härifrån.” Mahmud tittade ut mot Volvon, två snubbar som såg svenska ut satt i framsätena.

”Jag ska snart sticka. Oroa dig inte. Du kan kalla mig Alex.”

Mahmud kände det i hela kroppen: det här var en snut.

”Jag snackar inte med dig.”

”Varför inte? Jag vill att du lyssnar på mig, bara några minuter. Jag antar att du har något som man inte får ha i den här bilen. Är det så?”

”Jag snackar inte med dig, sa jag.”

”Du säger bara till Dijma att det blev tjafs och att jag drog. Jag har redan strulat med honom hela kvällen, så han kommer inte bli förvånad.”

”Jag har inte gjort något olagligt, eller vad du snackar om.”

”Det är okej, Mahmud. Jag ska inte ta någonting. Vi kommer inte försöka lagföra dig för något ikväll. Inte den här gången. Lyssna bara en stund.”

Mahmud fattade inte vad snutjäveln surrade om. Allt var ju kört. Volvon utanför. Möjligheterna att sticka minimala.

”Vi vet vad ni håller på med. Men vi behöver mer information. Vi behöver någon på insidan. Killar som jag kan gå in och göra korta jobb, men vi släpps inte in på riktigt. Du är en bra kille. Din pappa bryr sig om dig. Du har systrar du kan hjälpa. Du vill inte åka in igen. Kom igen, Mahmud, inte fan trivdes du inne på kåken? Tänk på vad din farsa skulle säga.”

Mahmud stirrade rakt fram, vägrade möta snutkukens blick.

”Knulla din mamma.”

Snubben verkade inte bry sig. Fortsatte: ”Vi är inte oresonliga. Vi kan glömma vad vi har på dig hittills. Jag skulle kunna gripa dig nu och du får två år bara för grammen du har i fickan. Sen har vi bra med bevisning för ytterligare två överlåtelsebrott. Du får minst åtta år, det vet du. Men samarbetar du stryker vi det där. Det enda vi vill ...”

”Är du fucking döv eller?” Nu fick det vara slut, Mahmud tänkte ta snubbens huvud och köra in det i växelspaken och sen springa därifrån. Det var värt ett försök.

”Lugna dig, Mahmud, lyssna några sekunder bara. Vi behöver dig. Vi släpper de gärningar vi har på dig. Och det enda vi vill är att du träffar oss någon gång då och då och informerar lite om vad som händer.”

Det här: helsjukt. De trodde på allvar att han skulle bli tjallare. Shit alltså, de var inte kloka, farbror blå.

”Skojar du eller? Tror du jag är golbög? Aldrig.”

Alex lät besviken. ”Du borde överväga. Det handlar inte om att tjalla eller så. Inte alls. Vi kör det hela på ett snyggt sätt. Det blir aldrig någon som får veta något. Men jag ska inte hålla dig längre. Du får tänka på saken. Gör inget dumt nu. Jag kommer kliva in i bilen bredvid.”

Snuten la ena handen på dörrhandtaget, sträckte fram andra armen. ”Här, ta mitt kort.”

Mahmud nonchade.

Alex-snuten la det på passagerarsätet.

”Ring mig om du kommer på andra tankar.”

”Glöm det.”

”Tänk på saken några dar. Annars blir nästa gång vi ses när jag förhör dig på häktet. Fattar du?” Alex väntade inte på ett svar. Han klev ut ur bilen. Vände sig om innan han slog igen dörren. ”Och en grej till. Om vår lilla pratstund läcker ut på något sätt, kommer vi och tar dig. Direkt.”

Snuten klev in i Volvon. Rivstart.

Mahmud satt kvar några minuter i mörkret. Tog upp kortet. Det stod bara Alexander Wren, ingenjör, och ett mobiltelefonnummer. Snygg täckmantel. Han vevade ner rutan. Slängde ut kortet.

White Room skulle ha öppet en stund till fast han orkade inte dra dit. Tänk om Dijma också var civilspanare. Omöjligt, Dijma kändes så äkta som en alban bara kunde göra.

Han var en loser. Inte ens aina trodde tydligen att han var en riktig G. Samtidigt: vilka var det han ställde upp på? De som tvingade in honom i skiten genom att utnyttja att han älskade sin abu och syster.

Mahmud sms:ade Dijma. Bad honom komma och hämta skiten själv. Albanen mötte honom utanför Kungliga Biblioteket. Dijma blev faktiskt inte förvånad när Mahmud förklarade att kukhuvudet som skulle ha fixat affären börjat tjafsa om priset. Mahmud sa att han slängt ut honom. Mahmud tog emot tvåhundrafemtio lakan i ovikta tusenlappar. Allt kändes genast bättre. Fan, han kanske skulle ta en vända ner på White Room ändå. Kolla om Robban, Javier och gussarna var kvar.

Nere bland champagneflaskorna var det vilda västernstämning. Bratssnubbar med dubbla manschetter på skjortorna och mer vax i håret än Mahmud använde på tre månader sprutade skumpa på varandra. Så fort Mahmud bänkat sig höll Robban fram en snusdosa. Mahmud gläntade på locket: en fin liten hög med k. Han klev in på toaletten. Drog en näsa. Tvåhundrafemtio papp – han kände sig bättre och bättre. Okej, det var ju inte bara hans pengar, men va fan, han måste få slappna av efter den här grejen med snuten.

Tillbaka ut bland folket. Dansgolvet var packat. Strålkastarna pumpade ut färger över hela rummet. Eurotechnon dunkade i takt till brudarnas armar i luften. Det var fan stort. Javier hade dragit med någon brud. Robban satt och smörade upp en egen liten godbit. Hon tittade in i hans ögon. Mahmud undrade vad han drog för sköna lögner.

Två brudar tog de sista dropparna Gray Goose Vodka. Mahmud blinkade åt en av dem. Överröstade musiken: ”Lilla sötnos. Ska vi inte ta lite bubblish istället?” Oklart om de hörde vad han sa. Men tre minuter senare var han tillbaka vid bordet med härligaste rosachampagneflarran. Då fattade de definitivt. Han hällde upp. De skålade. Han drack inte. Men de log. Bruden han blinkat åt det sötaste han sett sen Lindsay Lohan. Blonderat hår som såg änglatunt ut. Stora tindrande ögon. En grå topp med ärmar som var puffiga över axlarna. Hon svepte sitt glas. Mahmud hällde upp mer. Viskade i hennes öra: ”Vill du ha ännu roligare, riktig dynamit?”

Hon skrattade. Deras händer möttes, Mahmud räckte över redlinepåsen. När hon och polaren trängde sig förbi honom i båset nöp han henne i rumpan.

Änglagussen kom tillbaka fem minuter senare. Pupillerna som blyertsstift. Nös i handen. Log åt honom. Mahmud kungen. Ikväll skulle det bli hat-trick. Ha, ha, hat-trick!

De grovhånglade redan i taxin på väg ut till lyan. Hennes hand innanför hans byxor. Fram och tillbaka. Han blev galen, ville stoppa in den. Men onödigt att ta ett tjafs med chauffören.

Regnet utanför kändes fräscht. Tjejen hette Gabrielle. Hennes jeans gick ner som stuprör över svarta klackar. Hon vinglade, aspackad.

De tumlade in i lägenheten. Han ville inte tända – pinsamt hur stökigt och äckligt det var överallt. Hon tog hans kuk redan i hallen. Började suga. Inget onödigt förspel och lulllull. Precis som han ville ha det.

Han var på väg att komma. Hans andning blev snabbare. Gabrielle märkte det. Hon försökte låta det gå för honom utanför.

Mahmud sa: ”Du kan väl låta den vara kvar.”

Hon nickade, hans kuk följde med huvudets rörelse.

De la sig på sängen. Han vilade några minuter. Satte på musik. Tog av henne jeansen. Lät toppen sitta kvar. Förde in kuken. Gabrielle stönade som på porrfilm. De körde på ett tag. Mahmud daskade henne på arslet.

”Du kan väl sätta på kondom.”

”Ah, skit i det, jag kommer på din rygg.”

Det verkade okej med henne. Mahmud antog att hon käkade piller. Han körde på, wham-bam. Kom efter några minuter, sket i att dra ut den. Oklart om hon ens märkte det. Softish – andra tredjedelen avklarad. Det här skulle snubbarna få höra imorgon.

Gabrielle gick på toaletten. När hon kom tillbaka hade han dukat upp en lina på ett cd-fodral. Hon sa: ”Det är lugnt för mig, jag behöver inget. Kan inte du ringa på en taxi?”

Vad var det här för skit? Det var ju en grej kvar. Hat-tricket måste fullbordas. Sprutet i analen skulle bli den stora finalen.

Han böjde sig fram emot henne. Började kyssa henne på halsen, upp mot ansiktet. Lät läpparna röra vid hennes ögon, kinder, panna. Körde romantiska kyssliret. Hoppades hon skulle ändra sig. Han slickade henne i örat, smekte hennes hår, bröst, rumpa. ”Kom igen nu gumman, va lite schysst. Är det inte skönt?”

De la sig ner igen. Han skulle fan in i henne, så var det bara.

Mahmud tog av henne toppen. Hennes kropp var vass som fan. La sig på henne försiktigt, han var typ tio gånger större. Fortsatte kyssa henne i pannan. Hon blundade. Förde in hans kuk i sig.

Missionären i några minuter. Sen vände han på henne. Kuken in mot hennes anus.

”Nej, inte där”, viskade hon.

”Jo, det är härligt. Jag lovar.”

Han tog tag om hennes skinkor. Försökte trycka in kuken.

”Jag vill inte där.” Hennes röst var högre nu.

”Kom igen nu, bara snabbt.”

Gabrielle rörde på rumpan. Han höll hårdare om henne.

”Sluta nu. Jag vill ju inte.” Ännu lite högre röst.

Det var sjukt: han, muskelkuken, bitchkungen, gussknullaren – slaknade. Värsta chansen, en brud på mage, bara att trycka in den, göra sin grej. Vad var det för fel på honom egentligen? Han släppte henne. Såg hur hon slappnade av.

”Ligg kvar där, snälla. Du är så härlig.”

Han reste på sig. Kollade mot Gabrielle. Benen raklånga på sängen. Det här måste han fixa. Han rafsade i sina kläder, jackan, plånboken, jeansen. Till slut hittade han det han letade efter: en frimärkspåse där han hade några milligram kvar. Han tog upp kokainet på fingret. Gned det mot kuken. Det måste funka. Han behövde få upp den igen.

Nu.

38

Niklas höll i vapnet. Vägde det. Beundrade glansen i metallen. Kändes som down there med skillnaden att det här vapnet knappt hade använts.

Tänkte tillbaka på de senaste veckorna. Kvinnan på Black & White Inn hade levererat beställningen. En clean, ordentlig pistol: en ny Beretta. Han provsköt den första gången ute i ett skogsområde i Sätra. Tjugo rundor i några ölburkar uppställda på stenar. Rena Bagdadkänslan mitt i Stockholmshösten. Han måste lära känna vapnet. Säkerhetsspärren, manteln, siktet, hanens frigörning, spännstiftet, searen, låsningen av magasin och så vidare. Han och Berettan: skulle bli ett. Som sig bör.

Sen hemmaträning. Mantelrörelsen för just den här piecen skulle sitta i armbågen med automatik. Han släckte ner, övade i mörker, övade i bylsiga kläder, utan kläder, gående, liggande, springande. Vänster, höger, höger, vänster.

Alla misshandlande as – nu börjar Operation Magnums offensiv. Här kommer er mardröm. Stick och göm er – om ni kan.

Det var dags idag. Han skulle klippa den första. Mats, svinet, Strömberg.

Månaderna gått fort, med toppresultat spaningsmässigt. Enda skiten: Niklas hade slängts ut från lyan i Aspudden. Svartmäklaraset hade fixat en annan lägenhet och Niklas fick dega. Tyngre än väntat med tanke på att han gjort sig av med Audin också och tjackat en Ford istället. Säkerheten var inget han kompromissade med. Men pengarna skulle vara slut om några dagar. Vad skulle han göra? Grundprincipen stod fast: krig måste få kosta.

Relationen till mamma hade bara blivit värre. Han pallade inte höra av sig. Hon hade ringt, sms:at, till och med skickat brev. Efter deras gräl för några månader sen: det kändes inte okej. Mamma hade förnedrats halva sitt liv. Ändå verkade hon inte vilja förstå vikten i det han tänkte göra idag. Hur kunde hon tänka så snett? Men svaret låg nog just i det. Att så många kvinnor gick med på att männen slog, förtryckte, psykade, terroriserade dem. Att de inte försvarade sig, gjorde något åt saken, slog tillbaka. Niklas kunde hårdfeministernas argument fast han slutat surfa på deras patetiska hemsidor sen Biskops-Arnö-incidenten. Det handlade om strukturer i samhället, könsmaktsordning, inbyggda mönster som varenda individ tydligen måste apa efter.

Niklas hade hängt på gps-lokaliseringssystemet under Mats Strömbergs bil en natt i oktober. Sen dess hade han följt snubbens bilväg som värsta kartfreaket. Påminde honom om en brittisk sergeant i Dyncorp. Killens största nöje var kartor – på allvar. När de andra satt och lyssnade på sin mp3-spelare, läste porrtidningar eller spelade poker studerade sergeant Jacobs kartor med otrolig intensitet. Men shit, snubben var vass i fält. När han väl läst in sig på ett område kunde han det bättre än sitt eget vapen.

På vägen hem åkte Strömberg ofta förbi en kiosk i Sundbyberg. Parkerade bilen. Klev ur, hängde en kvart inne på kiosken. Niklas fattade först inte vad snubben gjorde. En dag följde han med in. Mats Strömberg skulle ju ändå inte känna igen honom. Det handlade om spel. Mannen verkade lägga hushållskassan på Måltipset, Oddset, V75, med mera. Och Niklas började ana ett mönster. Det var de kvällar när spelet avgjordes som Mats Strömberg kände sig tvungen att avreagera sig på sin fru.

När oktober började bli kyligare hängde Strömberg på sig en rutig halsduk, virade den som värsta gubben, med en enkel knut och största delen slätt hängandes över bröstet. Jeansjackan byttes mot en asful grön nylonjacka. Läderskorna mot ett par kängor som såg militära ut. Och det var först då, i oktober, som Niklas kunde fastslå ett annat mönster: den första måndagen i varje månad träffade Strömberg några kompisar på en pub vid Mariatorget. Han visste det nu: samma pub, ungefär samma tid, samma snubbar. Fotona som Niklas knäppt var tydliga. Tre månader i rad.

Och ikväll var det den fjärde november. Den första måndagen i november. Definitivt: time for attack. Han visste att Mats Strömberg skulle komma hem sent utan bil. Operation Magnum gick in i nästa fas.

Niklas hade hyrt ett neutralt fordon, en grå Volvo V50. Ville inte på något sätt riskera att Mats-jäveln kände igen den Ford som stått utanför hans hus så många timmar de senaste dagarna. Snubben kunde börja undra. Volvon perfekt: ingen la märke till en så trist bil.

Väntade. Utanför puben där Mats Strömberg satt och var glad. Konstigt nog kändes det aldrig långtråkigt – att låta tiden gå utan något annat att göra än att stirra ut genom vindrutan. Strömberg borde inte få vara glad. För fyra dagar tidigare hade han spöat på sin fru inför ögonen på deras son. Hon bara grät. Han bara slog. Sonen gömde sig bakom soffan.

Niklas tänkte inte plocka honom här i stan – för mycket folk. Istället: skugga snubben ut till Sumpan. Och där på gatan, en plats han analyserat: ett slut på tragedin.

Mobilens ljud avstängt. Den låg i väskan på passagerarsätet. Ändå kände han hur den darrade, som om han haft den i jeansfickan. Displayen visade Benjamin. Det passade verkligen inte att ta det just nu. Å andra sidan skulle kanske Niklas behöva Benjamins hjälp igen. Cashproblemet en realitet för svår att nonchalera.

”Tjena, det är Benjamin.”

”Jag ser det.”

”Var har du hållit hus de senaste månaderna? Det här är fan första gången vi snackar på jag vet inte hur länge. Har du åkt tillbaka till Irak, eller?”

Niklas orkade inte med tönten. Vad ville han egentligen?

”Du jag har inte riktigt tid nu. Vad vill du?”

Benjamin tystnade till några andetag för länge. Uppenbart överraskad av Niklas stöddighet.

”Ska du köra den där tonen kan du lika gärna sticka tillbaka dit ner. Jag skiter i vilket. Du har ju fan klickat bort mig säkert tio gånger de senaste veckorna.”

Det stämde. Niklas hade låtit bli att svara, screenat samtalen, till och med skitit i att lyssna av meddelanden. Fokus var ju grejen, inte massa värdelösa samtal. Ändå: pengarna höll på att sina.

”Jag vet, förlåt. Jag har haft skitmycket att göra. Vad är det du vill?”

”Jag tror du kommer vilja höra det här. Om du inte redan lyssnat av dina meddelanden.”

Niklas tänkte: jag orkar inte.

Benjamin fortsatte. ”Jag blev uppringd av polisen igen för några veckor sen. Inkallad på förhör och allt. Jag var där, i mitten av oktober tror jag det var. Gissa vad det gällde?”

”Ingen aning.” Niklas kände en lätt oro.

”Det gällde den där grejen i somras. Kommer du ihåg?”

”Vadå?”

”Skärp dig. Vet du vem de frågade om?”

Oron ökade i Niklas. Han visste redan svaret. Det kunde bara röra en grej – skit också.

”De frågade om dig.”

”Varför?”

”Minns du när du bad mig säga att vi varit hemma hos mig hela kvällen?”

”Ja, men vad sa de nu då?”

”Du berättade aldrig för mig vad skiten gällde. Vad fan är det du dragit in mig i? De förhörde mig säkert två timmar. Pressade som fan. Hade vi verkligen sett på film? Vad hade vi sett? När kom du till mig, när gick du, är jag säker på datumet? Fattar du?”

”Du sa väl inget?”

”Nä, det gjorde jag inte. Men jag vete fan. Du sa inte att det var så här. Mord, för fan. Niklas, vad är det här egentligen? Det är ju sjukt. Mord.”

”Jag vet inte mer än du. Jag har ingen aning. Det är helt sant. Var jag misstänkt för nåt eller?”

”Hur fan ska jag veta det? Mord, alltså. Kom igen Niklas. Vad handlar det här om?”

Niklas kände sig kall och varm på samma gång. Hur hade det här gått till? Han kunde inte svara Benjamin.

Han stod inför ett vägval: det gick inte att acceptera den här skiten. Samtidigt, Benjamins alibi – ovärderligt. Han måste smöra som ett as.

”Ja, det gäller någon som hittades död i morsans hus. De förhörde mig också. Och mamma. Nån stackare som var helt sönderslagen nere i källaren. Ett jäkla pådrag alltså."

"Okej. Men vad har det med dig att göra? Varför plockade de in mig på förhör igen och pressade? Och vad skulle du med det där vapnet till?"

"Ingenting, det vara bara en kul grej. Och vad gäller döingen i morsans hus så vet jag inte uppriktigt sagt. Ingen aning alltså. Fast om jag skulle vara misstänkt hade de väl plockat in mig för länge sen. Men du vet, med min bakgrund och så kan det ändå bli massa strul med polisen."

Tystnad.

Mer tystnad.

En svettdroppe längs tinningen.

Benjamin sa med långsam röst: "Du, vi är ju polare och så men ... det här börjar bli lite stort känner jag. Vad får jag ut av det här?"

"Vad menar du?"

"Jag menar, jag ställer upp på dig nu utav bara helvete. Och vad tjänar jag på det? Du tycker inte att jag borde få något för att jag skarvar om den där dvd-kvällen?"

"Vad fan menar du? Vill du ha deg eller?"

"Jag vet inte. Men ja, faktiskt. Tycker du inte att det är rätt? Jag ställer upp på dig. Du får vara lite generös."

Det här var bara för mycket. Först svartmäklaraset, sen bilbyte och bilhyra och nu det här: en polare som svek. Körde utpressning. Vad skulle han säga? Han måste erbjuda aset något.

"Det trodde jag inte om dig Benjamin. Men vi säger så här, du har gjort en bra grej för mig och den ska vara värd något. Jag kan betala dig fem tusen. Mer än så har jag inte."

Benjamin smackade med munnen.

"Bra att vi förstår varandra. Dubbla den summan så är vi helt överens."

Klockan tolv stapplade Mats Strömberg och en av hans vänner ut från puben. Rödmosig. Gubbhalsduken slarvigt virad.

Han hoppade in i kamratens bil som visade sig stå parkerad tre bilar framför Niklas.

Det var inte bra om polaren tänkte skjutsa Strömberg ända hem, men Niklas hade sett det förut – Mats-aset blev oftast avsläppt vid Centralstationen och fick själv ta pendeln ut till Sumpan.

Niklas förföljde bilen utan problem i den lätta trafiken.

Som han trott: framme vid Centralstationen släpptes Mats Strömberg av. Klev ner mot pendeltågen. Niklas tänkt ut hela grejen. Studerat pendeltågens tider för hela kvällen och natten. Mats skulle hinna med noll noll tjugotre-tåget ut mot Bålsta. Kunde vara förseningar. Niklas surfade upp på trafikupplysningen på sin mobiltelefon. Ikväll skulle noll noll tjugotre-pendeln gå på utsatt tid. Det skulle ta honom nio minuter i nattrafiken ut till Sundbyberg. Pendeln skulle bara ta sju minuter, men den gick inte förrän om åtta minuter. Han var safe.

På motorvägen, en tanke i huvudet: Skotten måste träffa rätt. Slå ut honom direkt. Jobbet skulle göras snyggt och snabbt. I Operation Magnum lämnades inga skadade.

Han parkerade bilen trettio meter från utgången från pendeltågen. Vevade ner en ruta. Väntade. Kall luft strömmade in. Kollade upp trafiken en sista gång på mobilen. Tåget skulle anlända om tre minuter. Han tog upp Berettan i knäet. En kvinna med en labrador gick förbi ute på gatan. Annars folktomt. Han dubbelkollade magasinet, säkringen, hanen.

En minut kvar tills tåget skulle rulla in på stationen nedanför. Niklas böjde sig ner, checkade igen att skorna var ordentligt knutna. Kände det i maggropen, som timmarna före ett anfall. Små, små rörelser. Som om de levde sitt eget liv. Samtidigt: en förväntan, en spänning i luften. Excitement som de andra killarna där nere skulle ha sagt. Excitement över att få göra något riktigt bra.

Nu hörde han tågets gnisslande bromsar. Tittade på klockan. Niklas hade provgått trapporna upp från perrongen och ut genom stationen. Beroende på var i tåget snubben steg av borde det ta mellan trettio och femtio sekunder.

Dörrarna öppnades automatiskt. Två personer kom ut. Inte Mats. Sen kom en familj: morsan drog en dubbelbarnvagn fullproppad med ungar och farsan bar på ett sovande barn. Efter dem: några ungdomar i tonåren.

Till slut: Mats Strömberg.

Rödlättheten i ansiktet lagt sig. Han såg ut som en mönstermedborgare. Gick förbi Volvon där Niklas satt. Han klev ut ur bilen. Tio meter bakom målet. Berettan i innerfickan. Strömberg gick i normaltempo. Det var fyrahundra meter till bostaden. Om ungefär femtio meter skulle han snedda över en liten park. Inga gatlyktor där och inga hus.

Klockan var snart kvart i ett. Niklas såg inte en människa ute förutom målet. Han hade planerat så väl, så länge, inte bara för att kunna gör det här perfekt, utan också för att veta att han *tog* rätt.

Trettio meter kvar till parken. Niklas snabbade på stegen. Sju meter bakom Strömberg. Snubben verkade inte märka att han var förföljd.

Niklas stack handen i innerfickan. Kände pistolens varma stål.

Träden i parken syntes tydligt, mörkgröna.

Niklas med koll: att skjuta mot huvudet är osäkert om man vill att målet ska dö. Huvudet rörligt med delar som kan paja utan att offret dör: öron, käke, skallben, delar av hjärnan till och med. Ryggen däremot. Träffar man kotpelaren blir skottet dödande direkt. Dessutom: tillräckligt om man skjuter på riktigt nära avstånd. Stor, säker träffyta. Missar man ryggmärgen finns stora chanser att man plockar kroppspulsådern, stora hålvenen eller stora lungpulsådern. Det gör också jobbet.

Mats-aset tre meter framför honom.

Till vänster låg en klätterställning som knappt syntes i mörkret. Men Niklas visste att den låg där. Det var inte ofta Mats åkte kommunalt, men Niklas bestämt sig: det här var bästa platsen.

Två meter kvar.

Mats vände sig om. Niklas mötte hans blick. Undrade om aset förstod vad som skulle hända.

En meter kvar. Niklas sträckte fram armen. Den svarta Berettan försvann nästan i mörkret.

Ett skott.

Ett till skott i direkt följd.

Perfekt träff. Ingångshålet borde ligga ungefär tjugo centimeter under nacken. Han såg inte riktigt. Böjde sig ner. Mats låg med ansiktet ner i marken. Två små hål. På rätt plats i ryggen. Utgångshålen skulle vara betydligt större, men det kunde han inte kolla nu.

Niklas vände sig om. Småsprang genom parken. Ut på gatan: lugnare steg. Tillbaka till bilen.

Tre timmar senare. Volvon utbränd och klar. Eventuella dna-spår utbrända. Vapnet tvättat och nergrävt. Kanske skulle han använda samma pistol nästa gång, det hade han inte bestämt än.

Han var en grym soldat. En frigörare. En hjälte.

I Forden på väg från det förkolnade bilvraket stannade han till vid en telefonautomat i Aspuddens centrum.

Många signaler gick fram innan någon svarade. Det här skulle bli ett bra samtal.

Groggy eller gråtig, han visste inte hur han skulle tolka hennes röst.

"Det är Helene."

Han lovat sig själv att fatta sig kort.

"Hej, förlåt om jag ringer mitt i natten."

"Vem är det?"

"Jag vill bara meddela att jag just gjort dig fri."

"Vem är du, vad menar du?"

"Jag har tagit bort honom. Du behöver inte oroa dig mer. Han kommer inte tillbaka."

Han hade gärna talat längre med Helene Strömberg, hon verkade gullig. Men det gick inte. Inte just nu i alla fall.

39

Thomas stod i köket för att fixa frukost. Klockan var elva. Igår blev en sen natt. Hemma först vid sexrycket. Åsa sov i vilket fall, så det var skit samma. Komma hem klockan halv tolv eller halv sju

– hon visste ändå inte vad han sysslade med. Helvete, ibland blev nästan ångesten för mycket. Han kunde vakna kallsvettig. Omöjligt att somna om.

Han hade fixat det för sig på Trafikenheten: jobbade deltid. Kunde köra sent på klubben på lillördag, onsdag, och sen sova ut på dagarna. Vände på dygnet halva veckan. Måndag morgon var tyngre än han hade kunnat tänka sig.

På köksbordet låg ett uppsprättat kuvert. Bredvid några papper. Det stod Adoptionscentrum. När han böjde sig fram kände han hjärtslagen öka. Det kan inte vara sant. Snälla låt oss ha fått napp på något. Något som funkar för mig.

Det kändes som papperna klibbade vid varandra. Hans nervositet, han darrade, försökte läsa lugnt. Massa utfyllnadsfraser. *Uppgifter har kontrollerats. Konsultläkare rådfrågats. Vår ambition är att familjen inte bara ska få barnbeskedet snabbt, men att det också ska vara så riktiga och kompletta uppgifter som möjligt. Hur mycket uppgifter om barnet som vi har kunnat få fram, varierar dock mycket mellan olika länder och orter.* Han läste det ändå, fast han hela tiden ville bläddra. Kanske som en förberedelse på eventuellt negativt besked. Han undrade varför Åsa inte hade ringt.

Sen kom massa oöversatta estniska myndighetsdokument, stämplar, märkliga underskrifter. Sidorna därefter: beskrivningar av barnhemmet, pojkens ålder, tillstånd, familjeförhållanden. Regler för hämtning, krav på ytterligare tillstånd, med mera. Och så på de sista sidorna: bilderna. På Sander.

Pojken var det underbaraste barn han någonsin sett. En sexton månaders ljuslockig, småknubbig, brunögd liten krabat. Han älskade grabben direkt: Sander. Hjärtslagen ändrats till rytmiska glädjeklockor. För första gången på så många år kände han sig helt varm inombords. Lycklig, antog han. Det var fantastiskt. Han ringde Åsa.

Hon svarade på första signalen. Bubblade av glädje. Pratade, grät om vartannat. Thomas störde sig inte för en gångs skull. Han kände likadant, de skulle få en son. De började planera direkt. När de kunde hämta grabben, inredning av ett barnrum. Tapeter, lampa, barnsäng, bilbarnstol, barnvagn, babybjörn. Allt sånt som Åsa hört sina väninnor tjata om i flera år.

Åsa sa att hon inte velat ringa och väcka honom med nyheten. Han skulle få se överraskningen själv nere i köket, som hon gjort. Thomas garvade. Kanske var han för hård mot henne om att han behövde sin sömn.

Fan i brallan – han skulle bli farsa. Han kunde inte bestämma sig: skratta/gråta. Gråta/skratta. Gråta av skratt.

Han tränade uppe i teverummet. Glädjen låg kvar i botten. Men de andra tankarna trängde sig på. Mer än tio veckor sen han blivit omplacerad till trafiktöntarna. Mer än åtta veckor sen han gjort första jobbet för sina nya arbetsgivare. Extraknäcket som juggarnas man var bättre än han väntat sig. Strippklubben började kännas som hemma. Livet förändrades fort. Synen på jobbet. Inställningen till hela grejen. Det kom med åren, en gnutta i taget. Frestelserna var egentligen inte inbyggda i jobbet – de var inbyggda i personen. Och en vacker dag befann man sig i en ödemark, där det varken gjorde till eller från hur man behandlade slöddret och sig själv. Då kändes det normalt. Han tänkte ofta på sin pappa. Gunnar hade byggt Sverige. Trott på att alla skulle med på resan. Då skulle inget pack få förstöra det bygget. Men nu var han inte säker längre. Hur hade han blivit behandlad av sina egna? Ljunggren och Lindberg? Visst, de skålade för honom på fredagsölen, men vad gjorde de egentligen? Att Ljunggren gått med på att bli omplacerad den där kvällen och inte patrullera med honom. Hans ångest i efterhand kom liksom för sent. Det fanns ingen kåranda när man behövde den. I jämförelse var Ratko, Radovan och de andra han träffat äkta män. Hederliga på sitt eget sätt. De stod vid sina ord, höll vad de lovat. Han fick den lön de kommit överens om utan skrivna avtal, men viktigast av allt – inget läckte till Åsa eller någon snut. Thomas litade på juggarna. Mer än på någon inom polisväsendet. Det var märkligt, men sant.

Så, hur konstigt det än lät, gav jobbet på klubben ett slags lugn. En lunk där han hittade sig själv. Det här var han, friare händer. Störiga stripptorskar fick smaka på Andrén om de blev för jobbiga.

Ibland gjorde han andra grejer också, mer komplexa, avancerade. Deltog i säkerheten på tillställningar av lite högre klass. Svenska och utländska affärsmän som ville ha lite roligt. Stripporna hottades upp till brudar med klass, proffssminköser plockades in, unga sprättar från Östermalm fixade kalas. Thomas såg inte mycket av själva festerna, men han grejade runtomkring. Lärde de yngre gymkillarna som Ratko presenterade honom för att hantera batonger och elpistoler på rätt sätt. Förklarade hur man lugnt och sansat men ändå stenhårt bemöter en packad femtioåring. Såg till att rätt sorts västar köptes in, komradioutrustning, bälten, handfängsel och handskar. Han kunde det här på sina fem. Ratko älskade honom. Kanske var det ett genombrott. Kanske kunde han syssla med det här på heltid.

Sen var det ju den stora saken. Som hela tiden gnagde. Som en post-it-lapp fastklistrad på insidan av pannbenet. Palmegrejen. Socialdemokraternas ledare under hela hans uppväxt, landets statsminister. Mordet då Sverige blev av med oskulden. Det var sinnesstört. Allt pekade på att Rantzell var den mördade han hittat för fem månader sen. Och Rantzell var Cederholm. Och Cederholm – det namnet borde ringt en klocka – var nyckelvittnet i hela Palmeutredningen. Mannen som påstod att han gett en revolver av Smith&Wesson-modell till Christer Pettersson. Revolvern som halva rättegången kretsat kring. Hade Christer Pettersson haft ett sånt vapen eller inte? Var Cederholm trovärdig eller inte? Vad var deras inbördes relation? Frågorna sprängde i skallen. Men värst av allt: Vad hade han trampat in i? Han tänkte på hur Rantzell dödats. Professionellt utfört. De snittade fingerytorna, borttagna löständerna, inga andra sätt att identifiera offret. Samtidigt: så billigt och enkelt. I en källare, blodigt, nersölat som bara fan. Det måste funnits bättre sätt.

Och en sak till: det kändes nästan personligt. Han tänkte på sin farsa igen. För gubben var det lika självklart att vara socialdemokrat som att vara man. Det fanns inga alternativ. Inte för att han egentligen var intresserad av politik på ett teoretiskt plan, utan för att han röstade med magen. Det som är bra för mig är bra för Sverige – alla ska få vara med på resan. Gunnar hade jobbat som målare hela livet. Inte hållit på som alla gjorde idag: svartjobbat åttio procent och kört lite vitt för Skatteverkets skull. Gunnar jobbade för någon, inte för sig själv. Han var en anställd, en löneslav – hela livet. Fackligt ansluten sen arton års ålder. ”Socialdemokraterna”, brukade han säga, ”gav mig chansen. Och Olof Palme”, fortsatte han, ”ger Sverige chansen.” Folk snackade om att Palme var hatad för att han svek sin klass. Men Gunnar sa något annat. ”Palme hatades för att han kunde tala så det kändes, ända in i ett hårt ytbehandlat målarhjärta.”

Thomas mindes pappan framför teven. Tillsammans med honom när Palme talade på Norra Bantorget. Fotarbetet bakom talarstolen. Gunnars garv när Palme log efter en skarp formulering.

Nu hade någon klippt den Cederholm som golat ner den person som så när som på en hårsmån dömts för mordet på Olof Palme. Thomas visste inte vad han skulle göra med det här. Han hade ju berättat om att han träffat Ballénius på Solvalla och all annan info för den nuvarande utredningsmannen, Ronander. Men han knystade inte om sitt samtal med Ljunggren den där kvällen i bilen.

Han visste det, kände det i magen starkare än någon varning han tidigare känt – han borde inte rota. Ändå hade han gjort det. För Thomas var det så uppenbart. Om det bara varit för att Adamsson stoppat Hägerströms och hans besök på bårhuset hade han kanske inte tänkt mer på saken. Men då, när Ljunggren berättade att det även var Adamsson som stoppat honom från att följa med på patrulleringen, visste Thomas: Adamsson var en del av den här smutsen.

Handlingsalternativen var ganska enkla: antingen sket han i Adamsson eller så gjorde han egna efterforskningar. Slutsatsen var ännu enklare: ingen skulle få skita på honom – han skulle nita de jävlarna. Lösa Rantzellgåtan.

Det var kvällen för två månader sen då Ljunggren hade berättat vem Rantzell egentligen var, som han bestämde sig.

Direkt efter att de skilts satte han sig i sin bil. Ansträngde sig för att hålla hastigheten. Pinsamheten om han skulle hamna för utredning hos egna trafikenheten skulle vara för mycket. Han klev in på en pizzeria på Sveavägen. Beställde en inbakad pizza och en åtta whisky av något billigt märke. Drog i sig den på två minuter. Allt snurrade. Han hade just fått reda på det då. Cederholm var Rantzell. Rantzell var Cederholm. Adamsson var inblandad. Hur mycket? På vilket sätt? Ljunggrens nya information öppnade en avgrund.

Thomas slafsade i sig pizzan.

Händelserna hade fått ett sammanhang. Om det här rörde sig om så stora saker som Palmemordet kunde vem som helst vara inblandad. Det var sjukt. Snubben utanför deras fönster för tre månader sen kunde vara polis, sydafrikansk legosoldat, Mossad-agent, kurdisk PKK-terrorist. Vad som helst. Thomas tillhörde de som trodde att Christer Pettersson faktiskt var den som mulat Palme. Men visst fanns det tvekan. Visst hade han hört andra teorier. Någon ville inte att stickspåren i armen på Claes Rantzell skulle uppmärksammas. Någon fixade bort Thomas. Någon med oanade resurser.

Thomas hade hittills agerat fläckfritt, åtminstone enligt honom själv. Att kolla runt lite på egen hand kunde inte vara förbjudet för en polis – och så fort han fått reda på något hade han ringt nye förundersökningsledaren. Men nu var det dags att agera helt utanför reglerna. Han behövde rentvå sitt namn.

Efter pizzan klev han över gatan till något kubanskt ställe. Satte sig vid ett bord. Beställde ett glas Gran Reserva. Kände sig ensam. Väggarna svartmålade. Stora kubanska flaggor. Borde han berätta för Åsa vad han höll på med?

Han bad att få låna papper och penna av servitrisen. Började spalta ner i punktform vad han visste om mordet.

Drack vinet i stora klunkar. Pistolen hängde ner ena sidan av kavajen. Servitrisen ställde in en liten tallrik med grillade scampibitar. Han beställde in ett glas till.

Tittade på sin lista. Namn, platser, tider. Punkterna för få. Stort frågetecken kring Rantzell. Vem var han?

Mobilen ringde. Det var Åsa som undrade var han höll hus. Han sa som det var: ”Jag sitter ensam på La Habana och dricker rödvin." Hon undrade varför. Han sa nästan som det var: "Jag blev på dåligt humör efter att ha träffat Ljunggren."

En timme senare: när han gick för att pissa såg han sig själv i spegeln. Ett rödlila flin fyllt av oro. Han tänkte: Kom igen nu – det här fixar sig.

Han klev ut, satte sig i bilen. Sket faktiskt i promillehalten. Trafikenheten kunde ta sig i röven. Han körde mot Fruängen. Fyllan kändes hur som helst okej.

Höstmörkret som i vanliga fall gjorde honom deprimerad kändes upplivande. Det här var hans utredning.

Redan nere vid ingången hade han fattat att något pågick i huset. Två stora lappar satt uppsatta över hissdörren. *Polisutredning pågår på våning 3 och vissa andra våningsplan. Av detta skäl kommer Länskriminalen att befinna sig i Ert hus under viss tid. Vi ber om ursäkt för eventuella olägenheter. Ni är välkomna att ringa 08-401 26 00 för frågor.*

Han tog långa kliv. Rätt våningsplan. Rätt namn på brevlådan. Polistejp. Thomas klev fram. Ett beslag satt över dörren. Tungt hänglås. Han klev ner till bilen igen. Plockade med sig dyrken. Tog på sig handskarna. Fixade hänglåset på mindre än en minut.

Klev in. Hallen var mörk. Han tände. Jackor på hängare till höger. Det var tomt på golvet. Hans kollegor hade väl rensat upp skor och annan skit. Skickat ner grejerna till SKL. Thomas undrade varför de inte tagit jackorna också.

Köket var litet. Odiskade tallrikar och bestick, äckelsunk som alltid i pundarlägenheter. Han kunde det här. Varit inne i fler kvartar än vanliga lägenheter i sitt liv. Han försökte analysera vad polisen gjort för jobb där inne. Kändes som fyllan gjorde honom skarpare. Han kunde följa förloppet. Hur de topsat, letat fingeravtryck. Putsat ytor, lagt smutsiga föremål i bevispåsar. Han lät blicken registrera detaljerna. Rantzell skötte inte sitt liv. Spåren tydliga, smutsen talade sitt eget språk.

Vardagsrummet: lädersoffa, läderfåtölj, hötorgskonst, hyllor tömda på böcker. Thomas klev fram. Damm i bokhyllan. Han stod där en stund. Kollade, registrerade. Analyserade. Försökte sätta sig in i hur krimmarna tänkte. Vad skulle Hägerström ha sett härinne? Det var något, det kände han i magen. Han spanade in rummet igen. Soffbordet var rensat, dammspår, fläckar, brännmärken. Teven, videon: ingenting konstigt. Hägerström, vad hade han tittat efter? Saker som inte stämde. Anomalier. Avsteg från det vanliga. Thomas kunde kvartar. Han kunde se bokhyllan framför sig innan de tömt den. Några pocketböcker kanske, möjligen några ärvda inbundna böcker eller samlingsband. Även missbrukare månade om kultur. Troligen några foton, möjligen minnen från en bättre tid, före nu.

Då såg han det: spåren i dammet i bokhyllan. De var inte raka, regelbundna. Som de skulle varit om teknikerna dragit ut böckerna en efter en och lagt dem i bevispåsar. Det här var något annat – böckerna hade slitits ut. Hans tankar stannade upp. Sen tänkte han dem igen. Böckerna slitits ut. Det betydde att antingen hade Rantzell själv slitit ut dem eller så hade någon annan genomsökt lägenheten innan polisen kom dit.

Han gick in i sovrummet. Sängen var rensad på lakan. Ändå ingrodd smuts och fläckar på madrassen. En matta på golvet. En spegel i taket. Thomas på helspänn. Letade fler spår efter den eller dem som genomsökt lägenheten. Försökte igen – tänka som någon annan. Han såg ingenting. Öppnade garderoberna. Det fanns inga kläder kvar. Han såg en låda. Öppnade den. Den var tom.

Han fortsatte försöka se något. På väggen längre in i garderoben satt ett litet plåtskåp, två gånger två decimeter. Luckan på glänt, tomt. Såg ut som ett nyckelskåp med tre rader krokar. Han tittade närmare på skåpet. Det hade tydliga brytspår. Avgjorde saken: Rantzell skulle väl inte bryta upp sitt eget skåp? Och vad betydde det mer? Det kanske aldrig funnits något i skåpet. Eller så hade teknikerna tagit det som fanns där, troligen nycklar. Men någon hade tagit sig in i lägenheten före dem. Och kanske tagit nycklarna som kunde ha hängt i skåpet. Vilka nycklar förvarade man i ett sånt skåp? Kunde vara vad som helst, till cykeln, vinden, källaren, sommarstugan, bilen. Han tänkte: Nej, inte bilen, det var för opraktiskt att ha såna nycklar i ett skåp längst in i garderoben, bakom kläder och massa annan skit.

Han lät blicken scanna rummet igen. Försökte uppfatta vad som var viktigt. Det funkade inte. Han kände sig trött, fyllan började avta. Det kändes konstigt att vara där. Skulle han bli upptäckt kunde han säga adjö till trista Trafikenheten direkt.

Han klev ut ur lägenheten.

Tog trapporna ner. Klockan var halv tolv. Nere vid ingången. Stirrade på informationslappen igen. *Polisutredning pågår på våning 3 och vissa andra våningsplan.* Andra våningsplan? Var kunde det vara? Han tänkte på nyckelskåpet. Han bara måste kolla ett ställe till.

Gick ner i källaren. Polisavspärrningar satt runt ett av källarförråden. Han klev över plastbanden. Förrådet var öppet. En gammal matta, två flyttlådor. I den ena dammigt porslin. I den andra: gamla porrtidningar. I övrigt var det tomt i förrådet. Thomas började gå tillbaka. De andra förråden var mer eller mindre fulla med bråte. Skidor och pjäxor, fåtöljer, väskor, möbler, extrasängar, skräp och skit. Gallren kändes klena. Hänglåsen på trädörrarna tunna. Han passerade ett förråd som var nästan tomt så när som på en dator som såg ut att vara tjugo år gammal. Att folk sparade på sånt. Thomas började få huvudvärk. Han ville bara hem. Det var ett misstag att komma hit. Han tittade in i ett annat förråd. Stelnade till. Det kunde inte vara en slump. Plastpåsar. Alla med samma tryck: Willys. Han såg bilden framför sig tydligt: damen som suttit bredvid Ballénius ute på Solvalla hade haft en sån påse.

Han klarnade till. Det fanns ett samband. Det här var hans chans. Han dyrkade upp låset. Klev in i förrådet. Böjde sig ner. Kollade damm, fotspår, andra tecken på om hans kollegor varit där. Verkade inte så. Däremot: bredvid påsarna var dammet lite tunnare än på resten av golvet. Uppenbart: någon hade tagit något från förrådet.

Thomas gick upp till bilen. Hämtade två stora svarta plastsäckar som han hade i bagageluckan. Tog med dem ner i förrådet. Tömde påsarnas innehåll i de två stora säckarna. Knycklade ner påsarna också. Ingen skulle reagera imorgon på att han varit här.

Han hade varit klarvaken redan när Åsa vaknade. För många tankar pågick. Han behövde kontrollera sina idéer. Få ordning på sina efterforskningar. Förstå vad fynden han gjort i Rantzells källare betydde. Det var mycket papper. De skulle ta tid att gå igenom och han gillade inte papper. Han var tvungen att tänka. Ge det tid.

Adamssonspåret var dagens tema. Frågorna hopade sig. Var skulle han börja nysta? När skulle han börja? I nuet eller i dåtid? Han försökte analysera.

Men hur bedriver en trafikpolis utredning mot ett befäl som dessutom var chef över alla hans kollegor i Söderort. Skulle han gå till Palmegruppen, den lilla kvarlevan av Palmeutredningen, och säga att Adamsson hindrat dem på bårhuset? Kanske fanns det protokoll som kunde styrka att ingripandet skett, annars var det ju kört redan där. Men även om det gick att bevisa att Adamsson låg bakom bårhusgrejen så betydde det ingenting. Adamsson hade ju haft rätt där – de hade varit på bårhuset utan tillstånd.

Däremot var Thomas säkrare på att ingen bevisning fanns på att det var Adamsson som dirigerat om Ljunggrens patrullering. Inte mer än Ljunggrens ord, och de vägde inte särskilt tungt mot Adamssons.

Och Hägerström? Borde han inte ringa till Hägerström? Nej, aldrig att han ringde den internaren. Någon stolthet måste han ha.

All misstanke kom från nuet, men han hade inte mycket att hämta här. Kanske var det bättre att försöka söka i historien. Ta reda på vem Adamsson egentligen var och vem han varit. Thomas kände sig ensam. Hans vanliga kollegor och vänner var inte pålitliga. Folket på skytteklubben var inget stöd. Och Åsa, hon var mest en belastning i det här.

Den enda han kom på var Jonas Nilsson. Han var enkel – funderade inte så mycket, Thomas hade uppfattat honom som genomsnäll på tiden när det begav sig. Nilsson hade trots allt hjälpt honom kolla upp Ballénius – utan att något läckt ut om den grejen, åtminstone inte som Thomas kände till. Enda kruxet med Nilsson: han var en *före detta* kollega. Egentligen kände Thomas honom inte längre. Men det var värt chansen.

Han ringde snubben från Åsas mobil för att vara på den säkra sidan. De bestämde träff en kväll i veckan. Det var knivigt: han visste inte om han borde berätta för Nilsson vad det hela egentligen rörde sig om, mordet på en statsminister. Det fick bli en mellanvariant.

Det hela gick enkelt, de sågs på Friden. Nilsson verkade glad att träffas. De beställde öl, började snacka massa skit direkt. Jämförde distrikten, klagade på utrustningen, cheferna, kollegorna. Gemensamhetsgnällde på Sverige, rikspolisstyrelsen, vädret.

Thomas förklarade sin grej: ”Jag är jäkligt lack på vad som hände mig.”

Nilsson var förstående. Att bli förflyttad till trafikenheten var ju rena mardrömmen för en riktig polis.

Thomas fortsatte. Förklarade att han tyckte det var Adamssons fel, att han kände att han ville hitta något sätt att nita den jäveln. Och så kom grejen. Han sa: ”Nilsson, känner du någon äldre kollega som kan ha koll på Adamsson från förr? Du vet, man har ju hört en del om den där gubben. Hur han höll på under åttiotalet och så. Det vore guld värt om du skulle ha koll på någon som visste mer än vi. Bara för att ha någon hållhake på den där Adamsson.”

Nilsson lovade att tänka efter. Höra med de gamla rävarna, kanske någon av dem som hjälpt till med Ballénius.

Jonas Nilsson hade levererat ett namn några dagar senare: Göran Runeby. Norrmalmspolis, kriminalkommissarie. Inte illa. Enligt Nilsson var Runeby en man som hade pejl på Citypoliserna ungefär som en släktforskare har koll på sina kusiner.

Runeby hade gått med på att träffas förutsättningslöst, som han sa till Jonas. Thomas visste inte vad han skulle förvänta sig och det spelade ingen roll – även om Runeby bara visste sånt som alla kunde räkna ut, att Adamsson råkat nypa en polissekreterare i rumpan då och då, att han haft en förkärlek för övervåld, att han ogillade invandrare, så var det bra.

De sågs hemma hos Runeby i Täby. Gubben bodde i en helt okej villa, två våningar, över tvåhundrafemtio kvadrat. Thomas undrade om en kommissarielön räckte till så mycket mer eller om Runeby hade spelat spelet på samma sätt som han.

Runebys fru var hemma. Välkomnade honom vid ingången. ”Hej, vad trevligt med ett nytt ansikte. Hur känner ni varandra?”

Thomas visste inte vad han skulle svara. Han bara log och sa något om polisangelägenheter.

”Jaja, det brukar låta så.” Runebys fru log. Thomas tänkte: Hon var väl van vid männens jargong. Hon påminde om hans egen mamma.

Runeby kom ner från övervåningen. Ledde Thomas in i vardagsrummet. Han hade vitt hår och mustasch. En tunn guldklocka på armen: mer än trettio år i statens tjänst. Gubben var verkligen en gammal stöt.

”Vad bra att du orkade ta dig ända hit ut. Får jag bjuda på något? Konjak, whisky?”

Thomas tog en konjak. Runeby stängde dörrarna till rummet.

Han var rakt på sak.

”Så, jag hörde av Nilsson att du har ett särskilt intresse för gamle Adamsson?”

Thomas gillade stilen. Inget kallprat. Äkta polismentalitet.

”Det stämmer.”

”Bara så att du vet – du kan lita på mig. Jag har aldrig gillat den där halvfascisten”, sa Runeby.

Thomas reagerade för sig själv. Att en polisman använde ordet fascist på det sättet hörde inte direkt till vanligheterna.

Han tittade på Runeby.

”Du känner ju säkert till vad som hänt mig.”

Runeby sa inget.

”Jag blev omplacerad efter den där historien med boxaren. Och det har fått mig att purkna till ordentligt. Jag känner mig sviken och illa behandlad. Kollegialiteten verkar vara som bortblåst i Söderort. Jag ska vara helt öppen med dig Runeby – jag klandrar Adamsson.”

Runeby nickade, men sa inget. Väntade på mer från Thomas.

”Men det är inte den grejen jag skulle vilja diskutera med dig. Det är historia. Det förflutna. Jag har hört en del om Adamsson. Men Nilsson sa att du visste ännu mer. Att du har mycket bra information om poliserna i Citydistriktet. Så jag tänkte fråga allra ödmjukast om du vill och kan berätta för mig om Adamsson, den gamla halvfascisten som du säger. Vem är han och vem var han?”

”Och varför undrar du det, om jag får fråga.”

”Jag hoppas att du förstår om jag inte kan gå in på det. Men han har svikit mig. Jag har ju ingen rätt att kräva något av dig. Men Nilsson sa att du nog skulle kunna tänka dig att bjuda på lite information.”

Runeby såg nöjd ut. Även om gubben hittills inte bevisat sig kunde Thomas inte låta bli att gilla honom. Det var något lugnt, värdigt och respektingivande över den äldre kommissarien. Återigen: äkta snutkänsla – men med något särskilt, något extra. Thomas kunde inte sätta fingret på vad. Men han kände det tydligt. Något slags värme.

”Okej. Jag tror jag förstår”, sa Runeby tyst. ”Jag vet inte riktigt var jag ska börja. Vad gäller Adamsson av idag så kan jag säga direkt att jag inte hör annat än gott om honom. Han verkar vara omtyckt bland er ordningspoliser i Söderort. Stämmer inte det?”

”Hade du frågat mig för några veckor sen skulle jag svarat ja.”

”Men nu är du mer osäker? Jag förstår, men det har väl att göra med din omplacering?”

”Inte bara.”

”Nåja. Jag kan inte yttra mig om Adamsson i nutid. Däremot hade jag en del med honom att göra på sjuttio- och åttiotalet. Det var konstiga tider för oss poliser. När blev du själv klar?”

”Jag var färdig nittiofem.”

”Ah, du är *så* ung. Men du har kanske hört historierna? Nåja, det var ett helt annat politiskt klimat då. Vi levde i skuggan av kalla kriget det minns du säkert. Men du kanske var för ung för att känna nyanserna av vad det innebar.”

”Jag vet inte.”

Runeby fortsatte i lugn takt. ”Det spelar ingen roll, kanske.

Adamsson träffade jag första gången inom det militära kan man säga. Jag arbetade inte på Norrmalm då men inom polisen hade vi flera specialutbildade styrkor som skulle kunna sättas in i krig. Inom Norrmalmspolisen hade man till uppgift att vid ett angrepp, initialt, alltså innan militären hunnit reagera, försvara slottet, riksdagen och Rosenbad. Jag och tre andra från det som nu kallas Västerort ingick i den styrkan eftersom vi var reservare. Så Adamsson träffade jag första gången på en simulationsövning. Han var kompetent och artig, minns jag. Inom polisen var han känd som en mycket god skytt, med stor kunskap om vapenhantering. Vi brukade öva någon gång per år tillsammans med hemvärnet. Det var roande faktiskt. Som repövning fast mitt inne i stan. Men det fanns gubbar i förbandet som var skeptiska. Många tyckte inte att det satsades tillräckligt på försvaret. Man fruktade att en attack ledd av till exempel sovjetiska elitförband, Spetsnaz, skulle kunna ta över Stockholm inom loppet av några timmar. Som jag minns det var Adamsson delaktig i de där diskussionerna. Och han var en av dem som agiterade mest. Vi stod bland annat bakom Riddarhuset ett gäng, på vakt. Jag kommer ihåg hur Adamsson skällde ut en yngre man. Han riktigt fräste. Du sviker fosterlandet, gapade han. Det minns jag faktiskt i detalj."

Thomas såg sig omkring i Runebys vardagsrum samtidigt som han lyssnade intensivt. Mörka bokhyllor i trä med foton på familjen och Nationalencyklopedin, Guillous samlade verk och fotoalbum. På andra väggen hängde fyra stora inramade svartvita fotografier som föreställde en kustremsa. Thomas antog att Runeby eller hans fru tagit dem själv.

”Jag kanske borde ge dig lite bakgrund ändå. Många inom polisen var av uppfattningen att det pågick ett krig. Inte bara det krig som vi alltid slåss i, det vill säga vi mot buset, utan något större än så. Det var den fria världen mot kommunismen. Ryssen kunde komma vilken dag som helst. Och många poliser såg sig som en del av det sista försvar som skulle kunna stå emot ett angrepp."

Thomas tänkte på sin pappa. Hur mycket socialdemokrat han än varit, hade han också alltid tjatat om ryssen. Skärper vi oss inte kan det gå som för Baltikum, brukade han säga.

Runeby talade långsamt. ”1982 började jag jobba vid Norrmalmspolisen. Vid den här tiden fanns det sex stycken piketstyrkor där. En av dem ingick i den så kallade troppen, vaktdistrikt 1, och leddes av ett befäl som är död nu. Han hette Jan Malmström, har du hört talas om honom?”

Thomas kände vagt igen namnet, men ville veta mer. Han skakade på huvudet.

”Han var en legend på många sätt. Men VD1 var slutna, talade sällan med oss andra, följde bara Malmströms order, skötte utsättningarna bakom stängda dörrar. Det var allmänt känt att de betedde sig som riktiga svin, om du ursäktar uttrycket, och hade sina sympatier långt ut på högerkanten. Jag minns att en av dem, Leif Carlsson, öppet kallade sig för nazist. De andra var också stenhårda. Hur som helst, vissa i VD1 var också politiskt aktiva. Det fanns en sammanslutning som brukade träffas i Gamla stan någon gång varje månad. Den hade kopplingar till en högerextrem tidning som hette Contras. Det var inom den ramen jag träffade Adamsson lite senare. Jag var själv, hur ska jag uttrycka det, *djupt kritisk* till att vissa element inom den svenska regeringen visade sån flathet mot kommunismen.”

Det här började brännas. Thomas kunde inte låta bli att fråga: ”Lever Leif Carlsson?”

”Leif Carlsson lever såvitt jag känner till, men han måste vara runt sjuttio vid det här laget. Var var jag? Just det. Piketstyrkan och Gamla stan. Jag tror att Palmeutredningen undersökte dem som drev de där sammankomsterna. Har för mig att jag läst det någonstans. Men de som *kom* till sammankomsterna blev aldrig granskade. Malmström, Carlsson, Adamsson – ingen brydde sig om att fråga efter dem. Eftersom jag själv var reservofficer och ansluten till hemvärnet och inte direkt körde silkeshandskar med buset ansågs jag pålitlig av Malmström. Jag blev medbjuden till ett sånt där möte i Gamla stan en gång.”

Runeby gjorde en paus. Tystnaden ekade i rummet.

Han tog ett djupt andetag, sen fortsatte han. ”Det var en källarlokal på Österlånggatan. Egentligen tror jag att den användes av EAP, Europeiska Arbetarpartiet, en liten grupp som egentligen bestod av knäppgökar med rötter i USA. Jag minns att det första man såg vid ingången var en plansch med en tecknad karikatyr av Olof Palme sittandes på en kobbe. Han höll för ögonen på sig själv och runtomkring honom i vattnet var det fullt av periskop som stack upp. Palme blundar för vårt lands säkerhet, stod det. Jag blev förvånad, nästan chockad, över att se hur många som var där. En kollega till mig som varit med förut berättade att det fanns befäl från polisen, officerare från marinen, säpointendenter och annan högre personal. Jag kände igen några poliser men de andra har jag ingen aning om vilka de var. Vid ingången till lokalen stod organisatören, Lennart Edling, och tog alla i hand. När alla anlänt fick vi en drink. En polisman som faktiskt var min första chef på Norrmalm höll välkomsttalet. Det kanske låter konstigt, men jag minns exakt vad det handlade om. Ämnet var viktigt tyckte vi. Patriotism, hotet mot Sverige, kommunismens expansionistiska idéer. Vi stod inför ett överhängande hot sa föredragshållaren, om vi inte åtgärdade faran kunde ryssen komma vilken dag som helst. Sen satte vi oss för middag och jag hamnade bredvid Adamsson. Han var jämnårig med mig men vi kände inte varandra mer än ytligt från simulationsövningarna med hemvärnet. Det här var någon gång 1985 så vi var runt fyrtio – inte helt gröna, alltså. Han gjorde nästan ett galet intryck, kommer jag ihåg. Babblade på om att någon måste göra något åt kroknäsan, alltså Palme, att han med sitt inflytande beredde vägen för Sovjets intåg i Sverige. Senare under middagen blev Adamsson berusad och kändes nästan förtrolig. Började yra om att han gillade mig, att kåren behövde folk som mig. Sen blev det märkligare saker. Han pratade om att han tänktc sätta samman och administrcra cn grupp som skullc hålla koll på förrädaren. Som kanske skulle bli tvungna att göra något åt Moskvamarionetten. Jag frågade vilka han skulle ha med i gruppen. Han svarade att hälften av mannarna i troppen redan var med på det hela. Jag ville inte diskutera saken vidare då, för jag tyckte han var pinsam. Efter middagen hölls ett föredrag. Jag tänkte inte så mycket på vad Adamsson sagt direkt efter mötet. Det var många som var extrema där. Men senare, efter mordet, har jag ofta funderat. Det var faktiskt jag som ringde upp Palmegruppen för att berätta om de där sammankomsterna."

Runeby tystnade. Thomas kände att han hade frågor men kunde inte komma på en enda just då. Det enda han visste var att han behövde fler namn, fler personer att få ledtrådar från. Till slut kom han på en fråga.

"Vem var det som höll föredraget efter maten?"

Runeby lutade sig framåt i soffan och suckade.

"Det var jag."

40

Ikväll: muckarfest med klass. Fitness Center igenbommat. Ägarna, snubbarna som skötte stället rent faktiskt, hälften av biffarna som tränade där – alla skulle fira. En stammis var ute från kåken: Patrik. Mahmud diggade honom: ex-skinnet som blivit okej. Det enda snubben brydde sig om nuförtiden var muskelbyggeriet och lojaliteten med herr R.

Inte bara Fitnessfolk som skulle fira: vip-rummet på Clara's kryllade med alla som var något i Stockholms undre värld. Typ som på den där gangstagolfen som en gammal OG-medlem startat: alla med grönt kort som suttit inne mer än två år var välkomna. Massa gamla skinnhuvuden som accepterat att vitmaktmusik och heilande inte gav några cash och istället sadlat om till fetare grejer. MC-gäng, fighting, professionell indrivning. Dessutom: juggar i mängd. Mahmud såg Ratko. Han var äckligt solariebrun och hade blonderat hår. Ratko gav Mahmud en lätt nick. Men inget handslag. As.

Fler inbjudna: några albaner, fyra fem syrianer, ett gäng snubbar från X-team, supporterklubben till Bandidos. Mellan juggarna och albanerna: kindpussar och vänskapsord. Det kändes i luften: det här var inte bara för att fira ett litet obetydligt muck från Kumla. Det här var för att visa generositet, gentlemannaskap, bjuda in till framtida allianser. Albanerna höll på att ta över stan. Juggarna fick se upp, som Robert sa.

Och så klart, en grupp gäster till som inte fick glömmas: hororna. Mahmud hade aldrig sett så många på samma gång. Egentligen fanns inget som skiljde dem från gussarna på krogen, mer än att de kanske inte såg riktigt lika bra ut. Han tänkte på hur nära hat-trick han varit i helgen. Ändå kändes det tydligt – ludren var liksom i rummet utan att någon egentligen brydde sig. Om det varit vanliga brudar, skulle snubbarna åtminstone ha stirrat, flörtat, nypt lite göt. Men nu var det som om alla bara gick och väntade på något och inte tänkte ta för sig av dem än. Som om de bara var bakgrunden i en film, något som måste finnas på plats innan inspelningen kunde börja. För alla väntade. På mister mister. Radovan skulle väl dyka upp någon gång.

Mahmud trängde sig fram till han som just muckat, Patrik. Han tyckte kavajen spände över axlarna – första gången sen tioårsdagen efter mammas begravning han dressat upp sig så tungt. Kändes ovant, samtidigt grymt. Breda flin från båda. ”Tjena Patrik, kul att se dig ute igen. Hur många pannor losade du?”

Patrik, ärrig rakad skalle, ljusgrå kostym och smal slips som var lätt uppknuten. Tatueringarna på nacken stack upp ovanför skjortan. Han garvade.

”Mahmud, din lilla terrorist. Jag kommer vara tillbaka i matchvikt inom tre veckor. Lovar.” Sen med seriösare röst: ”Men jag låg faktiskt på rätt bra där inne också. Hörde att du också gjort en volta.”

”Ett halvår bara. Ingen fara.”

”Då vet du ju hur det är. Vissa snubbar försöker sova sig igenom tiden inne. Finns tillräckligt med lugnande grejer de skriver ut till alla jävla damp-töntar. Men ligger man på kan man få en del tränat.”

”Absolut.”

”Jag har hört att du jobbar för oss nu.” Patrik stretchade armen bakåt mitt i samtalet. Mahmud tänkte på hela grejen. De firade Patrik som nån jävla kung. Men egentligen, vad hade snubben gjort för juggsen? Kört lite garderobsindrivning, råkat i trubbel med några dörrvakter på en krog på Söder, tappat kontrollen, spöat på en dörrvaktssnubbe ordentligt, åkt in på några år. Varför var han en hjälte? Varför skulle han firas? Patrik ballade ju ur, pallade inte att jobba professionellt. Inte som Mahmud – shunnen som slet på, drog in feta cashen. Aldrig fuckade upp. Någonting.

Han kände bara för att dra därifrån. Be Patrik hålla käft, Ratko och Stefanovic kunde knulla sig själva. Radovan, om han nu dök upp, borde köra sin morsa.

”Men du satt på ett soft ställe va?” sa Patrik. Mahmud nästan svävat iväg, glömt bort att han stod mitt i ett surr.

”Ja, Asptuna. Typ mina hemtrakter du vet, Botkyrka. Inte slutet på något sätt egentligen.”

”Du ska vara glad att du satt på ett sånt ställe. Det är hårda tider för oss nu där inne.”

”Vad pratar du om?”

”Har du inte hört? De försökte klippa en kille på Kumla i helgen. En av våra. Sju snubbar klev in i duschen, sex kom ut. De högg honom nio gånger med en slipad tandborste. Han ligger på intensiven men kommer överleva, det är en tuff jävel. Krigat nere på Balkan och så. En sån snubbe tar de inte så lätt, de jävlarna.”

Mahmud var någon annanstans. Hans koncentration riktades mot andra sidan av rummet. Allas röster blivit lite lugnare. Allas blickar riktade mot ingången – Radovan med följe hade klivit in. Efter sig hade han två tjejer. Folkmassan delade sig, bildade en gång som han vore värsta artisten på en MTV-gala. Mahmud hade sett Radovan en gång förut, ungefär ett halvår sen på K1-galan. Men det var på avstånd. Nu: första gången han såg bossen på nära håll. Eller rättare sagt kände honom. För det var så det var: Radovan kändes i rummet. Snubben osade pondus. Till och med albanerna stelnade till. Stegade upp, tog juggebossens i hand, pussade, log, fejkskrattade.

Radovan var definitivt inte största mannen, inte grymmaste stirret, inte spänstigaste gångstilen – även om det syntes att bossen skulle varit en av de grövsta för tjugo år sen. Det var något annat: han spred en feeling kring sig, rörde sig med en ledighet som sa ett enda ord – makt. Och utsidan: inte för att Mahmud hade koll på kostymer, men den R bar såg tjockt exklusiv ut.

Tjejerna bakom honom var helt olika varandra. Den ena: måste vara hora, eller nån sorts älskarinna. Höga stövlar, värsta urringningen, översminkad. Och den andra: ung, mycket ung och konstigt ordentligt klädd. Hon påminde om Jivan. Han undrade vem hon var.

Stefanovic klev fram, pussade Radovan på handen. Mahmuds blick fastnade på fingret som smörkukarna kysste: Radovan hade en stor klackring. Uppenbart: det här var mannen, myten, maktfaktorn nummer ett – jättelegenden – gudfadern av Stockholm sen tio år.

Patrik klev fram till bossen. Gjorde som alla andra – kysste Radovans finger. Märktes att han inte var van, sånt där gjorde inte svennar i vanliga fall. Radovan sa några välkomnande ord. Presenterade sina kvinnor. Den ena sa han bara namnet på. Men den andra gjorde Mahmud förvånad – det var hans dotter. Sen gjorde han en liten gest mot Patrik: rättade till svennens slipsknut. En öppen signal: kul att du är ute, men du är inte någon. Hamrade in budskapet: den här festen inte till för Patrik. Kanske handlade det bara om albanerna.

Mahmud mindre än en meter från R. Kände närvaron i magen. Sen en överraskning – bossen vände sig mot Mahmud. Höjde ögonbrynen.

”Och vem är du?”

Mahmud visste inte vad han skulle svara. Fick ur sig: ”Mahmud al-Askori. Jag jobbar för dig.”

Radovan såg ännu mer förvånad ut. ”Nej, men det tror jag inte. Jag vet vilka som är anställda i mina företag.”

Stefanovic, tätt bakom Radovan, böjde sig fram. Viskade något i Radovans öra.

Mahmud hade fattat tillräckligt. Fattade att han gjort bort sig. Samtidigt: fattade att det här inte funkade.

Radovan gick vidare. Mahmud skulle inte kunna ha kul ikväll. Han kunde lika gärna dra hem. Men det gjorde han inte. Passade inte in i bilden av honom själv. Han gick in på toaletten. Drog en näsa istället. Försökte komma igång.

Nästa dag ringde Ratko. Mahmud kände sig groggy. Festat loss natten innan. Det bara blev så. Några laddar koks och gullgull med en brud hade fått igång honom. Inte bra för träningen. Tog ett glas vatten. Två tabletter Diazepam Desitin – för ångesten.

Ratko legat på honom igår natt. Surrat om att Mahmud gjorde ett bra jobb. Smickrat. Smörat. Sagt: ”Jag vill att du hjälper oss med lite mer grejer.”

Mahmud tveksam. Han ville ju bort från dem. Ta tag i sitt liv. Visst, han tjänade feta cash men pallade inte förnedringen. Juggarna jävlades med honom. Ändå sa han inget.

Ratko förklarade. De behövde hjälp på dagtid. Hålla koll på några flickor, som han sa. Mahmud antog att han surrade om luder. Tjejerna bodde i husvagnar på en camping. Ratko ville att Mahmud skulle se till att flickorna fick vad de behövde på dagarna. ”Och att de inte sticker ut själva. De kan gå vilse då.” Smajl. Blinkblink, du-fattar-vad-jag-menar.

”Jag vet inte om jag har tid.”

Ratko sa: ”Det kan du hinna med.” Klappade honom på axeln. Det var en order.

41

Irak. Tillsammans med förbandet. Mike lika svettig som alltid. Collin med svartmålade streck under ögonen. Skämtande om att de kanske skulle träffa på Harry, prinsen av England, någonstans i bushen. Brittiska accenten. Manéren. Gesterna. Maskingevärets axelband tungt över ryggen. Längre fram syntes svart rök. Tuggummismak i munnen. Collin bar alltid med sig några paket Stimorol. Njutning i hettan. En jeep kom emot dem. Men han såg ingen som körde. Runtomkring förändrades landskapet. Stenarna och klipporna försvann, byttes ut mot oljefat ur vilka det brann. Eldar överallt. Världen upplyst av hetta. Jeepen närmade sig. Collin, Mike och de andra hade försvunnit. Niklas gick fram mot bilen. I baksätet låg en man. Blod rann från ena örat. Ansiktet vänt neråt. Niklas vände på honom. Han såg honom nu – det var Mats Strömberg. ”Varför?” sa han. Lågorna runtomkring slickade himlen.

Niklas vaknade. Försökte lugna sig. Hjärtat i hundratio. Tänkte på drömmen han just drömt.

Han kunde inte somna om. I dagens värld fanns moralen utlagd på ett smörgårdsbord. Man valde etiska regler utifrån världsbild. Skäggkrigarna där nere valde etik utifrån sitt hat mot USA. Hittade på att de hade stöd i Koranen och Sunna. Amerikanarna valde sina regler utifrån sin skräck att inte längre vara herrar på täppan. Men Niklas kände till spelets verkliga regler. Det fanns inget rätt och fel, egentligen inga regler. Moralen växte i människans eget huvud. Men det fanns en regel ändå: om du inte agerar kan du inte förändra. Du når ditt mål genom att handla. Moral var en konstruktion som människor hittat på, den saknade värde. Hans uppdrag var att skapa kvinnofrid. Inga mardrömmar kunde stoppa honom. Inget i verkligheten skulle hindra honom.

Han tittade rakt in i väggen. Grådaskig färg. Väggvävens struktur syntes tydligt.

Tänkte på de två ingångshålen i Strömbergs rygg. Funderade på vem han skulle ta härnäst. Roger Jonsson eller Patric Ngono? Niklas hade skuggat snubbarna ännu intensivare senaste veckan, efter att han klarat av Strömberg. Ngono värre mot sin kvinna. Men det var något med Roger Jonsson också. Något som inte stämde. Niklas hade sett honom flera gånger senaste veckorna. Checka ut från sin arbetsplats. Ta bilen till Fruängen. Plocka upp en kvinna utanför centrum. De körde hem. Kom ut efter ungefär en timme. Roger körde henne tillbaka. Uppenbart: han lirade dubbelt. Otrohet på klassiskt vis. Men vem var kvinnan? En prostituerad, så klart. Snubben gick till horor. Dubbelt skyldig.

Men det var en annan grej som avgjorde Niklas beslut. Han hade beställt ut så mycket offentligt material han kunnat hitta om de två asen. Inte mycket att få tag på. Patric Ngono fanns med i något gammalt case hos Migrationsverket men snubben satt säkert där. Fått uppehålls- och arbetstillstånd permanent, bott här i mer än åtta år. Uppburit socialbidrag vid någon period men nu jobbade han. Säkert svart, men ändå.

På Roger Jonsson fanns inget sånt. Men det fanns något mycket värre. En dom. Grov kvinnofridskränkning, under perioden 1998–2002. Och grov våldtäkt. Jonsson hade fått tre år. Domen var offentlig. Niklas beställde allt material.

Läsningen knäckte honom nästan. Nej, aldrig – inget knäckte en elitsoldat, som sett den verkliga skiten nere i sandbunkern. Tvärtom: han blev starkare. Mer säker på Operation Magnum. Sic vis pacem, para bellum.

***

Söderorts åklagarkammare i Stockholm

Stämningsansökan Dnr: C-98-25587

Tilltalad, samtliga namn: Tilltalsnamn:
Roger Karl Jonsson Roger
Personnummer: Telefon:
671001-8563 08-881968
Adress:
Gamla Södertäljevägen
Offentlig försvarare:
Advokat Tobias Åkermark
Frihetsberövande:
Anhållen 3 mars 2002, häktad 5 mars 2002

Ansvarsyrkande
GROV KVINNOFRIDSKRÄNKNING
Målsägande
Carin Engsäter för talan genom målsägandebiträdet Lina Eriksson

Gärning
Roger Jonsson har under tiden mars 1998 till ja-

nuari 2002 hotat och misshandlat Carin Engsäter vid upprepade tillfällen. Gärningarna, som var för sig utgjort ett led i en upprepad kränkning av målsägandens integritet, har varit ägnade att allvarligt skada hennes självkänsla. Sålunda har Roger Jonsson:

1) i april 1998 i bostaden utdelat flera örfilar som träffat henne i ansiktet. Senare samma dag har han i Tumba med knutna händer slagit henne flera gånger på överarmarna. Slutligen har han samma dag i bostaden fattat ett strupgrepp om hennes hals. Misshandeln har förorsakat målsäganden smärta och ett svullet öga samt blåmärken på halsen,

2) vid ett tillfälle under tiden 14-15 oktober 1998 i hennes bostad i Stockholm, med smärta som följd, misshandlat henne genom att med sin arm greppa hennes nacke och dra ned henne på rygg. Sen hon försökt ta sig loss har han med knutna händer utdelat flera slag som träffat hennes överarmar,

3) vid ett tillfälle i slutet av december 1998 i bostaden - med smärta som följd - utdelat ett flertal slag med knuten hand som träffat henne på låren och ryggen,

4) vid ett tillfälle i juni 1999 i bostaden sparkat henne över höger knä med följd att hon fallit till golvet. Därefter har han utdelat ytterligare en spark som träffat henne på höger lår. Misshandeln har föranlett smärta och blåmärken,

5) vid ett tillfälle i mitten av september 2000 i bostaden utdelat flera slag med knuten hand som träffat henne i ryggen. Vidare har han vid samma

tillfälle utdelat slag med knuten hand som träffat henne på överarmarna samt ett slag mot huvudet med öppen hand. Misshandeln har föranlett smärta och blåmärken,

6) vid ett tillfälle i oktober 2000 i bostaden utdelat flera slag med öppen hand som träffat i huvudet och ansiktet med smärta och näsblod som följd,

7) den 14 augusti 2001 i bostaden fattat ett grepp om hennes ansikte med ena handen och klämt åt samt slängt ned henne på golvet. Han har vidare dragit henne i håret. Misshandeln, som föranlett smärta och blåmärke, har ägt rum inför deras gemensamma fyraåriga barn,

8) vid ett tillfälle i september 2001 ringt hem till målsäganden i bostaden och - på ett sätt som varit ägnat att hos henne framkalla allvarlig fruktan för egen säkerhet till person - fällt yttranden av innebörd att hon skulle dödas,

9) den 25 januari 2002 ringt hem till bostaden och - på sätt som varit ägnat att hos målsäganden framkalla allvarlig fruktan för egen säkerhet till person - fällt yttranden av innebörd att hon skulle skadas eller dödas.

Roger Jonsson har slutligen vid flera tillfällen ringt till målsäganden på hennes arbetsplats, och därvid - på sätt som varit ägnat att framkalla allvarlig fruktan för hennes säkerhet till person - hotat henne genom att säga att hon inte kommer att komma levande från honom, att han skall dansa på hennes grav samt att om han ser henne med en annan man skall halshugga henne.

GROV VÅLDTÄKT

Målsägande

Carin Engsäter för talan genom målsägandebiträdet Tobias Eriksson

Gärning

Roger Jonsson har vid över femtio tillfällen under åren 1999 till 2001 tvingat Carin Engsäter till samlag, såväl orala, vaginala som anala genom att med våld trycka ner henne i sängen eller på golvet, hålla hennes handleder och trycka hennes ansikte mot en kudde eller mot golvet. Han har därvid även vid minst tjugo tillfällen under år 2001 tvingat in föremål, bland annat en massagestav och en tång, i hennes underliv med smärta och skador till följd.

Lagrum

4 kap 4a § 2st, 3 kap 5 §, 4 kap 5 § och 6 kap 1 § brottsbalken

42

En klar dag i mitten av september hade han åkt ut till hemmet. Omgivningarna var vackra. Bakom huvudbyggnaden i tegel kunde Thomas skymta en sjö. Träden var fortfarande gröna men det kändes att hösten var på ingång, ett slags fukt i luften som smög sig på när han klev ur bilen.

Tallbygården: privat äldreboende vid Mälarens strand. Hög livskvalitet och god omvårdnad stod det på ställets hemsida. Hemmet för idylliska sista år. Hemmet där omsorg med kvalitet värderades högst. Hemmet där Leif Carlsson – före detta polisinspektör, piketpolis, nynazist – bodde.

Stig Adamsson hade påstått att han skulle starta en grupp ute på högerkanten som skulle hålla koll på Olof Palme. Men vad betydde det egentligen?

Thomas hade försökt läsa på. Ett par lånade böcker och internet – det blev nästan för mycket. Mordet på Olof Palme var Sveriges svar på skotten mot Kennedy tjugofem år tidigare. En konspirationshärd som aldrig verkade slockna. Han listade ett par teorier innan han tappade intresset – de florerade som ogräs. En gick ut på att Augusto Pinochets fruktade dödspatruller var i Stockholm samma vecka som mordet begicks, men eftersom spaningschefen Holmér trodde att de två chilenska yrkesmördarna Michael Canes och Roberto Tartino var en och samma person gick man aldrig vidare med det spåret. En annan teori påstod att Christer Pettersson tagit fel och egentligen tänkte skjuta Rantzell, då Cederholm, men på grund av polisens klantiga arbete var man tvungen att mörklägga delar av utredningen. Kulor saknades, telefonavlyssningsprotokoll var förfalskade, polismyndigheten vägrade svara på vad de två polisbilar som stått utanför biografen Alexandra på mordkvällen egentligen sysslat med. Det fanns hur mycket som helst.

Thomas behövde riktig information. Från människor. Inte massa indicier, detaljfixering och konspirationsstolleri. Främst av allt: han behövde se kopplingarna till idag – till Rantzells sargade kropp i källaren på Gösta Ekmans väg.

Runeby hade nämnt piketstyrkan i VD1 som Adamsson varit en del av. Det var där Thomas måste börja. Bland dem som kände Adamsson, som delade hans synpunkter, vid tiden för mordet med stort M. Det rörde sig om sammanlagt åtta poliser, varav en var Adamsson själv. Deras chef, Malmström, var död. Återstod sex personer. De var inte särskilt svåra att få fram information om. Jonas Nilsson kände väl till dem allihop, de flesta jobbade kvar inom polisen fast inte längre i lika konfliktfyllda positioner. En ordningspolis klassiska öde: sitta sina sista femton år i källaren och registrera cykelstölder.

Han bestämde sig lätt: Leif Carlsson skulle bli hans första besök. Gubben var äldst. Gubben varit uttalad nazist. Framförallt: gubben hade fått alzheimers – han var ett perfekt förhörsoffer.

Tallbygården verkade fridfull. På några av balkongerna med utsikt över grönområdet såg han gamla människor. Små promenadvägar slingrade sig bort bland träden. Han klev in i entrén. Benjaminfikusar, soffor med Josef Frank-tyg och en anslagstavla med uppnålade anslag och informationsblad: *Sångstund med Lave Lindér på torsdag. Den sjuttonde, klockan åtta, kommer Trosas bibliotekarie hit för att berätta om nya böcker på biblioteket. Herrgymnastiken tisdag morgon är inställd.*

Thomas väntade en stund. Det fanns ingen reception. Han tänkte på Runeby. Det sista kommissarien berättat var att det var han som höll föredraget där i Gamla stan. Egentligen var det inte så konstigt som det låtit – gubben hade tjänstgjort i något slags privatarmé i Sydafrika under två år i slutet av sjuttiotalet. ”För stridens skull”, som han sa, ”inte för att jag var rasist”. Thomas brydde sig egentligen inte om varför – men han måste se upp, hur inblandad var Runeby egentligen i den där sammanslutningen i Gamla Stan?

Efter några minuter kom en sköterska ut från en glasdörr.

”Finns en Leif Carlsson här?” frågade Thomas.

Sköterskan ledde honom en våning upp. Blommor i fönstren, inramade affischer med svenska klassiker: Zorn, Carl Larsson, Jirlow. Ett teverum, en matsal, gott om personal. Sköterskan knackade på en dörr. Frågade aldrig ens vem Thomas var.

Leif Carlsson såg inte så skröplig ut som Thomas tänkt sig. Välkammad snedbena. Blont hår som blivit grått vid tinningarna. Ett snett leende, en glimt av ifrågasättande i de blåa ögonen. Var han verkligen alzheimersjuk? Leif Carlsson var lång. Thomas kunde se honom framför sig för trettio år sen, troligen betydligt kraftigare: en skräckinjagande syn för packet.

Teven var på i rummet. Carlsson verkade ha suttit i en fåtölj framför den. När Thomas kom in stod han upp. Sköterskan lämnade dem. Stängde dörren.

”God förmiddag. Jag heter Thomas Andersson, kommissarie, Palmegruppen.”

Carlsson släppte hans hand. ”Så nu kommer ni?”

Thomas kunde inte bedöma om det var en anklagelse eller ett ödesmättat konstaterande.

Gubben satte sig ner. Det såg ut som om han hela tiden smakade på något med tungan i munnen. Troligen en tics.

Thomas satte sig på en stol vid ett litet skrivbord. Servicelägenheten var en liten tvåa: ett sovrum med dörren på glänt och vardagsrummet, där de satt nu. Carlsson hade möblerat det som ett riktigt hem. Äkta matta på golvet, några tavlor på väggarna, fåtölj och skrivbord i rokokostil.

”Jag vill bara ställa några frågor. Jag hoppas det är okej.”

Carlsson hade tydligen varit allvarligt sjuk i fem år. Hans motståndskraft för förhör borde vara sämre än ett barns.

Carlsson nickade. ”Jag har inget att dölja.”

Thomas slog på en bandspelare som låg i fickan.

”Berätta om troppen.”

”Menar du A-turen?”

”Ja, det är väl den enda grupp du någonsin kallat för troppen, i bestämd form?”

”Jovisst, vi kallade den så, tror jag.”

”Vilka var ni?”

”Vem är du, om jag får fråga?”

Thomas svarade lugnt: ”Thomas Andersson, Palmeutredningen.” Nog hade gubben Alzheimers alltid.

Carlsson rörde tungan i munnen igen. Upprepade: ”Så nu kommer ni.”

Thomas fortsatte: ”Berätta om troppen, A-turen. Vilka var ni?”

”I troppen? Det var Malmström så klart. Sen var det Jägerström, Adamsson, Nilsson, Wallén. Några till. Jag minns inte.”

”Och Malmström, han basade?”

”O, ja. Malmström. Han var ett riktigt befäl. Såna som behövs inom polisväsendet. Men han har slutat. Han bor ute vid Nykvarn nuförtiden.”

”Malmström är död.”

”Är det sant? Vad tråkigt. Jag har inte träffat honom sen han gick i pension.”

Thomas började fundera på att avbryta förhöret. Carlsson var uppenbarligen alltför förvirrad. Men frågan var om hans minne från åttiotalet var bättre än hans minne från idag.

”Vilka brukade gå till de där sammankomsterna i Gamla stan, i EAP:s lokaler?”

Leif Carlsson såg konfunderad ut. ”Jag var aldrig där.”

Thomas kände förvåning. Inte kunde väl gubben ljuga?

”Är det sant det?”

”Ja, det är sant. Jag blev inte inbjuden av dem som höll i det. Ålander och Sjöqvist. Inte för att jag hade något emot dem, eller de något emot mig. Det var inte det. Jag delade deras fosterlandskärlek och oro inför de rödas infiltration. Men jag blev aldrig inbjuden. Egentligen var det kanske inte så konstigt. Min pappa arbetade på ett av verken som tillhörde Bolinder. Så han var rädd för att blanda in mig.”

”Vad sa du?”

”De var rädda för att blanda in mig.”

”Men varför sa du?”

”Pappa jobbade på Bolinders verk.”

”Och vem var den här Bolinder?”

”Finansiären.”

”Finansiären av vadå?”

Plötsligt fick Carlsson den där glimten i ögonen igen, smakade på sin egen gom med tungan. Sen sa han: ”Bolinder. Det var han som finansierade de där mötena, organisationen, projektet. Allthop. Men det var det nog bara jag som visste om.”

”Varför var det bara du som visste om det?”

Leif Carlsson började fnittra. ”Bara för att jag sitter här och pratar massa skit betyder inte det att jag inte gjorde mitt för Sverige.”

”Jag förstår. Men berätta mer om Bolinder.”

”Bolinder minns jag inte. Men Bohman, han var för svag.”

”Vilken Bohman?”

”Gösta Bohman, menar jag. Högerpartiets ordförande. Är du för ung för att minnas honom?”

Carlsson såg nöjd ut.

Gösta Bohman var Moderaternas partiledare på sjuttiotalet. Leif Carlsson var förvirrad. Alzheimern gjorde det svårt att veta vad som var relevant. Thomas försökte med några frågor till, men fick bara snurriga svar.

Han behövde någon annan.

På vägen hem. Thomas tankar virvlade. Bolinder – var hade han hört det namnet? Det passade inte in. Inte en polis. Inte någon Säpoperson som Runeby nämnt. Vem var Bolinder?

Så klickade det till: han hade hört Ratko tala om planeringen av ”lite finare events” hos en Bolinder. Thomas hade till och med instruerat några gorillor hur ett set med walkie-talkies fungerade bara för att de kanske skulle behövas på ett sånt event – var det samma person?

43

Han låg kvar i sängen. Tankarna vevade runt, runt. Samma banor. Tänkte på civilsnuten som approcherat honom för en vecka sen. Kanske försökte de med andra också. Vilka kunde man lita på? Robert kändes safe. Tom och Javier också. Men Babak? Fan, alltså – han saknade Babak.

Vid tvåtiden steg han upp. Gjorde kaffe. Öste på med socker. Piggnade till. Drog i sig en Diazepam. Senare skulle han behöva uppåttjack för att orka träna. Drog på en p-rulle. Försökte runka. Han tänkte på bruden förra helgen. Gabrielle. Porrfilmen kändes beige i jämförelse.

Ratko ringde klockan tre. Mahmud hade nästan lyckats glömma hans order. Han klädde på sig. Jeans, luvtröja. Basebolljacka. Hösten värsta årstiden. Vädret borde bestämma sig. Inte hålla på och vela som värsta tönten.

Ratko instruerat honom vart han skulle. ”Sätt dig på Bigges korvgrill och vänta.” Shit, vad de körde med honom. Han var deras bitch.

En halvtimme senare. Mahmud kunde de här förorterna på sina fem. Ärligt, han kanske kunde ta in på universitetet. Föreläsa i Shurgardförråd- och förortscentrumkunskap. Han visste varför de byggde såna områden. De skapade en värld där ingen skulle få för sig att vilja ta sig upp. Bara hålla sig där nere, utan att hetsa upp sig för mycket. Samhället hade gjort honom.

Skyltarna försökte inte ens vara sexiga här: Folktandvården, Biblioteket, Coop Konsum, Swedbank, Redovisningsfirman Håkansson & Hult, Frisör, Pastahuset – extra mycket extra billigt, Svedins Skor, Pizzerian, Apoteket. Och sist: Bigges korvgrill. Han satte sig där. Beställde en Sprite Light. Försökte ringa lite folk. Först Robban, sen Tom, sen Javier, sen sin syrra. Ingen svarade. Tiden gick långsammare än en gammal tant med rollator. Han väntade.

Efter tjugo minuter klev Dejan in. Snubben en lömsk motherfucker. Slickade Ratkos arsle för minsta krona. Surrade skit om araber så fort han fick tillfälle. De skakade hand.

Mahmud satte sig i sin Merca. Körde efter Dejans bil. Först höghusen. Några småvillor. Sen industribyggnader. Massa natur. Vägen ringlade sig. Bort från betongen. Efter tio minuter: en skylt. Camp Utsikten – hus och caravan.

Uppställda i novemberregnet: ett tjugotal husvagnar. Fem sunkiga bilar. Lervälling. Glesa träd runtomkring. Elledningar dragna från stolpar till husvagnarna.

Dejan parkerade sin bil. Mahmud ställde sig bakom honom. Värsta trailerparken.

Dejan klev upp till en av husvagnarna. Den vita färgen gråaktig. Ett urblekt klistermärke på ena fönstret: *Heja Gästrikland.*

De gick in. Röklukten slog emot Mahmud som en uppercut. Svag radiomusik hördes. Först såg han inte tjejerna. Det var som om de var en del av inredningen i rummet. Grått, beigt, brunt. Matförpackningar, pizzakartonger, Colaburkar på diskbänken. De satt vid det minililla bordet. Mörkbrunt hår. Smala som kinamatspinnar. Den ena mycket blek. Tunna läppar. Sorgsna ögon. Den andra: rosigare kinder, men ännu mörkare ögon. Paket med Marlborokopior framför dem. Känslan var trött. Dejan sa något på ryska eller ett liknande språk. Tjejerna såg ointresserade ut. Lyfte inte ens blicken.

Dejan förklarade på sin kassa svenska: ”Här är Natascha och Juliana. Kanske de inte är de läckraste vi har, men de är okej.” Han flinade. ”Här, det finns en del riktigt vassa. Jag lovar.”

Mahmud visste inte vad han skulle svara.

"Nu, du vet vem de är. Det räcker", sa Dejan.

De klev ut. Dejan lotsade runt honom till ytterligare sju husvagnar. Två horor i varje. Samma uttråkade attityd. Samma inrökta rum. Samma tomma blickar.

På väg tillbaka till bilen frågade Mahmud: "Så vad vill ni att jag ska göra?"

Dejan stannade upp. Slog ut med armarna.

"Det här är vårt lager, kan man säga. Du håller ordning lite på lagret. Se till så inget försvinner, ibland transportera grejer. Om kund är här – de får inte göra illa lagret. På dagarna bara. När du inte sysslar med din andra business."

Mahmud fattade: de tänkte sig honom som nån kukig horvakt. Om hans pappa skulle veta.

På kvällen skötte han vanliga affärer. Krängde mer än sextio gram till en kontakt som företrädde en irakisk familj som ägde restauranger.

Jamila ringde vid tiotiden. Ville ha hjälp att installera en ny dvd-spelare. Shit, hon lyxade för tusenlapparna Mahmud stack till henne efter lyckad business. Bara på de senaste veckorna hade hon köpt en Gucciväska med bambuhandtag för åtta tusen, högklackade skor för tre papp och ett halssmycke i silver med feta bokstäver – Dior. Sjukt, men Mahmud kunde inte låta bli att älska glittret i hennes ögon när hon kom hem med grejerna. Han tänkte fortsätta förse henne och lillsyrran. Äkta grejor.

Han pillade med dvd-spelaren. Tänkte dra ut på stan sen. Bestämt träff med Robert. Pirayasera Stockholm. Kanske den där Gabrielle var ute ikväll. Annars tänkte han hitta någon annan.

Jamila berättade om senaste Louis Vuitton-väskan, senaste skvallret om Britney, sina framtidsplaner: starta eget solarium. Mahmud tänkte: Bara inte juggarna sabbade för henne. Hon berättade om äckliga sms hon fått från sin förra kille.

Mahmud sa: "Han vågar inte göra något. Den tönten."

Jamila suckade. "Jag vet inte, Mahmud. Han är galen. Och den där Niklas har ju flyttat nu. Han var så gullig."

”Ja, han verkar grym. Var har han flyttat?”

”Inte långt.” Han hade berättat adressen för henne.

”Okej, gillar han dig eller? Du vet vad pappa skulle säga om honom.”

”Han känns inte som en sån kille. Jag tror bara han ville hjälpa mig. Ärligt alltså.”

”Kanske.”

Mahmud fick en tanke. Niklas, verkade ju vara en bra svenne. Dessutom: värsta kommandosoldaten. Kanske borde han lära känna honom bättre. Och en annan grej: kommandokillen skulle kunna titta till Jamila då och då.

Jamila gillade idén. Hon som i vanliga fall skrek och tjurade så fort pappa nämnde att hon borde kontrolleras mer. Mahmud flinade åt henne. ”Kom igen syrran, du är lite varm i den där svennen. Erkänn.”

De bestämde sig för att gå dit. Niklas bodde inte långt bort.

De ringde på dörren.

Niklas öppnade. I hans ansikte syntes både förvåning och glädje. Han började prata med Jamila på sin halvkassa arabiska. Mahmud spanade in snubben ordentligt för första gången. Klädd i en t-shirt med texten Dyncorp: smet åt över bröstet och armmusklerna. Killen såg vältränad ut. Inte som Mahmud – kassaskåpsbyggd – utan segare, senigare, uthålligare muskler. Han undrade vad Dyncorp var för något. Han såg svettig ut. Kanske höll han på och tränade hemma. Mahmud försökte kika in i lägenheten. Såg en dator, sängen, massa papper, verktyg, skräp. Såg något mer också, på bordet: en lång blank kniv. Shit, Niklas verkade vara lite småpsyko.

En stund senare gick de därifrån. Trevligt ändå. Jamila lös. Mahmud garvade igen.

”Lägg ner det där. Du vet ju vad pappa skulle tycka.”

Jamila vände sig mot honom. Allvar i blicken.

”Prata inte om vad abu skulle säga till mig. Om han ens visste en tiondel av allt du gör skulle han dö.”

Mahmud stannade till. ”Vad snackar du om?”

”Du vet vad jag menar. Han skulle skämmas till döds.”

Det tog. Vred runt. Högg igen.

Skämmas.

Till döds.

Han visste hur rätt hon hade.

Hela kroppen skrek till honom. Ta dig bort från dem. Kliv av innan det är för sent.

Gör slut med juggarna.

44

Niklas klev upp ur sängen. Tröttare än vanligt. Fyra timmars sömn. Hans kameror gick varma på nätterna. Filmerna han hade snabbspolat visade inte något intressant. Men det skulle komma. Han ville ha bevis. Rättfärdighet var hans grej. Strömberg, Jonsson, Ngono visste han redan tillräckligt om. Niklas en man av heder: om någon av dem inte visade sig vara sån skulle han inte attackera. Det var inte moral: det var agerande.

Efter frukosten spände han på sig pulsklockans mätarband. Klädde på sig ett underställ, träningskläderna.

Det var kallare i luften nu. Blött på asfalten. Han joggade i lugnt tempo. Luften sval att andas. Så skönt.

Hemma igen: tränade kator med kniven. Kände sig i bättre form än på länge. Svepningarna i luften. Knivens bågformade rörelser bildade parerutrymme i rummet. Snärtande stötar. Rappa hugg. Kniven måste följa viljan i handens muskler som fingrarna själva.

Han duschade längre än vanligt. Igår hade han stött på Jamilas bror igen, Mahmud. Inte en person han skulle lärt känna för tio år sen. Ännu mindre en person han skulle lärt känna där nere. Aktuell fråga: var det en person han borde lära känna nu? Mahmud kanske kunde hjälpa honom i kampen? Niklas fattade att snubben inte delade hans ideal men killen hade ett driv. Något i ögonen. Inte ohyrans gnistrande illvilja. Något annat.

Först och främst verkade araben lika sugen på pengar som Niklas. Vad Mahmud ville göra med sina pengar sket Niklas i. Pengar var ett medel för att nå mål. Men kanske, kanske kunde araben vara något annat för honom? Benjamin var en förrädare. Anarkistfeministaktivisterna inte villiga att delta i Operationen. Mamma Marie borta ur leken. Araben kunde bli en pusselbit i kriget.

Efter duschen åt han igen. Ekonomiska situationen började bli riktigt krisig. Orkade inte tänka på det just nu. Han visste inte vad han skulle göra.

Satte sig i Forden. Saknade på något sätt Audin. Han behövde tänka.

Körde långsamt. Försökte fundera ut vart han ville åka.

Tänkte på sina pengar igen.

Han körde ut över Norrtull. Fortsatte fundera på Mahmud. Vad kunde han använda araben till? Biskops-Arnöfolket hade bara snackat och snackat. De påverkade bara sig själva – resten av samhället struntade i dem. Sen tänkte han på mamma igen. Varför gick det inte att prata längre? Varför kunde hon inte acceptera? Allt det han gjorde, gjorde han ju för henne.

Niklas tittade sig omkring. Det var märkligt. Han befann sig i Edsviken, Sollentuna. Där Nina Glavmo Svensén bodde. Kvinnan som sålt Audin till honom. Han körde mot hennes gata. Såg hennes gröna ögon framför sig. Barnet på armen. Hennes sneda leende.

Han kom fram till området. Hedvigsdalsvägen gick som en artär genom villatomterna. Smågatorna var som avstickare till idyllens inre sfärer.

Där, trettio meter längre fram, låg villan där hon bodde. Nummer tjugoett. Det gula träet såg inte lika skinande ut i duggregnet som i somras när han varit där. Träden tomma på blad. Han tänkte på hur hon måste ha det. En man som förnekade henne rätten till ett liv. Hon behövde Niklas. Det var klart. Helt klart.

Bilen rullade långsamt. Han lutade huvudet bakåt. Försökte se in genom fönstret. Om det lyste där inne. Femton meter från huset. Han såg att garagedörrarna var stängda. Hösthimlen samma färg som kromat stål. Nina levde någonstans där inne i värmen.

Han kände det: hon var hemma. Körde förbi huset. Sakta. Sneglade. Sträckte på sig för att se in. Såg en rörelse längre in i ett rum. Hon var där.

Niklas svängde höger. Upp för en backe. Svettig i handflatorna. Ratten klibbade. Höger igen. Nedför. Tillbaka på gatan. Hjärtat dunkade. Nummer elva. Dunk. Nummer femton. Dunk. Snart nummer tjugoett igen.

Han ville så gärna ringa på. Se henne. Ta på henne. Och hon ville nog se honom.

Han stannade bilen utanför. Synd att det inte var Audin längre. Då skulle Nina bli glad.

Så glad.

45

Jasmine dök upp sent till klubben. Thomas såg det direkt. Han tänkte att det var något annorlunda med henne ikväll. Hon hade en basebollkeps långt nerdragen i pannan, pösig luvtröja, knälång kjol över tajta jeans. Solariebrun som en mulatt efter två veckor på en playa. Vad var det som inte stämde? Han kollade igen. Hon ville dölja något. Klädvalet talade ett tydligt språk: luvtröjan, kjolen. Brännan, kepsen.

Sen såg han: läpparna. De putade som på någon som larvar sig. Sen såg han mer: brösten. Putade också larvigt mycket – antingen hade hon stoppat in två handbollar under tröjan – eller, mer troligt, fyllt på med minst ett kilo implantat i vardera tutten.

Thomas flinade. ”Du ser, hur ska jag säga, välmående ut.”

Jasmine var först gravallvarlig. Oförstående. Efter tre sekunder: flinade tillbaka. ”Vad tycker du?”

Thomas gjorde tummarna upp. ”Jorå. Men läpparna? Lägger de sig eller?”

Jasmine skrattade. ”Jag tror det. Jag ska byta bransch, så jag behöver det här.”

”Lypsylmodell eller?”

”Ha ha, jättekul. Jag ska göra karriär.”

”Jaha. Ska du säga inom vad eller får jag gissa?”

”Erotik.”

Thomas blev stum lite för länge. Jasmine märkte reaktionen.

”Vadå? Har du problem med det, eller?

Han ville inte tjafsa. Att näcka inför folk och sitta i kassan då och då på en välbevakad stripjoint kanske inte var världens bästa jobb, men ändå – det gav bra pengar. Och han höll ju koll på dräggen. Porr däremot – kändes smutsigare av någon anledning. Fast han kunde inte förklara varför. Han gillade porr. Men han gillade också Jasmine – de garvade mycket. Inte bara *åt* samma skämt, utan *tillsammans* åt samma skämt. Som att de förstod varandra. Han ville inte att hon råkade ut för någon skit.

”Producenten har betalat för implantaten och allt. Det är helt gratis. Kan du förstå? Vet du vad såna här grejer kostar?”

”Jag har ingen aning. Men är det rätt för dig?”

”Självklart.” Jasmine fortsatte beskriva hur bra erotikbranschen skulle bli för henne. Berättade om sina planer, karriärvägar, kändisskapsmöjligheter.

”Erotik är mycket bättre än att strippa liksom. Det finns inga pengar i strippandet i Sverige. Och du vet, strippor är såna bitchar med äcklig attityd. Men alla säger att det är tvärtom i filmbranschen. Att det är som one happy family liksom.”

Thomas stängde av. Det sved att lyssna. Han hade sett för mycket porr själv för att orka föreställa sig Jasmine i de scener han i normala fall runkade till.

Senare på kvällen dök Ratko upp. Garvade också åt Jasmine. ”Jag tror det blir bra för dig gumman”, sa han som om han var hennes farsa. Vilket skitsnack.

Ratko satte sig bredvid Thomas. La armen om hans axel. Jasmine var inne och körde en show. En av sina sista.

”Vad tror du om Jasmines planer?”

Thomas kollade rätt ut i rummet. Undrade vad Ratko ville med sin fråga. Var det en provokation? Han sket i vilket – han svarade alltid som han tyckte.

”Jag tycker det låter kasst. Det där är en skitig bransch.”
”Så du tycker det här är mycket bättre då?”
”Här håller vi ordning och reda.”
Ratko svarade inte först. Thomas vände sig mot honom. ”Ville du något?”
Ett snett leende på Ratkos läppar. ”Du gör ett bra jobb Thomas. Vi tycker du sköter dig. Bara så du vet.”
Ratko reste på sig. Gick in till showlokalen.
Thomas brydde sig inte om att försöka tolka vad juggen just sagt. När rätt tillfälle infann sig skulle han fråga om Sven Bolinder, den så kallade finansiären, som Leif Carlsson babblat om.

Han vaknade vid elvasnåret. Åsa hade gått till jobbet utan att väcka honom som vanligt.
I badrummet. Han lät raklöddret sitta i extra länge. Rakade sig noggrant: korta drag med ett fräscht rakblad. Han speglade sig. Försökte att inte bara se sin bild, utan också se sig själv. Vem var han? Vad ville han?
Han visste vad han ville: få tag på Rantzells mördare och få hit sitt adoptivbarn. Det kändes som en balans. Ett projekt att lösa utanför hemmet. Ett att lösa i hemmet. Men vem var han? På dagarna en hederlig medborgare. På nätterna tillhörde han undre världen. Som fienden. Kanske var han fienden?
Han tänkte på Leif Carlssons virriga svar. Sen tänkte han på Christer Pettersson, som nästan blivit dömd för Palmemordet. Det var inte en fråga *om* det fanns några kopplingar. Det var en fråga om *hur* starka de var. Synd att han inte kunde fråga Pettersson själv. Snubben hade ju trillat av pinn för några år sen i en tillsynes naturlig hjärnblödning.
Thomas hade mixat det som alla i Sverige över trettio visste om mordet med sina mer särskilda kunskaper från kåren. Dessutom hade han ju läst in sig på sistone.
Bilden växte fram. Av Sveriges mest efterjagade man – Christer P. Den största mordutredningen någonsin, nationellt trauma: ett olöst statsministermord. Ett oläkt sår i det svenska medvetandet. En obehaglig, svidande gåta för alla som kom från samma bak-

grund som Thomas – vanliga svenska medelklassmänniskor som ändå visste var de hade sina rötter. Vem de hade att tacka för att de befann sig där de var idag.

Olof Palme hade skjutits på öppen gata en natt för över tjugo år sen. Thomas var inte lika politikerintresserad som sin pappa, men enligt honom: Palme – Sveriges internationellt sett största politiker någonsin. En hedersman, en vän av normala svenskar. Avrättad med ett klockrent skott i ryggen. Det var snyggt skjutet, det fick han erkänna.

Tre år senare dömde tingsrätten Christer Pettersson för mordet till livstidsfängelse. Snubben pekades ut av Lisbet Palme vid en konfrontation anordnad av utredarna. Dessutom påstod man att vittnen sett honom vid mordplatsen och att han haltat precis som gärningsmannen skulle ha gjort. Han: En aggressiv alkis på dekis. Kanske en klockren syndabock. Men det här var statsministermord. Man kunde inte döma på indicier och orena utpekanden hur som helst – hovrätten friade Pettersson. Det var inte ställt bortom rimligt tvivel hette det.

Claes Rantzell, tidigare Claes Cederholm, dök upp som ett av nyckelvittnena i Riksåklagarens resningsansökan till Högsta domstolen några år senare. Statsmakten ville verkligen få Pettersson fälld.

Claes Rantzell: knarkhandlare, målvakt, till slut själv nergången på sprit och tablettmissbruk. På hösten 1985, några månader före mordet, hade han berättat att han lånat ut en magnumrevolver av märket Smith&Wesson, kaliber .357, till Pettersson. Rantzell fick aldrig tillbaka revolvern sa han. Dessutom hade Pettersson varit hemma hos Rantzell, som bodde i närheten av mordplatsen, samma kväll som mordet skedde. Rantzell var det mest förhörda vittnet i hela förundersökningen, fast med skiftande minnesbilder – magnumrevolverlevererare, ammunitionsutdelare, golare. En klockren utpekare av Pettersson.

Men Högsta domstolen tog inte upp målet. Resningsansökan föll. Det blev ingen ny rättegång för Pettersson. Ingen fällande dom för legenden från Sollentuna den gången heller. Men i de flestas ögon var han ändå den skyldige. Lisbet Palmes felhanterade utpekande tillsammans med Claes Rantzells påståenden om Magnumrevolvern sänkte honom. Svenska folkets logik var enkel: Lisbet kände på något sätt igen Pettersson, han hade varit i närheten av platsen och han hade haft tillgång till en revolver av samma sort som mordvapnet. På det: han var en aggressiv alkis på dekis, det gjorde det hela enklare på något vis.

Och nu var Rantzell mördad. Det var inte nödvändigtvis så konstigt – män som Claes Rantzell dog antingen av skrumplever, andra sjukdomar som drabbade folk med taskig livsföring eller våld.

Men här: någon försökte täcka upp spåren på ett alltför raffinerat sätt.

Det var tio resor större än han fattat innan han visste vem Rantzell varit.

Så mycket större att det svindlade.

De två spåren växte långsamt. Adamsson i dåtid. Rantzell i nutid.

Efter det halvlyckade förhöret med alzheimersjuka Leif Carlsson behövde han tala med någon annan. Han hade funderat igen på att ringa Hägerström. Men nej, inte nu.

Vem av de andra medlemmarna i troppen, piketstyrkan som Adamsson ingått i, kunde han få ut något av? Malmström var död. Adamsson var fienden. Carlsson hade han redan hört. Kvarstod: Torbjörn Jägerström, Roger Wallén, Jan Nilsson, alla tre fortfarande aktiva poliser, och Carl Johansson och Alf Winge, den ena var pensionerad och den andra drev ett privat säkerhetsbolag. Sen borde han forska mer om den här Sven Bolinder också.

Thomas bestämde sig för att börja med Alf Winge: gubben verkade leva ett lugnt liv utan för mycket ansträngning. Det som avgjorde saken: Winge var inte snut längre och Runeby hade nämnt honom som en av dem som var med på mötena i Gamla stan. En invigd.

Klockan halv sex kom Alf Winge ut genom porten på Sturegatan 32. Humlegårdens träd var på väg att bli gula. På tredje våningen låg Alf Winges privata säkerhetsföretag WIP – Winge International Protection AB. Thomas hade kollat hemsidan. WIP redovisade öppet sina tjänster: arbete med särskilda bevaknings- och skyddsuppdrag, ett komplement till andra aktörer på bevakningsmarknaden. Branschen växt som en lavin efter nine eleven.

Alf Winge var ungefär femtio år gammal. Fortfarande en spänst i gången som kändes kraftfull. Polisstil: värdighet, rak hållning, blicken fäst på något längre bort på gatan. Han hade rakat huvud, bistra fåror längs kinderna, ljusblå ögon som såg gråa ut. Han var klädd i mörkblå rock, kraftiga svarta skor, den trådlösa handsfreen fortfarande i örat utan att han använde den just då.

Thomas såg honom kliva in i sin bil, en Aston Martin, äkta sportbilskänsla. WIP gick tydligen bra. Thomas startade motorn på sin egen bil. Winges vrålåk rullade nerför Sturegatan. Thomas hängde på. Han visste var Winge bodde. Han visste vägen Winge brukade ta hem. Han visste var på den vägen han skulle stoppa den gamla piketsnuten.

Femton minuter senare: Bromma, en lyxförort där nog inte många snutar hade råd att bo – förutom de som övergav yrket och satsade privat istället. Kiselgränd: där låg ett dagis omgivet av glesvuxen skog. Ödsligt nu, efter klockan sex då det hade stängt. Enda rörelsen var bilarna som åkte förbi, på väg hemåt.

Thomas kunde inte se att Winge reagerade på att han förföljde honom. Eller så såg han men sket i det. Kanske var han en riktig hårding.

Thomas gasade. Körde upp jämsides med Winges superbil. Han hade lånat ett blåljus på Trafikenheten. Satte upp det vid vindrutan. Flashade. Såg hur Alf Winge vred huvudet. Uppfattade att en civil polisbil försökte få honom att stanna.

Winge bromsade in. Stannade vid vägkanten. Thomas svängde långsamt in. Stannade snett framför Aston Martinen. Nästan förvånad att Winge stannat så lätt.

Thomas höll upp polisbrickan framför ansiktet på Winge. Snubben rörde inte en min.

”Vad vill du?”

”Kan du visa ditt körkort?”

Winge sträckte ut armen, visade körkortet. Han såg ung ut på bilden. Alf Rutger Winge.

”Det här är bara en rutinkontroll. Har du lust att kliva ur en kortis?”

Winge satt kvar. ”Vad är det du påstår att jag gjort?”

”Ingenting. Bara en rutinkontroll. Vi har span på vissa grejer i det här området.” Han la till något som han trodde Winge skulle gilla: ”Du vet, det måste finnas gränser för packet. Vi vill inte ha dem här i Bromma.”

Winge såg ut att fundera en kort stund. Sen öppnade han bildörren. ”Okej”, sa han. En bil åkte förbi på vägen. Thomas väntade, batongen i ena handen. Sen gick han till handling. Slog Winge i knävecken så hårt han kunde. Gubben föll ihop, långsamt ner på knä. Han skrek inte ens. Thomas snabbt på honom. Hakade fast klovarna kring ena handleden. Winge vände sig om, försökte slå tillbaka. Thomas snabbare: sprejade honom med pepparsprej. Nu skrek han åtminstone. Thomas agerade som i trans – andra handleden i handfängseln bak på ryggen, släppte sprejen, tog fram sin pistol, tryckte upp den i sidan på Winge, med klar röst: ”Res på dig.”

Winge reste på sig. Måste tro att Thomas var något slags vägpirat som kommit över en polisbricka. Thomas föste honom mot sin bil. Tårar från Winges röda ögon: blinkade, blinkade, blinkade.

Han startade bilen, fäste Winges fängslade händer med ytterligare ett par klovar kring handtaget i bildörren. Körde upp på den tomma dagisgården. Undan från vägen. Undan från insyn. Fri att sätta igång förhöret.

Winge hämtat sig. ”Vem fan tror du att du är?”

Thomas stålsatt sig. ”Käften.”

”Vet du vem jag är?”

”Jag skiter i vem du är.”

”Jag har inga pengar på mig och bilen spårar de på fem minuter, den har inbyggd gps. Vad vill du?”

”Käften sa jag. Här är det jag som ställer frågorna.”

Winge stannade upp. Kände han igen polisens mest uttjatade förhörsfras? – ”Här är det jag som ställer frågorna.”

Han sa: ”Är du polis?”

”Hörde du inte vad jag sa. Jag ställer frågorna.”

Det rann fortfarande tårar från gubbens ögon.

”Alf Rutger Winge, det här gäller inte dina pengar eller din bil. Det här gäller troppen, Gamla stan-mötena och Bolinder. Vi vet redan det mesta så jag vill bara ha svar på några frågor.”

”Jag vet inte vad du pratar om. Troppen, det var länge sen.”

”Jo, du vet vad jag talar om. Svara bara på frågorna. Var du delaktig i Adamssons grupp?”

”Som jag sa, jag har ingen aning om vad du talar om.”

”Jag upprepar, var du delaktig i Adamssons grupp?”

Winge släppte inte hans blick. Men sa inget.

”Jag upprepar bara en gång till, var du delaktig i Adamssons grupp?”

Ingenting.

Thomas visste att det han tänkte göra nu var det högsta spelet han kört. Det var en sak att spöa på alkisar, pundare och invandrardrägg. En annan sak att köra det här racet med en exsnut som kunde sina rättigheter bättre än en jäkla försvarsadvokat. Ändå, det var allt eller inget.

Han satte på sig handskar. Slog till Winge rätt över näsan. Den knäcktes. Blodfläckar sprejade ner insidan av vindrutan. Helvete – Thomas skulle bli tvungen att städa ordentligt. Han slog till Winge över örat. Sen mot pannan, käken, örat igen. Alf Winges ansiktet i slamsor.

”Var du delaktig i Adamssons grupp?”

”Glöm det.” Sludder blandat med blodbubbel.

Thomas drog till honom över näsan igen.

”Var du delaktig i Adamssons grupp?”

Tystnad.

Winges huvud hängde. Saliv, blod, snor, slem droppade ner i hans knä.

Thomas: kände sig som på gatan. Upphetsning. Adrenalin, blodlukt, svett. Kombinationen bättre än alkohol och Rohypnol. Alf Winge skulle inte få sabba det här. Han måste svara.

”För sista gången, var du delaktig i Adamssons grupp?”

Inget svar.

Thomas slog till honom för tredje gången över näsan. Den skulle aldrig läka ordentligt.

Winge kved. Höjde långsamt huvudet. Tittade rakt in i Thomas ögon. Thomas försökte läsa hans blick. Den var helt blank, tom. Kanske hade det aldrig funnits något där.

Han sa: ”Du vet inte vad du håller på med.”

Efter händelsen med Alf Winge hade Thomas tagit det lugnt några dagar. Väntade på vad som skulle hända.

Han hade släppt Winge. Det kunde inte gå längre. Slog han honom mer fanns risk för riktigt allvarliga kroppsskador, och den risken kunde han inte ta. Satan också.

Men det fanns andra trådar att nysta i. Thomas hade börjat kolla igenom påsarna som han plockat i Rantzells lägenhet direkt efter han hittat dem. Det var ungefär åtta veckor sen. Inte hans grej att läsa dokument och handlingar men han ansträngde sig. Det kändes oöverstigligt: avtal, protokoll, registreringshandlingar, F-skattesedlar, deklarationer, verifikationer, kvitton, bankavier, kontoutdrag, papper. Så mycket information som han inte förstod. Och så svårt att veta vad som kunde vara relevant.

Kvällarna för juggarna och dagarna på pisstrafikenheten tog tid. Han kände sig jämt jetlaggad. Ena natten jobb till klockan fem. Nästa dag fika och snacka miljöbilar med trafikpoliserna under eftermiddagen. Han hann inte gå igenom dokumenten. Ändå: efter några veckor började han skapa sig någon sorts koll. Det var uppenbart att Rantzell legat i på sistone. Målvakt i arton bolag under de senaste sju åren. Thomas tänkte på gammelsnutarnas skämt om John Ballénius: ”Bara en målvakt som kan tävla med honom, och det är Thomas Ravelli.” I ungefär hälften av bolagen som Rantzell var styrelseledamot i var Ballénius suppleant och tvärtom. I vissa bolag skymtade en del andra gubbar också. Thomas gjorde en notering om att kolla upp dem.

Han kunde inte se något särskilt mönster för bolagen där gubbarna varit verksamma, förutom att många tillhörde byggbranschen, men så var det ju alltid. Täbys Skorsten & Plåt AB, Frenells VVS

AB, Gula Böjen Bygg AB, Roaming GI AB, Skogsbacken AB, Aktiebolaget Stockholm Leveransakut AB, Dolphin Leasing AB, och så vidare. Elva av bolagen verkade ha gått i konkurs. Tre av bolagen låg i tvist med Skatteverket. Sju av bolagen hade sprutat ut fakturor som värsta höghastighetsvapnet – säkert fakturabedrägerier. Två av bolagen körde med ordentliga styrelser med folk som verkade sitta i andra, seriösa, bolag också. Fem bolag engagerade samma revisor. Ett bolag sålde porrfilmer.

Han kunde inte tillräckligt om sånt här. Var skulle han börja leta?

Till slut la han skiten i kronologisk ordning. Tänkte: Jag börjar med det senaste. Kanske någon där som träffat Rantzell i livet, och ju närmare gärningen jag kommer desto närmare mördaren borde jag komma.

Det nyaste dokumentet var ett köpekontrakt mellan bolaget Dolphin Leasing AB och en bilhandlare. På en Bentley. Det var undertecknat av Rantzell såg det ut som, dagen innan han togs av daga.

Bentleybutiken låg på Strandvägen. Stockholms solsida, överklassens klassiska adress. Thomas tänkte på sin pappas överdrivna förakt.

I början av november gick han dit. Stan var varmare än vanligt. Thomas sket i normala fall i miljötugget men idag tänkte han faktiskt på vädret. Varma somrar med övermycket regn och dammar som brast i Jönköpingstrakten, konstiga vintrar med för mycket snö och istappar som bildades i töväder och föll ner över stackare som laglydigt gick på trottoarerna. Ibland var det som om hela skiten höll på att rämna. Pajaspolitikernas försök att styra upp stan, klimatet, hans liv.

Han klev in.

Strålkastarljuset blänkte i de sex bilarna som stod uppställda. Inte som en vanlig svenssonbilhandlare här inte. Istället: litet, exklusivt, extremt dyrt.

En ung sprätt stod bakom en disk och försökte se upptagen ut. Lätt tillbakakammat halvlångt rufs, kavaj, översta knapparna uppknäppta på skjortan som nån jävla bög. Thomas undrade för sig själv: Borde inte riktiga män jobba med så här kraftiga bilar?

Det var två andra besökare i lokalen. Han väntade tills de gått ut. Flashade polisbrickan för butikskillen.

”Hej, jag är från polisen. Kan jag ställa några frågor till dig?”

Thomas struntade medvetet i att säga sitt namn.

Slyngeln såg förvånad ut. Han såg väl inte snutar så ofta i sin butik – en hederlig polislön gånger tio räckte inte ens till en sån bil som de krängde här.

De klev in i ett litet kontorsrum bakom disken. Ekskrivbord, dator och en reservoarpenna i en marmorhållare. Så elegant.

Thomas la fram köpekontraktet på Bentleyn.

”Är det du som har skrivit på det här? Är det du som är Niklas Creutz?”

Killen nickade.

”Men jag minns inte det där avtalet.”

Thomas kollade in honom. Hur många bilar per månad kunde de tänkas sälja i den här butiken? Fem, sex stycken? Kanske färre. Varje såld bil borde vara en rätt stor grej. Varje såld bil borde ge en hyfsad provision till den här lilla spätten. Han borde minnas.

”Är du säker? Hur många av den här modellen har du sålt i år?”

Killen slöt ögonen. Försökte se ut som han tänkte efter. Men varför behövde han tänka efter? Han borde kunna kolla i nån lista eller så.

”Fyra, tror jag”, sa han efter en stund.

Thomas frågade igen. ”Är du helt säker att du inte minns? Det är ganska viktigt.”

”Får man fråga vad saken gäller.”

”Man får absolut fråga. Men man får inget svar.”

”Nehej.”

”Jag frågar en sista gång, bara så att du känner att du fått lite tid på dig att tänka. Minns du personen som köpte den där bilen?”

Killen skakade på huvudet.

Thomas tänkte: Sprätten ljuger dåligt.

***

Hello boys,
My name is Juliana. I'm a sexy, fun and sociable young woman. I'm 21 years old, 1.60 tall and 52 kg. I look even younger. I'm visiting Stockholm for a few weeks and look for generous men here for pleasure. My tight body want to make you happy.

Half hour with me is 1 000 SEK plus taxi.
One hour with me is 1 500 SEK plus taxi.

I do normal sex in any position you like. I give pleasure with my body, mouth and tight pussy. You may cum as many times as you can ;)
Everything with condom for your and my safety. I do not do anal.
If you want to cum on my breast it will cost + 500 SEK.

You contact me easiest by phone. I don't reply to hidden numbers or sms. I have male friend who look after me.

***

46

Mahmud: luderhanteraren, horvakten, fnaskchauffören. På två veckor hade han spenderat mer än hälften av sin tid på campingplatsen. Största delen av dagarna satt han i en av husvagnarna. Fönster ut mot resten av campingen. Sammanlagt tjugotvå smutsvita husvagnar. Åtta tillhörde Dejan och hans folk. I fyra andra bodde halvutslagna white-trash-lirare som i värsta Eminemlåten. Resten av vagnarna: tomma i väntan på sommaren.

Shit, vad det var trist. Han lyssnade på sin iPod: Akon, Snoop och så hemlandsmusiken: Majida El Roumi, Elissa, Nancy Ajram. Bläddrade i porrblaskor och motortidningar. Sms:ade med Robban, Tom, Javier och syrran. Gnällde. Surade. Tjurade. Försökte få tiden att rulla. Hoppades nästan att någon av brudarna skulle komma springande över fältet. På väg att sticka. Så det kunde bli lite jakt. Lite action.

Men nej. De höll sig lugna. Då och då rullade nån bil in på området. Dejan ringde för det mesta innan och förvarnade. Ibland klev gubben direkt in i husvagnen. Ibland kom tjejen ut. Klev in i bilen. Mahmud kunde se hennes ansiktsuttryck till och med på avstånd – slavhandeln satt i minen. Några timmar senare kom de tillbaka. Eller så ringde de en signal – tecknet på att läget var okej. Same, same but different på något sätt.

Mahmud fick köra dem. Natascha, Juliana och de andra. Tunna brudar. Bleka, tärda, trötta. Uppsminkade så gott de kunde. Några hade kanske varit söta. Det var adresser över hela stan – mest förorterna men ibland finkvarteren nere i city. Några gånger körde han fyra brudar åt gången. Lämnade dem på samma adress. När de kom tillbaka var de bättre sminkade, fixade. Mahmud drog sina egna slutsatser: någon försökte ge dem lite klass och stil.

Mahmud surrade aldrig med hororna. Han visste inte själv varför. Kände bara starkt: Jag pallar inte att höra vad de kommer berätta. Fast egentligen spelade det kanske ingen roll. Deras svenska var till och med sämre än den som hans farsa talade.

Dejan kom ut ibland. Roddade det praktiska: bokade hotellrum och tjejernas transporter. Administrerade internetannonserna. Alla tjejer låg ute på nätet. Ringde runt till kunderna: informerade om priser och tjänster. Snubben luktade som skit. Mahmud hade känt det mesta inne på kåken. Där inne kom du lite väl nära dem du gick med ibland, många snubbar tvättade sig inte som de borde. De värsta var de som struntade i duschen men ändå smetade på deo på svetten varje dag. Dejan: som en av dem. Sötsliskig parfymlukt pajad av svett och smuts.

Vid sex sjusnåret varje dag byttes Mahmud av. Han åkte in till stan. Skötte sin egentliga business. Varför gjorde juggarna det här mot honom? Han visste egentligen svaret. De ville visa att i deras organisation fanns inga genvägar. Du börjar på botten och är du bra kan du jobba dig upp. Han ville ju inte ens köra racet med dem.

Fan för hela skiten.

En kille som såg ut som en liten mus kom för avbyte idag. Små gula tänder i underkäken och en trippande gångstil. Mahmud sket i att fråga vad han hette. Kändes bäst så. Just dragit en fetingsnort nittioprocentigt. Ville bara därifrån. Snubben kollade in Mahmuds porrtidning, uppslagen. Närbild på feta åderpålen rätt upp i prutten. Mahmud slog igen den. Skämdes. Snubben sa på knackig svenska: "Varför du läser sånt där?"

Mahmud kände inte för en diskussion. Ville bara få sitta i bilen och njuta av k-ruschen. Han flexade nackmusklerna. "Har du problem med det eller?"

"I husvagnarna, det finns riktiga grejer."

Mahmud satte på sig jackan. Öppnade dörren. "Du, jag gillar villiga brudar. Har du träffat en sån någon gång?"

Snubben stirrade tillbaka. Mahmud slog igen dörren.

Ute snöade det. Var det inte lite väl tidigt? Det hade ju varit hyfsat varmt häromdagen. Tjugoförsta november. Vitt mot svart bakgrund: myrornas krig. Sprakande, fladdrande. Som i hans huvud.

Humöret något bättre när han satte sig i Mercan. På väg bort från skiten. Han tänkte på snuten som kontaktat honom för några veckor sen. Han måste bli försiktigare. Grisarna kunde ju ha span just nu till exempel. Han stannade bilen vid vägkanten. Ingen bakom. En bil passerade i motsatt körfält. Det borde vara lugnt.

Ändå: han tog fram mobilen. Tog loss batterier. Pillade upp simkortet. Vevade ner rutan. Sprätte iväg det. Som en av snöflingorna.

På vägen in mot stan tänkte han på Babak. Okej, Mahmud hade klantat sig. Kunde aldrig tänka sig att juggarna skulle klippa den där Wisam. Men Babak hade överreagerat. Trots det: Mahmud ville ringa honom. Ta ett surr. Straighta ut hela grejen. Bli som förr igen. Homies. Blodsbröder.

Han passerade Axelsberg på motorvägen. Tänkte på sin syrra. Tänkte på hennes galna före detta granne. Niklasshunnen. Vad var grejen med honom? En vecka efter att han och syrran hälsat på ringde det på Mahmuds telefon. Okänt nummer. Kunde vara vilken köpare, langare, juggetönt som helst – men det var Niklas. Skumt. Mahmud blev asskraj. Trodde det hänt något med Jamila. Men inte så, Niklaskillen ville bara prata. Kanske ses. Under samtalet, typ hela tiden, kom snubben in på misshandlade kvinnor, torskar som borde skjutas och som han sa "förruttnelsen i Sverige". Mahmud diggade inte jargongen. Han var tacksam att Niklas piskat på syrrans förra kille. Men vad var allt det där om torskar, samhällets förfall och råttinvasion i förorten?

Nästa dag: i husvagnen igen. Vädret var bättre. Ragheb Alama på låg volym i hörlurarna. Dejan ringde på förmiddagen. Snackade om en jätteleverans. Ratko också ringt. Upphetsad. Exalterad. "Mahmud. Nu håller du kollen extra fint. Fattar du? Det är en jätteleverans på g." Mahmud tyckte de tjatade. Upprepade alla samma ord: jätteleverans. JÄTTELEVERANS.

På eftermiddagen kom en skåpbil ut. En kvinna tillsammans med Dejan. Minkpäls. Såg så rysk ut att det nästan var roligt. Hon surrade ingen svenska. Dejan försökte tolka, presenterade henne som sminkösen. "Ikväll blir det värsta jätteleveransen. Alla ska till samma adress."

Mahmud sket i vilket. De fick ha hur stora horfester de ville för honom. Bara han fick komma därifrån i tid.

Några timmar senare dök en Hummer upp. Två snubbar klev ur. Mahmud såg det direkt genom husvagnens skitiga rutor – det där var inte vilka juggar eller kunder som helst. Det var ultrastekare. Han kände till och med igen en av dem: Jet-set Carl. Liraren som ägde massa ställen, körde glassigaste festerna, cashade in fetaste cashen. Killen som enligt ryktet gökat fler bitches på Stureplan än Mahmud ens sett i hela sitt liv. En legend. En kung bland bratsen. En maktfaktor även bland svennarna. Mahmud undrade vad killen gjorde där.

Mahmud stängde av musiken. Satte sig närmare fönstret. Såg

hur hororna fick kliva in i en av husvagnarna där Dejan och ryskan höll till. Han väntade. Tjejerna kom ut en efter en. Till slut: alla tjugo stycken avklarade. Sminkade, stajlade, fixade för knull. De gick till sina husvagnar. Jet-set snubben stod med sin polare och rökte. Beige kvartsrock, mörkblåa jeans, färgglad halsduk. Tunna ökenkängor i mocka. Frisyren mer välslickad än en kattpäls. De spanade in proceduren.

Efter fyrtio minuter var alla brudarna klara. Tiden stod stilla. Mahmud stirrade. Spanade. Spionerade.

Dejan gick runt och knackade på alla husvagnsdörrarna. Brudarna kom ut. Kortkorta kjolar, tajta toppar, strumpebandshållare, höga stövlar, klackar, scarves nonchalant slängda kring halsen. Utsmyckade mer än vanligt. Glassigare än Mahmud sett dem tidigare.

De ställde upp sig i kylan. Arton på rad. Som en jävla hästmarknad. Jet-set snubben och hans polare gick längs raden. Kollade in tjejerna en efter en. Mätte med blicken. Sög i sig med ögonen. Snackade, diskuterade, värderade.

Efter tio minuter. Hon, hon och hon, och så vidare. Jet-set Carl pekade på tolv av tjejerna. De utvalda.

Dejan och ryskan föste in dem i skåpbilen och en annan bil. Jet-set Carl tog en till cigarett. Röken syntes tydligt.

Mahmud tänkte: En jätteleverans. Han visste inte ens vart de skulle någonstans.

Han kunde inte släppa grejen. Två timmar kvar tills han skulle bli avbytt. Sket i att sätta på musiken igen. Struntade i att sms:a Tom om kvällsplanerna. Mahmud: inte snubben som hade något emot horor. Va fan, det var ju världens äldsta yrke och allt det där. I hans hemland tog farsorna ofta med sönerna på artonårsdagen för ett litet introduktionsligg i Bagdads sunkigare kvarter. Det var bra övning, upplärning. Unga snubbar måste få leka av sig. Men ändå: han pallade inte grejen. Flickorna i husvagnarna behandlades som saker. La ut sig på internet som vilka grejer som helst. Ärligt, hur kunde folk digga brudar som inte ville ligga av sig själva? Det var sjukt på något sätt.

Han kollade ut över parkeringsplatsen. Allt lugnt. Undrade om tjejerna som inte blivit plockade kände sig trygga eller desperata.

Mobilen ringde. Okänt nummer. Först tänkte han skita i att svara. Sen tänkte han: Jag måste komma ur de här deppiga tankarna. Lika bra att se vem det är.

Samtidigt som han tog upp luren kände han en skum feeling. En känsla av att något stort var på ingång. I hela maggropen ringde signalen ett budskap: det här samtalet skulle komma att förändra hans liv.

”Mahmud här.”

”Tjena Mahmud, jag är polare till din polare, Javier.”

Mahmud kände inte igen rösten. Men han hade koll på brytningar. Latino. Lät ungefär som Javier faktiskt. Efter åren i miljonbetongen kände Mahmud igen brytningar som värsta språkexperten. Höjden av kunskap: han hörde till och med skillnad på olika kurdiska språk. Sorani och kurmandji, you name it. Snubben på luren nu: mjukare s-ljud än annan latinos. Chilensk brytning av klockrenaste graden.

Mahmud svarade: ”Okej. Javier är en polare till mig. Och vad vill du?” Egentligen ville han inte snacka med någon kokssugen miniköpare just nu. Han ville faktiskt softa med Robert och grabbarna ikväll.

”Jag vill träffa dig. Mitt namn är Jorge. Jag vet inte om du hört talas om mig. Jag satt på Österåker med din syrras kille. Är de ihop fortfarande?”

”Nej.”

”Skönt. Kan jag vara ärlig med dig?”

”Ja.”

”Din syrras snubbe var en riktig cabrón.”

Mahmud kunde inte låta bli att garva till. Vad var det här för lirare?

”Hur som helst. Javier har berättat om din lilla hang-up för mig. Och den intresserar mig.”

”Vadå hang-up? Vad surrar du om?” Namnet, Jorge, påminde Mahmud om något. Han visste att han hört folka snacka om den här killen för några år sen. Mycket.

”Du har snackat runt. Jag tror halva stan känner till dina feelings för Herr R.”

”Vad vill du?”

”Jag vill träffa dig live. Prata igenom hela grejen. Jag tror vi har en gemensam fiende. Och du vet som vi säger i mina kvarter: min fiendes fiende är min vän.”

Mahmud kom på vem Jorge var. För några år sen: asmycket snack om en uppkomling som fullkomligt revolutionerat koksbranschen i Stockholm. Hjälpt juggarna ta kokainanvändandet till förorten. Spridit skiten bland svennarna, medelklassbarnen, invandrarkidsen. Gjort en näsa med k till en lika normal grej som att ta en stänkare på krogen. Men sen hade något skitit sig. Rykten gick: att juggarna massavrättat snubbarna som hjälpt dem bygga imperiet, att samma snubbar försökt blåsa Radovan på storkovan, att det hela handlat om interna fighter inom juggemaffian. Jorge, namnet var bekant. Javisst, Mahmud hört Javier snacka om snubben – det var han som varit juggarnas egen lilla langningskonsult. Han undrade vad latinon ville honom.

Jorge fortsatte snacka. ”Du säger inte mycket, men jag tror du är lite nyfiken på att ses. Vet du vem jag är? Säger dig Västberga kylförvaringshallar något? Abdulkarim? Mrado Slovovic? Vet du vilka de där killarna var?”

Mahmud mindes. Han visste. Och han erkände för sig själv: han ville verkligen träffa den här latinon.

Jorge föreslog en plats. En dag. En tidpunkt. De la på.

En klar tanke i huvudet efter samtalet: det här kunde vara en öppning.

47

Niklas vaknade på en mikrosekund. Ett knastrande ljud väckte honom. Var det någon i rummet? Han grep efter kniven som låg på golvet bredvid sängen. Lyssnade igen.

Stillhet.

Tystnad.

Mörker.

Höll kniven framför sig i stridsfattning. Kröp ur sängen. Hukade. Han såg svaga konturer av rummet. Visst ljus kom från köket. Där inne fanns ingen rullgardin.

Knaster igen. Men ingen större rörelse i rummet som han kunde upptäcka. Han gick längs enda väggen. Musklerna på helspänn. Varje steg en övning i stealthfight.

Lägenheten bestod bara av ett rum och kök. Så rummet var snabbt kontrollerat. Det verkade tomt. På människor i alla fall. Men risken fanns ju alltid att de tagit sig in. Som de alltid lyckades med till slut.

Han gick in i köket. Betydligt ljusare där inne. Gatlyktornas sken längre bort på gatan lyste igenom fönstret. Köket var inte större än fem kvadrat. Han såg direkt att ingen människa fanns där. Men de andra då? Han behövde söka noggrannare: sitt tomma skafferi, under diskbänken, skåpen där han förvarade müsli och knäckebröd. Under pizzakartongerna, yoghurtpaketen, plastpåsarna. Han hittade dem inte. Lägenheten var secured.

Det måste ha varit drömmen som väckt honom. Starkare än tidigare. Först moskén där nere. Splittret från fönstren och trasiga bönemattor. Den typiska Iraklukten från jäsande sopor och avlopp. Sen scenbyte. Tillbaka i Sverige, fast för tjugo år sen. Mamma som blev knuffad in i väggen av Claes. En tavla som trillade ner. Hon föll. Handlöst. Låg kvar. Niklas böjde sig ner, tog tag om hennes arm. Drog, slet. Han skrek. Vrålade. Men det kom inte ut några ord.

Niklas klädde på sig. Han kikade mellan persiennerna. Mörkret ute var kompakt. Klockan var halv åtta. Idag skulle bli en hektisk dag.

Han åt yoghurt. Kokade två ägg. Fyra minuter exakt. Löskokta men inte för löskokta.

Han satte sig i rummet. Inspekterade Berettan. Ikväll skulle han använda ljuddämpare. Plockade upp den svarta metallcylindern som han också köpt på Black & White Inn. Skruvade på den, skruvade av den. Provsiktade mot fönstret. Vägde vapnet i handen. Klädde på sig sin jacka. Stoppade pistolen i innerfickan. Slet upp den och gjorde en sammanhängande mantelrörelse. Upprepade. Snabbt. Snabbare. Snabbast. Han skulle behöva skjuta på nära håll, använda hollow point-ammunition, för att uppväga ljuddämparens begränsande effekt.

Han tänkte på Nina. Uppenbart att det fanns något speciellt mellan dem. Hon behövde hans hjälp. Där, när han suttit utanför hennes dörr, hade hon plötsligt kommit ut. Helt ensam. Niklas första tanke hade varit: Var är barnet? Han steg ur bilen. Tittade på henne. Femton meter bort. Hon verkade inte se honom.

Nina: klädd i en vit kappa med svart bälte. Uppfälld krage som värsta agenten. Blåa tajta byxor och svarta läderstövlar med låg klack. På huvudet: en röd stickad mössa som inte var ordentligt pådragen. Han kunde inte slita blicken. Hennes utstrålning tog honom som en sandstorm där nere.

Hon gick mot honom men verkade inte känna igen honom. Sen slog det honom: hon ville inte kännas vid honom. Självklart. Hon visste att han genomskådat henne. Sett i hennes sorgsna blick hur hon mådde. Hur hon behandlades. Förnedrades.

Niklas stod orörlig. Ninas blick fäst rakt fram. Bestämda steg. Ett svagt leende på läpparna.

Tre meter kvar. Hennes handväska gungade i takt med hennes steg.

Två meter kvar. Han stod orörlig. Andedräkten pyste ut i små moln.

En meter kvar. Han måste säga något, ta tag i henne. Hon passerade honom. En sniff av hennes parfym. Nästan nuddade. Nästan.

Han ropade till. ”Nina!” Samtidigt tänkte han: Vad ska jag säga nu?

Nina vände sig om. En meter bort. Förvåning, frågande. Hon kände uppenbarligen inte igen honom. Log ändå snällt.

”Känner du inte igen mig? Det var jag som köpte er bil, Audin.”

Ninas leende bredde ut sig. ”Ja, just det. Vi sågs ju där på macken också.” Hon sneglade på hans bil. ”Har du inte kvar den?”

Niklas visste inte vad han skulle svara. Han ville inte göra henne besviken.

”Jo, men jag har flera bilar.” Han försökte skratta men det kändes som garvet fastnade halvvägs.

Nina verkade inte märka något.

”Jaha. Bor du här i området?”

Ännu en fråga som han inte kunde besvara.

”Nej, jag är bara på genomresa.” Vilket svar. Det lät tokdumt. ”Genomresa”, vad betydde det?

”Jaha. Trevligt att träffas igen. Vi verkar bumpa in i varandra med jämna mellanrum så vi lär ju ses igen.” Hon vände sig om för att gå vidare. Men Niklas hann skymta det igen. Hennes blick. Sorgen som kom över henne. Känslorna av vanmakt. Förtryck. Tortyrliknande förnedring. Han måste hjälpa henne. Hon var så vacker.

”Nina, vänta en sekund.”

Hon vände sig om igen. Den här gången: hennes leende mer osäkert.

”Ja.”

”Vart ska du?”

”Hurså?”

”Jag bara undrade.”

”Jag ska till ridklubben med en väninna. Man måste passa på när man har barnvakt. Men jag måste skynda mig nu. Hon väntar på mig.”

”Kan vi inte ses någon gång. Och prata igenom det hela.”

Ninas leende ännu mer osäkert. Men hennes ögon: han såg att hon bad honom om hjälp. Ville ha honom nära sig.

”Vad menar du nu?”

”Prata om hur du har det och så.”

”Jag förstår inte vad du menar. Vi känner inte varandra på det sättet, du har ju bara köpt en bil av mig. Inget mer. Men det var trevligt att träffas. Vi ses.” Hennes steg snabbare. Bort från honom.

Niklas stod kvar och tittade efter henne. Hennes stjärt vickade rytmiskt. Och han hade sett det tydligt när hon sa ”vi ses” – hon ville träffas igen. Berätta för honom. Få honom att förstå. Hon behövde honom. Hur skulle hon kunna veta att han redan förstod, mer än väl.

Rundan kändes extra bra idag. Tankarna klara. Ninas ansikte i perfektion. Aktionen ikväll var planerad så i detalj att till och med Collin skulle blivit avundsjuk. Klart för Operation Magnums andra offensiv. Det enda som störde: Benjaminjäveln. Men Niklas visste vad han skulle göra åt saken.

Efter armhävningarna och sit-upsen övade han med kniven. Mest för avslappningens skull. Han behövde sinneslugn. Han duschade. Åt lunch. Gick igenom filmer från övervakningskamerorna. Han kunde sina utvalda mäns rutiner bättre än de själva.

Klockan två ringde han samtalet han planerat i några dagar nu. Till Mahmud, Jamilas bror. Han hoppades det skulle ge resultat.

Niklas klev ner till bilen. Körde till Alby. Mahmud skulle vara hemma nu.

Tillbaka hemma. En timme sen mötet med Mahmud. Niklas kände sig nöjd. Samtalet hade gått bra. Mahmud var inte en krigare av hans kaliber men araben var okej. Och det bästa: han var skyldig Niklas en gentjänst. Det Mahmud lovat att göra för honom löste problem. Visserligen tänjde det ännu mer på ekonomin men grejen var oundviklig. Det gick inte att ha för många risker hängande över sig.

Han packade sin väska med de vanliga grejerna. Kikarna, dörravlyssningsutrustningen, film och minneskort till övervakningskamerorna, datorn, kniven, handskarna. Dessutom: Berettan och ljuddämparen.

Tog två tabletter Nitrazepam. Satte sig i soffan. Slog på teven och dvd:n. Taxichaffisarna i diskussion på nattfiket. Travis i bar överkropp. Testade sin Magnum. Senare: barnhoran, Jodie Foster, träffade Travis.

Niklas mindes vem han träffat för några dagar sen. Skuggat Roger Jonsson en kväll. Sett honom köra till Fruängens centrum. Parkera bilen utanför busstationen. Niklas såg snubben gå förbi tunnelbanestationen. Han klev själv ur bilen. Höll sig tjugo meter bakom. Roger: Med en framåtlutad gångstil som om han hela tiden var på väg att ta tag i något.

Niklas hade vägt alternativ. Det var inte dags än för en offensiv, men om det blev strul hade han inga problem att göra vad som ändå snart skulle ske med Roger Jonsson. Det var sent på kvällen, knappt några människor ute förutom ett gäng halvpackade ungdomar som hängde innanför glasdörrarna till stationen. Troligen för att få lite värme medan de väntade på att något skulle hända.

Rogeraset fortsatte en bit. Klev in på Fruängens Pizzeria. Niklas stannade. Ville på inga villkor väcka misstänksamhet. Inne på pizzerian: halvmörkt. Något var skumt.

Han fick en idé. Sprang tillbaka till bilen. Rotade igenom bagen. Plockade ut utrustningen. Sprang tillbaka. Närmade sig pizzastället försiktigt. Han smög längs ena väggen. Precis när han var utanför fönstret på stället böjde han sig ner. Låtsades knyta skorna. Egentligen: tejpade fast en bugg utanpå fönstret, precis i skarven till betongen.

Han visste inte om det skulle funka. Buggen han klistrat dit var egentligen tänkt att användas i samma rum som övervakningsobjektet. Frågan var hur mycket han skulle kunna höra nu. Men kanske med tur.

Tio minuter senare: två andra män klev in på pizzerian. Niklas på behörigt avstånd. Satt på en bänk. En flaska i handen. Låtsades sitta och dricka.

Örsnäckan i örat. Resten av utrustningen rymdes i hans jackficka. Det var kallt. Han frös redan.

Hittills hade han inte hört något inifrån stället men nu satte de igång. Först två män som pratade något annat språk. Lät som serbiska. Sen switchade de till svenska. Fler män. Det sprakade, dovt, ungefär som om han skulle lyssna genom en kudde. Vissa ord föll bort, ibland hela meningar. Men han fattade sammanhanget: de väntade. Suktade. Längtade. Snart skulle det bli uppvisning. Av kvinnor.

Gick några minuter. Samtalsämnena verkade sina. Männen inne

på pizzastället satt tysta. Ibland växlade de serbisktalande snubbarna några kommentarer.

En kort stund funderade Niklas på att storma stället. Göra lidandet kort för asen där inne. Men ensam mot fem kunde bli svårt.

Det fick vara.

Sen hörde han en ny skrovlig röst. Först serbiska. Sen svenska med kraftig brytning. Han plockade upp tillräckligt många ord för att fatta.

Den skrovliga rösten sa: ”Det är sex fina saker. Mycket fina.”

”Är någon fixad så som jag vill ha det?”

”Absolut. Jag håller alltid mitt ord.”

Sen följde en kort ordväxling som han inte hörde ordentligt. Men han uppfattade hur den avslutades: ”De är era alldeles egna vita slavar.”

Mannen med brytningen fortsatte. ”Vi har dem här bakom. Som vanligt. Mina herrar. Välj och vraka.”

Rösterna försvann.

Niklas satt kvar några minuter. Hjärnan myllrade av tankar. Kanske chansen att slakta svinen ökat nu när deras uppmärksamhet uppenbarligen var kraftigt avledd? Kanske det räckte om han tog ner två, tre stycken och sen försvann därifrån? Men nej, det var inte läge nu. Han behövde planera.

De måste ha fört in kvinnorna via en bakdörr eller så fanns de där långt innan Roger kommit dit. Han såg sig omkring. Tomt på folk. Gatlyktornas sken lyste upp små öar av asfalt. Han gick upp till pizzerian igen. Tomt där inne. Han pillade ner buggen. Gick runt byggnaden. Den satt ihop med inomhuscentrumet. Verkade vara kontor på övervåningen. I gatuplanet låg restauranger, frisörer, en skobutik, ett bankkontor. Han fick gå åt andra hållet. Byggnaden tog slut efter sextio meter. På baksidan såg han metalldörrar, lastintag, garageportar. Nu måste han bara räkna ut vilken dörr som hörde till pizzerian.

Han väntade. En man och en kvinna kom ut ur den av dörrarna som Niklas gissat på. Det var inte Roger. Mycket mörkare utseende, kanske indier eller pakistanier. Han var klädd i brun läderjacka och pösiga jeans. Såg nästan ut som en uteliggare. Sliten, ovårdat hår, skäggstubb. Tjejen såg ung ut. Allt för tunt klädd, hon kramade sig själv så fort de kom ut.

Han höll en arm om hennes rygg. Niklas tänkte: Som om de var ett riktigt par. Lögn.

De gick mot några parkerade bilar. Niklas bestämde sig: det var inte värt att vänta på Roger. Han skulle ta reda på mer om just den här snubben. Nu.

Han sprang tillbaka till bilen igen. Flåsade så det gjorde ont i lungorna. Han fick inte missa dem. Byxor stramade över knäna, skorna kändes tröga i jämförelse med hans joggingutrustning. Han sket i allt. Ökade takten. Hoppade in i Forden. Rivstartade, körde till platsen där han sett dem. Hann precis se en gul Volvo köra därifrån. Han skymtade torskens krulliga hår på förarplats.

Han körde efter bilen. Söderut. Ut på motorvägen.

Den stannade i Masmo. Mannen ledde tjejen igen. In i porten. På samma lugna, översäkra sätt. Som om han ägde henne. Som om han trodde att hans beteende skulle förbli ostraffat.

Två timmar senare kom tjejen ut ensam. Hon ringde ett samtal på sin mobil. Lutade sig mot husets vägg. Tände en cigg. Niklas tyckte att han kunde känna röklukten fast han satt i sin bil.

Hon satte sig på ett lågt staket. Böjde överkroppen framåt. Knöt armarna runt benen. Ansiktet neråt. Hon måste frysa som en hund. Både i kroppen och i själen.

Niklas klev ur bilen. Tänkte erbjuda henne skjuts därifrån. Erbjuda henne en fristad. Ta bort henne från kriget. Skiten. Smutsen.

SMUTSEN.

Han gick fram till henne. Tjejen verkade inte höra honom. Han skrapade avsiktligt med fötterna i asfalten. Ingen reaktion. Han ställde sig framför henne, knackade på hennes axel.

Hon tittade upp. Hon hade ett smalt ansikte, bakåtkammat mörkt hår uppsatt i en svans och ljusbruna ögon som glittrade i gatlyktans ljus. Hennes blick: full av skam. Samtidigt såg hon oförstående ut.

Niklas sträckte fram handen.
"Jag heter Niklas."
Hon skakade på huvudet. På dålig svenska: "Jag förstår inte svenska så bra."
Niklas upprepade på engelska. Tjejen fortsatte se förvånad ut.
"What do you want?"
Han hade inte använt sin engelska på länge. Men den var fortfarande bra.
"Jag har kommit för att ta dig härifrån."
Tjejen reste på sig. Han såg hela hennes kropp på nära håll för första gången. En kort kjol och tjocka hudfärgade strumpbyxor. Långa ben. En läderjacka som inte verkade gå att stänga. Under den skymtade han hennes putande bröst. Hon stod tyst. Verkade läsa av honom lika mycket som han pejlade henne. Niklas skämdes: han hade just betraktat henne som ett stycke kött. Precis som det stod i alla de där feministböckerna han läst.
Till slut frågade hon: "Vad menar du?"
"Jag ska ta dig härifrån. Du ska inte behöva göra vad du gör. Och jag kommer att straffa dem."
"Du kan ta mig härifrån. Men det kostar. Ettusenfemhundra kronor för en timme."
"Nej, nej. Du missförstår mig. Jag vill inte köpa dig. Tvärtom, jag vill att du ska sluta med det här. Du ska bli fri. Och de som tror att du kan säljas kommer jag att straffa. Jag lovar."
En mörkblå Opel stannade på gatan. Tjejen tittade dit. Sen tillbaka på Niklas.
"Jag måste gå nu."
"Gå inte, följ med mig."
"Nej, jag åka."
Niklas sneglade på Opeln. En man satt i förarsätet. Tittade på dem.
Niklas sa: "Jag kommer att straffa honom också."
Tjejen började gå mot bilen. Precis innan hon steg in vände hon sig om.
"Du kan aldrig straffa alla."

Det var äntligen dags. Hukad som i strid. På väg upp på baksidan av Roger Jonssons villa. För han visste: den här dagen var svinets sambo, Patricia Jacobs, på konferens. Och han visste mer: aset följde elitseriens hockeymatcher som en väldresserad hund följer sin matte. Ikväll klockan sju: Färjestad versus Linköping. Jättemöte lika med tittarmagnet.

Han tänkte på det sista den prostituerade tjejen sagt. Hon skulle få se ikväll. Roger Jonsson – horköparen, torskaset, kvinnoplågaren. Skulle straffas så hårt att han önskade han aldrig fötts.

Niklas var klädd i lätta mörka kläder som egentligen var till för vinterjoggare: tajta tjocka leggings och vindtät, tunn jacka i goretex. På huvudet: en hemgjord balaklava, en toppluva där han klippt hål för ögonen och munnen. Den skulle rullas ner när det blev dags. En liten ryggsäck tätt åtsittande längs ryggen. Berettan i ett hölster.

Framför honom: en liten gräsmatta, en altan med en trappa, balkongdörrar mot altanen. Han var där i fem steg. Teven stod i ett rum med fönster mot gatan så det var ingen risk att Roger skulle upptäcka något. Dessutom: just nu mitt i andra perioden. Risken att snubben ens skulle gå och pissa var mindre än noll.

Altandörren dyrkade han upp. Redan testat den två gånger förut när paret varit på jobbet.

Han hörde svagt ljuden från matchen. Publikens applåder, kommentatorernas upphetsade klichéer, skridskoskärens snabba ljud i närbild.

Niklas hade koll på huset. Suttit utanför och stirrat in så många dagar. Skapat sig en bild av hur rummen hängde ihop. Om det fanns alarm, var den trådlösa telefonen brukade ligga, om de låste ytterdörren, åt vilket håll gångjärnen öppnades. Och som sagt: två gånger hade han dyrkat sig in på besök. Bara för att ta en snabbtitt. Känna sig som hemma.

Han stannade. Hjärtat dunkade värre än när hejarklacken på teven stampade med fötterna i läktargolvet. En kort sekund: han förde ner händerna i startposition för Tanto Dori. Tog ett djupt andetag. Lät luften blåsas ut genom munnen. Kände lugnet fylla honom.

Några steg till. Ljuden från hockeybataljen klarare. Han tog fram pistolen. Han var ett med sitt vapen.

Niklas skulle kunna ha skaffat ett prickskyttegevär. Lagt sig på något hustak mittemot. Ett enkelskott i pallet – lätt. Sprejat hustrumisshandlarhjärnsubstans på väggen i huset. Han hade kunnat aptera en bomb i teven, spränga bort fyrtio kvadrat villaidyll i ett nafs. Eller varför inte helt enkelt förgifta Roger Jonsson. Det fanns många lättare sätt än det han valt. Men det var inte vad det handlade om. Operation Magnum var en skola. En pedagogisk signal till alla förövare. Ni kommer att straffas. Ni ska få lida.

Det var dags. Niklas klev in i teverummet. Tapeterna var randiga. En soffa och två fåtöljer. Äcklig heltäckningsmatta och en stereobänk. I soffan: Roger Jonsson. Småfet, blek, äcklig.

Niklas riktade Berettan mot snubbens huvud. Tog upp fjärrkontrollen, bytte kanal på teven.

”Jag gillar inte hockey.”

Roger Jonsson såg ut som han skulle skita på sig. Om han varit blek innan var han mer grön nu. Han försökte säga något.

Niklas hyschade honom.

”Säg inget. Då måste jag skjuta dig.”

Det fanns en risk att någon såg dem utifrån. Villan mittemot hade inte direktinsyn i det här rummet. Men om någon till exempel körde förbi på gatan i suv, en hög bil, skulle de kunna skymta in. Niklas tog fram ryggsäcken. Tejpade Rogers mun. Virade in hans händer, fötter. Slängde ner honom på golvet.

”Käka heltäckningsmatta, ditt as.”

Niklas nöjd med sin kommentar. Han hade funderat ut den för länge sen.

Han satte sig i soffan. La Berettan i knäet. Nu kunde ingen se dem utifrån. Time for some action.

Han förklarade. Höll en välplanerad utläggning. Säkert tio minuter. Könsmaktsordningen var över. Alla som slog, förnedrade, exploaterade sin styrka skulle snart få veta. Alla som köpte kvinnor, våldtog människor, lekte med liv.

Han sparkade till Roger med jämna mellanrum.

Svettpärlorna i snubbens panna måste salta ner hans ögon.

Niklas vecklade upp ett papper. Det var domen mot Roger Jonsson. Grov kvinnofridskränkning och grov våldtäkt.

Niklas grävde i sin ryggsäck. Tog upp en liten skärbrännare. Rogers ögon spärrades upp.

Nu började det.

Niklas läste stycken ur domen.

En lång natt för en hustrumisshandlare och horköpare.

Fyra timmar senare. Niklas gick ut samma väg som han kommit. Genom trädgården. Ut på andra sidan huset. Hyrbilen parkerad tvåhundra meter bort. Någon kanske såg honom gå igenom området. Men de skulle inte se hans hårfärg eller anletsdrag. Det var beckmörkt ute och han hade pajat gatubelysningen natten innan.

Plockade upp sin mobil. Han hade förberett ett kontantkort.

Numret till Patricia Jacobs memorerat i huvudet.

Hög musik i bakgrunden. Disco på firmafesten? Hoppas Patricia fick dansa.

”Hallå.”

”Hej, hör du mig.”

”Vänta lite, jag ska gå undan.”

Sju sekunder. Bruset minskade.

“Nu hör jag dig nog bättre. Vem är det?”

”Du kan kalla mig Travis.”

”Vad sa du?”

”Du kan kalla mig Travis.”

”Jag tror inte jag känner dig.”

”Det behöver du inte göra heller. Jag tänkte bara säga att jag har tagit bort honom. Du behöver inte oroa dig mer. Han kommer inte tillbaka.”

”Vad menar du? Vem är du?”

”Fråga polisen hur det känns att bli behandlad med svetslåga i underlivet. Jag vet vad han gjort mot dig. Jag vet vad han gjorde mot sin förra kvinna.”

48

Han tänkte på sin privata utredning de senaste veckorna. Alf Winge hade inte läckt ett skit. Men Bentleyförsäljaren dolde något. Thomas var ingen ruttad kriminalare. Men hans magkänsla var tydlig. Borde han ändå inte ringa någon gammal kollega? Svaret på den frågan hade inte ändrats. De andra i Söderort var för nära Adamsson. Borde han kontakta Hägerström? Den skiten behövde han inte. Ändå: det fanns så mycket att borra i. Runebys information om Adamssons projekt på åttiotalet. Det svårgenomträngliga materialet han fått med sig från Rantzells källare. Bentleykillens osäkerhet.

Thomas tog reda på så mycket han kunde om killen i butiken. Niklas Creutz. Inga brott i registret, inga skatteskulder eller betalningsanmärkningar. Kom från en gammal finansfamilj. Troligen fortfarande pappa som betalade lägenheten och bilen som snubben körde. Ändå: han fick känslan av att något inte stämde. Såg Niklas Creutz ansikte framför sig. Upprepade sekvensen. Killens nästan panikslagna uttryck.

Thomas körde själv en multifråga i registren den här gången. Sket faktiskt i om någon undrade varför han sökt på Creutz. Det blev ingen träff på misstänkta eller anmälda – men på anmälare. Bingo: Niklas Creutz hade råkat ut för otrevligheter i somras. Thomas beställde brottsanmälan från Citydistriktet: grov misshandel, i butiken på Strandvägen. Gärningsmännen okända. Det enda sprätten uppgav i förhören var att han kunde minnas att gärningsmännen var mörka med utländskt utseende, den ena ganska kort men kraftig – mycket kraftig. De hade tagit sig in på det lilla kontoret. Spöat på Creutz duktigt. Läkarintyget visade på ett sprucket revben, svullnader och blånader i ansiktet samt två förlorade tänder i överkäken. I förhöret som hållits där på platsen hade han svarat på varför: *De ville veta om jag sålt någon Continental GT till någon som hette Wisam. Sen ville de se alla papper på bilen. Sen sa de att jag var rasist. Wisam Jibril tror jag. Jag förstår inte varför. Sen bara slog de ner mig. Jag trodde jag skulle dö.*

Det kunde inte vara ett sammanträffande. Den sista handlingen som Rantzell skrivit på: ett köpekontrakt, Bentley Continental GT, 1,4 miljoner kronor. Och så detta: någon hade slagit den stackarn sönder och samman. För just den bilens skull. Varför?

Han måste hitta Wisam Jibril. Gjorde samma sökningar på honom som på Bentleyförsäljaren. Fick träff direkt. Killen hade ett gediget belastningsregister: olaga hot, misshandel, rån, narkotikabrott, med mera. En värsting, en rånare, en snubbe som varit med ett tag. Thomas beställde ut domar, förundersökningsprotokoll, spaningsuppslag, allmänna spaningsregistrets utdrag. Jobbade som en besatt. Killen misstänkt för inblandning i minst tre stora rån, med betoning på stora. Ett värdetransportrån i Tumba på våren 2002 och ett i Norrtäljetrakten på hösten samma år. Sammanlagt värde en och en halv miljon kronor. Men ännu större: ett rån mot Arlanda. Thomas mindes tidningsartiklarna vagt. En flyglast med sedlar. Många, många miljoner kronor. Wisam Jibril var definitivt inte vem som helst.

Fruktansvärda belopp. Legendarisk kupp. Magiskt snyggt tillvägagångssätt. Men ingen såg, hörde, visste ett skit. Ändå: tugget på stan snurrade enligt promemorian Thomas läste – Wisam Jibril påstods ha dött i tsunamikatastrofen. Men egentligen var han tillbaka i Sverige sen något år tillbaka. Jibril kungen av rån, Jibril konsumerade kapitalvaror hej vilt. Lägenhet, platteveapparater, Bentleybil, Porsche, BMW. Enligt en annan misstankepromemoria: bilarna den misstänkte införskaffade var egentligen leasade från ett och samma bolag – Dolphin Leasing AB.

Jibril: en snubbe som ville dölja att han satt på deg. En sån kille hade alla skäl i världen att göra sig av med en sunkig stackars målvakt som kunde bli en belastning om han började snacka bredvid mun.

Summa summarum: Thomas hade kanske hittat en gärningsman. Det fanns en koppling till Rantzell och viktigast, det fanns ett motiv. Det enda som inte passade in i pusslet: var kom Rantzells Palmekoppling in i bilden om det var Jibril som mulat honom? Han kunde inte släppa den grejen. Det var fortfarande något som inte stämde.

Trots det: Thomas måste få tag på Wisam Jibril.

Thomas hörde av sig till Jonas Nilsson igen. Nilsson var en hedersman. Nu senast introducerat Thomas för gamle Runeby.

Dagarna gick. Thomas jobbade på som en galning. Dagtid på Trafikenheten. Nätterna på klubben. Han och Jasmine, Belinda, Ratko, en ny snubbe som hette Kevin. Extrajobbet kändes normalt. Mer än så, han diggade faktiskt stället. Gemenskapen, friheten.

Gubbarna från troppen skulle betas av. Han upprepade listan i sitt huvud. Malmström, Adamsson, Carlsson och Winge: där fanns inget mer att göra. Kvarstod: Torbjörn Jägerström, Roger Wallén, Jan Nilsson, och Carl Johansson. Fyra före detta piketsnutar. Någon borde veta mer om Adamssons Palmehat. Men Thomas hade tänkt om – de här snubbarna verkade hårdare än han trott. Winge bevisade det. Han behövde använda andra medel.

På ett sätt var han förvånad att inte mannen återkom, han som hotat honom och Åsa utanför deras hus. Han förstod om det inte kom ut att han förhört Leif Carlsson, gubben var ju så borta att han troligen inte ens mindes vad han åt till frukost. Men Winge – borde inte något hända snart? Å andra sidan: Winge kanske inte ville göra en grej av det här förrän han visste vem Thomas var, och det kunde han inte veta just nu. Thomas berömde sig själv – han hade inte kört sin egen bil då han förföljt Winge.

Thomas fixade numret till Kenta Magnusson, den gamla pundaren som han och Ljunggren haffat i somras på skolgården i Skärholmen. Thomas kände många som den där liraren, men Kenta var den han senast gjort en tjänst.

Thomas ringde honom. Pundaren fattade först inte vem han pratade med. Thomas frågade honom sin grej. Kenta lät inte som han mådde bra, men till slut fick Thomas ett löfte: pundaren skulle kolla med sina kontakter. Höra om de kunde fixa Skopolamin meda, injektionsvätska.

Tidig morgon: Thomas på privatspan igen. Den här gången utanför Torbjörn Jägerströms villa i Huddinge. Han tänkte på misslyckandet med Winge. Risken han tagit. Igen: Tänk om Winge fattat vem han var? Han borde se till att Åsa beväpnade sig. Eller ännu hellre, flyttade någonstans några månader tills det här var avklarat. Helvete också, snart skulle de ju hämta Sander.

Torbjörn Jägerström bodde i ett hus i samma storlek som Thomas eget. Inte ett överklassområde som Bromma där Winge huserade. Inte stora feta villan som Runebys. Bara normalt. Jägerström var den yngsta från troppen, fyrtiosju. Han kunde inte varit äldre än tjugofem när han börjat med de andra gubbarna. Nuförtiden var han ansvarig för insatsstyrkan på Norrmalm. Yttre befäl. Han hade kommit någon vart.

Thomas hade redan suttit så här utanför hans hus tre, fyra mornar. Kollat Jägerström och hans frus morgonschema. Han hade pejl nu: frun gick en halvtimme före Jägerström till jobbet. Samma morgonrutin borde gälla idag.

Han kollade termometern i bilen. Kylan hade börjat komma krypande. Oktober var sämsta månaden på året, eventuellt november undantagen. En hel vinter låg framför, ingen njutning att vänta.

Jägerströms fru kom ut genom dörren till villan exakt samma klockslag som när han spanat senast. Stressade steg. En handväska på armen. Proper, kontorsstil. Han undrade vad hon sysslade med.

Han väntade ytterligare en stund.

Kollade en extra gång i den lilla läderväskan bredvid sig. En grov gummisnodd. En kanyl. En ampull med Skopolamin. Han öppnade bildörren. Klev fram till huset. Ringde på.

Det tog lång tid innan Torbjörn Jägerström öppnade. Kraftigt byggd. Oknäppt skjorta. Chinos. Tjock guldlänk med en Torshammare runt halsen. Ett ansiktsuttryck som var stelare än ett liks.

”God morgon”, sa Thomas.

”God morgon? Och vad vill du om jag får fråga.”

”Jag kommer från Länsförsäkringar och vi gör en liten undersökning här i området om vilka hemförsäkringar de boende har.”

Jägerström stirrade. ”Jag känner igen dig.”

Fan också. Thomas faktiskt tänkt samma sak när dörren öppnats. Han måste ha träffat Torbjörn Jägerström i något jobbsammanhang. Men det fanns ingen tid att förlora. Han körde upp elpistolen i bröstet på Jägerström. Kände darrningarna ända upp i sin egen arm, musklerna spändes ofrivilligt. Jägerström föll ihop. Thomas stängde dörren bakom dem. Böjde sig ner, grävde i väskan. Tog upp gummisnodden, spände den över Jägerströms överarm. Strök över underarmen. Sökte vener. Tog upp kanylen. Körde in den. Tryckte in två fulla doser Skopolamin.

Väntade. Tänkte på preparatet. Skopolamin meda: muskelavslappande med lugnande verkan. Ämnets vanliga användningsområde var smärtlindring före operationer. Men också: det aktiva ämnet i sanningsserum.

Efter en halvtimme kvicknade Jägerström till. Thomas placerat honom i en fåtölj i vardagsrummet. Tejpat hans händer för säkerhets skull. Han var kung.

Rummet påminde om Runebys vardagsrum. Samma mörka träbokhyllor med inramade foton på familjen, ett uppslagsverk, Guillous samlade Hamiltonböcker och några John Grisham och Tom Clancy. Det enda som skilde från Runebys vardagsrum var avsaknaden av fotografier på väggarna. Istället hängde på väggen en stor litografi med två trumslagarpojkar som marscherade bredvid varandra på ett snötäckt fält. Thomas kände igen motivet: Björneborgarnas marsch. De två trumslagarpojkarna klädda i gammal soldatuniform skulle representera Finlands två folkgrupper, svenskar och finnar som stred gemensamt för sitt lands oberoende. Men det här motivet betydde något annat också: Björneborgarnas marsch var ett musikstycke. Finska försvarets honnörs- och paradmarsch. Men det var också den marsch troppen hade brukat sjunga när de gjorde sina så kallade specialinstatser på gatan. Allmänt känt i poliskåren: Björneborgarnas marsch nynnats oräkneliga gånger då alkisar, blattar och hemlösa slagits i spillror under åttiotalet. En krigsmarsch. En maning till strid.

Thomas tänkte: Skit på er.

Jägerström var fortfarande groggy. Dreglade som en unge. Han mumlade något.

Det var dags att sätta igång.

Thomas satte sig i fåtöljen mittemot.

”Jag tänkte ställa lite frågor till dig. Förstår du vad jag säger?”

Jägerström nickade, blinkade. En salivsträng hängde från hans haka. Thomas torkade bort den med Jägerströms skjorta.

”Du kommer att berätta allt och precis som det är. Jag tänkte börja med att fråga vad du heter.”

”Torbjörn Elias Jägerström.”

”Bra. Vad heter din fru?”

”Eva Elisabeth Jägerström, född Silverberg.”

”Bra. Hur är ert sexliv?” En testfråga.

”Det har blivit bättre sen vår son flyttade ut.”

”Okej. Hur var det innan då.”

”Säkert bättre än ditt i alla fall.” Gubbens kassa humor verkade inte ha försvunnit. Thomas fick inte bli störd av skämtet. Måste koncentrera sig på sitt förhör.

”Nu tänkte jag ställa lite andra frågor som gäller gamla troppen. Var du med där?”

”Absolut. Det var min bästa tid i polisen.”

”Var du delaktig i mötena som anordnades av Lennart Edling på åttiotalet?”

Det ryckte i Jägerströms ena mungipa. Thomas la handen på hans axel. ”Ta det lugnt. Det är ingen fara, du kan lugnt berätta.”

Jägerström lutade sig bakåt i fåtöljen. Han såg faktiskt ut att slappna av ännu mer, om det nu var möjligt.

”Lennart Edling den gamle galningen. Han var lite extrem, men en ärans man.”

”Vad menar du med *ärans man*?”

”Du vet ju vad jag menar. Det finns fan inte många kvar i det här landet, men Edling är en av dem. Om han lever, vill säga.”

”Jamen vad menar du med ärans man?”

”Du vet vad jag menar sa jag ju. Såna män som bryr sig om Sveriges framtid. Som står för vilka de är, som inte låter araber, kommunistjävlar och judesvin ta över det här landet. Förstår du vad jag menar? Nu när vi äntligen har fått en borgerlig regering så stoppar de in en negerjävel som minister. Det är ju ett skämt. Jag har inte röstat på de där partierna sen nittiofyra."

"Är du en ärans man?"

"Jag gör mitt bästa. Plikten framför allt."

"Berätta om de där mötena i Gamla stan."

Jägerström förklarade långsamt. Han hade inte gått varje gång de kallade till möte – han var ung, just träffat sin nuvarande fru, det fanns inte tid till allt. Men Malmström var en bra chef och det fanns mycket att lära. För Jägerström var mötena mest trevliga sammankomster, ett sätt att skapa kontakter. Men också: ett sätt att värna om yrkeskåren och Sverige. Skopolaminet fungerade bättre än väntat – Jägerström pratade på oavbrutet.

Thomas frågade om Adamsson.

"Adamsson? En bättre person får du leta efter. Han har lyckats väl, tycker jag. Driver Söderort som sitt eget lilla regemente. En sann patriot. En hedervärd medborgare."

"Var du med i Adamssons Palmegrupp?"

Jägerström stannade upp. Ryckningarna i mungipan kom tillbaka. Han förde upp de tejpade händerna framför ansiktet. Mumlade något igen.

Thomas frågade: "Vad sa du?"

"Jag kan inte prata om det där."

Thomas försökte lirka, tala lugnande, få honom att slappna av.

Enda svaret: "Jag kan inte. Det måste du förstå. Jag kan inte."

Det funkade inte. Fanns bara en sak att göra: Thomas tog upp kanylen igen. Sköt in ytterligare en ampull med sanningsserum i Jägerströms kropp. Väntade femton minuter. Jägerström såg nästan ut som han sov.

Thomas försökte igen. "Var du med i Adamssons Palmegrupp?"

Torbjörn Jägerströms motståndskraft var borta med vinden. Det var nästan komiskt. Jägerström: stålpolisen, machomannen, supersnuten – babblig som en treåring. Ändå var hans svar knivskarpt.

"Jag var med. Det var nödvändigt. Det ingick i polisens och Säpos uppdrag från riksdagen att skydda Sverige och det uppdraget skulle följas oavsett vem som satt i regeringsposition. Eftersom Palme var ett hot mot Sverige var vi tvungna att bevaka honom precis som alla andra potentiella hot mot riket. Palme stod för nära ryssen."

"Så vad gjorde ni rent praktiskt?"

"Jag var bara tjugofem år. Inte befäl eller i ledande position. Så jag vet inte så mycket, men vi var uppdelade i celler. De i min grupp kände inte till de andra grupperna. Åtminstone gjorde inte jag det. Mitt ansvarsområde var vapen. Jag såg till att gruppen hade tillgång till tillräcklig arsenal och stridsutrustning. En statskupp låg i luften."

Det var sjukt. Thomas trodde knappt vad han hörde. Han kände för att ta en paus. Ringa Expressen eller Hägerström. Göra något. Men han måste fråga vidare, få reda på något konkret.

"Berätta mer."

Jägerström förklarade hur ofta de setts. Vilka som varit med i hans grupp. Vad de hade diskuterat, hur de organiserat, planerat. Hur de fruktat ryssen, kommunistkonspirationer, försökt rekrytera pålitliga polisbefäl, marinofficerare, Säpofolk. Ändå: Thomas fick inte ur honom något som pekade på att Adamsson eller någon annan skulle varit direkt inblandad i mordet på Olof Palme. Han måste få ihop det. Det måste finnas en koppling. Det Adamssons mannar sysslat med då: försök till landsförräderi – det han sysslade med idag: hindrade utredningen av mordet på ett nyckelvittne.

Han frågade: "Så har du någon kontakt med Adamsson idag?"

"Nej, inte med honom."

"Varför?"

"Vi har glidit ifrån varandra bara. Inget mer med det."

"Och någon annan från den där gruppen?"

"Ja, vi ses några stycken ibland, kanske två gånger per år. Jag, Roger Wallén, några till. Sven Bolinder har till och med varit med några gånger. Då har det bjudits lite finare, på något bolags bekostnad."

Thomas försökte få Jägerström att berätta mer. Klockan gick. Jägerströms mobil ringde oavbrutet. Folk började väl undra var han höll hus. Varför han inte kom till jobbet, ringde tillbaka, svarade i luren. Thomas stängde av hans telefon. Det var ändå farligt. Han kunde inte stanna här hur länge som helst. Jägerström pladdrade på. Om mötena, om ärofyllda män, om patrioter. Skopolaminet gjorde honom för pratglad. Det mesta var nonsens. Svårförståeligt strunt. Osammanhängande sludder.

Thomas måste nå ett avslut. Frågan var om han fått ut någon som helst information av intresse. Egentligen inte, men han måste sticka. Någon skulle kunna komma förbi huset.

Tänka vidare fick han göra hemma.

Jonas Nilsson ringde en kväll några veckor senare.

”Tjena, det är jag.”

Thomas kände på sig att han ringde av någon anledning.

”Tjena Nilsson. Hur är läget?”

”Jorå, det är finfint förstår du. Jag har köpt en ny bil.”

”Kul, vad är det för nån?” Thomas ville egentligen bara komma till saken. Visste Nilsson något om Jibril?

”En Saab 95, Aero.” Rätt bil för en polis, tänkte Thomas. Poliser körde inte överfräsiga modeller men heller inget sunk, japanska tristbilar eller Skoda.

”Fan vad schysst. Och har du hört något om det där vi pratade om?”

”Ja, det är därför jag ringer. Jag träffade en av våra informatörer idag. En riktig hårding som lagt av. Killen har gift sig och fått barn, men ibland lämnar han lite spår till oss för att visa sin goda vilja.”

”Jaha. Och?”

”Jibril är död. Snacket på gatan går att juggarna har plockat honom.”

Skit också.

Thomas försökte få reda på mer. Men Nilsson visste inget. De avslutade samtalet. Thomas stod kvar. Plötsligt blev han orolig. Hur klantig var han som tog det där samtalet över telefon? Han tänkte för tusende gången på mannen utanför fönstret. Winge. Jägerström. Bolinder. De var beredda att gå långt för att hindra honom. Kanske visste de inte vem han var än. Men mannen utanför fönstret hade ju vetat.

De hade fått honom kickad från jobbet. Hotat honom och Åsa.

Fifflat med hans rapport. Mördat hans fars hjälte. Sveriges moral stod på spel. Om till och med medelålders, svenska poliser var så genomruttna – då fanns inget hopp. Fan heller att de skulle lyckas. Det här var hans väg tillbaka.

Thomas plockade upp telefonen igen.

När han slog siffrorna kände han sig nästan barnsligt upphetsad. Nervositet parad med spänning.

Han ogillade Hägerström. Samtidigt visste han att han borde ha ringt för länge sen.

När signalen gick hörde han ett kort klick på andra sidan.

”Hej, du har kommit till Martin Hägerström. Vänligen lämna ett meddelande efter signalen. *Hi, you have reached Martin Hagerstrom, please leave a message after the beep.*”

Telefonsvararhelvete. Jättebesvikelse.

Thomas höll sig kort på meddelandet: ”Ring mig, det är Andrén.”

49

Mahmud på väg från gymmet. I ena handen ratten. I andra handen en plastburk med Lionhartsblandningen: kreatin och andra kosttillskott. Sugrör och jordgubbssmak som på en milkshake. Biverkningarna från förra kuren satte fortfarande spår. Han måste vänta innan han gick igång på en ny omgång. Det var surt. Fast sant.

Just nu var han på väg att träffa latinon som ringt honom. Jorge.

Bilstereon pumpade. Ragheb Alama sjöng som en gud.

Han tänkte på Niklas, kommandosnubben, som kommit hem till Mahmud i förrgår. Bett om en tjänst. En mycket, mycket stor tjänst. Snubben ville att Mahmud skulle ge sig på en polare till honom. Mahmud sket i detaljerna.

Niklas verkade verkligen crazy på något sätt. Han hade en ryckig blick. Framförallt var snubben nog livsfarlig – åtminstone om man skulle tro på vad han gjort med Jamilas förra kille. Varför kunde han inte skrämma upp den där Benjamin själv?

”Habibi”, sa Niklas på arabiska. ”Du måste verkligen hjälpa mig. Jag ligger inte bra till och kommer kanske åka in. Så den här Benjamin måste förstå att tjallar han på mig finns det andra utanför som straffar honom. Förstår du?”

Mahmud tänkte: Egentligen borde jag bara skita i det. Men heder var heder. Niklas hjälpt hans syster. Och inget i världen var viktigare än en syster. Han var skyldig Niklas.

Mahmud nickade. ”Jag gör det kompis. Var bor den där tönten?”

Niklas verkade överlycklig.

Resten enkelt. Igår, före horvaktandet, åkte han till snubbens adress. Niklas tipsat om att han skulle vara hemma. Mahmud hittade snabbt var killen bodde i huset. Drog en snabb näsa nere i porten. Tog hissen upp. Nynnade för sig själv: ”Kola ger dig vingar.”

Plingade på dörren. Kände sig förbannad. Livet var surt mot honom så nu var han sur på den här Benjamintönten.

En medellång skäggig lirare öppnade dörren. Förvåning i blicken. Mahmud utdelade en rak höger. Knogjärnet på plats. Snubben tumlade in i lägenheten. Blödde ur näsan. Försökte få upp garden, svingade mot Mahmud. Men det var ingen jämn match – han hade ju knogjärn. Han fick in en träff till. Killen trillade omkull. Låg ner. Försökte skydda huvudet samtidigt som han skrek ”Vem fan är du? Sluta. Min näsa, alltså.”

Mahmud plockade upp eltejp. Tejpade snubbens händer och fötter. Kollade in i panikslagna ögon. Kände sig mäktig. Nu var det han som var Gürhan liksom. Ey, vad säger du nu? Inte så kaxig, eller? Golbög.

Benjamin låg helt stilla. Gnydde. Mahmud satte sig på en pall.

”Du, skägget.”

Benjamin sa ingenting.

”Om du golar ner din polare, Niklas, kommer jag och tar dig på allvar. Fattar du?”

Benjamin slöt ögonen.

Mahmud väntade inte på svar. Öppnade dörren, klev ut. Tänkte: Shit alltså, torpedbranschen kanske är något för mig i alla fall.

Han fick jobba en vecka för att dra ihop trettio tusen på koks. Det här hade tagit en kvart, inklusive bilresa.

Malmvägen. En svart kille kom mot honom. Flow i stegen. Gångstilen påminde om Roberts. Fast mer överdriven. Knixade till med ena benet för vartannat steg. Gick han i rytm till någon låt i osynliga iPod-hörlurar? Klädd i luvtröja med huvan uppdragen över huvudet och bakom öronen. De stod ut som på värsta Musse Pigg. En dunväst över tröjan. Pösiga kamouflagebyxor. Runt halsen Afrikas silhuett i rastafärger: grönt, gult och rött. Gräset, solen, blodet.

Helt klart på väg mot Mahmud.

Han la armarna i kors. Det här var definitivt inte Jorge.

Rastakillen la huvudet på sned. Taskiga, trasiga tänder – såg ut som de kunde trilla ur munnen när som helst. Tung dialekt, lät som Sean Paul, nästan oförståelig: ”Hey, you arab man. My friend wants to meet you.”

Mahmud slog ut med armarna. Slappnade av. Svartingen var uppenbarligen Jorges budbärare. Presenterade sig som Elliot. Mahmud följde honom. Knixen i steget. Flowet i gången.

Malmvägen var lång, förgrenade sig. Parabolantennerna hängde som öron på de höga husen. Det här var norra Stockholms miljonområde.

Elliot tittade inte bakåt.

De gick in i ett hus. Uppför trapporna.

Elliot ringde på en dörrklocka. Musik hördes genom dörren: reggaerytmer.

En bred snubbe öppnade. Först kunde inte Mahmud se om han var svart eller latino. Tjocka dreadlocks. Feta ganjaflinet när han såg Elliot. Dörren slog igen framför näsan på Mahmud. Han stod kvar ensam utanför.

Han tänkte: Vad fan håller han på med?

Mahmud visste inte vad han skulle göra. Ringa på dörren? Banka? Dra därifrån? Det sista var nog bästa alternativet. Han började gå nerför trappan.

Då öppnades dörren till hälften. Elliot tittade ut igen. Ropade: ”Hey arab brother, you welcome.”

Mahmud vände. Gick in.

I hallen: musiken hördes starkare från de andra rummen. Baktakter. Söt marijuanalukt. En korridor. Blå trasmatta. Vitmålade väggar. På ena väggen var en stor läderhud uppspänd. Lejonet av Juda med krona och ena tassen i hälsningsgest. Shunnen med dreadlocks satt i en stol och meckade en joint.

Elliot nickade.

Ledde Mahmud genom korridoren.

Vardagsrummet: ett marijuanaparadis. Soffor, kuddar och sittdynor utspridda. Filtar täckte andra ytor av golvet. Ett tiotal personer satt och låg, framförallt: rökte. En vattenpipa mellan två soffor. Två haschpipor, modell utsirat trä, på soffbord. Högar med Rizzlapapper. Påsar med weed. På väggarna hängde bilder på Bob Marley, Haile Sellassie och Afrikas silhuett. Bredvid en annan av sofforna stod en stereo. En vinyl med grön, röd, gul etikett snurrade.

Personerna där inne: stenade till tusen.

Elliot visade honom en plats. Mahmud hamnade på en kudde bredvid en söt tjej som verkade sova. Ljusa dreadlocks uppsatta med ett hårband. Allting var ruskigt skumt.

En av killarna i soffan reste på sig. Klev fram till Mahmud. Snubbens röst knappt hörbar genom musiken. Han sträckte fram handen. Någon sänkte volymen.

”Välkomna till Sunny Sunday. Det är jag som är Jorge, Jorgelito. Och du är Javiers kompis, eller hur?”

Mahmud nickade.

”Får jag bjuda på lite röka?”

Mahmud tog emot plastpåsen med maja. Plockade upp en av piporna. Men gjorde inget. Blicken fast på Jorge.

Jorge log. ”De samlas här varje söndag. Helgar Jah. Relaxar med lite weed. Gör vad den svarte mannen ska göra. Chillar, diggar musiken, känner kraften.”

Mahmud visste inte om han skulle garva eller dra. Han behöll minen intresserad.

Jorge fortsatte. ”Du är ju inte afrikan. Inte jag heller. Men vi är ändå negrer. Förstår du vad jag menar?”

Mahmud fattade inte vad latinon surrade om. Han la ner haschpipan på bordet. Reste sig upp.

Jorge la handen på hans axel. ”Chill, mannen. Jag ville bara att du skulle få softa lite. Vi går till köket.”

De satte sig i köket. Jorge stängde dörren. Hällde upp två glas vatten.

Mahmud spanade in honom. Snubben var smal men ändå välbyggd. Kort hår och en liten ful mustasch. Mörka ögon med något förutom gräsdimma i sig.

”Okej, jag är ledsen om du inte gillar det här stället. Jag älskar det.”

Mahmud flinade. ”Jag har inget emot det. Men jag blir jämt lite nervös när det är för många zinjis.”

”Inga problem för mig mannen, men säg inget till dem där ute. Och som jag sa, vi är alla negrer, fattar du vad jag menar?”

”Nope.”

”Låt mig säga så här då. Segregation är som apartheid. Miljonprogrammen har samma effekt på oss som slaveri. Fattar du nu?”

Mahmud hade en svag aning. Jorge försökte vara seriös. Jämföra killar från utlandet som Mahmud med hur svarta haft det i Sydafrika. Han orkade inte diskutera. Nickade bara.

Jorge började berätta. Latinoshunnen hade bara varit i Sverige i en månad. Egentligen bodde han i Thailand. Det var liksom enklare, eftersom han var lyst i Sverige sen en knarkincident vid Västberga kylförvaringshallar.

Hela grejen hade börjat med att juggarna lagt honom i en rättegång för flera år sen. Slaktat honom som en hund. Men Jorge rymde från kåken genom att klättra över muren som värsta Spindelmannen. Mahmud kände igen den här storyn, men ärligt – han hade trott det var en skröna. Jorge förklarade: han hade hela tiden vetat att det inte kunde sluta bra med juggarna. De borde hjälpa honom, ansvara för honom eftersom han jobbat för dem, men istället svek de. Jorge började jävlas med dem. Skiten tog skruv – de dunkade på honom riktigt svårt och sen den dagen hatade han Radovan värre än allt annat. Jorge var inte snubben man slog på ostraffat.

Mahmud såg sig själv i storyn. Jorge hade haft en energi han inte kände just nu, men ändå. Det var samma drivkrafter.

Jorge berättade vidare. Hur han försökt komma på grejer för att knäcka juggeimperiet. Spanat på Radovan, fått koll på massa grejer om deras organisation, smuggelvägar, langningstaktik, knarkmetodik. Han tittade på Mahmud. ”Använder ni fortfarande de Shurgardförråden som ligger ut mot parkeringarna?”

Mahmud flinade. Latinon visste vad han snackade om.

Men det hela sket sig. Jorge blivit blåst. Fått fly landet. Nu satt han på bra med cash och ett hat mot juggsen som var hetare än lava. Men som Jorge sa: ”Om det bara varit för det skulle jag gillat läget. Svalt sperman med ett smajl.” Men det var en annan grej också. Något grövre. Värre. Mörkare. Han ville inte gå in på detaljer. ”Det handlade om smutsiga människoaffärer”, sa han bara. Han fokuserade på Mahmud. ”Jag tror du fattar vad jag menar.”

Mahmud undrade om latinon visste vad han gjorde förutom att sälja koks. Shunnen verkade ju ha koll på det mesta.

Jorge kanske förstod vad han tänkte. Han sa: ”Jag vet vad du sysslar med, mannen. Det är inte vackert, men jag klandrar dig inte. Du är i deras grepp nu. Jag vet att du är okej. Javier har berättat. Och jag litar på honom. Han är en hermano.”

Jorge tog en klunk vatten.

”Du känner som jag. Du hatar dem. Du vill ta dig ut. Jag ska berätta för dig.”

Jorge började förklara grejer om Radovans andra verksamheter. Utpressning, ekonomiska bedrägerier, bordeller. Gick in på de ordnade lyxhorfesterna. Mahmud tyckte bitarna föll på plats. Det stämde med vad han sett häromdagen: ihopsamlandet av fnasken, sminkandet, fixandet, de glassiga stekarna som skötte ruljangsen.

Efter tio minuter var Jorge klar. Han stirrade ut i tomma luften. Verkade som om hans tankar var kvar i berättelsen.

Mahmud sa: ”Det är sjukt, men vad ska jag göra åt det?”

Jorges svar kom långsamt. ”Det är inte bara du och jag som känner som vi gör. Jag har andra kontakter, som ännu hellre skulle vilja att juggarna åkte på pisk. Om du vill, har jag ett beställningsjobb för dig.”

Mahmud fattade inte riktigt vad Jorge snackade om.

”Du får flos för att göra en stöt mot Radovans horbusiness. Ett kontrakt. Med bra betalt. Och allt du kommer över får du behålla.”

Mahmud fattade fortfarande inte riktigt, bad honom berätta mer.

Jorge förklarade. Någon var villig att pröjsa en tre hundra tusen om Mahmud gjorde en stöt mot juggarna och lyxhortorskarna.

Tre hundra tusen. Shit. Trots att affärerna rullade nu var det mycket cash.

Ändå: han bad att få tänka på saken. Behövde smälta hela grejen. Jorge fattade att han inte kunde svara direkt. ”Hör av dig till mig inom en vecka. Annars måste vi gå till någon annan.”

När de klivit tillbaka in i vardagsrummet frågade Mahmud: ”Jag fattar ändå inte. Varför vill ni ha just mig?”

Jorges svar var inte mycket till hjälp: ”För att du är perfekt.” Sen garvade han. ”Släpp det där nu. Du får ju tänka på saken.”

De satte sig i soffan.

Jorge sa: ”Stanna en stund. Lyssna lite på Marley. Ta lite röka och känn kraften. Haile Sellassie Jah, som de säger här.”

Mahmud släppte greppet för ett tag. Lutade sig tillbaka. Puffade fyra gånger på jointen som Jorge rullat. En man med en virkad mössa i rastafärger halvlåg på en kudde bredvid. Tog emot jointen från honom. Drog djupa bloss.

Röken, musiken. Stämningen sögs in.

Mahmud i lugnets ro för första gången på länge.

No woman, no cry.

Med flow. Rytm.

En av livets avslappnade stunder.

Irritationen över allt i ett dis. Tre hundra tusen skymtade i horisonten.

Han flöt bort.

Praise the rastafari, Jah.

Sunny Sunday shines.

***

Aftonbladet
25 NOVEMBER

Misstänkt seriemördare aktiv i Stockholm
En död man hittades i morse i en villa i norra Stockholm. Polisen misstänker att han har blivit mördad och att kopplingar finns till ett tidigare mord i Stockholmsområdet.

Mannen är i 40-årsåldern, enligt polisens presstalesman Jan Stanneman. Ingen har gripits och det finns än så länge ingen misstänkt gärningsman.

Polisen tror att mordet har kopplingar till ett annat mord som begicks i Sollentuna. Där sköts en man i samma ålder utomhus.

– Vad som får oss att se ett samband mellan morden är att båda männens hustrur fick ett samtal från en person som kan ha varit gärningsmannen, säger en initierad källa.

Morden tycks ha utförts professionellt och mycket få vittnen kan lämna några iakttagelser till polisen. Enligt uppgift har det även framkommit att den ena mannen var dömd för misshandel av sin hustru samt att den andra mannens hustru har uppgett att hon blivit misshandlad under ett flertal år.

– Vi utesluter inte att det kan röra sig om en vendetta av någon vettvilling, men det är för tidigt att spekulera i det, säger Aftonbladets källa.

Mannen som hittades i morse var enligt uppgift torterad.

Karl Sorlinder
karl.sorlinder@aftonbladet.se

***

50

Det var fortfarande mörkt ute när Niklas vaknade av ett sms från Mahmud: ”Jag läste att de hittat ett lik med skitiga fötter, häng-pung & hårig röv – ring mig så jag vet att du lever.” Niklas antog att araben försökte skämta.

Han väntade ändå med att ringa. Behövde bearbeta nattens information. Operationen gått in i sin tredje fas: Patric Ngono. Niklas rutinerad vid det här laget: visste hur en offensiv skulle inledas och utföras. Planeringen av själva attentatet var i full gång.

Det gällde inte bara Ngono: efter honom stod tre andra as på rad.

En del av framgången var att media börjat förstå vad han höll på med. De skulle snart få mer stoff.

Han tänkte på Nina Glavmo-Svensén. Han funderade på vad han borde göra med Benjamin. Hoppades att Mahmuds behandling gjort sitt. Så många människor i olika roller. Och han var den enda som styrde upp – såg till att Sverige blev lite mer rättvist, lite mer logiskt.

Niklas satte sig vid datorn. Öppnade mappen som han döpt till Torskar. Det fanns fler än Roger Jonsson som köpte kvinnor.

På eftermiddagen efter träningen ringde han upp Mahmud.

”Tjena det är jag. Liket.”

Mahmud skrattade. ”Så du lever, habibi. Har du tid att ses idag?”

Niklas undrade vad han ville. Mahmud ville inte berätta över telefon – de bestämde träff senare på kvällen.

”Vill du vara med och göra en grej?” frågade Mahmud det första han gjorde när de sågs hemma hos honom.

Niklas tyckte hans lägenhet var sunkig. Sin egen smuts klarade han av. Men Mahmuds skit äcklade honom: odiskade tallrikar, flaskor med proteindrinkar, skålar med intorkade pulverblandningar. Och arabens klädstil: mjukisbyxor och en t-shirt som det stod Beach Wrestling på. Gick man klädd så när man fick besök? Men: Niklas owed him one. Han sa inget.

Det Mahmud berättade var det bästa han fått höra sen han kom hem till Sverige. Han kände sig nästan religiös. Hur kunde något passa så väl in i Operation Magnum som detta? Mahmuds undring var enkel: han hade fått en förfrågan om ett beställningsjobb – ett kontrakt. Det var inte vad som helst – det handlade om att slå till mot några storhallickar i Stockholm. Plus skada människorna och organisationen som skötte människoförsäljningen så grovt som möjligt.

Mahmud ville inte berätta detaljer. Kanske var det så att han inte visste så mycket mer. Han sa bara att någon som hade något otalt med Radovan och horbusiness ville få saker gjorda. Utan att araben ens kunde fatta det, var ingen mer lämpad för jobbet än Niklas.

De diskuterade kort några idéer. Mahmud ville lägga upp vissa principer: inga samtal på mobiltelefoner eller vanlig telefon, inget snack med någon utomstående, när de behövde prata drog man iväg ett sms först – han la fram olika koder de skulle använda.

De pratade om de behövde anlita någon mer. Niklas tänkte för sig själv: Benjamin är utesluten. Kunde någon från Biskops-Arnö kanske fungera? Felicia? Erik? Nej, de var för veka. Pallade inte kampen när det verkligen blåste upp till storm. Det var ju bevisat.

Mahmud hade en stringens och krigarinstinkt han inte trott. Niklas gick igång på högvarv. Började diskutera vapenslag, attackmetodik, strategisk planering. Mahmud smajlade.

”Kompis, allt har sin tid. Vi kommer till det där.”

”Men något måste du ge mig att börja med redan nu.”

Mahmud tänkte efter. ”Okej. Jag vet adressen där vi ska slå till. Vi måste ha koll på stället. Så det skulle vara perfekt om du checkade upp det.”

Mahmud: som värsta generalen. Niklas älskade grejen. Framförallt: han älskade att ha en partner. Att ingå igen i en TF – en Task Force.

Nästa dag körde Niklas Forden ut mot Smådalarö. Adressen han fått av Mahmud var ingen gata, det var bara namnet på en plats, kanske ett hus, Näsudden, och ett postnummer. Mahmud hade surrat om att uppdragsgivaren varnat: ta det försiktigt – de här gubbarna har bevakning. De har begått misstag förr och vill inte göra om det. Det var oklart om Mahmud visste vilka de skulle deala med. Niklas hade ingen aning, men han var ju expert.

En bra dag: klart väder. Hösten var på väg mot vinter. Han såg fram emot snön. När det varit som värst där nere brukade han tänka på ren, vit, gnistrande snö. Istappar som droppade på vårkanten. Det krasande ljudet när man klev igenom skare. Det var hans barndom. Inte en lycklig barndom, men åtminstone ren. Inte fylld av damm, vapenolja, svett och sand.

Ändå saknade han det riktiga kriget. Allt kändes så självklart bland de andra mannarna. Han visste hur varje dag skulle gestalta sig. Vad som förväntades av honom. Hur han skulle bädda sin säng, sköta sin utrustning, skämta med Collin och de andra, gå igenom planeringen för dagens vaktuppdrag, livvaktskonvoj eller vad det nu gällde. Och ibland deras extrauppdrag, grejerna som var för farliga eller smutsiga för den offentliga armén. Räderna till förorterna, byarna, de små samhällena där fienden slöt sig samman, bad till sin gud och hoppades på krigslycka. Niklas visste varför han blivit soldat. Det var ett värdigt liv. Ett liv med mening.

Han körde över bron till Dalarö. Tog till vänster vid skylten: Smådalarö. En kurvig väg längs vattnet. Uppdragna båtar skyddade av träställningar och presenningar. Klockan var ett. Det skulle börja mörkna om mindre än två timmar. Han tänkte: Sverige är ett konstigt land. På vinterhalvåret lever man i mörker mer än halva tiden.

Han fortsatte framåt. Golfbanor, barrskog, privata vägar som stack av från vägen och antagligen ledde till vräkiga sommarhus. Niklas hade memorerat kart- och flygfotobilderna han laddat ner på Eniro och Google Earth.

Tvåhundra meter kvar.

En grind i svart metall spärrade av den lilla avtagsvägen. Han stannade bilen. På ena sidan av grindens fäste satt en kamera och en stor skylt: Privat område. Bevakat av G4S. De kunde bevaka hur mycket de ville.

Han parkerade vid en liten skogsväg. Gick tillbaka genom skogen. Kängorna slafsade i den blöta undervegetationen.

Efter några minuter: ett metallstängsel. Två meter högt – som ett industristängsel fast utan taggtråd på toppen – men inte omöjligt att klättra över. Ändå: det kunde finnas kamerabevakning. Han gick längs stängslet, kom ner till grinden efter några meter. Okej, då visste han. Stället var inhägnat hela vägen. Han vände om. Gick tillbaka längs stängslet, uppåt i skogen. Tur att löven fallit. Efter cirka hundra meter skymtade han byggnader bortom träden.

Han tog fram kikaren. Huvudbyggnaden syntes tydligt. Tre våningar. Pelare runt ingången. Värsta slottsstilen. En grusplan framför, en parkerad bil. Bredvid stora huset: en garageliknande byggnad och en mindre ekonomibyggnad, kanske ett stall, kanske en lada. Han riktade kikaren mot stora huset. Kunde se en ingång. Han räknade fönster, uppskattade antal rum, höjden på våningsplanen.

Fortsatte längs stängslet, hela tiden blicken fäst mot träden bakom. Han såg inga kameror. Tittade närmare på stängslets stolpar och markfästen. Konstaterade: ingen el. Inga rörelsesensorer. Det skulle bli lätt att ta sig igenom.

Efter ytterligare några meter böjde stängslet av. Han såg nu huset tydligt, bara fyrtio meter bort på andra sidan. Knappt några träd. Han plockade upp kikaren igen. Baksidan av huset. Där fanns ytterligare en ingång. Han kollade in låset, vilket material dörren var gjord av, försökte räkna ut vart den ledde. Han kunde se rakt in i några rum. Ett kök, en matsal, något slags salong. Han såg tydligt rörelsedetektorer i hörnen, i taken, i rummen.

Han fortsatte runt på baksidan. Bedömde avstånd, möjligheten att ta sig in genom fönstren. Han behövde svar på två stora frågor. För det första: var skulle target befinna sig kvällen när de skulle slå till? För det andra: skulle bevakningspersonalen vara tungt utrustad?

Den första frågan borde de kunna räkna ut. Ta reda på villans insida. Ett sånt här skrytbygge måste ha krävt fler bygglov och tillstånd än typ hela Söderleden. Ansökningshandlingarna för alla de där byggloven måste finnas hos kommunen. Och såna handlingar var offentliga.

Han var fan ett geni.

Fråga nummer två kunde bli svårare. Men kanske kunde Mahmud få fram information.

På vägen hem såg han bilder i huvudet. Istället för scener från Irak: attacken mot huset. Det välbekanta smattret från höghastighetsvapen blandat med ljudet av glassplitter som kraschade i marken. Paniken i de där gubbarnas ögon. Han själv i full utrustning, battle rattle.

Det skulle bli en killing zone.

Med nöje.

51

Det var för mycket information. Var skulle han börja? Hur skulle han förstå allt? Han försökte fatta vad som var relevant, vad som bara var villospår. Hur man bedrev en sån här förundersökning. Palmegruppen hade ju fan hållit på, säkert femton personer heltid, i över tjugo år utan att komma någon vart. Hur skulle Thomas Andrén – själv, ensam, jagad, framför allt: ordningspolis – fixa det här?

Ändå: Thomas fått vissa fakta. Möten i Adamssons övervakningsgrupp på åttiotalet hade hållits i Skogsbacken AB:s lokaler. Bolaget ägdes av Sven Bolinder. Grejen: i Rantzells påsar hittade Thomas dokument som hade att göra med just Skogsbacken AB: en årsredovisning, några betalningsordrar och verifikationer. Slutsatsen var klockren: det fanns en koppling – dåtid, nutid.

Sven Bolinder: välkänd multimiljonär, finansman, spelare i den gråa ekonomin. Producent av reservdelar till bilindustrin, tillhandahållare av återförsäljarservice. Men tydligen också horkarl, torskorganisatör, anordnare av så kallade ”lite finare events”. Bolinder misstänktes stå som huvudägare till en koncern som omfattade över tjugofem bolag i sju olika länder. Och då visste de ekosnutar Thomas pratat med säkert inte ens hälften.

Thomas jobbade som en idiot. Fortsatte på trafikenheten för syns skull och för tillgången till databaserna. Fortsatte köra kvällarna på klubben: nu med en ny glöd – det fanns kopplingar till utredningen här också. Thomas fiskade, frågade, förhörde Ratko utan att juggen fattade det själv. Bolinder brukade tydligen bjuda sina vänner på fest två gånger per år. Alltid när hans fru var utomlands. Och det var juggarna tillsammans med några finare festfixare som ordnade skivan.

Thomas fortsatte försöka bearbeta materialet från Rantzells källare. Om och om igen. Med ökad kraft, koncentration, organisation. Mer fokus på Skogsbacken AB. Hur länge hade bolaget funnits, vad exakt sysslade det med, vilka satt i styrelsen, hur såg ägarbilden ut, var hade det fabriker och lokaler, vilka var anställda, var fanns bankkonton? Mycket fanns inte i påsarna men han lärde på vägen. Bolagsverket, Skatteverket, årsredovisningar, förvaltningsberättelser. Han jobbade så metodiskt han kunde. Men egentligen behövde han nog hjälp. Samtidigt: snart måste något dyka upp.

Han hade läst en bok om Palmemordet av en journalist, Lars Borgnäs. Där fanns en koppling, i teorin. Mordutredarnas tunnelseende hade styrt deras syn på mördaren och statsministermordet. Det hade också styrt deras syn på en annan viktig grej: mordvapnet.

Borgnäs beskrev i detalj. På samma sätt som man låst fast sig vid att det varit Christer Pettersson som mulat Palme eller möjligen någon annan ensam galning hade man låst sig fast vid en enda hypotes när det gäller vilket slags revolver som användes och som man alltså hade sökt efter. Låsningen inträffade i praktiken redan direkt efter mordet. Allmänheten fick se polischefen Hans Holmér vid en presskonferens lyfta upp några revolvrar. De var alla av kaliber .357 Magnum. ”Det vi nu vet”, sa tydligen Holmér, ”är att mordvapnet med säkerhet är en Smith&Wesson revolver kaliber .357." Förutom en Smith&Wesson var några andra, mindre vanliga fabrikat möjliga, förklarade polischefen. Men troligen var det en Smith&Wesson. Att det var en magnumrevolver kaliber .357 som användes stod helt klart. Sen dess skedde allt arbete kring vapnet med utgångspunkt från att det måste vara av kaliber .357 Magnum. Palmevapnet blev synonymt med magnumrevolver. Thomas försökte minnas, han och alla han kände hade alltid utgått från att det var en Magnum som använts.

Men enligt Borgnäs var sanningen en annan, och det var inte bara han – de flesta vapenexperter höll med honom. Mordvapnet *kunde* ha varit av den kalibern, men det *kunde* också ha varit av en helt annan kaliber. Men något sånt vapen hade ingen letat efter trots att det var vanligare förekommande än magnumrevolvern.

Kopplingen satt i mordvapnet. Rantzell var den som bundit Christer Pettersson till ett vapen som troligen inte ens hade med Palmemordet att göra. Rantzell hade planterat allt snyggt. Vapnet, tiden, möjligheten. Lagt Pettersson som mördaren. Och nu hade någon mördat Rantzell. Kanske någon som inte ville att den falska kopplingen skulle bli känd.

Åsa undrade vad som höll på att hända. De sågs mindre och mindre. Thomas var jämt trött – påsarna under ögonen såg ut som svarta blåmärken. Adoptionscentrum skulle komma på nytt hembesök. Det sista innan Sander.

"Vi måste börja boa ännu mer så att de ser att vi bryr oss."

Thomas suckade. "Vad betyder boa?"

"Du vet, bo in huset för att ett barn ska komma."

"Jamen, vi kan väl inte inreda barnrummet innan vi fått hit Sander?"

"Jo, vi måste fixa det nu. Så att de ser att vi kan och vill ha ett barn här. Vi borde köpa vagn och börja på den där föräldrakursen också."

Thomas skakade på huvudet. Åsa vände bort ansiktet. Drog undan håret på det där sättet hon alltid gjorde när hon blev ledsen. De försökte prata igenom grejen. Ur Thomas perspektiv: han ville inget hellre än att få hit pojken, det var hans dröm. Men just nu fanns det inte tid för engagemang från hans sida.

Känslan hängde sig kvar, det här var inte bra, det här var inte bra alls.

Han gick in i garaget. Sneglade på Cadillacen. Det var veckor sen han ens rört vid den. Samma med skytteklubben – han hade inte varit där sen han träffat Ljunggren. Det var märkligt: som om hela livet vänts uppochner. Han hade gått upp i utredningen på ett sätt han aldrig känt förut. Det var obehagligt. Han satte sig i sin vanliga bil. Garagedörren öppnade sig automatiskt.

Han körde in till stationen. Lyssnade på Springsteen. Försökte samla tankarna.

Framme. Polisstationens garage. Enda fördelen med trafikenheten: eget garage.

Thomas klev ur bilen. Sög in lukten av avgaser som aldrig riktigt fläktades ur. Lysrören gav ett blekt sken. Betongen såg randig ut, nästan som trä. Han hörde sina egna steg. Spanade in de parkerade bilarna: försökte räkna ut vilka av kollegorna som redan kommit till jobbet.

Han hörde steg bakom sig. Dörren ut till trapphuset låg tjugo meter fram. Thomas började fingra efter passerkortet i fickan.

Stegen bakom honom ökade farten. Thomas gick långsammare, såg ingen anledning att inte vänta i dörren på en kollega som uppenbarligen var stressad.

Men något var fel. Stegen för snabba. Thomas vände sig om. Såg för sent en man med rånarluva. Han hade mörka kläder. Thomas hann inte reagera. Mannen kom springande, höll något i höger hand. En pistol. Thomas blixtanalyserade: kanske en Colt, kanske en Beretta.

Mannen sa med tydlig röst: ”Stanna där du står.”

Thomas försökte läsa av situationen. Fanns inget han kunde göra. Pistolens mynning, i stadigt grepp. Det här var ett proffs.

Mannen pekade honom till ett mörkare hörn i garaget. Där lysrören inte fungerade.

”Vad fan vill du?”

”Du vet vad jag vill. Sluta snoka.” Mannens låga röst – han nästan viskade.

”Glöm det. Jag är inte rädd för er. Jag har spelat in mina förhör med flera personer, bara så du vet.”

”Snacka inte så jäkla mycket. Om du inte är rädd nu så kommer du bli det snart. Sluta snoka. Det är sista gången du får budskapet.”

”Håll käften.”

Thomas kände något hårt träffa huvudet. Medan han föll mot betonggolvet hann han tänka: Ett så fint vapen ska man ju inte slå någon med. Såna ska användas för att skjuta.

Sen slog han i hårdheten.

Thomas öppnade ena ögat. Andra ögat. Andades in avgaslukten. Mannen var borta. Han tog sig för pannan. Blodet klibbade.

Det darrade till i hans jackficka. Sen kom mobilens signal. Han orkade inte svara. Fast ändå: han måste ju plocka upp telefonen i vilket fall för att ringa och be om hjälp.

En bekant röst i luren. Det var Hägerström.

”Tjena Andrén, sorry att jag inte ringt tillbaka.”

Thomas blev helt paff. Glömde för en kort sekund i vilket läge han befann sig.

”Hägerström. Bra att du ringer. Ledsen att jag var så grinig sist.”

”Det är ingen fara. Hur är läget?” Hägerström lät glad.

Thomas övervägde, skulle han berätta att han låg nerslagen som en pajas i garaget under polishuset? Nej. Ja. Nej. Svaret: Ja – det var dags nu. Han kunde inte jobba ensam längre.

Han svarade: ”Inte så bra faktiskt. Jag blev just hotad och misshandlad av en maskerad man.”

”Skämtar du? Är du okej?”

”Det är sant och jag är inte helt okej. Men inget alarmerande heller.”

”Säkert?”

”Säkert.”

”Men varför?”

”Jag tar det sen. Vi måste ses. Så fort som möjligt. När kan du?”

”Vi kan väl säga i övermorgon. Men är du säker på att du mår bra?”

Thomas försökte faktiskt känna efter. Det bultade i pannan, men verkade inte blöda mer. Han svarade: ”Jag kommer bli bra. Det är ingen fara. Då ses vi i övermorgon?”

”Absolut. Det vara bara en grej till som jag vill berätta för dig.”

”Vadå?”

”Adamsson har dött.”

52

Det hade gått lätt att få med Niklas på jobbet. Snubben var ju skum på något sätt, men bättre partner till den här grejen kunde Mahmud inte komma på.

Några dagar efter att Mahmud berättat adressen hade Niklas redan varit ute vid villan på Smådalarö och rekognoserat. Ett äkta pro: haft med sig kikare, lasermätare, kamera med fett objektiv. Fotat huset från alla vinklar, zoomat in genom fönstren, tagit närbilder på staketet, låsen, larmen, grinden, fönsterrutornas höjd över marken.

Enligt Mahmud: villan det perfekta stället att råna. Det var precis som lägenhetsruschningen han, Babak och Robban gjort hemma hos den där ecstasypajsaren. Ingen skulle störa när de väl var inne. Inga skulle komma på dem utifrån. Fast ännu bättre än ruschningen: de skulle ju kliva in mitt i värsta horfesten – ingen risk att någon ringde bängen. Det var genialt.

Juggarna skulle få smaka feta ballen. Torskgubbarna skulle få värsta smällen. Mahmud skulle få snabbaste cashen i stan. Rastarfari Jah! Den lilla sunshinesöndagen hade förändrat hans liv. Jorge var ju kungen.

Sen skulle det vara över med Shurgardförråd, fnaskvaktning, langningsuppdrag. Han var så trött på Dejan, Ratko, Stefanovic och de andra fittorna att han mådde illa bara av att höra deras namn. Stöten mot Smådalarö skulle bli hans sista grej. Ärligt, han tänkte lyssna på Erika Ewaldsson, sin pappa och storasyrra. Använda Jorges pengar till att starta något cleant. Något hederligt. Något som passade in i suedisamhället.

Han och Niklas träffats två gånger. Kollat in kartor och ritningar som Niklas fixat. Värsta Tom Lehtimäki-snubben. Förresten mer än så: värsta elitsoldaten. Mahmud kände sig som SWAT-team number one.

De studerade huset uppifrån. Kollade in hur vägarna gick, höjdskillnaderna i marken, hur skogen låg omkring området. Det var vinter nu: inga täta träd skulle dölja dem. De analyserade var de kunde lägga fotanglar, om de skulle behöva göra någon avledande manöver – kanske tutta eld på garaget eller någon sidobyggnad.

Arkitektritningen på huset var ännu coolare. Niklas fått ut den från kommunen. Sverige var skumt – man kunde typ plocka ut vad som helst från offentliga organ. Huset var stort, över femhundra kvadrat. Jättekök, matsal, spa-avdelning i källaren, gymrum, salonger, sovrum, gästrum, walk-in-closets. Frågor: hur tog man sig bäst in i huset? Var kunde det tänkas finnas bevakning eller vakter? Vilka dörrar skulle vara låsta och vilka skulle vara öppna? Största frågan av alla: i vilka rum skulle horfesten hålla hus? De jämförde ritningen med fotona som Niklas knäppt. Identifierade rummen, såg inredningen genom Niklas kameralins. Kunde utesluta rum. Torskarna skulle troligen inte vara i köket, inte i matsalen. Mer troligt: den stora salongen, spa-avdelningen, kanske gästrummen. Det berodde på vilken typ av event det egentligen skulle bli. Mahmud måste försöka luska på sin kant.

De diskuterade hur många de behövde vara. Niklas var benhård: han och Mahmud skulle aldrig klara det ensamma. Det rubbade Mahmuds tänk men han sa inte emot. De utvärderade vapenalternativ. Niklas med värsta kollen. Det var nästan läskigt – vad hade shunnen gjort i sitt tidigare liv? Höghastighetsvapen, lasersikten, strålkastare. Kanske de skulle behöva en granat, flak-jackets, ordentliga mörka kläder som de kunde bränna när det hela var över. Det här skulle göras snyggt.

De planerade, snackade, fantiserade. La upp strategier, skrev listor, memorerade bilderna, terrängen, kartorna. Försökte visualisera attackens olika steg, förstå farorna. Ändå: de visste för lite. Mahmud måste också ut till huset och kolla sig omkring. Niklas ville själv dit igen, på natten.

Igen: han var skum. Använde militärtermer som värsta kommandosoldaten. Drog in massa förkortningar, strategitermer, vapenord som Mahmud fattade noll av. Samtidigt: han var perfekt.

De avslutade sista gången de sågs med hemläxor. Mahmud skulle fixa vapen, bultsax och höra sig för med några han litade på om de ville vara med. Niklas ansvarade för kläder, skyddsvästar, eventuellt ir-goggles, granater och fotanglar.

Som Niklas sa: Det skulle bli en killing zone.

Som i värsta dataspelet.

53

Niklas var som i trans. Tankarna stannade aldrig. Hans sömn reducerades till korta vilopauser mellan planeringssessionerna på datorn, tiden ute i skogen runt villan på Smådalarö, framför filmerna från de övervakningsskameror han själv satt upp i träden som omgärdade huset. Hans ledord rimmade: rekognosera mera.

Patric Ngono var on hold – horfesterna var så mycket större. Övergreppsmän i aktion på hög nivå. Samhällets absoluta förfall i tydlig kontrast. Smutsen som invaderade kropparna skulle åtgärdas, renas, fördrivas.

Benjamin hade slutat ringa. Det var skönt. När Niklas var klar med det här skulle den där svikaren få sig en läxa. En stor tjänst av Mahmud att ta sig ett snack med killen. Benjamin måste fatta att Niklas inte var ensam.

Han orkade inte svara på mammas samtal och sms. Hon skulle ändå inte förstå. Samma tanke så många gånger: Allt det här gjorde han för henne.

Han joggade inte. Tränade inte ens med kniven.

Det här var raksträckan, upploppet, slutspurten.

Övervakningsfilmerna visade viss intressant information. Bevakningsbolaget besökte huset några gånger varje vecka. Varken Sven Bolinder, gubben som bodde i huset, eller hans fru verkade vara hemma särskilt ofta. Men Niklas hade på känn att det skulle vara betydligt mer bevakning på dagen D. Frågan var hur det skulle hanteras.

Mahmud hade också fått tag på viss information. Juggarna brukade sköta säkerheten med egna mannar. Men vad det innebar var oklart. Han visste inte om de var beväpnade med varma vapen. Om de hade skottsäkra västar. Om de var utbildade för krig.

Och: Mahmud hade börjat fatta hur de här så kallade lyxeventen gick till. Det skulle bli en stor fest, några festfixare ordnade mat, bartenders, dansgolv. Piffade till kvinnorna. Niklas jämförde med ritningarna över huset. Drog slutsatser. Gissat: platsen för partyt borde vara stora salongen längs ena kortsidan på undervåningen.

Allt löpte på enligt plan. Men det skulle ta tid för araben att fixa vapen. Bara han inte misslyckades med de grejerna. Kanske borde Niklas själv ordna? Samtidigt: Mahmud försäkrat att hans kontakter var grymma. Och Niklas gillade inte att deala med tjejen på Black & White Inn.

Sina egna hemläxor fixade han direkt. Beställde utrustningen på internet. Nu var det bara att vänta – som julkalendern – räkna ner, varje dag. Om fyra veckor var det dags. Bolinders event skulle köras på nyårsafton. Operation Magnum skulle gå in i ett crescendo.

Några snöflingor hade fallit under natten men de smälte snabbt bort. Niklas tänkte på tårar på en stenhård kind. Ett ansikte som tvingats till tålighet. Som den svarta asfalten när den glänste i vintermörkret.

Niklas på väg hem från villan. Åttonde gången han varit där. Han kunde markerna nu. Terrängen kändes som gräsplättarna i Axelsberg där han växt upp. Han identifierade den ultimata vägen in. De behövde vara fyra till sex personer för attacken, beroende på antalet säkerhetspersonal. Frågan var om Mahmud skulle klara att få tag på så många.

Han tänkte tillbaka på sin tid i Sverige sen han återvänt. Hela världen var ett krig. Det gällde bara att se var fronterna låg. Folk utomlands trodde att Sverige var så fridfullt, lyckligt, perfekt. Egentligen var det värre än så – till och med i Sverige trodde folk att det fanns harmoni. Det var bullshit. Skrapade man på ytan var det råttskit rakt igenom.

Han svängde upp på motorvägen vid Handen. Inte många bilar ute. Kanske han borde ringa mamma ändå? Bilder flashade förbi i huvudet. Claes Rantzell. Mats Strömberg. Roger Jonsson. Ibland segrade motståndet.

Nynäsvägen. Ner i Södra länken. Mot Årsta. Ett slags konstverk kantade tunnelns infart. Det kändes nästan magiskt. Som ett blått ljus som lyste upp hela tunnelns övre del. Mellan tunnelns två mynningar: många små ljus, som stjärnor, med ett stort klot i mitten. Kanske en himlakropp. Han tänkte: Ännu en hålighet i tillvaron. Han föll in i vanliga tankebanor. Civilisationens grundpelare var dess håligheter. Det var märkligt. Samhället byggde på sina gångar, rör, sopnedkast, kablar, håligheter. Men det bevisade bara verkligheten. Hur bra allt än såg ut på ytan så var det i hålen sanningen fanns.

Niklas körde igenom Årsta. Svängde upp på Hägerstensvägen. Snart hemma. Han kände sig trött. Men ändå inte. Tankarna höll honom i form. Som ständiga adrenalinkickar.

Han hittade inga parkeringsplatser i närheten av huset utan ställde sig fyra kvarter bort. Lämnade bagen med utrustning i bilen, den kunde stå kvar tills nästa gång han skulle ut till Smådalarö. Det skulle bli snart.

Han slog igen bildörren. Gick mot huset.

Gatlyktornas sken fick asfalten att glittra igen. Hans andedräkt bildade rök.

Han knappade in portkoden. Öppnade.

Steg in. Tryckte på lampknappen.

Han tittade in i fyra MP5:ors mynningar.

Någon skrek: ”Händerna på huvudet, Brogren! Du är gripen!”

Fyra poliser ur insatsstyrkan. Svarta kläder, västar, hjälmar, visir, allt. Automatkarbiner i den mindre polismodellen, riktade mot honom. Bakom honom strömmade fler poliser in. Satte på honom handklovar. Tryckte ner honom på marken. Det var för sent. För sent att tänka. Han var gripen.

Han undrade för vad.

***

K0202-2008-30493

Förhör med Niklas Brogren, nr 2
7 december, kl 10.05-11.00
Närvarande: Misstänkt Niklas Brogren (NB), Förhörsledare Stig H Ronander (FL), Offentlig försvarare Jörn Burtig (JB).

Utskrivet i dialogform

FL - Hej Niklas. Först tänkte jag säga att vi spelar in det här som vanligt, bara så att du vet.
NB - Okej.
FL - Bra. Då sätter vi igång. Jag ska börja med att delge dig misstanken. Du är alltså misstänkt för mord, alternativt medhjälp till mord, den 3 juni i år.
NB - Det vet jag inget om. Jag är oskyldig.
FL - Jaha. Kanske du kan berätta lite vad du gjorde den dagen då?
JB - Vänta lite här nu. Brottsmisstanken måste preciseras för att min klient ska kunna ta ställning till den anklagelse som riktas mot honom.
FL - Vad är det du vill ska preciseras?
JB - Det räcker ju inte med att ni bara anger en brottsrubricering. Vad är det egentligen ni anser att Niklas har gjort? Och var?
FL - Framgick inte det av det jag just sa?
JB - Nej. Hur ska han kunna förstå vad ni menar att han har gjort?

FL - Jag tycker det var ganska klart, jag. Men jag gör ett nytt försök. Niklas Brogren, du är misstänkt för att ha mördat, eller medverkat till mord på, Claes Rantzell på kvällen den 3 juni i år, i en källare på Gösta Ekmans väg 10 i Stockholm. Är advokat Burtig nöjd nu?
JB - Hm … (ohörbart)
FL - Så Niklas, vad är din inställning?
NB - Jag vet vem Claes Rantzell är. Men jag har inte mördat honom. Jag var inte ens på Gösta Ekmans den kvällen.
FL - Du förnekar alltså?
NB - Jag förnekar.
FL - Kan du berätta vad du gjorde den 3 juni.
NB - Ja, hm … (ohörbart)
FL - Även fast det var länge sen så kanske du minns något. Du sa ju att du inte var på adressen på kvällen. Det mindes du.
NB - Jag har ju redan berättat för er. Jag tror jag var på en arbetsintervju på dagen. Jag hade just kommit till Sverige, efter några år utomlands. Sen träffade jag min gamla kompis på kvällen. Han heter Benjamin Berg. Jag har hans telefonnummer i mobilen. Och det berättade jag också redan förra gången jag var på förhör. Ni har väl pratat med honom?
FL - Just det.
NB - Jaha. Vill du veta något mer eller?
FL - Du kan väl fortsätta berätta vad du gjorde på kvällen? Lite mer i detalj.
NB - Det var ju ett tag sen så jag kanske inte minns exakt alla detaljer. Men vi såg en film. Jag tror det var Gudfadern. Den är rätt lång så vi käkade också. Jag kom dit vid sjutiden, och då gick vi och hyrde dvd:n. Vi började kolla ganska direkt efter att vi kommit tillbaka har jag för mig, såg de två första timmarna kanske. Sen beställde vi alltså

pizzor som jag gick och hämtade. Vi åt dem och kollade klart på filmen. Så var det.
FL - Vad gjorde du efter filmen då?
NB - Jag stannade hos Benjamin några timmar, vi drack lite öl och snackade om gamla tider. Vi är polare från skolan. Men allt det här kan ni ju kolla upp med honom. Det har ni väl redan gjort? Han kan ju bekräfta allt. Varför sitter jag här egentligen?
JB - Ja, det är en berättigad fråga. Niklas har uppenbarligen alibi för den aktuella tiden.
FL - Vi har hört Benjamin tidigare. Men jag tänker inte redogöra för det förhöret nu. Det föreligger förundersökningssekretess som advokat Burtig säkert kan förklara för dig.
JB - Ja, men min klient måste få en möjlighet att värja sig mot den här misstanken. Det rör sig ju om otroligt allvarliga påståenden. Om han inte får ta del av de uppgifter som Benjamin Berg har lämnat är han chanslös. Han har alibi.
FL - Jag tycker att han har fått möjlighet idag att berätta om den aktuella kvällen. Så det handlar inte om det. Däremot tänkte jag berätta att vi hållit förhör med din mor. Har du, Niklas, någon kommentar på det?
NB - Nej, hon vet också vem Claes Rantzell var. Det var hennes gamla kille.
FL - Just det, det har hon berättat. Tror du att hon kan ha berättat något mer, om den där kvällen i somras, så att säga?
NB - Nej inte om det här, vad skulle det vara?
FL - Jag ska fatta mig kort. Hennes uppgifter stämmer inte överens med det du har berättat för mig idag.
NB - Varför inte då? På vilket sätt?
FL - Det kommer jag inte gå in på nu. Men åklagaren kommer begära dig häktad, bara så att du vet. Vi

tycker att vi har tillräckligt på dig.
NB - Då har jag inget mer att säga.
FL - Ingenting?
NB - Absolut ingenting. Jag tänker inte säga någonting.

DEL 4
(tre veckor senare)

54

Tre veckor hade gått sen överfallet i garaget – ändå kom tankarna tillbaka minst en gång i timmen. Inte för att han blivit så rädd av själva grejen – han hade varit med om värre våldsmakare förr – utan för hur stort det nystan han satt i rullning verkade vara. Det här rörde inte bara ett hot mot honom, det rörde inte ens bara Sveriges kändaste mord – det rörde en överjävlig konspiration mitt i hans eget hem: polismyndigheten. Och han hade ingen aning om hur han skulle stoppa den.

Tidigare, när någon stått utanför hans hus den där natten lyckades han skyffla undan rädslan till något hörn av sig själv. Fungerade som han alltid fungerat: lät oron lösas upp i cynismer och förnekelse. Målen var viktigare. Han drevs av sin egen ilska. Han drevs av tanken att reflektion är att kapitulera. Och när han började förstå kopplingarna till Palmemordet, drevs han också av en märklig känsla – någon form av plikt mot farsgubben och mot Sverige. Fast nu, efter att han slagits ner, och efter Hägerströms telefonsamtal om Adamsson, visste han inte längre om han borde låta sig drivas alls.

Adamsson hade dött i en bilolycka på motorvägen, E18 vid trafikplats Stäket. Enligt Hägerström visade utredningen på att gubben kört in i stängslet i mitten av vägen och studsat tillbaka ut i vägbanan. Där gjorde en fyrtio tons långtradare mos av Adamssons Land Rover. Kanske var det en slump, kanske ingick det i något större.

Det skulle drabba honom, med säkerhet. Han kunde leva med de tankarna. Men tanke nummer två var svårare: det kunde drabba Åsa. Tredje tanken knäckte honom nästan: det skulle kunna drabba det barn som de ännu inte fått, Sander.

Ändå: det fick bli som det blev. Thomas kunde inte komma på alternativ. Han måste söka vidare.

Han snackade med sin bror, Jan. Egentligen var deras kontakt dålig. Sårig av för många år med tystnad. Det enda som gjorde att de ändå kändes som bröder var irritationen, den var något annat än vad man känner inför en främling. Men ändå höll de av varandra, skickade vykort från semestrar, julhälsningar och grattis på födelsedagen. Thomas hade sett till att Åsa och han blev inbjudna till Jan på julafton.

Dagen efter, på juldagen, gick han upp till Åsa på kvällen. Teven stod på: någon dokumentär om högerextremister i Ryssland. De såg tjocka och punschiga ut allihopa. Han undrade varför de visade sån tragisk skit just idag.

Hon satt med benen uppdragna under sig i soffan. På soffbordet låg foldern som låg framför henne så ofta, med bilderna på Sander.

Adoptionscentrums sista hembesök för en vecka sen hade gått bra. Det kändes som om kvinnorna som kommit tyckte att Åsa och Thomas var väl förberedda för att ta emot ett litet barn. Åsa hade julpyntat villan extra i år. Kanske för att visa upp för besökskvinnorna, kanske som en förberedelse för det familjeliv de snart skulle ha.

Hon tittade upp. Ryssarna på teveprogrammet snackade i bakgrunden om hur fosterlandets egendom såldes ut till främmande nationaliteter. Åsa sa: ”Det var verkligen trevligt igår hos Jan.”

Thomas tog ett djupt andetag: ”Åsa, vi har ett tufft beslut framför oss.”

Hon andades med munnen öppen, det såg ganska fånigt ut.

Thomas fortsatte: ”Snart kommer Sander. Det kommer bli den bästa stunden i våra liv.”

Hon log. Nickade. Fortsatte bläddra i foldern – ointresserad av Thomas igen. Ungefär som att hon försökte säga: jag håller med dig, du kan gå nu.

Thomas sa: ”Jag vill inte förstöra den stunden. Och jag vill inte riskera den heller. Så vi måste göra vissa förändringar. Tillsammans.”

Åsas leende dog bort.

”Jag befinner mig i en jobbig situation just nu. En farlig situation. Det är en utredning som jag håller på med. Kommer du ihåg den där internaren som jag gnällde på förut?”

Åsa såg oförstående ut.

Thomas kände hur han vred på sig. ”Han och jag är inblandade i något som jag inte kan hantera och inte polismyndigheten heller. Det finns människor som är ute efter mig på ett personligt plan. Som har hotat att skada mig och som redan har attackerat mig.”

”Varför har du inte sagt något?”

”Jag ville inte att du skulle bli orolig. Inte nu när Sander ska komma och allt. Men det har gått för långt nu. Och jag kan inte sluta. Jag måste fortsätta, gå till botten med den här grejen. Det finns ingen annan som kan ta över.”

”Kan vi inte få sånt där personskydd?”

”Vi kan inte få tillräckligt skydd. Det här är priset man får betala som polis. Jag är så jävla ledsen. Hade det bara rört mig så skulle det ju varit okej, men nu rör det dig också. Det kan röra Sander också, när han kommer.”

”Men det måste gå att få skydd. Det måste väl finnas hjälp för poliser inblandade i farliga utredningar. Eller hur?”

”Sånt finns säkert men det hjälper inte nu.”

”Jamen, det är ju jul nu.”

”Det har aldrig spelat mindre roll.”

”Vad menar du?”

”Det jag sa, polisen kan inte hjälpa oss nu. Jul stoppar ingen nu. Det jag är inblandad i kan inte stoppas av någon.”

Hon satt tyst. Thomas väntade på att hon skulle säga nåt. Istället bläddrade hon i foldern.

Han sa: ”Du kan få bo hos Jan några veckor tills det här är över. Och om det inte är över inom två månader, kan vi inte ta hit Sander. Det blir för farligt.”

Hon sa inget.

”Åsa, jag är lika ledsen som du över det här. Men det finns ingen annan lösning.”

Industriområdet vid Liljeholmen. Hägerströms bil parkerad i riktning mot vattnet. Thomas bil parkerad bredvid, fast åt andra hållet. Det var redan mörkt. Hägerström vevade ner rutan först.

”Så hur var julafton?”

”Vi var hos min bror faktiskt. De har värsta jättefamiljen. Hur många barn som helst, hundar, katter, till och med en hamster. Första gången jag firade jul med honom på över femton år. Själv?”

”Jag var hos mina föräldrar, sen gick jag till Half Way Inn. Har du varit där?”

”Någon gång, det är i närheten av Södermalms polisstation, va? Det där som ligger vägg i vägg med ett gayställe.”

”Stämmer. Mitt stamhak. Inte gaystället alltså.”

”Jag kanske borde kommit dit?”

”Nästa år är du välkommen.”

”Nästa år har jag egen familj. Förhoppningsvis däremot ingen hamster.”

Hägerström såg deppig ut.

Han sa: ”Hur länge måste vi träffas så här? Vi jobbar bättre om vi har någon ordentlig stans att sitta.”

Thomas nickade. ”Jag har skickat iväg Åsa nu. Så jag mår bättre, känner mig tryggare.”

”Å fan, hur gick det?”

”Det kändes förjävligt. Men jag tror hon förstod faktiskt. Vi kan ses hemma hos mig senare.”

”Bra.”

Thomas skruvade på värmen i bilen ännu mer. Snön låg centimetertjock på motorhuven.

”Så, vad har vi att diskutera idag?”

Hägerström lutade sig ut genom den nervevade rutan. ”Jag har jäkligt mycket att berätta. Jag var inne på jobbet idag och fick höra lite snack i korridoren. De har tagit in en misstänkt för mordet på Rantzell.”

Thomas kände hur han slutade andas i några sekunder.

”Han heter Niklas Brogren, han som jag hörde upplysningsvis för några månader sen. Killen hade ett bra alibi då. Men det börjar krackelera. Han sa att han hade varit hos en kamrat hela mordkvällen, till sent på natten. Kamraten är hörd och intygar att Brogren var där, men utredningsmannen är skeptisk till hans uppgifter. Tydligen ger killen ett osammanhängande och pressat intryck. Men det viktigaste är att mamman nu har börjat prata. Hon säger att Niklas Brogren kom hem rätt tidigt under kvällen och att han var packad och på dåligt humör. Du vet hur det är med alibi, antingen har man det eller så ligger man jäkligt risigt till eftersom man försökt ljuga.”

”Hm.”

”Du låter skeptisk.”

”Den där Niklas har ju inget med det vi tittar på att göra.”

”Nej, men hans mamma hade ett långt förhållande med Rantzell under slutet av åttiotalet och början av nittiotalet. Så det finns kopplingar och möjliga motiv.”

”Vad är motivet då?”

”Rantzell misshandlade tydligen mamman.”

”Hur vet de det?”

”Utredningsmannen har väl begärt ut gamla läkarjournaler och sånt, det skulle jag gjort i alla fall. De säger att hon fick åka in flera gånger, ibland med frakturer.”

”Det var som fan.”

”Just det.”

Thomas suckade. ”Kanske är jag för inkörd på vårt spår, men jag vet inte. Det låter för lätt helt enkelt, att det skulle vara sonen till en gammal misshandlad kvinna som hämnas på sin styvfar. Som nån patetisk deckare. Det förflutna hemsöker nutiden, liksom. Men så är det ju aldrig i verkligheten.”

”Jag har samma magkänsla som du. Men jag vete fan. Mycket talar för den här Niklas Brogren. Fast SKL har inte hittat något som matchar.”

Thomas tog ett djupt andetag. ”Jag tycker inte vi ska avsluta vårt projekt.”

”Absolut inte. Men vad ger det? Adamsson har dött men inget

tyder på något skumt. Wisam Jibril har dött och vi kommer inte längre där. Ballénius har vi inte fått tag på. Vad har vi egentligen? Du har buntar med papper hemma som vi inte fått ut något substantiellt av. Du har tvingat och lurat till dig några svar av gamla polismän som antyder att de är högerextrema. Och? Det leder ingen vart."

"Sluta, Martin. Vi har mycket. Men än så länge inget som pekar på själva mordet. Men vi har snart granskat alla papper från Rantzells källare – jag hade aldrig klarat det utan dig – och det finns många konstigheter där. Massa namn på personer att förhöra, företag att granska, betalningsströmmar att följa."

Det stämde. Thomas och Hägerström hade delat upp pappershögarna. Thomas redan gått igenom en hel del, men det var fortfarande för mycket han inte förstod. De behövde sitta tillsammans. Hägerström kunde siffror och ekonomi – förklarade så gott han kunde men det räckte inte. Informationsmängden kändes nästan övermäktig. Alla siffror, adresser, namn. De arbetade metodiskt. Thomas sorterade, strukturerade materialet, Hägerström analyserade. De jobbade med ett eget poängsystem. Betygsatte misstankegraden hos informationen de undersökte. Listade personer, telefonnummer, bolagsnamn. Fick en prioriteringsordning: allt som pekade på samröre mellan Rantzell och Bolinders bolag, allt som pekade på samröre mellan Skogsbacken AB och något olagligt.

Inga spår ledde hittills mot Adamsson. Men det fanns fortfarande så mycket outrett.

Hägerström sa: "Det kommer ta oss flera månader. Kanske år. Du kan inte ha Åsa borta så länge, och kommer de på att jag är inblandad får jag se mig om efter ett annat jobb direkt. Det funkar inte. Vi måste göra något framsteg snart, annars får vi nog lägga ner och låta åklagaren sätta dit den där Brogren. Om du frågar mig så verkar det ju hur som helst inte helt osannolikt att det är den där killen som gjort det."

Thomas andades genom näsborrarna. Vinterkylan trängde ner i hans lungor. Fyllde honom trots att det fortfarande var varmt i bilen. Han tänkte inte bemöda sig att kommentera huruvida Brogren var mördaren eller inte.

”Jag tänker i alla fall fortsätta. Jag tror på vårt spår, även om det verkar luddigt just nu. Och det är ett speciellt spår vi måste följa. Vi måste hitta Ballénius. Han vet något, det känner jag på mig. En sån gammal räv skulle inte agerat så som han gjorde på Solvalla om det inte var för något speciellt. Han vet något.”

Stockholmarna stressade med byten, återköp av julklappar och mellandagsrea samtidigt som alla försökte vila upp sig och ha ledigt. Thomas snackade med Åsa en miljon gånger per dag. Hon satt hemma med Jans alla djur och hade tråkigt. Kanske skulle hon åka till några vänner på nyårsafton och ville att han skulle följa med. Han kunde inte säga nej till allt. Tack och lov: Åsa oroade sig mest för hur hon skulle lyckas undanhålla för kompisarna på nyårskalaset att hon bodde hos sin svåger. Det kändes som den största petitessen någonsin.

Thomas hade trappat ner på jobbet på klubben samtidigt som han försökte luska så gott det gick i Bolinder. Han snackade med snutbekanta. Sökte på internet. Bad Jonas Nilsson om hjälp igen – han skulle fråga sina gamla kollegor. Gick till ett bibliotek och bad att få kolla artikelregistret. Han frågade på klubben. ”Bolinder”, sa Ratko, ”Varför är du så intresserad av honom hela tiden?” Efter det låg Thomas lågt just på klubben i några dagar.

Det var söndag. Hög, klarblå himmel, för en gångs skull. Krispigt i luften. Thomas och Hägerström stod utanför ingången till Solvalla. Dagens lopp kallades Silverhästen. Det var en V75-final av hög klass med ett kungligt silverhästpris som russinet i kakan. Det skulle vara packat med folk. Ballénius borde vara där. Den här gången skulle de inte missa honom.

Agria djurförsäkringar dominerade fortfarande reklamen. Spänningen låg nästan lika tjock i luften som potatismoset på gubbarnas grilltallrikar. Fast det var färre människor utomhus än senast Thomas varit där – den enda lilla minusgraden gjorde sitt.

De betade av folkmassan. Även om Thomas kände sig säker på att Ballénius inte stod där ute så ville han vara säker.

Ballénius var inte där.

De gick in till Sportbaren Ströget. Ungefär samma folk med ytterjackorna på som förra gången, definitivt samma baconchips i baren. Här var det mest yngre killar som sänkte hamburgare och öl. De skulle inte hitta Ballénius här, det kändes säkert.

Thomas kollade in Hägerström, han såg nervös ut. Eller så var han bara på helspänn. Dubbla känslor: Thomas tacksam för att exinternaren var med honom här. Samtidigt skämdes han – hoppades ingen gammal kollega skulle se dem tillsammans.

De fortsatte upp till Bistron. Vid ingången var det proppfullt med finska zigenare. Thomas trängde sig förbi. Gick in till baren. Han kände igen den danske restaurangchefen med ölmagen som han frågat förra gången. Det såg ut som ölmagen svällt en aning. Han fick danskens uppmärksamhet. Ställde sina frågor. Dansken skakade på huvudet – tyvärr, han visste ingenting. Thomas frågade efter Sami Kiviniemi, mannen som visat Thomas till rätt våningsplan förra gången. Men finnen var inte där. Hittills var Solvallaspåret värdelöst.

Thomas och Hägerström tog rulltrappan upp mot Kongressen. Namnen på hästarna som vunnit Elitloppet år för år stod uppskrivna på väggen. Gum Ball, Remington Crown, Gidde Palema.

Innan de klev in i Kongressen kollade Hägerström på Thomas.

”Är du beväpnad, Andrén?”

Han klappade på ena jackslaget. Kände Sig-Sauern genom tyget.

”Trots att jag bara är trafikpolis numera är jag fortfarande Söderorts bästa skytt.”

Hägerström log en aning. Sen sa han, ”Det är väl bäst om jag står kvar vid ingången? Du går in, för du känner igen honom. Försöker gubben samma grej som förra gången så tar jag emot honom med varm hand här uppe.”

Thomas nickade.

Hägerström fortsatte: ”Och du ringer mig på mobilen så fort du går in. Det blir vår egen lilla komradio som ingen kommer tycka ser konstig ut.”

Hägerström kändes kompetent. Thomas försökte slappna av, klev in i Kongressen Bar och Restaurang. Han höll telefonen i vänsterhanden. Ställde sig högst upp. Försökte spana neråt läktarraderna. Såg sig omkring. Alla bord såg fullbokade ut. Han rapporterade till Hägerström: "Jag ser honom inte. Men det är stort härinne. Säkert fyrahundra personer vid borden."

Han började gå längs den översta raden. Huvudet hela tiden vänt mot borden längre ner. Folket älskade racen, deras koncentration var hårt riktad mot banan. Speakerrösten i lokalen upphetsad: en högoddsare höll tydligen på att vinna. Tjugofem meter längre fram såg han bord nummer hundraarton. Ballénius favoritplats. Stället där Thomas hittat gubben senast.

Det satt fyra personer vid bordet. Två av dem såg han bara framifrån: en kvinna med jättelika läppar som måste vara falska och en man i trettioårsåldern som nästan stod upp av upphetsning över vad som hände på banan. Thomas såg bara ryggarna på de två andra vid bordet. En av dem kunde vara Ballénius. Lång, tunn.

Han klev närmare. Det skulle underlätta om gubben inte vände sig om.

Närmare. Tio meter kvar. Grått, slitet hår – det kunde verkligen vara han.

Närmare.

Han sa till Hägerström: "Jag är sju meter från en man som kan vara han."

Thomas gick fram mot bordet. Såg gubben rakt framifrån.

Påminde om Mister Bean fast med grått hår.

Det var definitivt inte Ballénius.

55

Mahmud tog uppdraget på allvar av tre skäl: Jorge var en schysst snubbe, Mahmud kände det i hela kroppen – latinon med samma inställning som han, likadan agenda. På det: Mahmud ville verkligen fucka juggefittorna, visa att de inte kunde köra en arab med heder hur som helst. Även för enprocentare fanns regler. Slutligen:

det var fett med spännande – värsta kommandogrejen som kunde ge tjockt med flos.

Han hade varit hos Erika Ewaldsson idag för sista gången. Hon ledde in honom till sitt rum som vanligt. Stöket, persiennerna, kaffekopparna – allt var som vanligt. Förutom en grej: hon talade långsammare än hon brukade. Och hon såg nästan lite sur ut. Inte likt henne – en lack Erika satt stilla och höll käft. Inte som idag: pratade på men såg fortfarande oglad ut.

Sen tänkte han annorlunda. Kanske var hon inte sur. Kanske var hon ledsen. Balle alltså, det lät ju skummish, men hon kanske skulle sakna honom. Ju längre han satt där och lyssnade på hennes tugg, ju klarare blev det. Hon diggade inte grejen att det här var sista mötet. Men det som var ännu konstigare: Mahmud kände sig också ur form, typ ledsen, eller något. Shit, Erika var rätt schysst ändå. Han slog undan tanken. Försökte se Erika naken framför sig istället, locka fram inre garv. Hon hade alltid pösiga kläder. Hon var inte smal, men var hon så fet egentligen? Hennes tuttar kunde vara fina ändå. Hennes häck bred, men kanske gav den värsta kurvorna. Det blev inget garv – tvärtom. Passade inte en gangster som han. Men till slut flinade han för sig själv. Mellan benen: hon bara måste köra värsta spaderdamen, tung behåring. Sååå suedi.

Mötet tog slut.

”Jaha Mahmud, då ses vi inte igen. Tycker du det känns konstigt?”

Det var ju hon som tyckte det kändes trist. Han brydde sig inte.

”Det är lugnt. Du kommer säkert se mig på teve när jag blivit miljonär.”

Erika log. ”Jag trodde redan du var miljonär, det brukar du ju säga.”

”Ja visst är jag miljonär, ett barn av miljonprogrammen. Trodde ni det skulle funka? Att bara stoppa in oss i massa höghus ute i betongen?”

Det syntes i Erikas ögon igen: hon var inte glad. ”Jag vet inte Mahmud, men jag hoppas verkligen att det går bra för dig. Men hur ska du bli miljonär, du har ju faktiskt inte fixat något jobb än.” Kanske flinade hon lite ändå.

Mahmud sa: ”Okej då, vi kanske ses på arbetsförmedlingen, eller vad det heter.”

”Det vore trevligt.”

”Ja.”

”Det finns bara ett ställe jag inte vill träffa dig på igen, Mahmud.”

”Var är det då?”

”Här.”

De garvade tillsammans. Mahmud reste på sig. Sträckte fram handen.

Hon sträckte också fram handen. De kollade på varandra. Stod stilla.

Sen kramades de.

Erika sa: ”Sköt om dig nu.”

Mahmud sa ingenting. Försökte hålla sig från att krama henne igen.

Mahmud hade varit på gymmet. Ute snöade det. Stockholm fortfarande julklätt. Svenskarna suttit hemma med sina familjer och firat för några dagar sen. Mahmud åkte hem till sin pappa och Jivan. Jamila kom dit på kvällen. Hon hade tagit med sig pepparkakor och baklawa. De åt middag, kollade en film som Mahmud fått välja: *I am Legend*. Pappa gillade inte rullen.

På något sätt firade de också jul, fast Beshar ens vägrade säga ordet ”jul” inför Mahmud. ”Det är svenskarnas grej. Inte vår.”

Mahmud hade fixat sina hemläxor. Den första var vapnen. Genom Tom fick han kontakter. Några riktigt tunga lirare från Södertälje. Tajta nätverk – syrianer. Värdetransportproffs. Sprängmedelsveteraner. Vapenfetischister. Tom kände dem inte bra, men tillräckligt bra för att få köpa tre stycken pieces. Två AK4:or som säkert stulits från något av arméns vapenlager och en Glock 17. Kändes mäktigt: gömma tre värstinggrejer hemma i lägenheten. Mahmud tog ur slutstyckena, lindade in dem i ett lakan. Han la resten av vapnen under sängen, bakom några kassar med papper som han fått med sig från den där lägenheten för månader sen. Lakanet med slutstyckena la han uppe på en balk på vinden. Man fick inte va dum: blev han plockad av aina, skulle han åtminstone kunna säga att vapnen saknade viktiga delar. Att de inte gick att använda.

Den andra hemläxan hade varit ännu enklare: att fixa bultsaxen. Först funderade han på att baxa en men ändrade sig. Onödigt att ta risker. Istället köpte han den på Järnia i Skärholmens centrum – fetaste modellen de hade. Han pröjsade med cash.

Sista hemläxan var svårast, att fixa män. Inte så att han inte kände massa folk. Men vilka litade han på? Vilka golade aldrig, spelade tajmat, skulle klara uppdraget? Egentligen visste han redan vilka han skulle fråga. Robert, Javier och Tom. Men frågorna fanns ändå kvar: kunde han lita på sina homies?

Tom skulle åka bort över nyår – kasst. Niklas ville ha sammanlagt tio boots on the ground, som han sa. Mahmud fick ta ett planeringsmöte med de andra grabbarna ändå. Han träffade Robert och Javier hemma hos sig på kvällen. Javier hade på sig en så tajt tröja att bröstvårtorna stack ut som på värsta Jordan. Robert körde sin vanliga pösghettostil som Fat Joe himself: träningsoverallbyxor och råfet munkjacka. Mahmud kunde inte låta bli att tänka: Kommer de här shunnarna verkligen att klara attacken? De såg sig själva som äkta G:s och kanske var de hårdingar. Men det här – det var annorlunda. Han fick bara inte torska på den här grejen. Han skulle aldrig fucka upp.

De delade på en joint. Kollade *Bourne Ultimatum*. Mahmud försökte ladda sig själv. Snart skulle han presentera allt. Fick inte låta kefft. Måste bli rätt.

Han tog ut dvd:n ur spelaren. Vände sig mot killarna. ”Grabbar, jag har en grej på g. En stor grej.”

Robban puffade på spliffen. ”Vadå? Nån koksgrej eller?”

”Nej, det här är personligt. Och ger snabba cash.”

”Låter bra.”

”Det är som ruschningen, Robert, i den där lägenheten. Kommer du ihåg?”

Robert smajlade. ”Absolut. Fan vad vi var schyssta som gav dig alla grejerna.”

”Jag lovar, nu är det min tur att ge tillbaka. Det här är som den där lägenhetsruschningen gånger hundra. Vi ska ruscha en fetingvilla på Smådalarö.”

”Smådalarö. Var ligger det? I Norrland eller?”

De garvade.

Mahmud började förklara. Hur han träffat Jorge i reggaelägenheten. Hur latinon varit hundratio procent inställd på hämnd på juggarna. Gamla oförrätter liksom, maffiastyle. Han berättade om Niklas som spöat på Jamilas förra pojkvän och som hatade horbusiness värre än värsta feministflatan. Han förklarade om överklassgubbarna som tänkte sätta på brudar men skulle råka ut för svartskalleattacken med klass. De kunde lita på Niklas. Kommandosnubben hade värsta kollen: planeringen, bevakningen, kartorna, fotona, allt.

Mahmud kände att de lyssnade. De nickade i takt. Ställde halvsmarta följdfrågor. Diggade. Utslagspoängen: vapnen. När de hörde vad Mahmud fixat ville de vara med direkt.

Mahmud grymmaste attackblatten i Stockholmskriget. Enda strulet var att han borde ha snackat med Niklas för länge sen, men snubben var omöjlig att få tag på. Mahmud ville inte ringa, eftersom de bestämt att bara sms:a koder. Istället drog han iväg minst tio sms per dag. Fick inga svar. Han kanske hade missuppfattat koderna. Så han drog till Niklas lya, ringde på dörren, la till och med en lapp i brevlådan: Liket, ring mig!

Men inget hände. En dag, två dagar, tre dagar gick. Nyårsafton närmade sig. Var fan var snubben?

Dessutom måste han fixa en soldat till. Niklas ville ju att de skulle vara fem vid attacken. Om den nu blev av.

Mahmud tänkte på sina polare. Dejan, Ali, massa andra pajsare. De skulle inte fixa grejen. Han visste inte ens om Robert och Javier skulle kirra det. Krypande i honom hela tiden fanns en och samma tanke – Babak skulle vara perfekt.

Men hur skulle det gå? Babak hade rådissat honom. Betraktade honom som värsta svikaren. Med rätta hade han fattat för sent – juggarna var fienden. Hela grejen gav honom pissdåligt samvete.

Han plockade upp ett papper och en penna. Gjorde något som han aldrig gjort förut: skrev ner vad han skulle säga. Efter tio minuter var han klar. Läste igenom. Ändrade på några ställen. Han mindes från skolan: stödord, kallades det.

Han hoppades de skulle hjälpa.

Han tog upp mobilen. Ringde Babak.

56

Lukten på häktet var tung av rök och dålig karma. Fast förbudet mot rökning som rådde i resten av Sverige hade nått hit. Linoleummattorna i korridorerna, de blåmålade kraftiga dörrarna till cellerna var så inpyrda att man säkert kunde skrapa Marlboro från dem.

Niklas noterade allt. Kriminalvårdens kläder: pösiga, gröna, slitna till pyjamasmjukhet. De vitmålade metallbårderna för fönstren, den tio centimeter tjocka flamsäkra madrassen på sängen, trästolen, miniskrivbordet, fjortontumsteven. De tre playstationspelen som fanns till utlåning på avdelningen var värda sin vikt i guld. Det var inget fel på plitarna, de gjorde bara sitt jobb. Men de häktade hasade omkring i KV:s tofflor – orakade, långsamma, deppiga. Här inne fanns ingen anledning att hetsa. Livet mättes i tidpunkter mellan häktningsförhandlingarna eller, för dem som hade tillstånd, samtalen med anhöriga.

Han kände sig vilsen, samtidigt överlägsen. De flesta härinne var ju rötägg. Logiken enligt Niklas var enkel: folk satt här just därför.

Han kände sig som roboten i Terminatorfilmerna. Registrerade omgivningarna, rummen, människorna som en dator. Läste in cellernas placering, vakternas utrustning, tonlägen, attityd. Möjligheter. Han hade restriktioner, så han fick inte prata med någon annan, inte ringa in eller ut, inte skicka eller ta emot post. De trodde att han kunde förvanska bevisning om han fick tillgång till yttervärlden. Det var sjukt.

Han tänkte på förhören som hållits. Vissa bara femton minuter långa. Vissa flera timmar. Utredningspoliserna malde samma saker om och om igen. När hade han kommit till Benjamin den aktuella kvällen, var hyrde de dvd:n, vem betalade för filmen, visste han vad Benjamin gjort tidigare på kvällen, hur kunde han kommentera sin mors uppgifter i förhör, när hade han gått hem från Benjamin, vad gjorde hans mor när han kom hem? Och igår: de började ställa frågor om Mats Strömberg och Roger Jonsson. De var honom på spåren.

De satt i ett litet förhörsrum i samma korridor som hans cell. På det eviga linoleumgolvet satt ett klistermärke som pekade ut riktningen mot Kabastenen i Mekka – någon brukade uppenbarligen få be härinne. På bordet stod en interntelefon men den var spärrad för utgående samtal. På väggen satt en lapp: Obs! kontakta korridorpersonal innan klienten släpps ut i korridoren. Han kunde inte klaga på övervakningen. Hans sammantagna slutsats: det var inte lätt att rymma från Kronobergshäktet.

Idag var det förhör igen fast det inte fanns något att säga. Han hade inte med mordet på Claes att göra, så var det bara.

Advokaten satt med honom några minuter före förhöret.

”Har du tänkt på något sen sist vi sågs? Något du vill ta upp med förhörsledaren?”

Niklas sa vad han tänkte: ”Jag vill inte prata om hur Claes behandlade mamma och mig. Det är inte snutens ensak.”

Burtig sa: ”Då föreslår jag att du andas med näsan och stänger munnen. Förstår du? Du har ingen laglig skyldighet att svara på frågor om det.”

Niklas fattade. Burtig var bra, men skulle det räcka?

Förhörsledaren kom in, Stig Ronander. Grått hår och ett spindelnät av rynkor kring ögonen. Gubben utstrålade erfarenhet och lugn: avslappnad stil, stillsamma rörelser. Framförallt en glimt i blicken och känsla för humor som gjorde att förhören kunde avbrytas av ett garv då och då. Det var smart, äckligt smart.

Den andra snuten hette Ingrid Johansson. Hon var samma ålder som Ronander men mer tystlåten, iakttagande, på sin vakt. Hon kom med en bricka med kaffe och bullar.

Niklas hade spenderat timmar i cellen med att försöka analysera deras förhörsteknik. Den var betydligt subtilare än hans och Collins metoder i hettan, där nere i sanden. En tolk, en gevärskolv, en känga: det brukade räcka för tillräckligt med information. Ronander/Johansson körde motsatta racet: trevlighetsattack. Behärskade och eftertänksamma, försökte skapa en kommunikation, ett förtroende. Tvinga fram fler detaljer genom att fråga samma saker om och om igen. Snäll snut, elak snut – verkade tillhöra gamla tider. Båda två osade tillit, omtanke. Men Niklas fattade. De var hala.

Efter tio minuters kaffesörplande och kallprat kom första riktiga frågan. ”Det är väl ingen fara att berätta om hur din uppväxt var? Din mamma har ju gjort det.”

”Ingen kommentar.”

”Varför har du ingen kommentar, kom igen nu.”

Ronander skrattade till.

”Jag har ingen kommentar.”

”Nämen Niklas, var lite hygglig nu. Vi sitter ju bara här och pratar. Kommer du ihåg mycket från din barndom?”

Tystnad.

”Tyckte du om sport?”

Tystnad.

”Brukade du leka utomhus?”

Tystnad.

”Läste du böcker?”

Ännu mera tystnad.

”Niklas, jag förstår att det här kan vara jobbigt att snacka om. Men det kan vara värt det, för din egen skull.”

”Ingen kommentar, sa jag ju.”

”Din mamma jobbade som kassörska då, va?”

Niklas drog ett streck med fingret i smulorna på bordet.

”Det är privat.”

”Men varför är det privat? Hon har ju själv berättat det. Då kan det väl inte vara privat.”

Tystnad.

”Stämmer det att hon jobbade som kassörska?” Hans ögon tittade snabbt åt höger, mot Ingrid Johansson. Niklas svarade inte.

Så där höll det på. Upprepning, snällt ifrågasättande, upprepning. Advokaten kunde inte göra mycket, de var i sin fulla rätt att ställa frågor. Två timmar passerade. Mer upprepning. Tid i onödan. Hans barndom var egentligen ett viktigt ämne, det gav han dem. Men de fattade inte *hur* viktigt. De fattade inte vad man borde göra för att stoppa såna som Claes Rantzell.

Han var inte skyldig till detta.

Bara två dagar kvar till nyårsafton. Niklas tänkte på Mahmud och förberedelserna. Undrade om en haij som han skulle ha fixat sina grejer: vapnen, fotsoldaterna, bultsaxen. Själv hade Niklas fixat allt dagarna före gripandet. Men nu: tiden rann. Han hoppades araben satt på grejerna tills ett senare tillfälle.

Han försökte träna inne i cellen. Armhävningar, sit-ups, tricepsövningar, rygg, ben, axlar. Han funderade, strukturerade, planerade. Det måste finnas en lösning. En väg ut. På nätterna fick han andra, svarta tankar. Den prostituerade kvinnans ansikte. Bilder av hur de förgrep sig, misshandlade, våldtog henne. Snuttar av hennes utsatthet, gråtande i en säng, bönande efter hjälp. Var fanns hjälpen? Var fanns friheten? Och andra bilder: Nina Glavmo Svensén i villaidyllen. Barnet på axeln. Villans stängda dörrar. Han visste inte om han drömde eller fantiserade.

Det var snart dags för häktningsförhandling igen. De hade redan kört två, utan framgång. Advokat Burtig förklarat: ”Först fick de inte hålla dig mer än fyra dagar utan att domstolen fattade beslut om att häkta dig. Sen måste de hålla häktningsförhandling varannan vecka för att du ska tvingas fortsätta sitta så här. Men jag tror vi har ett ganska bra case faktiskt. Du har ju alibi. Det finns inga vittnen. Ingen teknisk bevisning än så länge, de har inte hittat något på dig genom SKL. Frågan är bara vad din mamma egentligen säger. Och vad de egentligen hittat i din dator om de där andra gubbarna.”

Niklas visste för länge sen vad han skulle svara: ”Jag vill ha en förhandling. Så snart som möjligt.”

Advokaten antecknade.

Niklas hade en plan.

***

RIKSPOLISSTYRELSEN
Rikskriminalpolisens Palmegrupp

Datum: 29 december APAL - 2478/07

Promemoria

(Sekretess enligt 9 kap. 12 § sekretesslagen)

Avseende mord på Claes Rantzell (tidigare namn Claes Cederholm, Reg. nr 24.555)

Utredningen avseende mordet på Claes Rantzell
Förundersökningen avseende mordet på Claes Rantzell (tidigare namn Claes Cederholm) leds av kriminalkommissarie Stig H Ronander vid Söderortspolisen. Ronander rapporterar personligen till Palmegruppen.

Fredrik Särholm, av Palmegruppen den 12 september särskild förordnad utredare, har sammanställt en rapport avseende Rantzell (se Bilaga 1).

I tidigare promemoria av den 28 oktober (APAL 2459-07) har Palmegruppen redogjort för framstegen i utredningen avseende mordet på Rantzell.

I denna promemoria redogörs för vissa nytillkomna omständigheter, sammanfattningsvis följande:

1. En Niklas Brogren har häktats såsom skäligen misstänkt för mordet på Rantzell (se vidare i häktningspromemorian, Bilaga 2). Niklas Brogren är son till Marie Brogren som under slutet av åt-

tiotalet och början av nittiotalet periodvis var sambo och periodvis särbo med Rantzell. Hon har uppgett att hon under denna period vid ett flertal tillfällen misshandlades av Rantzell. Även ett flertal personer med kontakt med Marie Brogren har uppgett att Rantzell misshandlade henne under denna tid (se vidare förhörsprotokoll, Bilagorna 3-6). Motiv för att beröva Rantzell livet tycks sålunda ha funnits.

2. Vid husrannsakan hos Niklas Brogren påträffades även en dator, anteckningsböcker, viss utrustning för övervakning och avlyssning samt ett antal knivvapen, mm. Datorns hårddisk har undersökts av polisens it-enhet. Den innehåller uppgifter som tyder på att Niklas Brogren kan vara inblandad i morden på två män i Stockholm den 4 respektive 24 november i år. En förundersökning har påbörjats (se vidare brottsanmälningar, mm, Bilaga 7).
3. Inom ramen för den ordinarie förundersökningen har uppgifter inhämtats från en John Ballénius, 521203-0135, som uppges ha varit nära vän med Rantzell. John Ballénius är känd hos polisen som målvakt i ett antal bolag misstänkta för ekonomisk brottslighet. Under åttio- och nittiotalet umgicks han frekvent med Rantzell. Enligt uppgift ville han inte låta sig förhöras inom ramen för förundersökningen. Viss misstanke kan därför riktas mot Ballénius, antingen för inblandning i mordet eller för viss kännedom om relevanta uppgifter (se förhör, Bilaga 8).
4. Rantzells lägenhet har undersökts av polisens tekniker (Lokus), varvid provtagningar skickats till SKL. Av SKL:s dna-tester kan bl a följande slutsatser noteras. Lägenheten har besökts av personer som inte är Rantzell eller nära släktingar till Rantzell. Det finns spår av dna från

minst tre sådana personer. Det går inte att utesluta att personerna varit i lägenheten under tiden *efter* mordet på Rantzell (se vidare SKL:s utlåtande, Bilaga 9).

5. Polisens tekniker misstänker vidare att någon främmande person som inte är Rantzell har tillgripit föremål från ett källarförråd som med stor sannolikhet har använts av Rantzell. De tillgripna föremålen utgörs sannolikt av plastkassar med okänt innehåll.

Föreslagna åtgärder

Mot bakgrund av ovan föreslås följande åtgärder:

1. Palmegruppen bereds möjlighet att närvara vid förhör med Niklas Brogren.
2. Palmegruppen förordnar Fredrik Särholm att utreda samtliga misstankar mot Niklas Brogren parallellt med polismyndighetens ordinarie förundersökning.
3. Palmegruppen bereds möjlighet att tilldela resurser för sökandet efter John Ballénius.

Vi förordar att beslut fattas i dessa frågor vid sammanträde den 30 december i år.

Stockholm som ovan
Kriminalkommissarie Lars Stenås

57

De satt hemma hos Thomas på nedervåningen. Hade Åsa varit där skulle hon suttit däruppe och kollat på teve. Thomas tyckte det kändes som hon innerst inne förstått honom. Det värmde. Men rädslan för dem han sökte kylde mer.

I ett av fönstren hängde en julstjärna. Även om Åsa pyntat mer än vanligt i år hade de inte plockat in någon gran eller adventsljusstake. Men när Sander kom skulle de fan i mig julpynta så mycket att till och med huset i *Ett Päron till farsa* verkade ojuligt i jämförelse.

Hägerström satt i en fåtölj som Thomas ärvt av sin pappa. Ramen var i körsbärsträ. Röd sliten sittdyna och ryggkudde. Den var kanske inte världens snyggaste, men den betydde mycket. Luktade man noga på den – farsans cigarillukt satt fortfarande i. Thomas tänkte: Jag borde klä om den. Någon dag.

På soffbordet och golvet: papper, handlingar, dokument utspridda. De hade gjort en viss utrensning enligt sitt poängsystem. För en utomstående betraktare skulle det sett ut som kaos. För snutduon var det kronologi, ordning, struktur.

Uppdraget: att vaska fram information som kunde leda dem till Ballénius. De hade varit naiva, trott att bara de drog till Solvalla skulle John Ballénius sitta och vänta precis som förra gången. Men gubben var inte dum: fattade att något var på gång. Han visste att Rantzell var död.

Wisam Jibril-spåret pekade uppenbarligen mot kriminalitet. Men de lyckades inte lägga pusslet, såg inte hur den grejen passade in. Jibril varit rånarkung, yrkeskriminell, men inget tydde på att han haft någon som helst personlig kontakt med Rantzell. Vad gällde Adamssons död så betydde den säkert något, men det kunde också vara slump. Hägerström hade hört sig för. Thomas snackat runt. Ingen trodde att gamlingen bragts om livet genom brott. Allt pekade på att bilolyckan varit så normal som en bilolycka kan bli. Kvar fanns några medlemmar ur troppen. Kvar fanns alla papper, bolag, målvakter, transaktioner och mer eller mindre märkliga verksamheter. Kvar fanns Ballénius som visste något. Och kvar fanns Bolinders fest som juggarna skulle anordna på nyårsafton. Thomas hade inte berättat det för Hägerström än.

Thomas fått reda på lite mer information av Jasmine om festerna hos Bolinder. De gjorde inga hemligheter inför Thomas vad de sysslade med – men det här, att de skulle köra ett event hos Bolinder just nu var inte bara galet. Det var sinnessjukt. Han måste berätta det, Hägerström kanske skulle komma på något. Ändå kände han motvilja. Han ville inte skylta med sitt extrajobb. Även om Hägerström var smart – han hade redan fattat att Thomas sysslade med något halvskumt – så visste han inte hur grovt det var. Det kunde vänta ett tag.

Hägerström hade haft med sig en chokladkaka som han lagt på bordet. Han knäckte bitarna genom stanniolen. ”Mörk choklad är ändå förbannat gott. Och nyttigt säger de.” Han flinade, chokladen låg som en brun hinna över tänderna.

Thomas garvade. ”Jag tänker inte säga vad det ser ut som du äter.” Han reste på sig. Gick till köket. Hämtade två öl. Räckte över en till Hägerström. ”Här, ta något manligt istället.”

De fortsatte gå igenom pappershögarna. Bolag för bolag. År för år. Det hela gick så mycket bättre när Hägerström var med. De hade kollat upp adresser där Ballénius varit skriven. Under årens lopp sammanlagt fjorton stycken olika gator och postboxar. Andra personer i bolagen: för det mesta satt han ensam i styrelsen, ibland satt han som suppleant. Ofta med Claes Rantzell. Ibland med någon som hette Lars Ove Nilsson. Ibland med någon som hette Eva-Lena Holmstrand. I äldre handlingar satt han ofta i styrelser tillsammans med några andra gubbar som Thomas kollat upp – de hade alla avlidit. Han beställde ut belastningsregisterutdrag: några domar för förmögenhetsbrott och många för rattfylleri. Typiska alkoholistmålvakter.

Lars Ove Nilsson och Eva-Lena Holmstrand var inte omöjliga att få tag på. Hägerström snackat med mannen. Thomas förhört kvinnan. De visste ingenting. Den ene levde som förtidspensionär och den andra på socialbidrag. Båda var under skuldsanering. De kände igen namnen sa de – både Claes Rantzell och John Ballénius – men påstod att de aldrig träffats. Att de gått med på att stå på bolagen för några tusenlappar. Kanske ljög de, kanske var det sanningen. Thomas hade ändå pressat rätt hårt. Kvinnan gråtit som ett barn. Hägerström kört likadant – om de visste något skulle det kommit ut.

Vidare: de kollade revisorerna i några av bolagen. Hägerström snackat med dem. I vissa fall kört regelrätta förhör. Eller så nära regelrätt det nu gick att komma med en utredning som kördes helt utanför reglerna. Huvudsaken: han skrämde upp dem tillräckligt. De ville inte vara inblandande i olagligheter, skyllde allt på bokföringsfolket. Och bokföringsfolket – det var en och samma redovisningsbyrå för alla bolagen – hade gått i konkurs. De två ägarna, som också var de enda anställda, bodde i Spanien. Kanske skulle Thomas och Hägerström kunna få tag på dem – i framtiden.

Mer: Lägenheten på Tegnérgatan var utflyttad. Ballénius höll sig verkligen undan. Thomas fick tag på två gamla bekanta till Ballénius och Rantzell från senaste tid. De sa att de inte hade någon aning. De ljög säkert också – men ingen verkade heller ha någon jättekoll på Rantzells sista månader i livet.

Dagen efter fiaskot på Solvalla åkte Thomas och Hägerström ut till Ballénius dotter, Kristina Swegfors-Ballénius, i Huddinge. Hon var yngre än Thomas tänkt sig när de talat på telefon. Kicki fattade direkt att de var snutar. Thomas tänkte: Hur kom det sig att folk alltid såg?

”Var det du som ringde mig i somras?” sa hon innan de ens presenterat sig.

De pressade henne som galningar – kollade upp henne minutiöst. Hon jobbade svart som servitris på en krog i stan. Ändå reagerade hon som de två gamla målvakterna. Thomas sa som det var: ”Vi kommer se till att du förlorar jobbet och blir anmäld till skattmasen om du inte berättar hur jag får tag på din pappa.” Men hon höll fast vid samma utsaga hela tiden: ”Jag vet inte var han är, det var länge sen jag hörde av honom.”

De gav henne en dag att återkomma med instruktioner på hur de skulle hitta honom.

De kunde kolla upp platser där bolagen haft verksamhet. Se om det fanns personer där som kände Ballénius. De borde tala med bankerna, se om något speciellt kontor brukade göra utbetalningar till honom. Kanske undersöka kunder – kolla om några någon gång träffat den som påstods ha drivit de företag de handlat med. Det fanns mycket kvar att göra och det skulle ta tid. Thomas kunde inte släppa tanken: På nyårsafton skulle Bolindergubben ha fest som Ratko och de andra juggarna var med och ordnade. Han måste kunna utnyttja det. Det måste finnas något sätt.

Hägerström klunkade öl och knaprade choklad. Kläckte torra skämt som Thomas flinade åt. Även om snubben var en quisling var han rätt kul. Skärpt, en utredare av rang. Han satt böjd över en hög med papper när han tittade upp.

”Jag tror inte Kicki kommer återkomma.”

”Varför?” frågade Thomas.

”Jag såg det på henne bara. Min osvikliga instinkt.”

”Vadå osviklig instinkt? Sånt har väl inga snutar.”

”Du kanske har rätt. Men jag lät en kollega köra en liten fuling på Kicki Swegfors-Ballénius mobil. Vi har avlyssnat den sen vi var där igår. Hon ringde till honom.”

”Skojar du? Då har vi ju ett nummer.”

”Vi har ett nummer, men han dödade det direkt efter samtalet. Det existerar inte längre. Och hon sa till honom att någon letade efter honom och att han inte skulle ringa henne på ett tag. Hon skyddar honom.”

Thomas kände sig förbannad, samtidigt förbryllad – varför hade inte Hägerström berättat det här tidigare? Han sa: ”Det är ju för jävligt. Vilken fitta.”

”Så kan man kanske uttrycka det. Kort sagt, jag tror inte Kickispåret ger någon framgång. Det var därför jag inte sa något först. Men jag har ett annat uppslag.”

Thomas lutade sig framåt i soffan.

”Jag har kollat adresserna som Ballénius har haft. Det finns ett mönster när det gäller boxadresserna. I alla bolag som fortfarande är vid liv använder han eller har nyligen använt en postbox i Hallunda.”

”Och.”

”Det betyder att den adressen troligen är verksam. Det vill säga, att han fortfarande använder den för att hämta post.”

”Vi åker dit nu.”

En timme senare kom de fram till Hallunda centrum. Thomas hade kört försiktigt. Han tänkte på kaoset i stan: ett jättesnöoväder drog över Stockholm som en förvarning om att medborgarna behövde skyddas inför en katastrof. Snart skulle ett nytt år sätta igång – faktiskt med ordentlig vit snö för en gångs skull. Utan att hinna skitas ner till den färg som snö annars mest hade i Stockholm. Gråbrun – full av grus, smuts och invånarnas smälta förhoppningar.

Välkommen till Hallunda centrum. De hade hittat på en egen logotyp för köpcentrumet som fanns på alla skyltar: H:t i röd färg med en prick efter. Thomas tänkte på hur det varit när han växte upp – tidigt åttiotal, före köpcentrumtiden – han och polarna brukade åka in till Södermalm och vandra hela vägen till Sergels torg genom att kryssa mellan småbutiker. Skivor, kläder, stereoapparater, serie- och porrtidningar. Kanske såg han ett samband: det var tiden före köpcentrumen och innan dräggen från förorterna tog över stan.

Postboxföretaget hade inga fönster ut i själva köpcentrumet. Istället gick de in i en anonym glasdörr, letade upp företaget på en namntavla, tog en hiss upp, ovanför alla butiker. Postboxhallen stod det i samma röda färg som bokstäverna på Hallunda centrums skyltar. Undertexten var: Behöver du en postbox? Är du ny i stan och lyckas inte få tag på en fast bostad? Vilket bullshit – alla visste vilka som använde postboxar på det här sättet.

En dörr. En ringklocka. En övervakningskamera.

Thomas ringde på.

”Postboxhallen, hur kan vi hjälpa dig?”

”Hej, det här är från polisen, kan vi komma in.”

Rösten på andra sidan tystnade. Högtalaren sprakade som om den försökte prata av sig själv. Det gick för många sekunder. Sen klickade det i dörrlåset. Thomas och Hägerström klev in.

Lokalen: högst tjugo kvadratmeter – metallfärgade postboxar

med Assa Abloy-nyckelhål klädde väggarna i två olika storlekar. Längs ena kortsidan: en liten inbyggd disk med plexiglas över. Bakom disken stod en överviktig snubbe med fjunig mustasch.

Thomas klev fram, höll upp polisbrickan. Snubben såg vettskrämd ut. Antagligen försökte han febrilt komma ihåg vilka instruktioner han fått om en snut skulle hälsa på.

”Har du lust att komma ut därifrån?”

Snubben på bruten svenska: ”Måste jag?”

”Du måste inte, men då får vi väl dra ut dig.” Thomas försökte le – men kände på sig att det inte blev något snällt smajl.

Killen försvann några sekunder. En dörr öppnades bredvid disken.

”Vad vill ni?”

”Vi vill att du kontaktar en av dina kunder och säger att han måste komma hit.”

Snubben funderade. ”Är det här en husrannsakan?”

”Det kan du ge dig fan på att det är, grabben. Vi är i vår fulla rätt att få del av uppgifter om era kunder. Det vet du. Och om du inte vet det så ser jag till att varenda box härinne bryts upp på din bekostnad, du får ansvar för det. Bara så du vet.”

Postboxkillen började plocka i en pärm, bland kundkontrakten. Efter några minuter: killen hittade Ballénius avtal.

”Vad ska ni göra nu då?”

Thomas började bli otålig. ”Ring upp honom och säg att han fått ett paket som är för stort för att ta emot och att han måste hämta upp det idag, annars skickar du tillbaka det.”

”Va sa du?”

”Skärp dig. Antingen gör du som jag just sa, eller så gör vi livet riktigt jävla surt för dig.” Thomas gick demonstrativt in bakom disken. Plockade fram pärmar. Började bläddra. Han hittade Ballénius kontrakt. Faktiskt: där fanns ett telefonnummer han inte kände igen.

Hägerström iakttog situationen. Postboxkillen såg frågande ut.

Thomas tittade på honom. ”Vill du nåt, eller?”

Postboxkillen sa inget.

Thomas klev ut från utrymmet bakom disken.”Du kanske inte riktigt förstod vad jag nyss sa till dig.” Han gick fram till en postbox. Plockade i sin jackficka. Tog upp den elektriska dyrken. Började jobba på låset.

Killen såg vettskrämd ut. ”Så där kan du inte göra, shit alltså.”

Thomas svarade: ”Ring John Ballénius nu och säg att han har fått ett jättepaket. Typ stort som en cykel eller något. Ring bara.”

Postboxsnubben skakade på huvudet. Tog ändå upp telefonen. Slog siffrorna. Pressade luren mellan hakan och axeln.

Thomas kunde höra sin egen andning.

Efter femton sekunder.

”Hej, det här är Lahko Karavesan från Postboxhallen i Hallunda.”

Thomas försökte höra rösten på andra sidan killens telefon. Det gick inte.

”Vi har ett paket här som är alldeles för stort för att ha här.”

Något sades på andra sidan.

”Det är stort som en cykel men jag vet inte vad det är. Tyvärr är det så att om du inte hämtar idag måste vi skicka tillbaka paketet.”

Tystnad.

Thomas såg på postboxkillen. Killen såg på Hägerström. Hägerström såg på Thomas.

Killen la ner luren. ”Han kommer hit, snart.”

Helvete, vilket flyt.

Signalklockan i postboxkontoret ringde. Under tiden de väntat hade fyra kunder passerat Postboxhallen. Diskret hejat på den stackars killen som jobbade där, växlat några ord, tömt sina boxar. Fortsatt köra sina anonyma företag, målvaktsupplägg, porrgömmor dolda för sina fruar.

Postboxkillen signalerade. Trodde att det var Ballénius utanför den här gången.

Det klickade i dörren. En man kom in. Samma sorgsna, gråa ansikte. Samma tunna hår. Samma smala, rangliga kropp. Ballénius.

Gubben hann inte reagera. Hägerström stod placerad bredvid dörren och klev upp bakom honom. Thomas framför, gick upp nära. Ballénius verkade inte ens överraskad, han såg uppgiven ut.

Hägerström satte på handfängseln.

Ballénius spjärnade inte emot. Sa ingenting. Bara tittade på Thomas med trötta ögon. De ledde ut honom. Postboxkillen pustade, som om han hållit andan hela tiden Thomas och Hägerström varit där.

Hägerström satte sig i framsätet. Thomas där bak, bredvid John Ballénius. Utanför snöade det så mycket att Thomas inte ens kunde se Hallunda centrum-skylten längre. Varmluften sprutade ur bilens luftkonditionering.

Ballénius satt med händerna i knäet, handklovarna inte alltför hårt åtspända. Väntade på att de skulle köra honom till förhöret.

Hägerström vände sig om. ”Vi kommer hålla förhöret här, bara så att du vet.”

Ballénius frågade: ”Varför?” Snubben varit med förr – visste: formenliga förhör hålls aldrig i bil.

Thomas svarade: ”För vi har inte tid att tjafsa, John.”

Ballénius stönade. Utandningsluften skapade ångmoln – ännu inte full värme i bilen.

”Du kan ju det här. Du är gammal i gården, John. Vi kan hålla på och larva oss och spela trevliga. Garva åt dina skämt för att vara schyssta. Jamsa med dig, locka dig till att snacka.”

Konstpaus.

”Eller så kör vi raka puckar. Det här är ingen vanlig utredning. Det vet du också. Det är för fan Palmemordet.”

Ballénius nickade.

”Du har hållit dig undan. Du vet något och du vet att någon vill veta det du vet. Hägerström här och jag är några av dem som vill veta. Men det finns andra också. Fattar du?”

Ballénius fortsatte nicka.

”Jag förstår att du inte vill prata. Du kan råka illa ut. Men låt mig säga så här: du har säkert läst i tidningen att de har häktat en man för mordet på Rantzell. Men vet du vem det är? Det skriver de inte i media. Han är son till Marie Brogren.”

Thomas försökte se om Ballénius reagerade på nyheten. Gubben slog ner blicken. Kanske, kanske en reaktion.

Thomas förklarade kort om misstankarna mot Niklas Brogren. Hägerström satt med blicken fixerad vid Ballénius. Fem minuter gick.

”Du förstår vad det här betyder. Niklas Brogren kommer troligen fällas för mordet på Claes. Men det är inte han som gjort det, eller hur? Niklas Brogren är oskyldig. Och de som egentligen ligger bakom det här, och som låg bakom Palme, kommer gå fria. Men du kan ändra på det, John. Det är ditt livs chans. Och det beror på att Hägerström och jag inte ingår i någon verklig förundersökning. Vi kör det här privat, vid sidan om. Så allt du berättar stannar mellan oss och blir aldrig offentligt. Aldrig.”

Ballénius tittade ner igen. Kompakt tystnad i bilen. Det var varmt nu. För varmt. Thomas satt fortfarande med jackan på. Såg sin spegelbild i rutan mittemot. Han kände sig trött. Det här måste få ett slut nu.

Hägerström bröt tystnaden.

”John, vi är i skiten lika mycket som du. Fråga vilken snut som helst. Andrén här har blivit omplacerad på grund av sin undersökning och jag är bortkopplad. Vi är inte önskvärda längre, vi är utanför systemet. Och vi håller på med det här vid sidan om. Kommer det ut är vi slut som poliser. Förstår du vad jag säger? Du kan få ringa någon poliskontakt du har och fråga.”

”Det behövs inte”, sa Ballénius. ”Jag har redan hört om er.”

En åder pulserande på Ballénius hals. ”Jag kan snacka, på två villkor.”

”Vad?”

”Att ni släpper mig direkt efteråt och inte lämnar information till någon annan om hur ni fått tag på mig eller vad ni vet om mig.”

Thomas tittade på Hägerström. Sen sa han: ”Det är okej, givet att det är nyttig information du lämnar.”

”Det räcker inte. Om det är som ni säger så har ni egentligen ingen rätt att sitta här och förhöra mig. Jag vill ha något på er som säkerhet. Jag vill ta ett kort på oss tillsammans med min mobil. Blir det strul kommer jag lämna in det till lämplig snutkommissarie som sen kan dra sina egna slutsatser om er.”

En farlig kohandel. Jättechansning. Megarisktagande. Thomas kände hur Hägerström sneglade på honom igen. Beslutet låg i hans hand. Han var mest personligen drabbad av den här grejen. Han brann mest. Drev på hårdast.

Thomas sa: ”Okej, vi köper det. Du pratar, du fotar, sen får du gå.”

Thomas stängde av varmluften. Tystnaden hördes som ett skrik i bilen.

Gubben öppnade munnen som för att säga någonting. Sen stängde han den igen.

Thomas stirrade.

Ballénius lutade sig bakåt. ”Okej. Jag ska ge er vad jag vet.”

Thomas kände hur han spände sig.

”Jag och Claes var inte nära varandra längre. På åttio- och nittiotalen umgicks vi en hel del. Speciellt i mitten och slutet av åttiotalet, ni vet, det var ett jävla liv på Oxen och alla jäkla bolagen vi satt i. Vi tjänade rätt mycket smet tillsammans. Men varken jag eller Classe har någonsin kunnat hålla i pengar. Fråga min dotter, henne har ni ju koll på har jag förstått. Claes pengar gick mest till sprit och mina kan ni ju gissa vad de gick till. Jag har alltid älskat hästar.”

John Ballénius fortsatte beskriva sitt och Claes Rantzells liv för tjugo år sen. Haschfester, spelvinster, målvaktsuppdrag, alkoholproblem, bråk och tjafs. Tidiga företagsupplägg i början av nittiotalet, innan polisen fattat bluffbolagens omfattning. Namn flög förbi, Thomas kände igen en del från de äldre snutarnas storys om gamla tider. Platser nämndes, lägenhetsbordeller, svartklubbar, knarkgömmor. Det var en genomgång av dåtidens drägg.

”Jag träffade inte Classe mer än någon gång per år de senaste åren. Han var sliten, jag var sliten. Vi orkade liksom inte. Men i våras hörde jag rykten om honom. Tydligen levde han loppan som om han vunnit miljonen på Solvalla. Och sen började han ringa mig. Vi talades vid några gånger, sen sågs vi på en krog på Söder.”

Thomas kunde inte hålla sig. ”Vad sa han?”

”Det är inte ofta jag minns grejer bra, men den där kvällen minns jag tydligt. Han såg ut som en riktig glidare liksom. Nypressad kostym, guldklocka på armen, ny mobiltelefon. Och helvete vad gott humör han var på, beställde in flaska efter flaska för oss att dela på. Jag undrade vad som stod på, då ville han gå undan. Vi satte oss i ett bås. Jag kommer ihåg att Classe kollade sig omkring som om varenda gäst var civilare på span. Det var ju uppenbart att han tjänat lite för mycket smet för att allt skulle vara kritvitt. Men så hade vi jämt levt våra liv. Sen berättade han, fram och tillbaka, hur han funderat, haft ångest, velat, men till slut – *de* hade betalat honom. Efter alla år hade han äntligen vågat ställa krav och då vek de sig. Han var fan i mig överlycklig."

"Vilka var *de*?"

Ballénius tittade på Thomas.

"Det vet ni väl redan?"

58

Niklas hade fortfarande inte hört av sig och det var en dag kvar till nyårsafton – attacken skulle inte bli av. Fuck, vad trist. Mahmud ville inte svika Jorge, bomma den utlovade cashen, låta juggarna vinna. Men utan kommandoshunnen gick ingenting.

Var någonstans var snubben? Mahmud fortsatt, även idag, skickat sms som en galning. Hans lapp under Niklas dörr hade inte gett effekt. Men han tänkte vänta ytterligare några timmar.

På förmiddagen hade de suttit hemma hos honom igen. Grejat med vapnen. Försökte låta blir att snorta eller spliffa. De var ju inte experter direkt – även om de jämt snackade puffror. Koncentrationen behövdes. De satte i och tog ut patronerna ur magasinen. Knäppte på dem på vapnen. Flippade på säkringar, ändrade mellan automat och enkelskottsinställning.

Framförallt: han hade träffat Babak igår. Först ett kort telefonsamtal. Före detta polarn körde fåordiga stilen.

"Vad vill du?"

”Ey, mannen. Kom igen, vi kan väl börja hänga igen?”

”Varför?”

”Kan vi inte ses. Jag lovar att förklara. Walla.”

Babak gick med på förslaget. De sågs på eftermiddagen i Alby centrum. Mahmud tog Mercan dit fast det bara var en kilometer: ville visa Babak – det går bra nu.

Ute snöade det som i värsta Norrland. Stora, fluffiga flingor som blåste omkring. Mahmud mindes första gången han sett snö: sex år gammal på flyktinganläggningen i Västerås. Han hade sprungit ut. Först försiktigt trampat i det tunna snölagret. Sen dragit med handen över uteborden, samlat ihop tillräckligt för att krama en boll. Och till slut, under fnitter – attackerat Jamila. Beshar blev inte sur den gången. Tvärtom, han skrattade. Gjorde själv en boll som han slängde mot Mahmud. Den missade. Mahmud visste redan då, som sexåring, att det var med flit.

Inne på McDonald's, Alby centrum: Babak satt längst in som vanligt. Hade inte ens köpt någon mat – enligt Babak skulle det här inte bli något långt möte. Polarn käkade något ur en grön burk.

Mahmud hälsade.

Babak satt kvar vid bordet. Reste inte på sig. Inget handslag, ingen kram.

”Shit, Babak, det var länge sen alltså.”

Babak nickade. ”Ja, länge sen.” Han plockade upp några gröna kulor ur burken.

Mahmud satte sig ner. ”Vad är det du käkar?”

”Gröna wasabiärtor.” Babak böjde huvudet bakåt. Gapade stort. Släppte wasabiärtorna en och en.

”Wasabi? Som till sushi eller. Har du blivit gay?”

Babak stoppade i sig ett par ärtor till. Sa ingenting.

Mahmud försökte flina. Skämtet fallit som en plumsig sten. Han sa: ”Jag är verkligen ledsen, man.”

Babak fortsatte äta sina snacks.

”Jag har gjort fel. Du hade rätt, habibi. Men om du lyssnar på mig kommer du förstå. Det är stora grejer på gång. Riktigt stora. Ahtaj musaa'ada lau simacht.”

Mahmud sköt undan burken med wasabiärtor. Böjde sig fram. Mahmud började berätta med låg röst. Hur han jobbat mer och mer som horvakt, sen blivit kontaktad av Jorge, att han snackat med sin syrras förra granne som var värsta stridspitten. Han berättade om planeringen, om fotografierna, kartorna, bultsaxen. Och framför allt berättade han om vapnen: två automatkarbiner och en Glock. Grymmaste arsenalen sen värdetransportrånet i Hallunda. Det tog säkert tjugo minuter. Mahmud brukade inte snacka så länge oavbrutet. Senast var nog när han berättade för Babak om hur juggefittorna plockat Wisam Jibril. Den gången kände han ångest. Den här gången kände han stolthet.

"Förstår du? Vi ska storma den där svennefesten. Vi ska nita de där juggarna. Vi ska fan pippa deras lik."

Äntligen. Efter det sista: ett leende på Babaks läppar.

När Mahmud åkte hem från Alby centrum tänkte han på sin dröm förra natten. Han var tillbaka hos mamma. Tillbaka i Bagdad. De satt tillsammans under ett träd. Himlen var blå. Mamma berättade att man visste när våren kommit för då blommade mandelträdet. Hon ställde sig upp, plockade ner en liten rosa blomma. Visade Mahmud. Hon sa något på sin mjuka arabiska som Mahmud inte riktigt förstod. "När själen mår som bäst har den samma färg som mandelträden." Sen såg det ut som blommorna föll från trädet. Mahmud tittade upp. Såg himlen. Såg trädet. Det var inte blommor som föll förstod han. Det var snö.

Han kände sig på gott humör. Homies igen – Babak och han. Polaren diggade vad han fått höra. Tog Mahmud om axlarna – tittade in i hans ögon. De kramades. Som två bröder som återförenas efter flera år. Så var det: Babak var hans bror, hans ach. En pakt som inte fick brytas.

Efter att ha förklarat grejen ställde Mahmud äntligen frågan: ville Babak vara med?

Babak tänkte en stund, sen sa han: "Jag är med. Men inte för cashen. Jag är med för hedern."

Nu fanns bara en grej som verkade sabba allt. Niklas dök inte upp.

59

Cellen låg femton meter över marken, inte en chans. Om Niklas skulle lyckas ta sig ut i en korridor, hade dörrarna i och för sig armerat plexiglas som han kanske skulle kunna ha sönder efter någon minut, men det skulle inte räcka. Även om han tog sig igenom dem behövde han ta hissen för att ta sig ner, och den gick inte längre än till sjätte våningen. Sen var det stopp och slussning genom ett antal nya kamerabevakade dörrar och byte av hiss. Korridorvägen var också körd. Ytterligare alternativ: komma över ett vapen – ta gisslan. Kruxet: häktespersonalen bar endast batong. Poliserna som kom upp för att förhöra lämnade in sina vapen någonstans där nere. Om han bara inte haft de här vidriga restriktionerna – någon, kanske Mahmud eller Benjamin, skulle möjligtvis kunna få med sig ett skjutvapen in. Fast troligen inte: metalldetektorerna sniffade varenda jävel. Andra möjligheter var att skruva isär ventilationstrumman i taket – ta sig ut genom någon form av kryp och has. Men han var inte tillräckligt smal för det. Han kunde försöka få igång rökutveckling – sticka i påhittat brandkaos. Starta upplopp – rymma när häktet befann sig i en kravallfas. Niklas strök alternativen fort från sin inre lista. Det gick inte att rymma från häktet i Kronoberg – inte utan massiva insatser utifrån.

Det fanns ett bättre sätt. Advokat Burtig förklarat häromdagen att de inte fick hålla honom mer än två veckor i taget utan domstolens beslut. Idag var det dags för omhäktningsförhandling i tingsrätten.

Niklas åt frukost tidigt. Han gjorde armhävningar och sit-ups. Det kändes som allt blod försvann från huvudet när han reste på sig. Klockan tio på förmiddagen knackade Markko, en stor häktesvakt, på dörren. Niklas bad att få byta tröja – han var inte jättesvettig men ville känna sig fräsch i rätten.

Markko satte på handbojorna. Ledde honom tillsammans med två andra häktesplitar längs korridoren. Det var inget fel på dem, de gjorde bara sitt jobb. Niklas spanade in informationstavlan på celldörrarna. Allergi: nötter. Ej fläsk. Allergi: fisk. Ej fläsk. Påminde honom om amerikanarnas skumma fängelser nere i sandbunkern.

De kom in i ett litet rum med en metalldetektor. Markko låste upp handklovarna. Niklas gick igenom larmbågarna: de höll tyst. På med bojorna igen. De tog en hiss ner. Det här var en del av huset han inte visste fanns.

Markko förklarade för honom. ”Vi ska till kulverten under Kronobergsparken. Suckarnas gång brukar de kalla den.”

Vakterna låste upp två metalldubbeldörrar. Vägen till tingsrätten i underjorden. Som en bombtunnel utgrävd av al-Sadrs mujaheddin. Det ekade av deras steg. Lysrören gav ett kallt sken, betongen såg ut som sanden där nere efter regn: full av små hål. Markko försökte konversera, vara så schysst det gick. Niklas kunde inte koncentrera sig.

De kom fram till ytterligare två metalldörrar. Han leddes in i tingsrättens bottenplan. Korridorer i granit och förstärkta trädörrar. Ett litet häktesrum. Ett träbord. Två stolar. På andra sidan bordet: advokat Burtig satt och väntade.

”Tjena Niklas, hur mår du?”

”Det är okej. Jag fick åtminstone göra en snöboll igår.”

”Var det snö på rastgården?”

”Jättemycket.”

”Ja, det är nåt slags klimatgrej det här, snöar som aldrig förr. Känner du dig förberedd på vad som kommer hända idag?”

”Jag antar att det är samma sak som förra gången.”

”I princip. Det har kommit fram vissa nya omständigheter. De har ju rotat i din dator.”

”Vad har de hittat?”

”Se här.” Burtig la fram en bunt papper. Niklas bläddrade. Insåg redan på fjärde sidan – ett beslagsprotokoll – att de kapat hans bevakningsfilmer.

Han orkade egentligen inte läsa mer. Var det kört så var det, andra frågor var viktigare nu. Han kunde inte vänta på att bli dömd.

”Är vi i samma sal som förra gången?” Hans fråga kanske uppfattades som konstig.

Burtig rörde inte en min. ”Nej, vi är i sal sex.”

”Var ligger den då?”

”Hur menar du?”

”Äh, jag bara undrade. Jag känner mig lite nervös. Ligger den på samma våning som förra gången?”

”Förra gången var vi i fyran tror jag. Ja, det är samma våning.”

Niklas nickade. Fortsatte bläddra i häktningspromemorian. Snuten hade inte bara hittat filerna med filmerna han sparat. De hade hans nedskrivna information, listor över rutiner, fotografier på misshandlarna, avlyssningsverktyg. De hade nästan allt.

Han ställde några följdfrågor till Burtig. Samtidigt: koncentrationen var någon annanstans.

Målet ropades på en stund senare. Burtig reste på sig. Häktesvakterna kom in. Satte på handbojorna. Ledde honom genom en korridor.

De klev in i rättegångssalen.

Den var stor: höga fönster med långa gardiner, åklagarens bänk, hans och advokatens bänk, vittnesbåset, en upphöjning, skranket. Däruppe satt domaren och en tunn, mörkhårig kille som skulle föra protokollet: notarien. Domaren: samma gubbe som vid förra häktningsförhandlingen, i sextioårsåldern. Koncentrerade blick. Tweedkavaj, ljusblå skjorta, grön slips med ankor på. Kanske var det faktiskt samma slips som förra gången. På bordet stod en dator och en lagbok låg framför domaren.

Niklas vände sig om. Stirrade en kort stund. Bänkarna fyllda av åhörare. Burtig redan förvarnat honom – journalister, juridikstudenter, den nyfikna allmänheten. De kommer trängas utanför för att få en plats. På den bakersta raden såg han sin mamma.

Häktesvakterna placerade ut sig. Markko och en av de andra satte sig bakom Niklas. Den tredje satte sig vid utgången. Bevakade.

Markko låste upp handfängseln och sa till Niklas att sätta sig ner.

På andra sidan: de två åklagarna. Högar med papper, anteckningsblock, pennor och en laptop framför sig. De var också samma som förra gången: en man och en kvinna. Mannen var tydligen chefsåklagare. Burtig förklarat: ”Det måste du förstå, Niklas, att det här är inte vilket mål som helst. Nyckelvittnet i Palmerättegången har bragts om livet – och alla tror att du är mördaren.” Niklas instämde: det var verkligen inte vilket mål som helst.

Domaren harklade sig.

”Då ska Stockholms tingsrätt hålla häktningsförhandling i mål B 14568-08. Vi har den misstänkte, Niklas Brogren närvarande.”

Burtig nickade. Domaren fortsatte.

”Sen har vi hans offentlige försvarare, advokat Jörn Burtig närvarande. Och på åklagarsidan har vi chefsåklagare Christer Patriksson och kammaråklagare Ingela Borlander.”

Åklagarparet svarade ja. Niklas tyckte de verkade anstränga sig för att låta myndiga.

Domaren lutade sig tillbaka. Blickade en kort stund ut över salen. Sen sa han: ”Varsågod åklagaren och framställ yrkandet.”

”Det yrkas att Niklas Brogren ska kvarbli i häkte såsom skäligen misstänkt för mord på Claes Rantzell den tredje juni på Gösta Ekmans väg i Stockholm. Han är även skäligen misstänkt för mord på en Mats Strömberg den fjärde november i år samt därefter en Roger Jonsson. För brotten är inte föreskrivet ett lägre straff än två år. De särskilda häktningsskälen är att det finns risk att Niklas Brogren på fri fot kan försvåra utredningen genom att undanröja bevis, att han kan misstänkas fortsätta sin brottsliga gärning samt undandra sig straff. Vidare yrkas lyckta dörrar för resten av förhandlingen.”

Notarien antecknade som en galning.

Domaren vände sig mot Burtig.

”Och hur är Brogrens syn på saken?”

Burtig vippade sin penna mellan tummen och pekfingret.

”Niklas Brogren bestrider häktningsyrkandet och yrkar att han omedelbart ska försättas på fri fot. Han bestrider skälig misstanke för det påstådda mordet i juni och han bestrider skälig misstanke för det påstådda mordet den fjärde november. Han bestrider även de särskilda häktningsskälen. Däremot finns ingen erinran mot att vi stänger dörrarna."

"Jaha", sa domaren. "Då beslutar tingsrätten om lyckta dörrar och då måste samtliga åhörare lämna salen."

Niklas vände sig inte om. Ljuden av prasslande, tasslande människor hördes bakom honom. Två minuter senare var salen tom på åhörare. Nu kunde det börja.

Christer Patriksson, chefsåklagaren, började läsa upp detaljer kring mordet på Rantzell. Hur han hittats, vad dödsorsaken var, vem han varit. Sen fortsatte han: beskrev Niklas relation till Rantzell. Vad som framkommit om hur Rantzell behandlat Marie. Slutligen, uppgifterna ur förhöret med henne – där hon påstod att Niklas alibi inte höll. Vad fan sa hon så för? Niklas fattade inte. Poliserna måste ha fintat henne.

Han väntade. Tänkte på Claes. De där kvällarna nere i källaren. Med hockeyspelet, med mammas gamla kläder och resväskor. De där kvällarna när Rantzell slagit. Förtryckt. Förnedrat.

Advokaten började prata. Malde på om Niklas förehavanden den aktuella kvällen, videofilmen de sett hos Benjamin Berg, pizzorna de köpt på den lokala pizzerian. Burtig argumenterade, attackerade åklagarens påstådda bevis. Hela tiden flippade han på sin kulspetspenna i metall. Snart skulle de ställa frågor till honom. Niklas lyssnade inte.

Han andades in genom näsan. Ut genom munnen. Långsamt. Syresatte sig. Fokuserade på Burtigs penna.

Tanto Dori-känsla. Pennan. Som om han höll den i sin egen hand.

Vägde den.

Andades.

Slappnade av.

Andades.

Han ställde sig upp. Slet pennan från Burtig.

Sprang mot skranket. Domaren ställde sig upp. Ropade något. En häktesvakt greppade efter Niklas. Missade. Rusade efter.

Niklas hoppade upp på upphöjningen. Notarien såg vettskrämd

ut. Domaren backade. Häktesvakten tog tag i Niklas. Det var väntat.

Han andades snabbt. Pennan i handen. Häktesvakterna var inte onda – men Niklas uppdrag var viktigare.

Han snärtade i en perfekt rak rörelse. Ut och tillbaka.

Häktesvakten med pennan kvar i buken som en pil. Insåg vad som hänt. Började vråla. Backade.

Niklas lyfte upp domarens stol. Slängde den mot fönstren. Ljudet av när rutan krossades påminde om Claes flaskor som han brukade slänga direkt ner i sopnedkastet på Gösta Ekmans väg.

Niklas tog upp lagboken. Slog den mot de vassa glaskanterna som fortfarande stack ut. De rasslade. Skulle ge honom färre skador. Han klev upp i fönsterkarmen. Markko sprang mot honom, skrek något. Niklas ville egentligen inte skada honom. Men det här var krig. Han sparkade. Såg Markko falla baklänges.

Det var över nu.

Han hoppade ut genom fönstret. Inte mer än tre meter. Lätt fall i den djupa snön.

Pulsade framåt.

Andningen ångade.

Upp på promenadvägen. Han flåsade. Kände kylan mot fötterna. Han hade bara strumpor. Häktestofflorna satt kvar i snön.

Han fokuserade. Visste vart han skulle.

Mot tunnelbanestationen.

Kylan i andningen.

Inriktning på målet.

På stegen.

Han såg tunnelbanenedgången. Än så länge hade inga poliser dykt upp.

Imorgon var nyårsafton.

60

Snön fortsatte falla. Nederbörden låg som decimeterhög bomull på fönsterblecken. Växthuseffekten kunde gå och lägga sig, ryktet om vinterns död var kraftigt överdrivet.

De satt hemma hos Thomas igen. Handlingarna i högar överallt. Letade. Sökte efter tecken, spår, uppgifter om det Ballénius berättat – utbetalningar till Rantzell. De jobbade febrilt. Förundersökningsmässigt. Inga misstag fick slinka igenom. Tiden rann ifrån dem – de hade fått tag på Ballénius men gubben kunde tjalla, den som överfallit Thomas i garaget kunde förstå att de var något på spåren, Palmegruppen kunde få nys om deras egen lilla parallellutredning. Och ikväll skulle festen hållas hos Bolinder. Thomas hade fortfarande inte berättat något för Hägerström. Egentligen: om det inte fanns skäl att åka till den där festen fanns inte heller skäl att berätta något för honom. Och än så länge såg Thomas inget att vinna med att åka dit.

Timmarna gick. Thomas skulle åka med Åsa till deras vänners nyårsfest senast klockan sex. Egentligen skulle han vilja jobba vidare med Hägerström natten ut, men någon måtta fick det vara.

De radade upp alla papper på golvet som de gett högsta misstankepoäng och som hade med ekonomi att göra. Antalet krympt men det var fortfarande över femhundra dokument. De kröp omkring som två ettåringar. Kruxet: hur skulle de veta vad som egentligen var skumt? Det fanns verifikationer för utbetalningar till leverantörer och inbetalningar från kunder, bankkontoutdrag med överföringar från företagskonton till sparkonton och aktiedepåer, fakturor, offerter, deklarationer, balansräkningar, reskontror. De letade efter höga belopp. Helst under våren. Hägerström bestämde en gräns: över hundra tusen och det var intressant. De kollade efter uttag i kontanter och belopp som gick till främmande konton.

Klockan blev fyra. De granskade ett trettiotal betalningar närmare. Några rörde över tre miljoner kronor som utbetalats från Revdraget i Upplands Väsby AB till ett personkonto hos Nordea. Men personkontots nummer stämde inte med Rantzell. Ändå – beloppen gått direkt ut från bolaget till någon privatperson. Det kunde vara lön, men ingenstans i redovisningen framgick att det skulle vara så.

Många belopp stod bara upptagna som uttag. Fyra olika bolags kontoutdrag – till exempel i Roaming GI AB, en miljon kronor. Inga kvitton, verifikationer eller andra handlingar visade vad beloppet avsåg. Misstänkt. Men det var inget som direkt pekade på att utbetalningarna skulle ha skett till Rantzell. Och inget band utbetalningarna till någon annan person heller. Det var ju Rantzell tillsammans med andra målvakter som formellt styrt bolagen.

Ännu mer information: belopp som betalades till bankgironummer utan att mottagaren angavs, belopp som betalades ut som återbetalningar på lån utan handlingar som styrkte att något lån fanns, utdelningar till okända aktieägare utan beslut i bolagsstämmoprotokoll. Det fanns mycket konstigt. Hägerström såg sånt som Thomas inte förstod ens efter att han fått Hägerströms förklaring.

Tiden rann ifrån dem. Borde han berätta om Bolinders fest? Kanske Hägerström tyckte det fanns skäl att ta sig dit som han själv inte insåg. Men nej, det var för jobbigt. De skulle få fortsätta imorgon istället. Åsa skulle inte bli glad – men så fick det bli.

Thomas gick iväg till köket för att sätta på kaffe. När han kom tillbaka hade Hägerström satt sig i soffan igen. Tittade med tom blick.

”Läget H, börjar du bli trött? Jag har kaffe här.”

”Du ska väl åka om en halvtimme.”

”Japp. Och du, blir det Half Way Inn för dig ikväll igen?”

”Inte omöjligt faktiskt.”

Thomas tittade på honom. Knäppt egentligen – klockan var halv sex på nyårsafton och de hade inte ens pratat förrän nu om hur Hägerström skulle spendera kvällen.

Hägerström log. Långsamt – mungiporna gled upp som på en seriefigur. Han satt kvar så några sekunder.

”Vad är det?”

”Jag hittade just en mycket underlig utbetalning.”

Thomas tittade på rappret Hägerström höll i handen. ”Vadå? Var?”

Hägerström satt lugnt kvar. ”Det är en betalning från ett utländskt konto till Dolphin Leasing AB på över två miljoner kronor som gjordes i april i år. Och det är väl inget konstigt med det, men jag kollade IBAN-numret på kontot från vilket betalningen gjorts.”

Thomas avbröt honom: ”Vad är i-ban för något?”

Hägerström talade långsamt, nästan som han ville hålla spänningen uppe. ”Det heter egentligen International Bank Account Number, förkortas IBAN, och det står för internationellt bankkontonummer. Såna nummer används för att identifiera ett bankkonto vid transaktioner mellan olika länder.”

Hägerström fingrade på ett papper han hade i handen. ”Och det första jag la märke till var att IBAN-numret för den här betalningen avsåg ett konto på Isle of Man. Vad vet du om Isle of Man?”

”Inte mycket, det ligger väl utanför England. Är det ett sånt där skatteparadis?”

”Ja och mer än så, det är ett sekretessparadis också. Bolag med konton på Isle of Man vill vanligen dölja något. Det är svårt att efterforska vem de tillhör för banksekretessen är total.”

”Typiskt misstänkt.”

Hägerström fortsatte le. ”Kan man lugnt säga. Men än så länge knappast något som är skummare än mycket annat vi sett. Men, Dolphin Leasing har sen betalat en faktura till ett uppgivet svenskt bolag med firma Intelligal AB på exakt samma belopp som utbetalningen från Isle of Man. Kontonumret på den fakturan är ett konto i Skandiabanken. Jag känner igen såna konton. Det är ett konto för en privatperson.”

Han lät det sista ordet hänga i luften.

Thomas hetsade upp sig. Analyserade, följde kedjan i huvudet: stort belopp utbetalat från sekretessbelagt utländskt konto, till bolag i Sverige som betalar en faktura till ett annat bolag vars konto egentligen går till en privatperson.

Thomas stora fråga: ”Vems är kontot i Skandiabanken?”

”Gissa.”

Två timmar senare. Thomas ringde Åsa och bad om ursäkt, han skulle bli jättesen. Han försökte förklara. En grej dykt upp på jobbet som var för viktig. Hon förstod, men förstod ändå inte. Det hördes på hennes röst.

Han och Hägerström sökt igenom så många handlingar de hunnit. Försökt hitta information om vem eller vilket bolag kontot på Isle of Man tillhörde. De hittade ingenting. Det var bara att inse – skiten fanns inte där. De såg utbetalningen, kopplingen till Rantzell. Men det väsentliga saknades – vem som betalat.

”Egentligen borde vi göra husrannsakan hos Bolinder”, sa Hägerström.

Thomas såg frågande ut. ”Vi har väl inga sannolika skäl för att något brott skulle begåtts av honom än?”

”Nej, men en av revisorerna som jag skrämde upp lite sa att Bolinder är ett kontrollfreak. Han sparar tydligen kopior på allt hemma. Och då menade han allt: varenda handling som lämnas ut finns enligt revisorn lagrad i Bolinders privata arkiv. Den där gubben lämnar inget åt slumpen.”

Thomas kände en pirrande känsla i magen. Han visste vad han måste göra.

Redan ikväll.

***

Expressen 30 december

Misstänkt för mord på Palmevittne – rymde från tingsrätten. Förhandlingen i Stockholms tingsrätt fick lov att ställas in. Den sk 29-åringen rymde idag från tingsrätten under spektakulära former genom att hoppa ut genom ett fönster. Nu går polisen ut med en varning till allmänheten.

29-åringen satt redan häktad som skäligen misstänkt för mordet på Claes Rantzell, före detta Cederholm, ett av nyckelvittnena i Palmerättegången mot Christer Pettersson. Det var idag, den 30 december, som 29-åringen skulle till förhandling vid Stockholms tingsrätt. Han har suttit häktad ca fyra veckor och tingsrätten skulle avgöra om han skulle fortsätta vara häktad.

Slapp handbojor

Av någon anledning slapp 29-åringen handfängsel i rättssalen. Förhandlingen hölls på nedersta våningen.

När åhörarna lämnat salen rusade 29-åringen upp och krossade ett fönster i rättssalen. När häktesvakterna försökte hindra mannen, högg han en av vakterna med en stålpenna. Han försvann sedan mot tunnelbanan vid Rådhusets station.

Häktespersonalen försvarar sig med att man alltid låser upp misstänktas handbojor under förhandling och att man inte såg någon anledning att göra en annan bedömning för 29-åringen.

Expressen har försökt nå tingsrätten för en kommentar om varför man valde att hålla förhandlingen på nedre våningen.

Polisen varnar

Länskriminalen går nu ut och varnar allmänheten. 29-åringen är även misstänkt för två andra mord. Enligt polisen är han vapentränad och kan vara mycket farlig.

Ulf Moberg
ulf.moberg@expressen.se

61

Lägenheten kändes överpackad på folk. Fast egentligen bara Mahmud, Robban, Javier, Babak och två polare till Javier. På stereon: Akon med någon monsterhit. På teven: MTV fast utan volym. En skumpaflaska i en ishink, en genomskinlig plastpåse full med weed och Rizzlapapper på bordet.

Mahmud borde känna sig överglad – polarna, musiken, brajjet, champagnen. Stämningen. Nyårsafton skulle bli top of the line.

De skulle ner på stan senare, snorta snortet, röja röjet, plocka brudar – köra pirayaracet rätt ut. Knulla in det nya året så hårt att brudarna inte kunde gå förrän på tjugondedag Knut, eller vad det hette.

Ändå: han hade velat göra stöten mot juggarna och gubbtorskarna. Jorges berättelse triggat igång honom. Niklas planering känts tung, som i riktigt krig. Det skulle blivit en attack, ett massivt gerillaöverfall. En värstingruschning: förorten mot svennegubbarna, på deras hemmaplan – på miljonförortens villkor.

Men Niklas hållit sig borta. Mahmud förbannad. Kommandokillen kunde skita på sig – tönt.

Han gick ut i köket. Hämtade champagneglasen.

Babak smajlade. ”Oh, mannen, det går bra nu. Inte bara ishink, du har skaffat ordentliga glas också ser jag.”

Mahmud korkade upp en flaska. Klockan var bara sju men han tänkte inte vänta med bubblet.

Robert garvade. ”Du verkar göra bra med deg alltså.”

Mahmud nickade. Hällde upp åt grabbarna.

”Jag jobbar dubbelt. Men fan inte länge till.”

”Vadårå? Du dealar, du sköter hororna. Jag tycker det låter som bästa kombon, BigMac & Co liksom.”

”Lägg av stickan. Jag tänker lägga av med hororna. Det är skit. Bara smuts.”

Babak ställde ner sitt glas. Tittade på honom.

”Jag fattar ingenting, habibi. Du får jobba med villiga luder varje dag. Du kan göra vad du vill med dem. Dubbelmacka, trippelmacka, hat-trick.”

”Jag orkar inte höra på det där snacket. Det är så fattigt med fnask.”

Babak skakade på huvudet. Vände sig till Robert istället. Mahmud låtsades som han inte hörde – tänkte på Gabrielle istället, bruden han haft i höstas när det blivit pinsamt. Nu skulle han glömma. Festa. Förhoppningsvis få ligga. Med någon som ville.

Kvällen rullade på. Klockan blev åtta. Babak höll låda. Surrade på om nya koksaffärer, idéer för värdetransportrån, dörrvakter han kände nere på stan, nya superbilen Audi R8 som han provkört före jul.

Robert garvade högre och högre. Bubblet började göra sitt. Javier och hans polare snackade för sig, halva tiden på spanska.

Mahmud hörde ett ljud som inte passade in. Kom inte från musiken. Inte någons mobiltelefon. Inte något utanför fönstret. Han förstod vad det var: det ringde på dörren. Han reste på sig.

Högtalarna pumpade Timbaland i högform.

Babak överröstade låten: "Vem är det som kommer?"

Mahmud ryckte på axlarna. "Jag har ingen aning. Kanske nån av alla de där brudarna du snackar om."

Han kollade genom titthålet. Mörkt i trapphuset. Syntes inte ett skit.

Klockan åtta på nyårsafton – vem dök upp som inte tände i farstun? Han mindes hur Wisam Jibril kommit till farsans lägenhet den där förmiddagen i somras.

Han öppnade dörren.

En snubbe. Fortfarande mörkt. Mahmud försökte se vem det var. Personen var rätt lång, rakat hår.

Han sa: "Jag är tillbaka. Jalla, nu kör vi, Mahmud."

Mahmud kände igen rösten.

"Tjena mannen. Var fan har du varit?"

Niklas klev in i lägenheten. Han såg inte ut som vanligt. Rakad skalle. Tunt skägg. Mörkare ögonbryn än senast de setts.

Mahmud upprepade frågan.

"Var har du varit? Vi skulle ju köra grejen ikväll. Din pajsare."

"Inte den tonen till mig." Niklas lät sur. Sen flinade han. "Hörde du inte vad jag sa? Jag är tillbaka. Vi kör. Nu. Jalla."

En halv timme senare. Stämningen en helt annan än när bubblet stått på borden och stereon jackat upp atmosfären. Allvarlig, lugn, fokuserad. Samtidigt: på gång, taggad, spetsig. Mahmud hade först inte fattat vad Niklas snackat om. Men när han förstått kändes det bra, överbra. De skulle genomföra attacken. Så länge grabbarna var med på det hela – det skulle bli världens grej.

Javiers polare skickades ut. De blev lite lacka men Mahmud

erbjöd dem påsen med gräs. De såg fortfarande tjuriga ut men accepterade. Det fanns många andra fester på stan ikväll.

Babak, Javier och Robert satt i soffan. Niklas och Mahmud på var sin stol. Mahmud fortfarande smålullig. Men om några timmar skulle han vara klar i pallet. Rizzlapapperna, mobiltelefonerna, champagnen och glasen undanstoppade. Istället: kartor, flygfoton från internet, ritningar, foton på huset. Och vapnen – AK4:orna, Glocken plus Niklas egen pistol, en Beretta. Värsta arsenalen.

Niklas gick igenom upplägget med killarna. Mahmud försökte fylla i på vissa ställen, mest för syns skull. Det var Niklas som hade kollen.

Babak räckte upp handen, som den duktiga skolpojke han aldrig varit. ”De här juggarna som driver det här partyt, har de vapen?”

Niklas tittade på Mahmud. ”Mahmud, du jobbar ju med de där asen.”

Mahmud harklade sig. Skum känsla: sitta här med sina homies och planera seriösa stöten tillsammans med en halvgalen legosoldatlirare som verkade skita i pengarna, bara brydde sig om att straffa folk. Som på film på något sätt – Mahmud kunde bara inte komma på vilken rulle.

Han försökte svara på Babaks fråga. ”Jag vet inte riktigt faktiskt. Men jag har aldrig sett några varma grejer. Jag tror kanske vissa av dem har sånt, typ Ratko. Men varför egentligen? Hororna klarar sig med en örfil om de tjafsar. Torskarna jiddrar ju sällan. Och det är inte direkt så att de väntar sig att SWAT-blattarna från Alby ska göra entré, eller hur?”

Grabbarna garvade. Babak log, sa: ”Shit mannen, SWAT-blattarna, det är vi.” Stämningen lättade. Robert sa: ”Juggarna är på väg ner, har jag alltid sagt, eller hur?” Shunnarna slappnade av. Till och med Niklas smajlade.

Vid tiotiden reste de på sig. Packade en bag i Mahmuds bil: vapnen och bultsaxen. De delade upp sig i bilarna. Niklas dirigerade dem till Gösta Ekmans väg i Axelsberg. Parkerade utanför. Inte en människa i rörelse. Alla som ville vara någonstans klockan tio på nyårsafton hade redan sett till att ta sig dit.

Niklas vände sig till Mahmud: ”Skyddsvästarna, kläderna och de andra grejerna finns där inne. Men jag kan inte gå in. Kan du och nån av dina kompisar hämta grejerna?”

”Det här är väl din morsas hus, varför kan du inte gå in? Vad gör din mamma ikväll? Är hon hemma?”

”Jag har ingen aning. Och vi ska inte gå upp och fråga. Har du inte läst tidningarna? Har du inte fattat min situation?”

Mahmud läste inte såna tidningar. Han tittade på Niklas. Snubben såg verkligen annorlunda ut än senast han sett honom. Smalare, hårdare. Ännu mer stirr i ögonen. Sen var det ju grejen med den rakade skallen och skägget också. Han sa, ”Nej, vad är grejen?”

Niklas svarade: ”Det man inte vet, tar man ingen skada av. Vi skiter i det, jag får berätta nån annan gång. Men jag kan inte gå in. Ni måste göra det.”

Mahmud lät det gå några sekunder. Han tänkte: Snubben är verkligen småknäpp. Men okej ändå på nåt sätt. Han vågar, han slår tillbaka. Precis som jag borde gjort för länge sen.

Mahmud steg ut. Nycklarna i handen. Babak kom ut ur sin bil. Han hade en mössa långt nerdragen. Gick lätt bakåtlutad, försökte se avslappnad ut.

Det var kallt.

De klev in i porten. Ner mot källaren. På sopnedkasten en klisterlapp: Snälla – hjälp våra sophämtare – stäng påsen! De gick nerför en trappa. En ståldörr. Ett Assa Abloy-lås. Mahmud öppnade. Tände i taket. Där inne: källarförråd på rad. Han kollade efter nummer tolv. En minut. Hittade förrådet. Han öppnade det. Två svarta sopsäckar fulla med mjuka saker. Han kollade. Det var skyddsvästarna, kläderna och de andra grejerna.

Tillbaka i bilen. Mahmud startade motorn. Javier i passagerarsätet. Robert där bak. Niklas hade satt sig tillsammans med Babak i hans bil.

Han startade. Följde efter Babaks bil.

Robert böjde sig fram från baksätet.

”Ärligt alltså, kommer vi fixa det här?”

Mahmud visste inte vad han skulle svara. Han sa: ”Spana in

den där kommandokillen. Snubben är kall som en glaciär. Jag litar på honom."

Robert sträckte fram handen. En tändsticksask. En tunn redlinepåse. Han vände sig om mot Robert.

"Är det lite vit dynamit?"

Robert smajlade snett.

"Jag tror vi behöver lite extra styrka ikväll."

Mahmud plockade upp ett snortrör ur innerfickan. Stoppade ner det i påsen. Sög in.

Ute snöade det helt galet.

Som om istiden var tillbaka.

62

Niklas upprepade för sig själv: Sic vis pacem, para bellum – Vill du ha fred, rusta för krig. Hans mantra, livsuppgift. Han hade rustat, planerat sina attacker, bevakat förövarna, slagit till på rätt sätt, mot rätt personer, i rätt tid. Sen kom den senaste tidens händelser: häktningen, rymningen och nu – ett gäng clowner. BOG, Boots On the Ground: fem personer – men egentligen borde de räknas som tre. Mahmud var väl okej, kunde förhoppningsvis motsvara en soldat, men de andra lirarna räknade han som en. Det var händelser han inte kunnat rusta för.

Och på något sätt var allt mammas fel. Det var hon som spräckt hans alibi – videokvällen hos Benjamin åt helvete. Han skulle inte haft en chans om det blivit rättegång, trots att advokaten verkade vass.

Flykten från häktningsförhandlingen hade nästan gått smidigare än väntat. Så fort Niklas kommit ner i tunnelbanan riktade han in sig på en gubbe. Det var nära nyår så det var mycket folk ute. Ändå på perrongen: mest mammalediga kvinnor och pensionärer. Gubben tillhörde sistnämnda kategori. Niklas tvingade ner honom på marken, behövde inte ens slå honom, tog hans skor och rock.

Folk runtomkring rörde knappt en min – ingen försökte hindra honom. Symptomatiskt: förlorarna bara stod och såg på. Det var en del av problemet. Samhället bestod av bystanders. Ett tåg rullade in. Än så länge såg han inga poliser. Allt hade gått fort, några sekunder sen han hoppat ut från fönstret i tingsrätten. Tankarna i stridsposition. Strategiska överväganden i fast forward. Han sket i att hoppa på tåget. När det rullade ut från stationen hoppade han ner bakom på spåret och gick i motsatt riktning i tunneln. De som sett honom skulle förhoppningsvis tro att han stigit på vagnen, försvunnit mot nästa tunnelbanestation.

Några hundra meter i mörkret. Ljuset från nästa station syntes som en vit prick längre bort. På väggarna satt blåa signallampor och tjocka sladdar. Han sprang. Gubbens skor passade okej. Han behövde dem bara tills han fått tag på sina egna grejer. Än så länge kom inga tåg, och det skulle inte hindra honom – marginalen mellan spåret och väggen var flera meter. Vad som kunde hindra honom: råttorna som sprang i gruset därnere.

Råttor.

Några sekunders tystnad. Mörkret slöt sig. Ljud från djurens käkar.

Niklas stannade. Han måste ut.

Råttorna rörde sig nere på spåren.

Han upprepade för sig själv: Jag måste ut.

Bilder kom tillbaka. Källarförrådet när han var barn. Alla råttdjuren nere i sandbunkern.

Tanken klar som ljuset längre bort i tunneln: Om jag inte kommer ut nu och slutför uppdraget upphör mitt existensberättigande. Jag går under. JAG GÅR UNDER.

Han vägrade.

Vägrade förbli en passiv betraktare av sitt eget öde. Hittills hade han låtit omständigheterna styra honom. Visst gjorde han val – men alltid utifrån situationen, grundat i vad andra gjorde, hur han mådde, vad mamma tyckte. Yttre fakta, kringhändelser som inte bottnade i djupet av honom själv. Där han inte transcenderade sig själv. Där han inte styrde sin egen väg. Idag skulle han ändra kurs. Han var en levande kraft. En motvikt till alla andra.

Han såg andra ljus längre fram.
Spåren vibrerade. Ett tåg kom genom tunneln.
Han tryckte sig mot väggen. Försökte se om råttorna var kvar.
En lätt tryckvåg i tunneln. Som om luften trycktes framför tåget.
Tåget rusade förbi. Han stod still. Tätt, tätt.
Sen sprang han. Mot ljuset.
Han hörde inte djuren. Han bara rörde sig.
Tog sig upp på perrongen.
Klockan var elva. En mamma med vagn kollade in honom.
Niklas sprang upp för rulltrappan.
Han klarade det.

Tillbaka i nuet. Bilen, snön. Araben han delade bil med hette Babak.

Niklas berättade om villan. Gav vägbeskrivningen. Förklarade upplägget om och om igen. Babak bara nickade. Höll hårt i ratten, som om han var rädd att tappa den.

De tog Nynäsvägen ut. Knappt några bilar. Gråa snödrivor längs vägen. Djupa spår i snön.

Niklas tänkte på Mahmud och hans män. De hade energi. De var kaxiga. Men det räckte inte. Snubbar som de: visste inte vad struktur, order och samarbete var. De var individualister som sladdade genom livet som rikoschetter. Förstod inte vikten av organisation. De kunde förhoppningsvis hantera vapnen – enligt Mahmud hade de övat. Kanske kunde de hantera djupsnön – flåsa fram genom femtio centimeter. Möjligen skulle de fixa attacken, stormningen, intrånget. Men skulle de klara efterföljande situation? Niklas hade inte fått tillräckligt med tid. Han kände sig osäker.

Han ringde Mahmud och beordrade honom att säga till alla att döda sina telefoner.

Babak svängde upp mot Smådalarö. Mörkret utanför var kompakt mot rutorna. Det hade slutat snöa.

Han måste sluta oroa sig. Komma in i stämningen. Tänka på Battle rattle.

Bilarna stannade sju minuter senare. Egentligen skulle de ha stulit eller hyrt bilar bara för ikväll men det gick ju inte nu, när allt skett så fort. De parkerade utanför ett stort vitt hus. Niklas visste vad det var: Klubbhuset som tillhörde golfbanan.

Niklas klev ut. Öppnade bagageluckan. Lyfte ut en av de svarta plastsäckarna. Bra att Mahmud kunnat hämta dem i mammas källare. Snuten bevakade med säkerhet huset, väntade på att plocka honom igen. Tidningarna hade hetsat upp debatten kring hela rymningen.

Han gick över med säcken till Mahmuds bil. Himlen var mörk, det hade slutat snöa. Araben öppnade dörren. Niklas sa: ”Här, ta på er i bilen. Det är bättre än att stå här. Om någon kommer förbi vill vi inte väcka uppmärksamhet.” Mahmud tog emot säcken. Niklas gick tillbaka till Babaks bil. Lyfte ut den andra säcken. Tog in den i bilen.

De började klä på sig.

Underställ som Niklas köpt på Stadium. Det skulle bli tid ute i kylan. Över det: skyddsvästen – med skyddspanelerna hårt istoppade, kroppsformade. Den var gjord för att vara direktburen: bärsystemet fäst i skyddspanelerna så att tyngden fördelades jämnt över hela kroppen. Det var kanske inte marknadens bästa grejer men det dög. Västarna skulle ändå kännas lättare än de egentligen var. Skydda hjärta, lungor, lever, njurar, mjälte och ryggrad.

På med de svarta vindbyxorna. Trångt att klä på sig i bilen. Han snörde på sig kängorna. Höga, fjortonhåls, i läder, över fyrahundra gram Thinsulatefoder. Vattentäta ventilerande membran för vinterkyla, vaktuppdrag och väpnad attack. Han tog på sig handskarna: fodrade, i svart läder. Därefter den tunna täckjackan över västen. Värmen i bilen kändes nästan fuktig.

Sist: balaklavan – upprullad, färdig att dras ner över ansiktet.

Babak i framsätet: försökte kränga på sig sina byxor.

Niklas sa: ”Jag är ledsen att jag inte fixat några skor till er. Jag hann inte.”

Babak fnittrade till.

”Det får väl funka med mina vanliga vinterskor.”

Niklas tittade ner. Babak hade ett par vita sneakers på sig. Det skulle bli kallt och blött. Han hoppades snubben skulle palla.

De klev ut. Vägen var mörk. Luften kändes ren. Längre upp, bortom golfbanan, såg han träden. Niklas tog ut en ryggsäck ur bagageluckan. Öppnade den. Tackade sig själv att han förberett så mycket. Tog upp Berettan. Stoppade den i den ena främre jackfickan och ammunitionen i den andra.

Han steg över till Mahmuds bil. Araben vevade ner rutan. De såg ut att vara färdigpåklädda där inne.

Niklas sa: ”Okej grabbar, snart smäller det. Från och med nu gäller militära regler. Förstår ni?”

Mahmud nickade.

Niklas fortsatte: ”Jag ska vara helt ärlig med er. Vi har inte fått den planering som vi behövde. Men det här måste ske ikväll. Så vissa grejer kommer vi få improvisera. Då är det några saker ni ska tänka på.”

Vinden tilltog. Niklas fick höja rösten för att höras. ”Vi talar engelska med varandra. Fattar ni?”

Killarna i bilen och Babak nickade.

”Sen säger vi aldrig namnet på varandra. Säg bara ett nummer. Jag är ett, Mahmud är två, Babak är tre, Robert är fyra och Javier är fem. Kan ni repetera? Vem är du, Mahmud?”

De sa sina tilldelade siffror några gånger, tills Niklas var nöjd.

”Ta aldrig i någonting utan handskar. Och sist – ta under inga villkor av er balaklavorna. Inte ens om ni blir skadade i ansiktet. Aldrig. Är det klart?”

Killarna nickade.

Niklas sa: ”Då vill jag att du, Javier, upprepar en gång till vad jag just sa.”

Javier öppnade bildörren. Berättade kort om namnen, språket, huvorna.

Niklas sa: ”Du missade handskarna. Ta aldrig, inte under några omständigheter, av er handskarna. Är det förstått?”

Killarna nickade igen. Niklas bad Robert repetera. Sen Babak. Efter varje gång nickade de. Niklas hoppades det betydde något.

De hade gått genom skogen, i snön, fram till stängslen. Pulsat fram. Ingen av grabbarna gnällde än så länge. Niklas stannade till. Tog av sig ryggsäcken. Grävde med handen. Tog upp fyra handset.

”Jag har här fyra walkie-talkies. De är mycket bättre än mobiltelefoner. Ingen kan spåra att vi använt dem här. Två av dem kommer jag och Mahmud att ha, för oss som går in i huset. Det tredje handsetet ska du ha Robert och det fjärde ska du ha, Javier. För er som stannar utanför huset.”

Han pekade neråt, mot vägen. ”Nu går vi ner och kollar in entrégrindarna.”

Femtio meter längre ner såg de ljuset från vägen. En bil kom långsamt körande. De gick närmare. Såg stängslets silhuett mot strålkastarljusen. Bilen stannade till: Range Rover, modell extra large. Niklas såg grindarna. Två män klev fram till bilen. Rutorna vevades ner. En av männen stack in huvudet. Sa något. Sen vinkade han förbi bilen.

Grindarna gled upp. Bilen rullade in.

Klockan var tjugo i tolv.

Månen var kall och stor. Niklas ledde killarna upp längs stängslet igen. Snön reflekterade det lilla ljus som kom mellan träden från huset och månen. Det räckte, han behövde inte plocka fram ir-gogglarna.

Han kunde det här området. Kände husets fasad, vinklar, avstånd från stängslet. Han hade pejl på stängslets dragning, var någonstans det fanns större stenar och var träden växte glesare.

De gick ytterligare trettio meter. Tysta. Lugna. Fokuserade.

Niklas stannade. ”Här, Robert, ska du stå. Du vet vad du ska göra. Sätt dig på stenen här och vänta. Jag meddelar dig över radion när det är dags att sätta igång. Kring tolvslaget blir det.”

Robert såg ut att känna allvaret. Nickade bistert. Greppade AK4:n med båda händerna. Mahmud tog hans hand.

”Vi ses sen habibi. Det här blir stort.”

De pulsade vidare.

Hundra meter. Baksidan av huset skymtade genom träden. Varmt ljus lyste från fönstren.

Han körde samma procedur med Javier. Ställde sig på vakt med AK4:n i högsta hugg. Beredd. Klar på sitt uppdrag.

Det kändes bra faktiskt. Hittills.

Femton meter till. Bara Niklas, Mahmud och Babak. Svartklädda, mörka som ökennatten. Niklas kände efter Berettan i jackfickan. Tog upp den en sista gång. Tog ut magasinet. Inspekterade i skenet från månen. Han kunde den här puffran utantill. Han tänkte på Mats Strömberg och Roger Jonsson. As som fått möta sin baneman. Snart skulle mer rättvisa skipas. Det nya året skulle få en bra start.

De stannade vid den bestämda punkten i staketet. Det var kortaste avståndet till husets bakre ingång. Niklas tog av ryggsäcken. Plockade upp bultsaxen. Satte sig på huk vid stängslet. Började nerifrån. Klippte i det tunna stålet, lätt som papper.

Efter fem minuter: ett meterhögt hål, femtio centimeter brett.

De hukade sig. Tog sig in. Bakom fiendens linjer.

Tjugofem meter. Långsamt. Niklas i täten. I låg nivå, militär position.

Fem meter till. Huset närmade sig.

Ytterligare fem meter. Niklas stannade. Såg framåt. Inga människor utanför huset som han kunde se. Han plockade i väskan igen. Upp med ir-glasögonen ändå. Mahmud och Babak satte sig ner bakom honom. Han scannade av fasaden. Fönster för fönster. Ljusen inifrån förstärktes av gogglarnas effekt, skar honom i ögonen. Han kollade in dörren: inga personer utanför. Allt verkade vara grönt.

Han tog av glasögonen. Vände sig om mot Mahmud. Araben hade fortfarande balaklavan upprullad. Niklas viskade: ”Då kör vi om tio minuter.”

Mahmud log brett. Gjorde tummen upp.

Något var fishy. Mahmud såg konstig ut. Niklas släppte inte blicken. Tog ett steg närmare Mahmud.

”Kan du visa mig din mun igen?”

Mahmud log igen.

Hans tänder var mörka, såg nästan blåaktiga ut. Kanske var det månens sken.

”Vad fan har du ätit?”

Mahmud flinade. Svarade tyst: ”Rohypnol så klart. Då blir man lite blå i munnen. Visste du inte det, kompis? Vill du ha?”

Niklas visste inte vad han skulle göra. En kort sekund tänkte han skjuta Mahmud i ansiktet. Bolinder fick gärna hitta ett upptinat arablik i vår. Sen gick en annan tanke genom huvudet: Han borde avbryta uppdraget. Resa sig och smyga ut genom samma hål som de kommit. Sen kunde de här två clownerna göra vad fan de ville. Ändå stod han kvar där i snön. Hukandes. Huttrandes. Helt lamslagen. Det fick inte sluta så här. Han hade lovat sig själv. Jag styr. Jag bestämmer. Jag ger inte upp. Jag påverkar.

”Hur länge sen tog du den där skiten?”

”Precis innan vi såg Range Rovern. Jag vill vara på g. Det är ingen fara, Niklas. Jag lovar. Jag tar alltid roppar när det ska bli action.”

”Du har begått ett misstag. Men det får gå för nu. Du tar inget mer av det där. Fattar du?”

Mahmuds smajl dog ut. Han tittade ner. Kanske förstod han sin tabbe. Kanske orkade han bara inte tjafsa.

Fem minuter gick. De låg ner. Snön nuddade deras hakor. Huset: femton meter kvar. Ingången till köket syntes tydligt. En trädörr – med nittio procents säkerhet: låst. Niklas kunde höra musik inifrån. Se personer röra sig bakom gardiner. Musik, skratt. Horljud.

Han plockade i ryggsäcken. Hans alldeles egen IED: Improvised Explosive Device. Hans hemmagjorda granat. Den såg ut som en svart ölburk.

Mahmud och Babak låg snett bakom honom.

Niklas höll granaten i högerhanden. Kollade sin klocka. Den var fem i tolv.

Snart dags att kasta in horbockarna i nästa år.

63

Från våningen ovanför hördes musik. Dunk i taket. Basljud. Skratt. Thomas tänkte på sin pappas gamla favoritpoet Nils Ferlins dikt om att ett tak är någon annans golv. Sen tänkte han: Det finns ingen plats för poeter i dagens Sverige. Alldeles för få som ens kan svenska tillräckligt bra för att läsa sånt. Dessutom – de som kanske kan svenska bryr sig inte om poesi. Han saknade. Inte bara sin farsa. Han saknade det Sverige som inte längre fanns.

Framför honom: höga lagerhyllor i metall. Säkert sammanlagt trettio hyllmeter. Klassiska svarta pärmar med rygg i filtmaterial som klickade när de slogs igen. Låste sig kring papperna. Kring bokföringsmaterialet, verifikationerna, dokumenten. Förhoppningsvis samma saker som Hägerström och Thomas just gått igenom. Förhoppningsvis också något mer än så. Bevis.

Nyårsnatten rann på. Vädret hade äntligen lugnat sig, precis innan han tagit sig in – Åsa skulle få en perfekt fyrverkeriutsikt. Thomas var inne, själv – ensam mot makten. Ensam mot de som jävlades med honom. Nu var det hans tur att visa var skåpet skulle stå.

Hägerström hade först sett chockad ut. ”Du extrajobbar alltså på en strippklubb?” Men förvåningen la sig snabbt – caset var viktigare. Ändå avrådde han. Tjatade om att de borde vänta tills imorgon, försöka ta ett snack med någon chef, eller direkt med en åklagare. Lägga fram papperna, redogöra för allt de hade. Rantzells kopplingar till Palmemordet och Bolinders koncern. Fixa en formell husrannsakningsorder.

Thomas blev mest irriterad. ”Du vet, lika väl som jag, att det vi har inte räcker någon vart. Vad har vi för bevis egentligen? Gubben Rantzell har fått utbetalningar som är skumma. Det har med vapnet att göra, det är jag säker på. Men på vilket sätt pekar vår information egentligen mot att någon skulle ha något att göra med mordet? Och det pekar verkligen inte på mordet på Olof Palme. Men när vi lägger ihop vad Ballénius berättade om Rantzell och utbetalningarna du hittade så vet vi att vi är på rätt spår."

Hägerström knep ihop ögonen. Såg lidande ut. Han visste nog att Thomas hade rätt. Ändå sa han: "Men kom igen nu, Andrén. Vi har kört det här vid sidan om tillräckligt länge. Vi måste tillbaks till den formella vägen nu. Göra rätt saker på rätt sätt. Annars kan allt skita sig. Eller hur?"

Thomas tittade på honom en stund. "Jag ska vara uppriktig mot dig. Jag håller inte poliser som jobbar mot andra poliser särskilt högt. Såna människor är inte riktiga poliser i mina ögon."

Hägerström stirrade tillbaka.

Thomas fortsatte: "Dessutom är du en liten besserwisser som tycker lite för bra om dig själv. Du tjafsar om oväsentliga saker, du har ingen koll på allmän kollegialitet och jag är osäker på om du ens kan hantera en Sig-Sauer."

Hägerström fortsatte stirra tillbaka.

"Men, å andra sidan" – Thomas gjorde en konstpaus – "är du den bästa, vassaste, snabbaste snut jag någonsin träffat. Du har varit lojal med den här privata förundersökningen vi kör. Du har varit lojal mot mig trots allt som hänt. Du är rolig, jag garvar åt varje skämt du drar. Du är omtänksam och modig. Jag kan inte hjälpa det – jag gillar dig skarpt."

Fortsatt tystnad.

"Jag förstår dig", sa Thomas. "Du har betydligt mer att förlora än jag. Jag har redan ställt mig utanför systemet. Jag får skylla mig själv medan du kan förlora jobbet. Och rent praktiskt så är det en grej till. Du blir aldrig insläppt där, på den där festen. Men det kan jag bli. Jag tänker avsluta den här soppan. Ikväll. Med eller utan dig."

Hägerström reste sig. Sa ingenting. Thomas försökte tyda hans ansiktsuttryck. Hägerström gick mot hallen. Vände sig om. "Jo, jag tänkte så här. Min kväll kommer bestå i att jag åker hem och byter om, sen åker till Half Way Inn och hänger där resten av kvällen. Dricker massa öl och kanske några glas champagne. Vid tvåtiden lär jag vara så packad att jag redan glömt tolvslaget. Vad har jag att förlora? En sån nyårsafton är inte mycket att hänga i granen. Jag hänger på. Du gör ingenting utan mig."

De satt i var sin bil på väg ut mot Dalarö. Knappt någon trafik. Kändes nästan mysigt. Varmluften och värmeslingorna i sätet. Bilens motorljud som en matta av trygghet i bakgrunden. Strålkastarnas ljus reflekterades i snödrivorna som låg i höga vallar längs vägen. Hägerström körde först, ställt in adressen i sin gps. Thomas trodde inte de tänkte på samma saker, där i sina respektive bilar.

Han hade ringt Åsa igen och berättat att han måste jobba hela natten. Hon blev ledsnare den här gången, började gråta, ifrågasatte hur det skulle fungera när Sander kom. Skulle Thomas ta sitt föräldraskap på allvar? Förstod han vad det innebar att ha en familj? Vad värderade han egentligen i livet? Han hade inga svar. Hon kunde inte få veta någonting just nu.

Vem var han egentligen? Polismentalitet mixad med självrättfärdigande satt djupt i honom. Samtidigt hade han förändrats de senaste månaderna. Sett de människor på nära håll som han i vanliga fall jobbade med att sätta dit. Känt en sorts vänskap. På samhällets skuggsida hade de också ett liv, de hade moral. De var personer som gick att komma nära. De gjorde val som var de enda rätta utifrån deras situation. Thomas hade gått över gränsen. Steget han tagit – en dödssynd. Men där, i dödens rike, bland dem han brukade kalla packet och dräggen, fann han människor som kändes som vänner. Och om de kunde vara hans vänner och deras val var rätt val – vem var han då som polis?

Han försökte slå bort tankarna. Konstaterade för sig själv: Ikväll var det skillnad.

Fyrtio minuter senare stannade Hägerströms bil vid en mörk skogsväg ute på Smådalarö. Thomas parkerade bakom honom. Satt kvar i bilen och ringde Hägerström. De bestämde att Hägerström skulle parkera bilen på skogsvägen. Thomas skulle försöka ta sig in. De satsade allt på det här kortet.

Han körde långsamt längs vägen tills han såg avfartsvägen. Månen var hel. En grind i svart metall. Han stannade bilen tio meter från skylten. Väntade. Bredvid grinden satt en kamera och en stor skylt: Privat område. Bevakat av G4S.

Femton minuter senare kom en bil. Inte vilken som helst: en limousin. Kändes skumt: långskorpan à la Las Vegas på en vinterväg i skärgården. Bilen svängde upp mot grinden. Thomas såg inte exakt vad som hände. Efter trettio sekunder gled grindarna upp. Bilen rullade in.

Thomas tänkte på mannen utanför villans fönster och snubben som slagit ner honom i garaget. Kanske var det samma person. Han tänkte på Cederholm alias Rantzell, Ballénius och Ballénius dotter. Poliserna som brukade kännas som hans vänner: Ljunggren och Hannu Lindberg. Han såg framför sig: Adamsson, rättsläkaren Bengt Gantz, Jonas Nilsson. Det hade varit en lång resa till den situation han nu stod inför. Ändå kändes det nästan som det var bestämt från början.

Han la i ettans växel. Körde långsamt fram till grindarna. Avgaserna från bilen bolmade bakom honom som från ett smärre värmeverk. Han stannade. Vevade ner rutan. Tittade mot övervakningskameran. En röst ur en högtalare: ”Godkväll. Hur kan vi hjälpa dig?”

”Jag heter Thomas Andrén, släpp in mig tack.”

Ett svagt surr på andra sidan.

”Hälsa Ratko, Bogdan eller vem ni nu har där inne att jag ska jobba ikväll.”

Rasslande ljud i mikrofonen, sen en annan röst: ”Tjena Thomas. Jag visste inte att du skulle jobba. Ingen har informerat mig.” Det lät som Bogdan, en snubbe som brukade hjälpa till på klubben.

Grindarna öppnade sig.

Han körde in.

Utomhusbelysning gömdes i buskarna längs vägen, lyste upp snön på trädens grenar. Hundra meter kanske, sen öppnade skogen upp sig. Ett enormt hus i tre våningar, stora fönster, pelare vid ingången. Säkert tjugo bilar parkerade utanför. Limousinen höll på att vända. Det lyste inifrån några av rummen. Hördes svaga ljud. Thomas parkerade bredvid en svart Audi Q7. Klev upp mot huset. Tänkte: Vad är det här för sjuk grej jag gett mig in på?

Han hann inte trycka på ringklockan. Dörren gled upp. En snubbe han kände igen men inte kunde namnet på öppnade. Megajugge. Biff. Varit nere med Ratko på klubben någon enstaka gång.

Log. ”Tjena snuten, jag visste inte att du skulle jobba ikväll. Ratko och Bogdan är här någonstans. Behöver du prata med dem?”

Thomas svarade artigt att han skulle jobba. Han behövde inte träffa Ratko eller Bogdan. Han visste vad som gällde.

Han gick in. En hall. Det låg en äkta matta på golvet. Meter efter meter med lampetter, tavlor och gobelänger längs väggarna. Rummet större än hela undervåningen på hans och Åsas villa i Tallkrogen. I andra änden av hallen: ett antal män – de måste ha kommit med limousinen. Alla var klädda i smoking, högljudda, festsugna. Framför dem – såg ut som en garderob: ytterkläder hängde på rad. En garderobsflicka höll på att ta deras överrockar. Thomas borde ha anat hur det skulle vara, ändå blev han förvånad. Mini-mini-minikjol, nedre delen av skinkorna syntes. Stay-ups som slutade i spets en bit upp på låret, utmanande hud, stramande korsett, svarta högklackade skor. Överdelen såg inte billig ut men tillräckligt urringad för att klyftan mellan hennes bröst skulle bilda en tydlig måltavla för garderobskundernas blickfång. Som stripptjejerna på klubben men ännu mera tillpiffad på något sätt.

Han behövde agera snabbt. Han plockade upp mobilen, skickade ett sms till Hägerström: ”Är inne.” Sen såg han sig omkring igen. Tre dörrar framför honom. Männen som hängt av sig försvann genom en. Thomas hörde högre ljud därifrån. Inte rätt val för honom. Han vände sig tillbaka till vakten. ”Du förresten, var är Ratko sa du?”

Biffen garvade, nickade åt en av dörrarna: ”Där han alltid brukar vara på de här eventsen, i köket så klart.” Thomas var ett jävla geni. Uteslutningsmetoden måste vara lika gammal som de här brudarnas jobb. Han gick fram emot den sista dörren. Öppnade den. Struntade i om juggebiffen undrade.

Där inne var det halvmörkt. Ett matbord som säkert var sju meter långt. Ljusa rokokostolar, kristallkrona, ljusstakar på bordet, parkettgolv. En matsal. Två dörrar. Båda halvöppna. Från den ena såg han ljus och hörde ljuden av män som pratade. Det måste vara köket. Han gick in genom den andra dörren.

En annan typ av rum. Sparsamt möblerat: en smal soffa längs

ena väggen. På väggarna: tavlor, tavlor och ännu mera tavlor. Spotlights som satt placerade överallt gav små öar av ljus. Han kunde inget om konst – men det här såg mest ut som pastellfärgade streck på suddig bakgrund. Å andra sidan: svårt var tydligen lika med dyrt.

Han klev in i nästa rum. Ljuden av musik och skratt ökade. Om det han letade efter fanns där inne eller i köket var det kört. Han såg sig omkring. Rummet var litet. Återigen tavlor på väggarna. Kraftigt färgade tapeter. Och en grej till: ett räcke med läder lindat runt, en trappa. Neråt. Det var för bra för att vara sant. Var någonstans förvarar man arkivmaterial? Inte i sällskapsutrymmena. Inte i de privata utrymmena. I källaren. Han hoppades.

Klev ner.

Trappan slutade i en dörr. Han kände på handtaget – låst. Så dum var väl inte Bolinder ändå. Men så dum var inte Thomas Andrén heller. Han plockade upp den elektriska dyrken. En äkta snut som han: viktigaste verktyget efter batongen. Han stoppade in den i låset. Tänkte på källardörren på Gösta Ekmans väg. Hur han hittat Rantzell i slamsor. Slutet på historien var nära.

Utrymmena nere i källarplanet: spaavdelning, bastu, swimmingpool. Tvättstuga, ett rum fyllt med tavlor som uppenbarligen inte passade att hänga på väggarna däruppe, ett mindre utrymme med en träningscykel, löpband och en styrketräningsmaskin. Smala fönster högst upp mot taket. Längst in låg arkivet. Lagerhyllor i metall. Över hundra pärmar material. Bingo.

Han kollade klockan på telefonen: elva. Hans telefon hade ingen täckning här nere. Det var dags att börja söka.

Nästan tolvslaget: han hade inte hittat ett skit. Ändå var han insatt i materialet. Kände igen bolagens namn, namnen på styrelseledamöterna, bankerna som tillhandahöll konton, verksamheterna. Han sökte bara i de pärmar som berörde Dolphin Leasing, Intelligal AB och Roaming GI AB.

Han kunde inte stanna hur länge som helst. Förr eller senare skulle vakten eller någon av de andra undra vart han tagit vägen. Om han nu skulle jobba där – varför jobbade han då inte? Han tittade på mobilen igen. Tre minuter i tolv. Kände på sig att han skulle hitta något snart. Han stannade upp en kortis. Tänkte: Hade han gjort rätt? Struntat i Åsa, gett sig in i det här. Han vägrade tänka tanken: Kanske skulle han inte komma levande härifrån ikväll.

Ljuden ovanför verkade tystna.

Sen kom explosionerna. Gubbarna hurrade. Thomas ställde sig på en stol och tittade ut genom det lilla fönstret. Himlen lystes upp av fyrverkeriernas sprakande. Månen syntes som en blek skiva bredvid färgspelet. Det var vackert.

Människorna skränade ännu mer. Thomas såg ingen person utanför. Kanske hade de gått ut men stod någonstans där han inte kunde se dem. Kanske var de fortfarande inomhus.

Sen hörde han en annan explosion. Det var definitivt närmare. Hårdare. Lät som något kraschade. Han var säker: det var inte ljudet av fyrverkeri.

64

Det var den starkaste smällen Mahmud någonsin hört. Niklas dragit ner balaklavan över ansiktet – påminde Mahmud om bilderna på milismän i hans pappas irakiska tidningar. Hukat sig fram i mörkret. Placerat granaten vid bakdörren. Krupit tillbaka tio meter. Den exploderade. Värsta ljudet. Tryckvågen som en spark mot bröstet. Det tjöt i hans inre. Pep i hans öron. Niklas vrålade: ”Nu kör vi!” Natten lystes upp av fyrverkerier. Sprakande ljud över himlen. Kändes som en dröm. Kanske var det bara effekten av ropparna.

Niklas rusade framåt. Som i slowmotion.

Mahmud drog efter andan. Sprang efter honom, mot huset. Glocken i högerhanden. Shit, vad kallt det var. Han kände knappt sina fötter: kalla, blöta, stela.

Ett hål gapade där bakdörren suttit. Sotstänk längs väggen. Trä, tegel, puts i spillror. Kökets inredning lyste ut på bakgården. Natten i färg, målad i grön, röd, blå.

Niklas framför hålet. Sen kom han. Sist Babak.

Upprörda röster. Smatter i bakgrunden. Det måste vara Robban och Javier som släppt loss svenska arméns AK4:or på huset. Ha, ha, ha – blattarna slog tillbaka. Jorge, latinolirarens plan skulle kicka fett.

De klev in genom hålet.

Köket var gigantiskt. Kändes gammaldags. Snirkliga köksluckor, marmorskivor, klinkers på golvet. Spotlights i taket. Två diskhoar, två ugnar, två bord, två mikrovågsugnar. Två av fucking allting. Till och med två snubbar som såg chockade ut. Reste på sig. Långa. Breda. Lacka juggar.

En av dem var Ratko. Som förnedrat Mahmud. Dessutom: som Jorge snackat om som en av Radovans män. Som ingick i uppdraget. Att klippa.

Mahmud stannade upp. Kollade på Niklas. Soldatshunnen visste vart han skulle, redan på väg att försvinna genom en dörr. Skrek: ”Knock that motherfucker out!”

Mahmud studsade på engelskan en sekund. Dubbla känslolägen: förvirrad, samtidigt upphetsad. Snubbarna framför honom började skrika på serbiska. Sen reagerade han. Glocken framför sig. Riktade den mot Ratko. Juggen i jeans, vit skjorta, uppkavlade ärmar. Testosteronkäkar, snedbena i det tunna blonderade håret, förvåning i blicken. Mahmud såg Wisam Jibril framför sig. Bilder i huvudet: hur de plockat upp libanesen utanför kolgrillen i Tumba. Hur Stefanovic tagit honom på middag på Gondolen och förklarat situationen: vi klipper alla som tjafsar. Hur Ratko garvat honom i fejan när han velat quitta med knarket. Han kände effekten av ropparna pumpa i blodet. Juggarna skulle få käka skit idag.

Mahmud lyfte gannen mot Ratkos huvud. Han stannade upp. Tystnade. Babak bakom honom: ”Come on.” Han såg inte Niklas. Juggesnubbens ansikte: förvridet. Panikslaget. I dödsångest.

Mahmud gick närmare. Kramade långsamt fingret om avtryckaren. Ratko såg vad som höll på att hända.

Bilderna i skallen. Som fyrverkeriernas dån utanför. I skogsgläntan med Gürhans gann i käften. I Bentleybutiken med den skraja butikskillen framför sig. Till sist: Beshar. Pappa. Hans röst på stillsam arabiska: "Vet du vad profeten – välsignelser och frid vare över honom – säger om att döda oskyldiga?"

Handtaget på Glocken kändes svettigt. Kökets vita material skar i ögonen. Jävla svin.

Ratko var ingen oskyldig.

Han sköt.

Bam-bam-bam.

För pappa.

65

Första POC – Point Of Contact – med fienden. De var inne i huset. Niklas läste av rummet, vitt, vitt, vitt. Två horvakter. Beordrade Mahmud SBF – Support by Fire. Knäpp den jäveln. Kvinnoutnyttjaren, misshandlaren, kombattanten.

Niklas kände sig hemma i situationen. Adrenalinet pumpade värre än han känt på länge. Han tog ett djupt andetag genom näsan, andades ut genom munnen. Mentalt förberedd. I krig igen. Inte bara man mot man – utan med soldater, en batalj, ett slag.

Fortsatte genom dörren mot utrymmena där gubbarna måste hålla till. FEBA – Forward Edge of Battle Area. En matsal. Fel. Han klev upp till en annan dörr. Öppnade, tittade. En hall. Vände sig om: såg Babak tejpa upp vakten som var kvar i köket. Snyggt. Beordrade honom och Mahmud att följa honom.

Utanför: Javier och Robert hade slutat skjuta mot huset. Men alla där inne måste ha förstått budskapet: Area controlled. Skulle någon kliva utanför huset måste de sätta igång igen som galningar. Peppra allt som rörde sig.

Genom hallen. Berettan tryggt i handen. En storväxt man som verkade ha fattat att något var på gång. Antagligen snubben som släppte in genom dörren.

”Vad fan håller du på med? Vem är du?”

Niklas satte ett skott i snubbens knä. Han föll ihop som en död fast han tjöt som en vildhund.

Niklas beordrade Mahmud: ”Put some tape on that asshole.”

De tejpade handlederna och munnen på vaktsnubben. Niklas fortsatte framåt. Själv.

Kontaktade Robert över radion. Några snabba kommentarer: ”Vi har slagit ut tre personer härinne, de flesta som kan vara farliga tror jag. Men håll koll mot stora rummet som jag pekade ut. Jag går in där nu.”

Ett jätterum. Röda tapeter. Kristallkronor och spotlights i taket. Stora fönster längs ena långväggen. En fyra meter lång bardisk i andra ändan. Säkert femtio personer där inne: hälften flickor, hälften gubbar. Men det var inte vilka gubbar som helst. De Niklas spanat på vid pizzerian hade varit medelklassvenssons, öststatshallickar och snubbar från ungefär de länder där han krigat. De här torskarna: svenska välmående män i smoking. De var här för att festa och något mer. Mahmud berättat tidigare vad han fått reda på från sina uppdragsgivare: det här var inte vilka snubbar som helst – det var svenska näringslivets ledare. Industrimän, finansmoguler, majoritetsägare. Sveriges toppar. Här för att knulla flickkött.

Gubbarna och kvinnorna samlade vid fönstren. Imponerades av den upplysta nyårsnatten. Champagneglas i händerna. Den sista fanfaren av krut och färg sprutade över himlen. De hade inte fattat än att de blivit attackerade. Inte hört smällen från hans IED, eller åtminstone inte urskiljt den från fyrverkeriljuden. Allt gått som planerat: hålet på baksidan skulle de aldrig kunna stänga eller låsa. En alltid öppen reträttväg. Assault tactics.

Det räckte med två sekunder. Han pejlade stämningen i rummet: som om de var på vanlig nyårsfest där några yngre singeltjejer råkat hamna. Som om det inte var något fel. Inget smutsigt. Inget förnedrande med det hela. Men Niklas visste: kvinnoköp innefattade misshandel. Och hans kall var att utrota misshandlare.

De flesta var fortfarande vända bort från honom. Kollade utåt eller på varandra. Förutom två yngre snubbar som stod i baren. En av dem reagerade på Niklas i dörröppningen: en man med nerdragen rånarluva väcker uppmärksamhet. Niklas klev längre in. Mahmud kom in bredvid honom. Babak fått order från Niklas att vänta utanför, bevaka ingången, cover their backs.

Barkillen började skrika något. Niklas lyfte Berettan i båda händerna. Ett fast grepp. Han visste: det här är det avgörande ögonblicket – allt kunde skita sig. En vändpunkt. En flaskhals i övningen. Han tog sats. Sprang.

Pistolen nu i ena handen. Ett steg. Två steg. Flög fram. Påminde om flykten från tingsrätten.

Han andades en gång. Två gånger. Sju meter. Fem meter. Framme vid killen. Höjde pistolen. Hörde honom säga: ”Vad i helvete.”

Slag-slag. Berettan stenhårt mot killens panna. Snubben segnade ner. Niklas vände sig om. Mötte gubbarnas och flickornas ansikten, de hade också vänt sig om.

Det var som om tiden stod.

Stilla.

Alla hade sett attacken.

Niklas och Mahmud i kontroll. Niklas meddelat Robert: ”Vi har hittat festen, vi börjar nu. Skjut allt som rör sig utanför huset.”

Gubbarna uppradade mot väggen. Tjejerna bredvid. Mahmud med sin Glock hela tiden riktad mot klungan av människor. Barkillen och hans kollega tejpade på golvet. Det kunde finnas fler hallickar, horvakter, i huset. Eller snarare, det *borde* finnas fler: någon hade väl fixat utomhus med fyrverkerierna. Niklas och hans soldaters styrka: det gubbarna sysslade med gjorde dem inte direkt överintresserade av att kalla på snuten. Gubbarna visste också om det. Ändå gällde det att handla smidigt. Han skulle ha tag på de ansvariga.

Niklas tog ett steg fram. På engelska: ”Jag vill ha Bolinder!”

Ingen rörelse bland gubbarna.

”Vem är Bolinder?”

En röst i folksamlingen, kraftig svensk brytning: ”Det finns ingen Bolinder här.”

Niklas svarade på sitt sätt. Sköt upp mot en av kristallkronorna.

Hörde kulan studsa däruppe. Drog upp balaklavan halvvägs, blottade munnen.

"Jävlas inte med mig för då tar jag er en efter en. För sista gången, vem är Bolinder?"

Tystnaden i rummet var högre än ljudet av själva skottet.

En man klev fram. Med tunn röst: "Jag är Bolinder. Vad vill ni?"

Han var lätt överviktig, välkammat grått hår, smokingskjortan uppknäppt så lite grått brösthår syntes. Han mötte Niklas blick. Gubbens ögon var grå.

Niklas stirrade tillbaka. Sket i att säga något. Det här var gubben som anordnade allt.

Bolinder fick ställa sig mitt på parkettgolvet. Ljuset från några spotlights i taket träffade hans ansikte. Niklas såg det tydligt: torskgubben var rädd som fan.

Mahmud tog fram tejpen. Bolinder fick lägga armarna bakom ryggen. Araben virade dem omsorgsfullt. La ner gubben på golvet. Silvertejpen blänkte stilla.

Mahmud gick närmare. Vapnet riktat mot gubbhopen. Vevade Glocken långsamt från höger till vänster och tillbaka igen. Blev det strul skulle han förhoppningsvis kunna ta ner fem, sex personer innan han blev övermannad. Instinktivt visste gubbarna det också. Ingen ville ta chansen.

Niklas skrek ut på engelska: "Alla jävlar lägger sig ner på golvet. Nu. Lägg händerna på era huvuden. Den som rör sig ..." Han gjorde två skjutrörelser med vapnet. De fattade.

Niklas plockade i sin ryggsäck. Ögonblicket han väntat på. Han tog upp plastpåsen han förberett för flera månader sen. Sitt egna projekt bredvid spaningarna på misshandlarna. Den vägde rätt mycket, säkert sex kilo. På utsidan såg den oskyldig ut, en grå påse, med svart isoleringstejp lindad runt och en kompakt massa inuti. På insidan var den ytterst dödlig.

Allt gått så fort. Nyss hade han suttit i en rättssal och skulle bli häktad. Och nu: the final battle. Han tänkte på sin mamma. Hon förstod inte någonting. Trodde förtrycket var inbyggt i livet. Han mindes. Han var kanske åtta år gammal, ändå förstod han mer än de trodde. Påsarna Claes kom hem med, stämningen när han och

Marie börjat klunka ur sina glas som de snabbt fyllde på med flaskornas innehåll. De sa åt honom att gå ner i källaren någon timme. Han hade sitt eget liv därnere, som nån jävla Emil i Lönneberga. Han mindes inte exakt, men något skrämde honom. Kanske var det ett ljud eller kanske såg han något. Han var barn då. Trodde rädslan därnere var det värsta. När han kom upp såg han mamma bli mer slagen än han någonsin sett tidigare. Hon fick åka till sjukhuset. Stannade där i två veckor.

Och efteråt hade han frågat mamma om det var rätt. Skulle Claes verkligen få komma hem till dem? Skulle det verkligen vara så här? Hennes svar var enkelt men bestämt: ”Jag har förlåtit honom. Han är min man, och han kan inte hjälpa att han blir arg ibland.”

Det var Niklas uppdrag att återställa balansen.

Han placerade bomben på Bolinders bröst. Gubben fladdrade som en vimpel i kvällsbrisen utanför Falluja. Niklas i kontrast: stadig på händerna.

66

Thomas kom upp för trappan. Något var fel. Först smällen samtidigt som fyrverkerierna. Han kunde ha hört fel. Men inte sen: smattret parallellt med ljudet från resten av nyårsspektaklet – kunde till och med en vanlig simpel snut som han, van vid lilla 9 millimeters Sig-Sauern, känna igen – det var höghastighetsvapen. Han var ju ändå skyttefantast. Helt klart: något var förbannat fel.

Så fort han fick täckning på luren ringde han Hägerström. Gick fram en signal. Gick fram fler signaler. Tänkte han inte svara? Thomas såg sig omkring. Tomt i rummet med de jättefärgade tapeterna. Han kollade in genom dörröppningen till tavelrummet. Tomt. Han försökte ringa Hägerström igen. Fem signaler gick fram. Sen kom Hägerströms flåsande röst i andra ändan: ”Skönt att du lever.”

Thomas viskade i luren: ”Vad fan händer?”

”Jag vet inte, men jag har kallat på förstärkning. Det var jordens skottlossning någonstans där inne på fastigheten där du är. Och en smäll som lät som om de sprängde något.”

”När kommer förstärkningen?”

”Du vet nyårsafton, Smådalarö. De är inte här förrän om tjugo minuter, tidigast.”

”Åh fan. Men vad ska jag göra? Det är ju något på gång härinne.”

”Vänta bara på radiobilarna. Jag kommer inte förbi väggrinden själv.”

”Nej, Hägerström, det funkar inte. Det här är vår chans att få tag på bärande bevis. Jag måste kolla vad som hänt. Det kan ha kopplingar till vårt case.”

Hägerström var tyst. Thomas kände en svettdroppe i pannan. Väntade på Hägerströms svar. Skulle han stödja honom i det här eller inte?

Hägerström harklade sig. ”Okej, ta en snabb titt. Men gör för helvete inget dumt. Det var du som sa det – det här kan innebära lösningen på vårt case. Så sabba inget nu.”

Thomas stoppade ner mobilen i innerfickan. Trevade efter sin pistol. Kollade en sekund på den. Fulladdad. Nyligen rengjord. Säkrad. Kändes bra.

Thomas gick tillbaka in i salongen där alla tavlor hängde. Sen hallen.

Första upptäckten överraskade honom. Megajuggen, dörrvakten, i en hög på golvet. Runt fötterna, underarmarna och munnen: silvertejp en masse. Blodpöl på golvet – snubbens knä var köttfärs blandat med byxtyg. Vakten stirrade slött framför sig. Thomas böjde sig ner. Ritsch – drog av tejpen för munnen i ett ryck.

Viskade: ”Vad har hänt?”

Vakten verkade groggy. Kanske blodförlusten, kanske chocken, kanske höll han på att mula. Thomas öppnade tejpen över armarna. Vakten: helt tyst. Thomas lyssnade på andningen. Den fanns där. Tunn men ändå tydlig. Han använde den bortryckta tejpen för att lägga över såret på knäet. Drog åt – försökte stoppa blodflödet. Bättre än inget. Kollade snubbens rygg, mage, huvud – han verkade inte vara skadad någon annanstans. Thomas la honom i framstupa sidoläge. Vakten skulle överleva.

Thomas sms:ade Hägerström: ”Tillk amb. Pers skjuten i knä.”

Klev vidare. Tystnad i huset. Dunket, musiken, skratten hördes inte längre. Huset kändes som en grav, som källaren där han hittat Claes Rantzell. Thomas tänkte på vaktens andning: så tunn. Som luften i det här huset. Som hela den här utredningen. Det kunde gå åt helvete nu – Bolinders bisarra fest, juggarnas inblandning, utbetalningarna till Rantzell, kronvittne i Sveriges viktigaste rättegång.

Allt var tunt.

Thomas stannade till.

Tog ett djupt andetag. Var det något fel på luften här inne?

Kändes som han fick mindre syre. Som han var tvungen att andas djupare. Som hans lungor behövde mer.

Han höjde sin pistol. Slöt ögonen. Såg en bild framför sig. En pojke. Ett ansikte.

Sander.

Sen öppnade han ögonen.

Det var dags att kliva vidare.

Tog sig igenom några rum. Tomma på människor. Färgglada tapeter, tavlor, en och annan skulptur, rätt belysning, rätt färgsättning, rätt designade möbler. Soffor, fåtöljer, äkta mattor, harmonisk känsla. Thomas tänkte: Den här typen av snubbar döljer sitt rätta jag med finkonst som ingen normal människa förstår. En klassiker i skurksammanhang – ju större bov desto större konstnärer på väggarna. Det kändes skönt att slappna av i lite vanliga bittra tankar.

Han gick genom en korridor. Belysningen kom från golvet.

Han tog tag i handtaget. Försiktigt. Långsamt. Tryckte ner. Dörren öppnades utåt. En glipa. Han höjde vapnet. Gick ner på knä för säkerhets skull. Tittade in.

Ett stort rum. Kristallkronorna i taket var det första han såg. Rummet kändes för ljust. De gnistrade. Direkt därefter såg han människorna. Säkert femtio stycken. Män och kvinnor. På mage, händerna över huvudena. Ansiktena ner i golvet. Thomas såg inte vilka de var. Kunde bara gissa.

Han kollade närmare. Framför dem låg tre människor. Tejpade, ihopvikta. Den ena såg avsvimmad ut. Den andra bara glodde. Den tredje: virad i något. En plastpåse på magen som såg tung ut. En sladd gick från plastpåsen till en liten grå dosa.

Det fanns två personer till i rummet. Två män med dolda ansikten. Nerrullade rånarluvor, mörka kläder, de såg ut att ha skyddsvästar under. Kanske var de proffs. Den ena något smalare, med en Beretta i handen och kanske något i andra handen. En bit från människorna. Stadig, lugn, säkerhetsfokuserad. Den andra var extremt kraftig. Han rörde sig mot gruppen på golvet, sa på dassig engelska: "Alla lägger fram sina klockor och plånböcker. Nu." Thomas hörde i engelskan: en stark brytning av Rinkebysvenska. Helt klart: det här var en svensk blatte.

Han kollade igen. Det här var inga riktiga proffs – den biffiga mannen hade ljusa gympadojor på sig.

Thomas spanade läget. Vägde möjligheter. Bedömde handlingsalternativ. Egentligen borde han dra sig tillbaka. Rapportera till Hägerström var gisslantagarna och folket befann sig. Vänta på insatsstyrkan. Låta sakerna ha sin gilla gång.

Eller så kunde han vänta och se vad som hände. Han hade en insats i den här utredningen. Den låg ju helt utanför regelverket. Om det kom ut skulle han vara körd som polis för alltid. Hägerström också. Sen lockades han också av tanken på att själv lösa det som just nu pågick i rummet: bli hjälte – komma tillbaka till Söderort i triumf – den ensamme polisen som gick in själv istället för att invänta förstärkning. Dum som få. Egensinnig som en fyraåring. Riskbenägen som en idiot – men fortfarande en hjälte.

Han kände sig precis så. Och sket i det. Han stannade kvar. Förstärkning var ju trots allt på väg.

Killarna där inne plockade på sig grejerna som männen lagt framför sig på golvet.

Snubben med Berettan tog det uppenbart lugnare än han med sportskor. Rörde sig vant över männens huvuden. Vapnet avslappnat men ändå med full kontroll. Såg ut som han gjort sånt här förut.

Han öppnade munnen. Hans engelska var betydligt bättre än biffens. ”Jag vill att alla som är horor ställer sig upp.”

Ingen verkade fatta. Han upprepade: ”Jag vill att alla tjejer ställer sig upp.”

Han riktade vapnet mot en av gubbarna. Sen skrek han: ”Nu!”

67

Mahmud fattade inte vad Niklas höll på med. Kommandosnubben började helt plötsligt be ludren att ställa sig upp.

På sin ruttade engelska: ”Kan alla peka ut den gubbe här som senast köpt er.”

De verkade inte fatta vad han menade. Inte Mahmud heller.

Det här ingick inte i planen.

Påsen full av plånböcker och klockor. Fina grejer, han såg direkt en Rolex Submariner i helguld. Mahmud huvudräknat, bara helguldsklockan: säkert tvåhundra papp. Det totala värdet: minst fem hundra tusen bara i Rolex, Cartier, IWC, Baume & Mercier och resten av klockorna. Plus: kontokorten. Även om de skulle spärra en del skulle Tom Lehtimäki kunna lura tillräckligt många system för ytterligare fem-, sex hundra tusen kronor. Dessutom: Jorges utlovade prissumma – han hade klippt Ratko, en av Radovans män. Hämnats sin egen förnedring. Uppfyllt latinons uppdrag: skada juggemaffian. Kändes så grymt.

Dags att retirera nu.

Han hade i och för sig inte fotat gubbarna tillsammans med fnasken än. Det hade varit Jorges idé. Latinon flinat bredare än värsta smileygubben när han förklarat: ”Plocka med en bra kamera, mannen. Du kommer kunna använda bilderna i åratal. De betalar. Jag lovar. Jag vet.” Mahmud fattade poängen. Utpressning var underbart.

Han vände sig mot Niklas. Sket i engelskan.

”Vad fan håller du på med?”

Niklas svarade inte. Fortsatte gorma.

”Alla horor ställer sig upp nu. Annars spränger jag gubben här i så många bitar att ni får torka hjärnsubstans hela natten.”

Några tjejer började resa på sig. En efter en. De flesta med östutseende, ungefär tio stycken mulatter eller asiater, några få svenskor. Klädda som de fnask de var fast ändå lyxigare. Korta kjolar, tajta jeans, nätstrumpor, stövlar, stilettklackar, urringade toppar i tunna material. Mahmud kände igen Natascha och Juliana och flera andra från husvagnarna. Tydligt att de var upphottade inatt. Tjejer han hade skjutsat över hela stan.

Niklas skrek på dem. Soldatshunnen verkade ha tappat greppet. Flickorna ville inte följa hans order. Men han fortsatte kommendera.

”Jag skiter i om ni inte känner igen de här gubbarna. Ställ er bredvid den som någon gång förnedrat er bara. Ställ er där för fan!”

Mahmud försökte igen.

”Lägg av nu. Jag är klar med insamlingen. Vi har gjort det vi kom hit för.”

Niklas vände sig mot honom. Fortsatte på engelska: ”Inte svenska har jag ju sagt. Fattar du dåligt, eller? Idiot!”

68

Niklas var nära målet. Kvinnorna skulle peka ut de skyldiga. Han skulle skipa den rättvisa som samhället väntade på. Som hans mamma väntat på hela livet. Han var en vandrande domstol.

Han höll fjärravlösaren i ena handen. Berettan i den andra. Attacken i sitt slutskede. Domslut inom räckhåll. Om några minuter skulle det vara dags to pull back the forces.

Men först måste han få tyst på araben som börjat störa. Fattade inte Mahmud att det var WILCO – Will Comply, som gällde. Håll käft och lyd.

Niklas släppte aldrig horgubbarna med blicken.

Araben fortsatte tjata. ”Vi drar nu. Vi är klara här.”

Han försökte lugna Mahmud. Behövde honom kanske för att slutföra det här.

Fick inte bli en SAFU – Situation All Fucked Up. Han försökte sig på en WO – Warning Order: ”Käften nu. Lyd bara order annars blir det trist för dig.”

Mahmud höjde tonläget: ”Lugna dig, för fan Niklas. Vi drar nu. Annars drar jag och Babak utan dig.”

Niklas kunde inte vänta. Han höjde Berettan mot en av männen. Tur och ordning efter allvaret i deras brott. Gubben tittade upp. Tre prostituerade hade ställt sig över honom.

69

Hade han hört rätt? Situationen i rummet definitivt börjat balla ur. Det kunde sluta illa. Mycket illa.

Männen i rånarluvorna tjafsade med varandra. Invandrarkillen börjat snacka svenska. Han ville tydligen dra. Proffset ville stanna kvar. Slutföra något som hade med uppställningen av hororna att göra. Thomas kunde bara ana.

Men hade han hört rätt? Invandraren sagt namnet på snubben som ville stanna – Niklas. Han hade sagt Niklas.

Det var skrämmande. En man vid namn Niklas anföll Bolinder.

En enda Niklas kom upp i hans huvud. Snubben som rymt igår från omhäktningsförhandlingen i tingsrätten. Killen han och Hägerström diskuterat massor med gånger. Kanske var de på fel väg. Thomas avfärdat det hela – för mycket pekade på Adamsson, Bolinder och de andra. Men nu: vad betydde ordväxlingen och gisslandramat han just bevittnade?

Det kunde inte vara slump. Måste vara Niklas Brogren som stod inne i rummet. Beredd att ta livet av alla torskar. Framförallt: beredd att spränga Bolinder i luften.

Det fanns en koppling mellan mannen som var misstänkt för

Rantzellmordet och Bolinder. Återigen: kunde inte vara slump. Niklas Brogren ville Bolinder något.

Det betydde två saker. Dels: Thomas och Hägerström hade haft fel – killen var inte oskyldig, han hade en roll i mordet. Dels: Bolinder var inte heller oskyldig. Varför var annars en person med någon roll i mordet här, hos just honom?

Fanns inte tid att fundera. Invandrarkillen stod motvilligt kvar. Brogren hade tvingat upp alla tjejerna stående över olika gubbar. Oklart om de egentligen haft sex med dem eller om de bara ställde sig någonstans i rädsla och förvirring över Brogrens order.

Vad skulle han göra? Förstärkningen var uppenbarligen inte här än. Inte hans fel – det som hände inne i rummet skulle hänt även om han inte klivit upp från källarplanet. Nu var han enda polisman på plats. Hans skyldighet: att stoppa det som höll på att hända där inne. Eller? Ingen visste att han och Hägerström var här. Kanske borde han bara smyga sig ut ur det här förbannade huset. Låta gisslantagaren ta hand om gisslan. En mördare mörda en anstiftare. Bolinder gå sitt rättmätiga öde till mötes.

Ändå inte. Han hade lovat sig själv att gå till botten med det här. Trots sina tankar i bilen ut – att en del av de människor han lärt känna kanske var hans vänner – var han polis. En helt vanlig snut – som han tänkt så många gånger förut: långt ifrån världens hederligaste. Men trots det, ungefär så hederlig som man förväntar sig av en polis som han. Det kokade ändå ner till en och samma idé: han gillade att se lagen vinna. Han brydde sig inte när det gällde smågrejer, som ett gram här och ett gram där. Men han ville se lagen plocka de riktiga dräggen. För innerst inne tyckte han sig veta vilka de var. Kostymklädda, förmögna, extremistiska män som Sven Bolinder skulle sitta och ruttna i samma celler på kåken som rattfylleristerna, langarna och hustrumisshandlarna. Det var vad han ville. Även om det sällan, kanske aldrig, blev så. Faktiskt visste han inte om ett enda tillfälle då det hänt. Men det sket han i, det var hans mål. Det var hans möjlighet: att förändra – att se lagen vinna. De hade tagit Palme. En arbetarhjälte. Det här var hans utväg. Förändra Sverige. Åtminstone en enda gång.

Han hastighetsanalyserade alternativ. Kuta in, försöka gripa inkräktarna. Vänta på att invandraren kanske stack och överrumpla honom på väg ut. Knäppa snubbarna på håll.

Att springa in var för farligt. Minst sju, åtta meter. Niklas skulle hinna detonera bomben, skjuta en jävla massa folk innan han hann fram. Att vänta på att blatten gav sig av – skulle kanske aldrig hända. Det skulle inte fungera.

Att försöka prickskjuta? Ja, kanske – det var Thomas grej. Han var ju ändå en av poliskårens bästa.

Om han haft sin Strayer Voigt Infinity skulle det varit en enkel match. Men nu – polispistolen var inte direkt lämpad för prickskytte. Samtidigt: han borde klara åtta meter. Först Brogren, sen svartskallen.

Han ställde sig med ena knäet i golvet. Rätade upp ryggen. Sträckte på armarna. Bara de inte såg honom genom dörrglipan. Mindes sina toppskott på Järfällaklubbens skjutbana samma kväll som Ljunggren berättat att de hittat Rantzells lägenhet. Han höll pistolen så stilla han kunde. Letade upp siktskåran. Den var låg på Sig-Sauern. Tog ut kornet. Små darrningar. Slappnade av. Sket i den dåliga ljussättningen. Fokuserade på Niklas ena ben. Ingen idé att försöka med bröstet – killen hade skyddsväst. Thomas pressade långsamt avtryckaren. Grundregeln klar: krama, massera, smek den. Han kisade. Släppte medvetandet. Ännu långsammare. En enda rörelse. Niklas lår det enda han såg. Det enda som fanns i världen just nu.

Skottet brann av. Verkligheten bröt sig in. Ljudet skar i hans öron.

Niklas stapplade. Men föll inte.

Tvärtom. Han vrålade. Tog steg fram emot gubben han tänkte knäppa.

Det funkade inte. Han måste göra något annat.

Thomas rätade upp positionen.

Tog sikte på Niklas igen.

Bröstets högersida den här gången. Skulle inte skada galningen för mycket. Killen hade ju väst.

70

Fuck. Fuck. Fuck. Någon jävel var kvar. Någon fitta som inte Babak upptäckt.

Niklas snubblade till. Men föll inte.

”Jag är träffad!”

Mahmud visste inte vad han skulle göra. Det här ingick inte i planen. Vilken jävla idiot han varit. Det kunde vara snuten. Insatsstyrkan på g.

FUCK.

Babak skrek i rummet intill. ”Vad händer, habibi?”

Mahmud svarade: ”Vi måste dra.”

Babak sprang in till Mahmud och de andra.

Niklas vrålade. ”Vänta, jag vill avsluta.”

Babak klev fram till honom. Mahmud undrade varför han kommit in. De skulle ju sticka nu.

Babak tog tag i Niklas. Försökte dra honom med sig.

Ryckte honom i armen. Slet. Skrek: ”För fan, vi måste dra.”

Ett till skott brann av i rummet.

Mahmud såg Niklas. Som i slow motion. Han föll ihop som en trasa.

På vänster sida av huvudet: skallen var pajad.

Någon hade skjutit honom igen.

Chara. CHARA.

Niklas på golvet. De måste ut.

”Kom igen, mannen. Kan du resa på dig?”

Niklas försökte säga något.

Gurglade.

Babak vrålade i bakgrunden.

Mahmud sprang.

71

Det andra skottet tog illa.

Niklas tappade Berettan.

Men höll detonatorn kvar i handen.

Hårt greppad.

Kände blodet över kinden och hakan. Kände inte blodet. Kände ingenting.

Såg bilder. Så många människor, berättelser, ansikten.

Mamma i soffan hemma. Männen i moskén de bränt därnere. Collin.

Ansiktena flöt förbi som om han såg dem i en spegel.

Jamila. Benjamin. Snuten som förhört honom.

Han såg inget längre.

Inga torskar, inga gubbar.

Han såg en kristallkrona gunga ovanför honom.

Gungade.

Alla män som misshandlat.

Mats Strömberg, Roger Jonsson, Patric Ngono.

Claes. Mindes honom. Alla slagen.

Mindes Bolinder.

Niklas greppade.

Kramade.

Stilla.

Detonatorn.

Allt var så stilla.

Epilog

Thomas satt i radiobilen med Ljunggren. De stirrade båda två på det nya radiosystemet. Rantzell hette det. Kommandocentralen kunde numera ha koll på var alla bilar befann sig. Svåra nackdelar, de kunde inte köra sina vanliga bortförklaringar och undanmanövrar. De skulle bli tvungna att ta skituppdragen som egentligen aspiranterna borde sköta. Men det fanns en fördel. Thomas och Ljunggren hade fått ett nytt samtalsämne som skulle räcka i flera dagar – att gnälla över ledningen som inte litade på dem. Och en till fördel som kanske var större: det blev ingen dötid på jobbet. Mindre tid att fundera. Grotta ner sig. Grubbla. Ångra.

Två månader hade gått.

Thomas hade först fått helledigt från polisen, för att vila upp sig som de sa. Egentligen skulle de utreda igen. Han orkade fan inte med fler utredningar. Fast det passade utmärkt. Sander hade kommit. Han var den mest fantastiska lilla människa Thomas träffat. Han älskade redan pojken mer än allt. Det var fint och kändes så bra.

Niklas Brogren hade detonerat bomben som han fäst på Bolinder. Väggarna, kristallkronorna, torskarna, hororna: nerkladdade av gubbsubstans. Thomas hade rusat in i rummet, försökt köra första hjälpen på gubben. Men det var för sent. Det som fanns kvar av Bolinder gick inte att rädda.

Thomas klev fram till Niklas. Killen tittade upp, det fanns inget liv i blicken. Han rosslade. Gurglade. Han hade tagit Bolinder med sig till andra sidan.

Invandrarkillarna. Hade försvunnit.

Gubbarna och fnasken var i chock. Folk snyftade, grät, skrek. Han var van vid sånt.

Det var inte meningen att träffa Niklas i huvudet. Han hade siktat på bröstet. Men när den andra blatten överraskande kommit in i rummet och dragit i Niklas blev det snett. Niklas kropp drogs nedåt. Tillräckligt för en ödesdiger felträff.

Han borde kanske aldrig klivit in i rummet för att rädda Bolinder. Borde kanske stuckit därifrån precis som invandrarkillarna. Efter någon minut gick han ut ur rummet. Tog sig till hallen. Såg blåljusen. Hörde ljudet från poliser i huset.

Hägerström stormade in åtföljd av ett tiotal mannar.

Hela deras case verkade gå upp i rök som en nyårsraket.

Två veckor efter händelsen ringde Stig H Ronander, kriminalkommissarien som tagit över Rantzellfallet efter Hägerström.

Gubben hade en nasal röst.

”God morgon. Kommissarie Stig H Ronander här.”

Thomas första tanke: Vilken tönt som titulerar sig. Jag vet ju mycket väl vem han är.

”Jag vill prata med dig om incidenten ute på Smådalarö.”

Det var väntat att någon skulle ringa men Thomas visste inte vad han skulle vänta sig av just Ronander. Han skötte ju egentligen den andra utredningen.

”Jaha, kallar du det incident?”

Ronander lät bli att svara.

”Vi måste ses.”

Två timmar senare satt Thomas mitt emot Ronander på kommissariens rum. Han noterade: inramade fotografier på Ronanders fru och småbarn i övergulliga kläder. Det måste vara barnbarn. Thomas tänkte på Sander. Längtade hem.

”Okej Andrén, jag ska fatta mig kort.”

Thomas på helspänn, beredd på vad som helst.

”Det som hände därute var lite för mycket för lilla Sverige.”

Thomas fortsatte behålla lugnet.

”Framförallt var det lite för mycket för dig.”

Ett av barnbarnen på korten påminde om Sander.

"Du kommer inte att få behålla jobbet, ens din halvtid, om det kommer ut att du var där inom ramen för något slags privat utredning eller att det var du som hade ihjäl den där galne gisslantagaren, Brogren. Sen blir du åtalad för grovt tjänstefel eller något annat jobbigt."

Thomas fortsatte vara tyst.

"Du ryker. Hägerström kommer ryka. En jävla massa andra duktiga poliser riskerar att ryka. Det förstår du såklart."

Thomas lutade sig framåt i stolen. "Du behöver inte berätta sånt jag redan vet. Och det finns väl inget att göra åt det?"

Ronander log. "Det kan det finnas. Jag har ett litet förslag. Vi kan väl glömma att det var du som sköt? De flesta av gubbarna som var därute kommer vara mycket förtegna om vad som hände, det var tumult och ingen såg ju de facto att du sköt, om jag har förstått det hela rätt. Dessutom fanns det två okända gärningsmän som lyckades fly. Så det går att ordna. Sånt har ordnats förr. Och det är du som vinner på det. Får behålla jobbet. Inte bara det, vi ser till så du kommer tillbaka till Söderort, din vanliga befattning. Hägerström blir också lycklig – han blir kvar på sitt jobb."

Thomas förstod att det fanns något mer. "Vad är haken?"

Ronander log bredare. "Haken? Så vill jag inte kalla det. Det är mer en överenskommelse. Förundersökningen avseende mordet på Rantzell är ju egentligen redan avklarad. Niklas Brogrens alibi för mordnatten var en bluff. Dessutom har hans mor nu lämnat ytterligare uppgifter om att Brogren tydligen kom hem berusad och babblade om Claes Rantzell på mordnatten. Sen har vi analyserat alla filmer, foton och annan dokumentation som vi hittade hemma hos honom. Det står helt klart att det var Brogren som mördade de andra männen under hösten, Mats Strömberg och Roger Jonsson. De var vanliga hederliga familjefäder, oskyldiga, som den där galningen tog livet av. Och vet du vad han gjorde i sitt förra liv?"

Thomas skakade på huvudet.

"Han var legosoldat. Kontrakterad av ett sånt där amerikanskt privat armébolag. Men det kanske inte är så intressant. Hur som helst, allt pekar på att Niklas Brogren hade ihjäl Claes Rantzell.

Till det lägger du Mats Strömberg, Roger Jonsson och Sven Bolinder. Fyra vanliga svenska män. Så kort och gott, förundersökningen skulle lett till åtal som skulle lett till fällande dom – en massmördare till i Sverige. Så det finns egentligen ingen hake. Du behöver inte söka mer, du behöver inte fortsätta med din egen lilla utredning. Fallet är avklarat. Case closed, som de säger. Du får tillbaka jobbet, slipper påföljder, Hägerström får behålla jobbet. Du slutar rota, för det finns inget mer att rota i."

Där kom den – haken.

Tillbaka i radiobilen. I huvudet försökte han förstå allt. Rantzell måste hotat att han skulle avslöja sanningen. Att hans vittnesmål om Palmevapnet varit en lögn. Och någon låg bakom, någon som sett till att han hittade på det där om vapnet. Någon som nu, många år senare, betalat honom för att inte berätta. Men Rantzell kanske velat ha mer, eller strulat på annat sätt. De blev tvugna att röja honom ur vägen. Länken låg i betalningen – och just den handlingen hade han inte. Möjligen fanns den hos Bolinder. Men Thomas var säker – nu fanns den inte kvar. Så han hade accepterat. Inte direkt, men efter några dagar. Inte så mycket för sin egen del som för Åsas och Hägerströms. Han behövde sitt jobb för att vara lycklig men skulle kunna släppt det ändå. Han tänkte inte knysta något till Hägerström – han behövde aldrig få veta. Dessutom låg något i vad Ronander sagt – allt pekade ju på att det var den här Niklas Brogren som haft ihjäl Rantzell. Tanken landade efter några veckor – det fanns kanske ingen grupp som låg bakom allt, ingen konspiration.

Så måste det vara.

Sån var logiken. Det kändes skönt.

Thomas tittade på Ljunggren. Allt kändes nästan som vanligt.

Han öppnade dörren till villan. Hörde Sanders jollrande från vardagsrummet. Kände lyckan. Det låg ett brev på dörrmattan. Han tog upp det. Sprättade med fingret. Det var en bild på Sander. Den såg ut att vara tagen genom ett av deras fönster. Pojken låg på en filt på golvet. Log med hela ansiktet. Thomas vände på kortet. Ett kort meddelande på baksidan: Sluta rota.

***

Beshar var i Mahmuds lägenhet för första gången. Solstrålarna spelade på bordet i köket. Beshar gjorde i ordning kaffet. Han hade haft med sig kastrullen – inte en vanlig svennekastrull – utan en kopparpanna. Ner med kaffepulvret och massor av socker. Rörde om medan det kokade upp. Alltid högervirvel. Beshar ville alltid förklara hur han gjorde kaffe. Såg det väl som något slags uppfostran.

Han hällde upp kaffet i minikopparna.

”Vänta Mahmud. Alltid vänta på att sumpen lägger sig.”

På väggen hängde en bild på mamma.

Mahmud tänkte på attacken. Niklas hade fått frispel. Freakat ur totalt, börjat rada upp ludren vid torskarna. Sen kom första skottet. Han hann inte fatta vad som hände. Babak började dra i Niklas. Ett till skott brann av. Niklas segnade ner. Mahmud och Babak sprang. Genom huset. Konstiga rum. Tavlor och mattor som på ett jävla museum. Han höll hårt i Glocken. Sprang som en galning. Hörde smällen. Hoppades att det inte var gubben som Niklas satt sin bomb på.

Rum efter rum. Tavlor på feta tanter. Tavlor på städer. Tavlor som såg ut som ingenting med några svarta streck.

De kom till köket. Hålet i väggen svart som natten utanför. De kände kylan utifrån. Klev ut. Niklas var kvar där inne. Han fick skylla sig själv.

Mahmud flåsade som en idiot. Skorna kändes som de höll på att trilla av.

Skyddsvästen vägde hundra ton.

Han såg Babak fyra meter framför. Ut i snön. Tillbaka i sina egna spår.

Hålet i stängslet. De kröp igenom. Mahmud försiktig så han inte skrapade av något bevismaterial på de avklippta ståltrådarna.

Genom snön på andra sidan stängslet.

Ner mot vägen.

Mahmud kände efter walkie-talkien i fickan.
Fick upp den.
Fortsatte springa.
Han nästan skrek till Robert och Javier: ”Det är dags att sticka. Vi har grejerna men det fuckade upp sig.”
Pappa tittade på honom. ”Vad tänker du på?”
”Jag tänker på hur jag ska kunna hjälpa Jamila att köpa loss solariet. Jag har tjänat en del pengar på sistone.”
”Jag hoppas det är på laglig väg.”
”Det är inte oskyldiga som har lidit, pappa. Jag svär.”
Beshar sa inget. Bara skakade på huvudet.
De fikade, som svennarna brukade säga. Mahmud tyckte kaffet var för sött, men han sa inget, pappa skulle ta det personligt. Beshar berättade att han funderade på att åka till Irak några veckor för att hälsa på släkt. De diskuterade saken. Kanske kunde Mahmud följa med. Bara några veckor.
Mahmud reste på sig. ”Jag har något till dig pappa, vänta här.”
Han gick in i sovrummet.
Satte sig på huk. Kikade in under sängen. Sträckte sig.
Sköt undan några pappkassar. Tittade på dem igen. Kände igen dem. Det var påsarna han tagit med sig från den där källaren när han letat spår efter Wisam Jibril. De innehöll bara massa papper. Ekonomigrejer såg det ut som. Han visste inte ens varför han sparat dem. Skit samma – en dag när han orkade skulle han städa. Slänga ut allt skräp.
Han böjde sig längre in under sängen. Hittade vad han letade efter – den lilla gröna lådan han köpt på en auktionssajt på nätet. I silvriga bokstäver: Santos, Cartier.
Det var en present till pappa.
Klockan skulle kännas som ny när den kom i en originallåda.
Han höll den i handen några sekunder.
Pappas idé var inte alls dum – att försvinna till hemlandet ett tag skulle passa bra.

***

Skogskyrkogården var enorm. Marie Brogren hade kommit för tidigt, innan ens kapellet hade öppnat, så hon tog en promenad.

Så många gravar. Namn på människor och familjer som levt sina liv. Vissa kanske i kaos, men de flesta i relativ ro. De bar inte på fruktansvärda hemligheter. Inte som Niklas. Inte som hon.

Himlen var grå men bakom molnen kunde solen skymtas – som en ljus fläck i ett trist sofftyg. Hon visste inte om någon skulle komma. Kanske Viveca och Eva från arbetet. Kanske kusinerna: Johan och Carl-Fredrik med fruar. Kanske någon annan släkting. Kanske Niklas gamla skolkamrat, Benjamin. Men hon hade inte ordnat något efteråt. Sånt räckte inte pengarna till.

Hon tänkte på den tid de fått tillsammans sen han kom tillbaka. Även om stämningen blivit konstig för några månader sen var hon ändå glad att han inte dött därnere, i sandlådan, som han brukade säga.

Varför var döden det mest fruktade i en människas liv? De som varit i hennes situation visste att det var fel. Att leva – överleva – var värre. Speciellt om det kändes som ens eget fel att det blev så.

Det var fortfarande oklart hur det hela hade gått till. En polisman, Stig H Ronander hette han, hade kommit hem till henne. Försökt berätta att Niklas begått något slags inbrott och att han blivit skjuten där, sannolikt av sina medkumpaner. Polismannen förklarade också att Niklas med all säkerhet skulle ha blivit fälld för mordet på Claes Rantzell. Han beklagade sorgen, på mer än ett sätt.

Innerst inne hade hon hela tiden vetat att det skulle sluta i våld.

Marie närmade sig kapellet. På långt håll såg hon Viveca och Eva. Det var skönt att de kommit ändå. Hon rättade till kappan. Det var kallt och skulle bli skönt att få komma in.

Några meter bort från arbetskamraterna stod tre andra kvinnor. Marie kände inte igen dem. Hon kom närmare. Var de några avlägsna släktingar? Nej, hon kände verkligen inte igen dem. Kanske var de vänner till Niklas.

De såg märkliga ut. Knappast svenska. De bara stod där. Gick inte mot henne som Viveca och Eva börjat göra. De måste ha kommit fel. För inte kunde de väl vara några som Niklas hade känt?

Det blev nästan som hon trott, med undantag för de tre okända kvinnorna och utan Benjamin. Hon, Viveca och Eva, kusinerna med fruar. Och så prästen så klart.

Prästen talade om människans sårbarhet. Hur varje person ändå tillför något till världen. Marie tänkte på det sista. Att tillföra något till världen. Att bidra. Hon visste inte vad Niklas bidragit med, men hon var säker på att det var något.

Hon visste vad hon själv gjort. Det som varit konstigt var att polisen tagit flera månader på sig för att ens fatta att det var Claes som mördats därnere. Hon hade aldrig förstått varför. Han kunde inte vara okänd i deras register. Polismannen Ronander hade sagt något som var märkligt. "Vi ber om ursäkt att allt tagit så lång tid. Men Claes Rantzell var mycket svår att identifiera, han hade varken tänder eller fingeravtryck, faktiskt."

Bilderna jagade hennes tankar. Hur hon kommit ner den där natten för att gå till tvättstugan. Hur han plötsligt stått där i farstun, utanför hissen. Förfärligt påverkad av något. Mycket värre än alkohol. Mer som om han var sjuk. Hur han bett henne om hjälp, sagt att någon förgiftat honom. Några som inte ville att allt skulle komma ut. Egentligen var det inte tillåtet att tvätta så här sent, men det struntade hon i. Huset var tyst, förutom hans gnällande. De hade inte setts på flera år. Vad i helvete gjorde han här? Varför kom han till henne? Efter allt han gjort. Det var den enda platsen han kunde fly till, sa han. Den enda platsen där de inte skulle hitta honom. De hade lyckats injicera något i honom. Han behövde hennes hjälp. Det var för mycket. Hon föste honom ut mot porten. Han raglade. Kräktes. Trillade mot trappan ner till källaren. Hon öppnade dörren. Försökte putta honom framför sig. Han verkade inte förstå vad som hände. Dörren slog igen bakom dem. Källaren – där Niklas brukat hålla till som barn. Allt vällde upp inom henne. Minnena, smärtan, förnedringen. Hon blev nästan chockad över vad hon kände. Hon knuffade honom igen.

Varför hade han inte haft tänder eller fingeravtryck? Så här i efterhand tänkte hon att ”de”, som han talat om, kanske hade hittat honom till slut.

Han hade svajat.

Hon sparkade honom mot benen. Slog honom i magen.

Han vek sig dubbel.

Hon sparkade honom igen.

Slog, sparkade.

Sekvensen spelades upp om och om igen i hennes huvud.

Hans ansikte.

Hennes raseri.

Tack till:

Hedda för att du är underbar och för all ovärderlig hjälp.

Mamma för att du alltid påpekar alla du träffar som gillar mitt skrivande.

Pappa och brorsan, Jacob, för alla tips och support – utan er skulle det inte funka. Vi he*jar* på varandra.

Alla polare och familj som läst och kommenterat. Lasse M för fin information om polisen. Killarna på häktet för fakta. Mister Eriksson för bra detaljer.

Annika, Pontus och Anna-Karin på Wahlström & Widstrand för fett med stöd. Sorry om jag är stressad ibland – advokatplikterna kallar.

Månpocket för ett fantastiskt arbete. Salomonsson Agency för ett magiskt jobb – nu tar vi världen.

Sören Bondesson för att du återigen kickade igång mig.

Alla ni andra som läste förra boken och gav mig uppmuntran att skriva en till.

Jack för att du finns. Glädjen du ger våra liv går inte att beskriva.